KT-447-139

KSIĘGA ZAGINIONYCH OPOWIEŚCI

HISTORIA ŚRÓDZIEMIA

I
KSIĘGA ZAGINIONYCH OPOWIEŚCI. CZĘŚĆ 1

II
KSIĘGA ZAGINIONYCH OPOWIEŚCI. CZĘŚĆ 2

III
BALLADY BELERIANDU

IV
KSZTAŁTOWANIE ŚRÓDZIEMIA

V
UTRACONA DROGA I INNE PISMA

VI
POWRÓT CIENIA

VII
ZDRADA ISENGARDU

VIII
WOJNA O PIERŚCIEŃ

IX
SAURON POKONANY

X
PIERŚCIEŃ MORGOTHA

XI
WOJNA O KLEJNOTY

XII
LUDY ŚRÓDZIEMIA

J.R.R. TOLKIEN

KSIĘGA ZAGINIONYCH OPOWIEŚCI

CZĘŚĆ 2

CHRISTOPHER TOLKIEN

Przekład
Agnieszka Sylwanowicz „Evermind"

Wiersze przełożyła
Katarzyna Staniewska „Elring"

ZYSK I S-KA
WYDAWNICTWO

Originally published in the English language by Harper Collins Publishers Ltd.
under the title *The Book of Lost Tales. Part II*

Redaktor prowadzący
Dariusz Wojtczak

Redakcja
Marek Gumkowski

Ilustracja na okładce
Michał Krawczyk

Opracowanie graficzne i techniczne
Barbara i Przemysław Kida

Indeks opracował
Bogusław Jusiak

Wydanie I w tej edycji

ISBN 978-83-8202-849-2

ZYSK I S-KA
WYDAWNICTWO

Zysk i S-ka Wydawnictwo
ul. Wielka 10, 61-774 Poznań
tel. 61 853 27 51, 61 853 27 67
Dział handlowy, tel./faks 61 855 06 90
sklep@zysk.com.pl
www.zysk.com.pl

Druk i oprawa
EDICA

Książkę wydrukowano na papierze Lux Cream 1,6 80 g/m²
ZiNG
www.zing.com.pl

Spis treści

Wykaz polskich wydań Tolkiena, do których odsyłają skróty w niniejszym tomie

I	*Księga zaginionych opowieści*. Część 1. Tłum. Maria Gębicka-Frąc, Cezary Frąc, Zysk i S-ka Wydawnictwo, Poznań 2022
Listy	*J.R.R. Tolkien. Listy.* Wybrane i opracowane przez Humphreya Carpentera przy współudziale Christophera Tolkiena. Tłum. Agnieszka Sylwanowicz, Zysk i S-ka Wydawnictwo, Poznań 2020
NO	*Niedokończone opowieści Śródziemia i Númenoru.* Tłum. Paulina Braiter, A. Sylwanowicz, Zysk i S-ka Wydawnictwo, Poznań 2019
Silmarillion	*Silmarillion*. Tłum. Maria Skibniewska, Zysk i S-ka Wydawnictwo, Poznań 2017
WP I	*Władca Pierścieni*. Tom 1: *Bractwo Pierścienia*. Tłum. Jerzy Łoziński, Zysk i S-ka Wydawnictwo, Poznań 2017
WP II	*Władca Pierścieni*. Tom 2: *Dwie Wieże*. Tłum. Jerzy Łoziński, Zysk i S-ka Wydawnictwo, Poznań 2017
WP III	*Władca Pierścieni*. Tom 3: *Powrót Króla*. Tłum. Jerzy Łoziński, Zysk i S-ka Wydawnictwo, Poznań 2017

Uwagi o pisowni

W pierwszych polskich wydaniach *Władcy Pierścieni* i *Silmarillionu* nie uwzględniono zapisu końcówki *-ë* (w języku polskim wymawiane jak zwykłe *-e*) w niektórych imionach Valarów i ludzi, jednakże później pisownia taka weszła do kanonu i stała się nieodłącznym i rozpoznawalnym elementem Tolkienowskiego nazewnictwa. W *Historii Śródziemia* również ją zachowaliśmy, zgodnie z aktualnymi zasadami polskiej pisowni pozostawiając taki zapis także w odmianie.

W *Historii Śródziemia* występują obocznie dwie formy zapisu słów *quenya/qenya*, *quenejski/qenejski*; w związku z wcześniej utrwaloną przez *Silmarillion* i inne opublikowane dotąd po polsku pisma Tolkiena formą *quenya/quenejski* w niniejszym tomie ujednolicono pisownię do takiej właśnie postaci.

Przedmowa

DRUGA CZĘŚĆ *KSIĘGI ZAGINIONYCH OPOWIEŚCI* została ułożona według tych samych zasad i z takimi samymi intencjami, jak część pierwsza. Zostały one opisane w „Przedmowie" do tej ostatniej na stronach 19–20. Odnośniki do stron części pierwszej są w niniejszej książce zapisywane w formie, przykładowo, „I.240", natomiast do części drugiej: „s. 240" — z wyjątkiem przypadków, gdy odnośnik dotyczy obu części; wtedy ma on postać np. „I.258, II.358".

Tak jak poprzednio, przyjąłem jednolity (choć niekoniecznie „poprawny") system stosowania akcentów w imionach, a w wypadku imion *Mim* i *Niniel*, które są zapisane wszędzie w taki właśnie sposób, stosuję pisownię *Mîm* i *Níniel*.

Teksty z dwóch stron pochodzących z rękopisów mojego ojca przytaczam za zgodą Biblioteki Bodlejskiej w Oksfordzie. Pragnę wyrazić wdzięczność pracownikom jej Działu Rękopisów Zachodnich za okazaną mi pomoc. Teksty te są umiejscowione w niniejszej książce w następujący sposób:

1. Tekst ze strony rękopisu *Opowieści o Tinúviel* — górna część strony: s. 32 od słów „wielkie przerażenie" do s. 33 do słów „moją służbę"; dolna część strony: s. 33 od słów „ostry głos" do s. 34 do słów „a Tevildo".
2. Tekst ze strony rękopisu *Upadku Gondolinu* — górna część strony: s. 224 od słów „Rzekł zatem Galdor" do słów „nie pójdą"; dolna część strony: s. 225 od słów „Lecz pozostali, prowadzeni przez Legolasa Liścia Zielonego" do słów „odłączywszy się od głównej grupy, ruszył z nimi").

Jeśli chodzi o różnice między wydrukowanym tekstem *Upadku Gondolinu* a przytoczoną stroną z rękopisu, zob. s. 239, przypisy 33–35 oraz s. 242 *Bad Uthwen*; inne drobne różnice, niewymienione w przypisach, są także wynikiem późniejszych zmian poczynionych w tekście B tej opowieści (zob. s. 177–179).

Strony te stanowią ilustrację skomplikowanej układanki tworzonej przez rękopisy *Zaginionych opowieści*, układanki opisanej na s. 18–19 „Przedmowy" do części 1.

Korzystając z tej okazji, dzielę się z Czytelnikami spostrzeżeniem przekazanym mi przez p. Douglasa A. Andersona: wersja wiersza „Czemu Człowiek z Księżyca zszedł za wcześnie"*, figurująca w części 1. *Księgi zaginionych opowieści*, nie jest wersją — jak sądziłem — opublikowaną w roku 1923 w zbiorku *A Northern Venture*, lecz zawiera kilka późniejszych zmian.

W trzecim tomie *Historii Śródziemia* znajdą się: aliteracyjna *Ballada o dzieciach Húrina* (ok. 1918–1925) oraz *Ballada o Leithian* (1925–1931) wraz z uwagami C.S. Lewisa na temat fragmentu tego drugiego utworu, a także jego poprawiona wersja, którą mój ojciec zaczął pisać po ukończeniu *Władcy Pierścieni*.

---

* Podobnie jak w części 1. *Księgi zaginionych opowieści* tytuły pisane kursywą odnoszą się do wersji opublikowanych, natomiast tytuły w cudzysłowie dotyczą wersji istniejących jako rękopiśmienne lub maszynopisowe szkice i warianty tekstów (przyp. red.).

I

Opowieść o Tinúviel

Opowieść o Tinúviel powstała w 1917 r., lecz najstarszy istniejący jej tekst — nadpisany atramentem na wytartej gumką wcześniejszej ołówkowej wersji — jest późniejszy; w gruncie rzeczy wydaje się, że tak przerobiona opowieść była jednym z ostatnich ukończonych elementów *Zaginionych opowieści* (zob. I.237–238).

Istnieje także maszynopis *Opowieści o Tinúviel*, późniejszy od rękopisu, lecz należący do tego samego „stadium" rozwoju mitologii: ojciec miał rękopis przed sobą i zmieniał tekst w miarę jej pisania. Znaczące różnice między tymi dwiema wersjami są podane na s. 51 i nast.

Rękopis jest zaopatrzony w nagłówek: „Łącznik do *Opowieści o Tinúviel*, także *Opowieść o Tinúviel*". Łącznik zaczyna się następującym fragmentem:

> — Zaiste, wielka była Melkowa moc czynienia zła — oznajmił Eriol — skoro swoimi knowaniami zmącił szczęście bogów i elfów, mrokiem okrył ich siedziby i sprawił, że cała ich miłość poszła na marne. Z pewnością nikt nigdy nie dopuścił się gorszego czynu.
>
> — Co prawda takie zło nie powtórzyło się więcej w Valinorze — rzekł Lindo — lecz Melko przyłożył rękę do jeszcze gorszych niegodziwości i wysiane przezeń zło od tamtej pory rozpleniło się strasznie po świecie.
>
> — Może tak być — ozwał się Eriol — lecz moje serce najbardziej boleje nad zniszczeniem pięknych Drzew i ciemnością, jaka spowiła świat.

Fragment ten został przekreślony i nie wszedł do tekstu maszynopisu, lecz pojawia się w niemal identycznej postaci pod koniec *Ucieczki Noldolich* (I.200). Stało się tak dlatego, że ojciec uznał, iż po *Mroku nad Valinorem* i *Ucieczce Noldolich* powinna nastąpić *Opowieść o Słońcu i Księżycu*, a nie *Opowieść o Tinúviel* (zob. I.237–238, gdzie została omówiona skomplikowana kwestia zmiany kolejności opowieści na tym etapie). Słowa rozpoczynające następną część łącznika: „Oto wkrótce po przedstawieniu tej opowieści", odnosiły się — w czasie, kiedy zostały napisane — do *Mroku nad Valinorem* i *Ucieczki Noldolich*; nigdy jednak nie pada jasna deklaracja, do której opowieści mają się odnosić po usunięciu *Tinúviel* z miejsca, które wcześniej ta opowieść zajmowała.

Obie wersje łącznika są na początku bardzo podobne, kiedy jednak Eriol mówi o swojej przeszłości, zaczynają się różnić. Jeśli chodzi o początek, podaję jedynie tekst maszynopisu, a kiedy wersje stają się rozbieżne, przedstawiam kolejno obie wersje. Historia życia Eriola jest omówiona w rozdziale VI tej książki.

Oto wkrótce po przedstawieniu tej opowieści na ziemię Tol Eressëi zawitała zima; Eriol bowiem, wyzbywszy się chęci wędrowania, mieszkał jakiś czas w starej Kortirion. Nie wypuszczał się podczas tych miesięcy poza tereny dobrych ziem uprawnych otaczających mury owego miasta, lecz gościł w niejednej siedzibie klanu Inwirów, a Teleri przyjmowali go serdecznie jako gościa, dlatego też nabierał coraz większych umiejętności w posługiwaniu się językami elfów i pogłębiał wiedzę o ich obyczajach, a także opowieściach i pieśniach.

Spadła wówczas na Samotną Wyspę nagła zima; trawniki i ogrody przyodziały się w roziskrzony płaszcz białych śniegów, fontanny zamarły i wszystkie nagie drzewa stały w milczeniu, a odległe słońce lśniło blado we mgle albo mieniło się na fasetach długich sopli. Eriol nadal nie wypuszczał się w daleką drogę, lecz patrzył, jak zimny księżyc spogląda z mroźnego nieba na Mar Vanwa Tyaliéva, i słuchał, kiedy ponad dachami lśniły błękitem gwiazdy. Teraz jednak nie słyszał już fletów Timpinena — oddechem lata jest bowiem ten chochlik i kiedy powietrze napełnia tajemna obecność jesieni, wsiada on do swojej magicznej szarej łódki, a jaskółki ją odciągają w dal.

Lecz mimo to Eriol poznał w siedzibach Kortirion śmiech, wesele, a także muzykę i pieśni — ten właśnie wędrowiec Eriol, którego serce nie znało wcześniej odpoczynku. Nastał razu pewnego szary dzień i ciemne popołudnie, lecz pod dachem jaśniał blask ognia na kominku i grzało miłe ciepło, odbywały się tańce i było słychać wesołe okrzyki dzieci, jako że Eriol oddawał się zabawie z dziewczętami i chłopcami w Sali Zabawy Odzyskanej. Tam w końcu, zmęczeni radosnymi pląsami, rzucili się na dywany leżące przed kominkiem i jedno z dzieci, mała dziewczynka, rzekło:

— O Eriolu, opowiedz mi jakąś historię!

— A o czym mam ci opowiedzieć, o Vëannë? — zapytał Eriol, a ona wdrapała mu się na kolana i powiedziała:

— O ludziach i dzieciach w Wielkich Krainach albo o twoim domu. A miałeś tam ogród taki jak nasz, gdzie rosły maki i bratki — jak te, które rosną w moim zakątku przy Altanie Drozdów?

Poniżej przytaczam tekst rękopisu pozostałej części łącznika:

Wówczas opowiedział jej Eriol o swoim domu, który znajdował się w starym mieście ludzi opasanym murem, teraz już popadłym w ruinę, a obok niego płynęła rzeka z górującym nad nią zamkiem z wielką wieżą.

— Z bardzo wysoką wieżą — rzekł Eriol — a księżyc wspinał się wysoko i pochylał nad nią swoją twarz.

— Czy była tak wysoka jak Tirin Ingila? — zapytała Vëannë, lecz Eriol odpowiedział, że nie umie tego zgadnąć, ponieważ upłynęło bardzo wiele lat, od kiedy widział ten zamek albo jego wieżę, i wyjaśnił:

— Mieszkałem tam krótką chwilę jedynie, o Vëannë, do czasu, kiedy wyrosłem na chłopca. Ojciec mój wywodził się spośród mieszkańców wybrzeża i chociaż nigdy nie widziałem morza, miłość do niego przenikała mnie aż do kości, a ojciec jeszcze pobudził moje pragnienie, opowiadał mi bowiem historie, które wcześniej opowiadał mu jego ojciec. A moja matka umarła okrutną śmiercią z głodu w owym starym mieście oblężonym, ojciec poległ w zaciekłej walce toczonej wokół jego murów i w końcu ja, Eriol, uciekłem ku wybrzeżom Zachodniego Morza i od tamtych odległych czasów mieszkałem przeważnie na łonie fal albo nad brzegiem morza.

Otaczające go dzieci przepełnił smutek z powodu niedoli, jaka spadła na owych mieszkańców Wielkich Krain, a także z powodu wojen i śmierci, i Vëannë przytuliła się do Eriola, mówiąc:

— O Melinonie, nigdy nie idź na wojnę — a może już na niej byłeś?

— Tak, bywałem dość często — odparł Eriol — lecz nie na wielkich wojnach ziemskich królów i potężnych narodów, wojnach okrutnych i zaciekłych, przynoszących zagładę wielu pięknym krainom i miłym oku przedmiotom, a nawet kobietom i słodkim dzieweczkom takim jak ty, Vëannë Melinir; widziałem jednak szlachetne potyczki, jakie czasami toczą między sobą niewielkie grupy odważnych ludzi, zadających szybkie ciosy. Czemuż jednak mamy rozmawiać o takich sprawach, maleńka? Nie wolałabyś posłuchać o moich pierwszych wyprawach na morze?

Zapłonęły wówczas dzieci wielką ochotą do słuchania, tak więc Eriol opowiedział im o swoich wędrówkach po zachodnich przystaniach, o towarzyszach, których zyskał, i portach, które poznał, o tym, jak jego statek rozbił się wśród dalekich zachodnich wysp i jak w końcu na jednej z nich, samotnej, natknął się na sędziwego żeglarza i znalazł u niego schronienie. Żeglarz ten przy ogniu w chacie opowiadał mu dziwne historie o tym, co leży za Zachodnimi Morzami, o Wyspach Magicznych i tej najbardziej samotnej, położonej za nimi. Dawno temu raz ujrzał ją lśniącą z dala, a potem wiele dni na próżno jej szukał.

— Od tamtej pory — rzekł Eriol — z większą ciekawością żeglowałem wśród zachodnich wysp w poszukiwaniu podobnych opowieści i w ten sposób po wielu długich i wspaniałych rejsach sam w końcu przybyłem, dzięki błogosławieństwu bogów, na Tol Eressëę — gdzie teraz siedzę i rozmawiam z tobą, Vëannë, aż braknie mi słów.

Wówczas, nie zważając na to, chłopiec imieniem Ausir zaczął prosić go, by opowiedział jeszcze więcej o statkach i morzu, lecz Eriol odparł:

— Nie — minie jeszcze trochę czasu, zanim Ilfiniol uderzy w gong, wzywający na wieczorny posiłek; niech jedno z was opowie mi jakąś zasłyszaną przez siebie historię!

Wtedy wyprostowała się Vëannë na jego kolanach, plasnęła w dłonie i powiedziała:

— Opowiem ci o Tinúviel.

A oto tekst tego fragmentu w maszynopisie:

Wówczas opowiedział Eriol o swoim dawnym domu, który znajdował się w pradawnym mieście ludzi opasanym murem teraz już popadłym w ruinę, bo mieszkańcy miasta długo cieszyli się łatwo utrzymywanym, zapewniającym bogactwo pokojem. W pobliżu płynęła rzeka z górującym nad nią zamkiem z wielką wieżą.

— Mieszkał tam potężny książę — rzekł Eriol — i patrząc z najwyższych blanków nigdy nie dostrzegał granic swoich rozległych dóbr prócz leżących daleko na wschodzie błękitnych sylwetek wielkich gór — chociaż wieżę tę uważano za najwynioślejszą spośród wzniesionych na ziemiach ludzi.

— Czy była tak wysoka jak wspaniała Tirin Ingila? — zapytała Vëannë, Eriol zaś odparł:

— Bardzo wysoka — powiedział — a księżyc wspinał się i pochylał nad nią swoją twarz, a jednak nie mogę zgadnąć, jak wysoka, o Vëannë, ponieważ upłynęło bardzo wiele lat, od kiedy ostatni raz widziałem ten zamek albo jego wyniosłą wieżę. Na miasto zażywające sennego pokoju spadła nagle wojna, a jego rozsypujące się mury nie zdołały powstrzymać ataku dzikich ludzi z Gór Wschodu. Tam zginęła okrutną śmiercią z głodu moja matka w mieście oblężonym, a ojciec poległ, walcząc zaciekle pod murami w ostatnim ataku łupieżców. W owych odległych czasach nie byłem dość wysoki, by brać udział w wojnie, i popadłem w niewolę.

Wiedz zatem, że ojciec mój wywodził się spośród mieszkańców wybrzeża, zanim zawędrował do tego miasta, i chociaż nigdy nie widziałem morza, tęsknota za nim przenikała mnie aż do kości; a ojciec często ją pobudzał, opowiadając mi o rozległych wodach i przypominając sobie przekazy, które usłyszał dawno temu od swego ojca. Nie muszę opowiadać o moim niewolniczym znoju, w końcu bowiem rozerwałem więzy i przedarłem się ku wybrzeżom Zachodniego Morza — i od tamtych dawnych czasów mieszkałem przeważnie na łonie fal albo nad brzegiem morza.

Słysząc o niedoli, jaka spadła na mieszkańców Wielkich Krain, o wojnach i śmierci, dzieci poczuły smutek, a Vëannë przytuliła się do Eriola, mówiąc:

— O Melinonie, nigdy nie idź na wojnę — a może już na niej byłeś?

— Tak, bywałem dość często — odparł Eriol — lecz nie na wielkich wojnach ziemskich królów i potężnych narodów, wojnach okrutnych i zaciekłych, przynoszących zagładę zarówno całemu pięknu ziemi, jak i pięknym przedmiotom, które wytwarzają swymi rękoma ludzie w czasach pokoju — nie, wojny nie oszczędzają słodkich kobiet i delikatnych dzieweczek takich jak ty, Vëannë Melinir, mężczyźni bowiem są pijani gniewem i żądzą krwi, a ze swojej siedziby wypuszcza się Melko. Widziałem jednak szlachetne potyczki, podczas których spotykali się czasami odważni ludzie i zadawali szybkie ciosy, i dowodzili siły ciała i ducha — czemuż jednak rozmawiamy o takich sprawach, maleńka? Nie wolałabyś posłuchać o moich wyprawach na morze?

Zapłonęły wówczas dzieci wielką ochotą do słuchania, tak więc Eriol opowiedział im o swoich pierwszych wędrówkach po zachodnich przystaniach, o towarzyszach, których zyskał, i portach, które poznał, o tym, jak pewnego razu jego statek rozbił się wśród dalekich zachodnich wysp i jak na samotnej wysepce znalazł sędziwego żeglarza, który od dawna mieszkał sam w chacie na brzegu, zbudowanej z drewna z jego łodzi.

— Mądrzejszy był we wszystkich sprawach morza — rzekł Eriol — niż ktokolwiek, kogo wcześniej spotkałem, a w jego wiedzy kryło się wiele czarodziejstwa. Opowiadał mi dziwne historie o krainach położonych daleko za Zachodnimi Morzami, o Wyspach Magicznych i tej najbardziej samotnej, która leży za nimi. Powiedział, że kiedyś dawno temu ujrzał ją lśniącą z dala, a potem wiele dni na próżno jej szukał. Dużo mnie nauczył o tych ukrytych morzach, ciemnych i dziewiczych wodach, a bez tego nie znalazłbym tej najpiękniejszej krainy albo tego umiłowanego miasta, albo tego Dworku Zabawy Utraconej — a mimo to szukałem ich długo i z wielkim trudem, i odbyłem wiele męczących rejsów, zanim sam nareszcie przybyłem dzięki błogosławieństwu bogów na Tol Eressëę — gdzie teraz siedzę i rozmawiam z tobą, Vëannë, aż braknie mi słów.

Wówczas, nie zważając na to, chłopiec imieniem Ausir zaczął prosić go, by opowiedział jeszcze więcej o statkach i morzu, mówiąc:

— Nie wiesz bowiem, o Eriolu, że ów sędziwy żeglarz przy brzegu tego samotnego morza to sam Ulmo, który nierzadko pojawia się w taki sposób tym podróżnikom, których miłuje — ten zaś, kto rozmawiał z Ulmem, musi mieć do opowiedzenia wiele historii, które nie zabrzmią nieświeżo w uszach nawet tych, co mieszkają tu, w Kortirion.

Lecz Eriol nie uwierzył wówczas w to, co powiedział Ausir, i rzekł:

— Nie, spłać mi swój dług, zanim Ilfrin uderzy w gong, wzywający na wieczorny posiłek. Dalej, niech jedno z was opowie mi zasłyszaną przez siebie historię.

Wtedy wyprostowała się Vëannë na jego kolanach, plasnęła w dłonie i zawołała:

— Opowiem ci o Tinúviel.

Opowieść o Tinúviel

Poniżej przytaczam tekst *Opowieści o Tinúviel* w postaci, w jakiej istnieje w rękopisie. Łącznik nie jest w żaden sposób wyróżniony z właściwej opowieści ani od niej oddzielony, a Vëannë nie poprzedza jej żadnym oficjalnym początkiem.

— Kim zatem była Tinúviel? — zapytał Eriol.

— Nie wiesz? — odparł Ausir. — Jej ojciec to Tinwë Linto.

— Tinwelint — rzekła Vëannë, lecz chłopiec się żachnął:

— To jest to samo, lecz elfowie mieszkający w tym domu, którzy ukochali tę opowieść, mówią „Tinwë Linto", chociaż Vairë powiedziała, że jego właściwym imieniem, zanim zawędrował do lasów, było samo „Tinwë".

— Ucisz się, Ausirze — powiedziała Vëannë — jest to bowiem moja opowieść i ja ją opowiem Eriolowi. Czyż nie widziałam raz na własne oczy Gwendelingi i Tinúviel wędrujących Drogą Snów[1] za dawno minionych dni?

— Jaka była królowa Wendelina (tak bowiem zwą ją elfowie[2]), o Vëannë, skoro ją widziałaś? — zapytał Ausir.

— Szczupła i ciemnowłosa — odparła dzieweczka. — Skórę miała jasną i bladą, lecz oczy jej lśniły i wydawało się, że kryje się w nich głębia, a była odziana w prześliczne, lecz czarne przejrzyste szaty usiane gagatami i przepasane srebrem. Jeśli śpiewała albo jeśli tańczyła, nad głową patrzącego płynęły sny i marzenia senne, od których głowa robiła się ciężka. Zaiste była chochlikiem, który zbiegł z ogrodów Lóriena, zanim jeszcze zbudowano Kôr, i wędrowała po zalesionych rejonach świata, a towarzyszyły jej słowiki i często wokół niej śpiewały. To pieśń tych ptaków trafiła do uszu Tinwelinta, przywódcy owego szczepu Eldarów, którzy później stali się Solosimpimi, nadbrzeżnymi fletnikami, kiedy ze swoimi towarzyszami podążał z Palisoru za koniem Oromëgo. Ilúvatar zasiał w sercach całego tego szczepu ziarno muzyki, przynajmniej tak mówiła Vairë, a ona z niego się wywodzi, i ziarno to cudownie później rozkwitło, lecz teraz pieśń słowików Gwendelingi była najpiękniejszą muzyką, jaką kiedykolwiek słyszał Tinwelint. Szukając pośród ciemnych drzew jej źródła, oddalił się na chwilę, jak sądził, od swego hufca.

I powiada się, że nie chwilę słuchał, lecz wiele lat, a jego pobratymcy szukali go na próżno, aż w końcu ruszyli za Oromëm i zostali przeniesieni daleko na Tol Eressëę, on zaś już nigdy ich nie ujrzał. Lecz po krótkim czasie, jak mu się wydawało, natknął się na Gwendelingę, która leżała na posłaniu z liści, patrzyła na świecące nad nią gwiazdy i słuchała swoich ptaków. Wtedy Tinwelint podszedł cicho, pochylił się i popatrzył na nią, myśląc: „A oto ktoś piękniejszy od najpiękniejszych nawet wśród mego ludu" — zaiste bowiem Gwendelinga nie była elfem ni kobietą, lecz dzieckiem bogów. Schylając się, by dotknąć pukla jej włosów, złamał Tinwelint stopą gałązkę. Wówczas Gwendelinga zerwała się i z cichym śmiechem umknęła, czasem śpiewając w dali albo tańcząc tuż przed nim, aż ogarnął go wonny sen i padł Tinwelint pod drzewami twarzą do ziemi, i spał bardzo długo.

A kiedy się obudził, nie myślał już o swoim ludzie (i zaiste daremne by to było, dawno bowiem już dotarł on do Valinoru), lecz pragnął jedynie oglądać panią zmierzchu. Nie trzymała się jednak z daleka, ale została blisko niego i czuwała nad nim. Lecz więcej nic o jego historii nie wiem, Eriolu, prócz tego, że na koniec została jego żoną, Tinwelint i Gwendelinga bowiem bardzo długo byli królem i królową Zaginionych Elfów Artanoru czy też Kraju Po Drugiej Stronie, a przynajmniej tak tu się powiada.

Dużo, dużo później, jak wiesz, Melko znów wyrwał się z Valinoru na świat i wszyscy Eldarowie, zarówno ci, którzy pozostali w ciemności albo zabłądzili podczas marszu z Palisoru, jak i ci Noldoli, którzy podążyli za nim z powrotem do świata, szukając skradzionego skarbu, dostali się w jego władanie jako niewolnicy. Mimo to powiada się, że wielu spośród nich uciekło i wędrowało po lasach i pustkowiach, a liczne ich dzikie i leśne klany zebrały się pod wodzą króla Tinwelinta. Wśród nich najliczniejsi byli Ilkorindi — to jest Eldarowie, którzy nie ujrzeli Valinoru ani Dwóch Drzew, ani nigdy nie mieszkali w Kôrze — a niesamowitymi oraz przedziwnymi byli istotami, niewiele wiedząc o świetle, pięknie czy muzyce prócz mrocznych pieśni i pełnych zdumienia chropawych zaśpiewów, które cichły wśród drzew albo odbijały się echem w głębokich pieczarach. Zaiste okazali się odmienni, kiedy wstało Słońce, i zaiste jeszcze przedtem zmieszali się z wędrownymi gnomami, a na dworze Tinwelinta mieszkały też krnąbrne chochliki z hufca Lóriena, towarzyszące Gwendelindze, i nie wywodziły się one spośród rodów Eldalië.

Otóż w czasach Światła Słońca i Blasku Księżyca Tinwelint nadal mieszkał w Artanorze i ani on, ani większość jego ludu nie przystąpiła do Bitwy Nieprzeliczonych Łez — chociaż owa historia nie wiąże się z tą opowieścią. Jednakże po tej nieszczęsnej bitwie władza Tinwelinta znacznie wzrosła dzięki uciekinierom, którzy zbiegli pod jego ochronę. Siedzibę jego ukryła przed wzrokiem i wiedzą Melka magia duszki Gwendelingi, która oplotła prowadzące do niej ścieżki zaklęciami, żeby mogli po nich z łatwością stąpać tylko Eldarowie, i w ten sposób król był bezpieczny od wszelkich zagrożeń, wyjąwszy jedynie zdradę. A jego komnaty zostały wybudowane w głębokiej jaskini wielkich rozmiarów, lecz mimo to stanowiły pomieszkanie królewskie i piękne. Jaskinia ta znajdowała się w sercu potężnego lasu Artanor, który jest najpotężniejszym z lasów, a przed jej wrotami płynął strumień, lecz można było tam wejść, tylko ów strumień przekraczając, a jego brzegi spinał most wąski i dobrze strzeżony. W miejsca te nie przenikało zło, chociaż niezbyt daleko wznosiły się Góry Żelazne, za którymi leżała Hisilómë, gdzie mieszkali ludzie i trudzili się niewolni Noldoli, i gdzie zapuszczało się niewielu wolnych Eldarów.

Tak oto opowiem ci o tym, co się zdarzyło w komnatach Tinwelinta po wzejściu Słońca, lecz na długo przed pamiętną Bitwą Nieprzeliczonych Łez. A Melko nie dokończył swych zamiarów ani nie odsłonił jeszcze całej swej potęgi ni okrucieństwa.

Dwoje miał wówczas dzieci Tinwelint, Dairona i Tinúviel, a Tinúviel była panną, najpiękniejszą spośród wszystkich panien ukrytych elfów. Zaiste niewiele z nich dorównywało jej urodą, jej matka bowiem była duszką, córą bogów. Dairon był chłopcem silnym i radosnym, a nade wszystko czerpał radość z gry na fujarce albo na innych leśnych instrumentach. Zalicza się go do trzech najbardziej magicznych grajków elfów, a tymi pozostałymi są Tinfang Trel oraz Ivárë, co gra nad morzem. Lecz Tinúviel radość przynosił raczej taniec i z powodu piękna i subtelności jej pomykających stóp obok jej imienia nie stawia się żadnych innych.

Otóż Dairon i Tinúviel lubili wyprawiać się z otchłannego pałacu ich ojca Tinwelinta i spędzać razem długi czas wśród drzew. Dairon często siadał na kępie trawy lub na korzeniu drzewa i grał, a Tinúviel tańczyła do jego muzyki, a kiedy tak tańczyła do grania Dairona, bardziej gibka była od Gwendelingi, czarowniejsza niż Tinfang Trel pod księżycem, a pląsów takich nie można ujrzeć nigdzie prócz ogrodów różanych Valinoru, gdzie na wiecznie zielonych trawnikach tańczy Nessa.

Grali i tańczyli nawet nocą, gdy bladym blaskiem świecił księżyc, i nie bali się, jak mogłabym bać się ja, bowiem za panowania Tinwelinta i Gwendelingi zło nie miało przystępu do tych lasów. Melko jeszcze ich nie nękał, a ludzie trzymali się za wzgórzami.

Otóż najbardziej ulubili sobie cieniste miejsce, gdzie rosły wiązy i buki, lecz nie bardzo wysokie, a także kasztanowce o białych kwiatach. Ziemia była tam wilgotna i pod drzewami rozpościerał się mglisty gąszcz szaleju. Grali tam pewnego razu w czerwcu, a białe baldachy szaleju otulały chmurą pnie drzew i Tinúviel tańczyła do późnego wieczora, aż pojawiły się białe ćmy. Tinúviel jako wróżka się ich nie bała, jak boi się ich wiele dzieci człowieczych, chociaż nie lubiła chrząszczy, a pająków żaden z Eldarów nie dotyka z powodu Ungweliantë — lecz teraz białe ćmy wirowały nad jej głową, Dairon wywodził na fujarce niezwykłe trele i nagle zdarzyło się coś dziwnego.

Nigdy nie słyszałam, jakim sposobem Beren dotarł tu przez wzgórza; a jednak, jak usłyszysz, był odważniejszy od większości innych i może tylko umiłowanie wędrówek przeniosło go jak na skrzydłach przez grozę Gór Żelaznych, aż dotarł do Kraju Po Drugiej Stronie.

Otóż Beren był gnomem, synem Egnora, myśliwego, który polował w co mroczniejszych miejscach[3] na północy Hisilómë. Między Eldarami i tymi ich pobratymcami, którzy zaznali niewoli u Melka, strach panował i podejrzliwość, i tak zemściły się złe czyny gnomów w Przystani Łabędzi. Wśród ludu Berena krążyły kłamstwa Melka, przez które gnomowie byli przekonani o nikczemności ukrytych elfów. Jednak teraz ujrzał Beren Tinúviel tańczącą o zmierzchu. Miała na sobie srebrzystoperłową suknię, a jej nagie białe stopy błyskały wśród łodyg szaleju. Nie dbał Beren, czy panna wywodzi się spośród Valarów, czy elfów, czy jest dzieckiem ludzi, i podkradł się bliżej, by lepiej widzieć. Oparł się o młody wiąz rosnący na wzgórku, żeby móc patrzeć w dół na polankę, gdzie tańczyła, czar bowiem sprawił, że opadł z sił. Była tak smukła i piękna, że w końcu, nie bacząc na nic, Beren stanął na odsłoniętym miejscu, by mieć lepszy widok, i w tej chwili światło księżyca w pełni przedarło się przez gałęzie i Dairon spostrzegł jego twarz. Od razu poznał, że nie jest z ich ludu, a wszyscy elfowie leśnej krainy uważali gnomów z Dor Lóminu za istoty zdradzieckie, okrutne i wiarołomne, toteż Dairon upuścił instrument i z okrzykiem „Uciekaj, uciekaj, o, Tinúviel, po tym lesie chodzi wróg" zniknął między drzewami. Zdumiona Tinúviel nie pobiegła za nim od razu, nie zrozumiała bowiem początkowo jego słów, a wiedząc, że nie potrafi biec ani skakać tak wytrwale jak jej brat, osunęła się nagle między białe kwiaty szaleju i ukryła pod jednym z nich, bardzo wysokim i mającym dużo rozłożystych liści. Wyglądała w swoim białym odzieniu tak, jakby przez liście leżące na ziemi przebłyskiwały migotliwe krople księżycowego blasku.

Zasmucił się wtedy Beren, był bowiem samotny i przykro mu się zrobiło, że tak się go przestraszyli. Szukał Tinúviel wszędzie dokoła, myśląc, że nie uciekła. Wtem dotknął dłonią jej smukłej ręki pod liśćmi, a ona zerwała się z krzykiem i odbiegła od niego tak szybko, jak tylko zdołała w nikłym świetle, pomykając i skręcając w promieniach księżyca, jak potrafią to robić tylko Eldarowie, obiegając pnie drzew i przemykając wśród łodyg szaleju. Delikatny dotyk jej ręki sprawił, że Beren jeszcze bardziej niż przedtem zapragnął ją odnaleźć, podążał więc za nią szybko, jednak nie dość szybko, bo w końcu mu umknęła i wystraszona dotarła do siedziby swojego ojca. Jeszcze przez wiele dni nie tańczyła sama w lesie.

Napełniło to Berena wielkim smutkiem. Nie chciał opuścić tych okolic, żywił bowiem nadzieję, że znowu ujrzy piękną pannę w tańcu, błąkał się więc wiele dni po lesie w poszukiwaniu Tinúviel, przybierając coraz dzikszy wygląd i odczuwając coraz większą samotność. Szukał jej o świcie i o zmierzchu, lecz jego nadzieja rosła najbardziej, kiedy jasno świecił księżyc. Wreszcie pewnej nocy dostrzegł daleki błysk i oto panna tańczyła sama na niewielkim, pozbawionym drzew pagórku, a Dairona nigdzie nie było. Potem coraz częściej tam przychodziła, tańczyła i śpiewała sama dla siebie. Czasem w pobliżu pojawiał się Dairon i wtedy Beren patrzył z daleka spośród drzew na skraju lasu, a czasem Dairona nie było i wtedy Beren podkradał się bliżej. W istocie Tinúviel od dawna wiedziała o jego obecności, ale udawała, że jest inaczej, i strach już ją dawno odbiegł, na jego twarzy bowiem, oświetlonej blaskiem księżyca, widziała tęskne pragnienie; widziała też, że jest łagodny i że zakochał się w jej pięknym tańcu.

Wówczas Beren zaczął w tajemnicy podążać za Tinúviel przez las do samego wejścia do jaskini i przyczółka mostu, a kiedy wchodziła do środka, cicho wołał przez strumień: „Tinúviel", usłyszał bowiem to imię z ust Dairona; a chociaż tego nie wiedział, Tinúviel często łowiła uchem jego wołanie, stojąc w cieniach jaskiniowych wrót, i cicho się śmiała albo uśmiechała. Nareszcie, kiedy pewnego dnia tańczyła sama, wystąpił zuchwalej i przemówił do niej: „Naucz mnie tańczyć, Tinúviel". „Ktoś ty?", zapytała. „Beren. Przychodzę zza Gorzkich Wzgórz". „A zatem jeśli chcesz tańczyć, podążaj za mną", powiedziała panna i oddaliła się tanecznym krokiem, podążając coraz głębiej w las, zwinnie, lecz nie tak szybko, by nie mógł za nią nadążyć. Co pewien czas oglądała się i śmiała z tego, jak się potykał, mówiąc: „Tańcz, Berenie, tańcz! Tak jak się tańczy za Gorzkimi Wzgórzami!". W ten sposób przybyli krętymi ścieżkami do siedziby Tinwelinta. Tinúviel skinęła na Berena, by przeszedł za nią przez strumień, i tak wszedł pełen zdumienia do jaskini i leżących głęboko pod ziemią komnat jej domu.

Kiedy jednak stanął Beren przed królem, zmieszał się, a wobec dostojeństwa królowej Gwendelingi poczuł wielki respekt i kiedy król rzekł: „Kimże jesteś ty, który nieproszony wchodzisz, potykający się, do moich komnat?", nie miał mu nic do powiedzenia. Odpowiedziała za niego Tinúviel: „To, mój ojcze, jest Beren, wędrowiec zza wzgórz, który chciałby się nauczyć tańczyć tak, jak potrafią tańczyć elfowie z Artanoru", i się roześmiała, lecz król, usłyszawszy, skąd przybył Beren, zmarszczył brwi i powiedział: „Porzuć lekki ton, dziecko, i powiedz, czy ten dziki elf z mroku usiłował wyrządzić ci jakąś krzywdę?".

„Nie, ojcze", odparła, „i myślę, że w jego sercu nie ma żadnego zła. Nie bądź dla niego surowy, chyba że chcesz ujrzeć swoją córkę Tinúviel we łzach, mój taniec bowiem budzi w nim większy zachwyt niż w kimkolwiek innym, kogo znam". Toteż powiedział wtedy Tinwelint: „O Berenie, synu Noldolich, cóż pragniesz otrzymać od elfów z lasu, zanim powrócisz tam, skąd przyszedłeś?".

Kiedy Tinúviel przemówiła w ten sposób za nim do ojca, tak wielka i pełna zdumienia radość zapanowała w sercu Berena, że ożyła jego odwaga i na nowo obudził się jego zuchwały duch, który przeprowadził go z Hisilómë przez Góry Żelazne. Spojrzawszy śmiało na Tinwelinta, rzekł: „A zatem, o królu, pragnę twojej córki Tinúviel, jest bowiem najpiękniejszą i najmilszą ze wszystkich panien, o jakich kiedykolwiek śniłem".

Zapadła wówczas w komnacie cisza; jedynie Dairon się roześmiał, a wszyscy, którzy usłyszeli słowa Berena, zdumieli się, lecz Tinúviel spuściła wzrok, a król, zerknąwszy na jego nieporządny strój i potargane włosy, wybuchnął śmiechem. Beren zaczerwienił się ze wstydu, a Tinúviel zabolało serce. „Ależ pojmij za żonę Tinúviel, najpiękniejszą spośród panien świata, i zostań księciem leśnych elfów — to drobna łaska, o jaką może prosić nieznajomy", rzekł Tinwelint. „Może i ja mam prawo poprosić o coś w zamian. Nie będzie to nic wielkiego, jedynie dowód twojego szacunku. Przynieś mi Silmaril z korony Melka, a tego dnia Tinúviel cię poślubi, jeśli zechce".

Wszyscy wtedy w komnacie poznali, że litując się nad gnomem, król potraktował tę sprawę jako prostacki żart, i uśmiechnęli się. Silmarile Fëanora cieszyły się bowiem wielką sławą na całym świecie, Noldoli snuli o nich opowieści, a wielu tych, którzy uciekli z Angbandu, widziało, jak płoną blaskiem w żelaznej koronie Melka. Korony tej nigdy nie zdejmował, a klejnoty te cenił jak własne oczy i nikt na świecie, ni duszek, ni elf, ni człek, nie mógł mieć nadziei, że położy na nich choć palec i zachowa życie. Zaiste, wiedział o tym Beren i domyślił się znaczenia tych szyderczych uśmiechów, płonąc więc gniewem, zawołał: „Nie, za mały to dar dla ojca tak miłej panny młodej. Niemniej dziwne mi się zdają obyczaje leśnych elfów, podobne do prymitywnych praw ludzi, skoro wymieniasz dar, którego ci się nie proponuje, ale oto ja, Beren, myśliwy Noldolich[4], spełnię twoje drobne życzenie". Z tymi słowy wybiegł z komnaty, a wszyscy stali zadziwieni, lecz Tinúviel nagle zapłakała. „Źle uczyniłeś, ojcze", rzekła, „wysyłając go swoimi niewczesnymi żartami na śmierć — wydaje mi się bowiem, że rozzłoszczony twoją pogardą, spróbuje dokonać tego czynu, a Melko go zabije i nikt już nie będzie patrzył na mój taniec z taką miłością".

Rzekł wówczas król: „Nie będzie to pierwszy gnom, którego zabił Melko, a czynił to z drobniejszych powodów. Dobrze, że nie leży tu spętany mocnymi czarami za wtargnięcie do moich komnat i za swoje zuchwałe słowa". Gwendelinga zaś nic nie mówiła, nie beształa też Tinúviel ani nie pytała o jej nagły płacz nad nieznanym wędrowcem.

Berena jednakże, kiedy oddalił się sprzed oblicza Tinwelinta, gniew poniósł daleko przez las, aż dotarł w pobliże niskich wzgórz i bezleśnych ziem, co świadczyło o tym, że niedaleko już do ponurych Gór Żelaznych. Dopiero wtedy poczuł zmęczenie i przerwał marsz, i odtąd zaczęły się jego większe trudy. Noce schodziły mu w głębokim smutku i nie widział dla swej misji żadnej nadziei, bo w istocie nie było jej wiele. Wkrótce też, kiedy znalazł się wśród Gór Żelaznych i przybliżył do straszliwej siedziby Melka, opadły go najgorsze strachy. Mieszkało tam wiele jadowitych węży, krążyły wilki, a jeszcze większe przerażenie budziły wałęsające się hordy goblinów i orków — te wstrętne pomioty Melka przemierzały okolicę i wykonując jego nikczemne polecenia, chwytały w sidła zwierzęta, ludzi i elfów, a następnie wlokły do swego pana.

Wiele razy był Beren bliski schwytania przez orków, a raz wymknął się szczękom wielkiego wilka dopiero po walce, w której był uzbrojony tylko w jesionową pałkę. Każdego dnia wędrówki do Angamandi doświadczał innych niebezpieczeństw i przygód. Dręczyły go też często głód i pragnienie i wiele razy chciał zawrócić, lecz było to niemal tak samo niebezpieczne jak kontynuowanie podróży. W sercu brzmiało mu echo głosu Tinúviel, wstawiającej się za nim u Tinwelinta, a nocami zdawało mu się, że do jego serca dobiega czasami cichy szloch Tinúviel, tęskniącej za nim w jej rodzinnych lasach — i to rzeczywiście było prawdą.

Pewnego dnia, gdy zmuszony przez dojmujący głód szukał resztek jedzenia w opuszczonym obozowisku orków, kilku z nich wróciło znienacka. Pojmali go i poddali torturom, lecz nie zabili, bo ich dowódca, widząc, jak jest silny, mimo że wyczerpały go trudy wędrówki, uznał, że jeśli przywiedzie więźnia przed oblicze Melka, ten może się ucieszy i zaprzęgnie Berena do ciężkiej niewolniczej pracy w swoich kopalniach albo kuźniach. Stało się więc, że Beren został zawleczony przed oblicze Melka, lecz w jego piersi biło niezłomne serce, jako że wśród krewnych jego ojca panowało przekonanie, iż potęga Melka nie będzie trwać wiecznie, a Valarowie usłyszą w końcu płacz Noldolich, powstaną, spętają Melka i ponownie otworzą Valinor dla znużonych elfów, a na Ziemię powróci wielka radość.

Jednakże patrząc na niego, Melko zapałał gniewem i zapytał, jakim sposobem gnom, niewolnik z urodzenia, ośmielił się samowolnie wyprawić do lasu. Beren odparł na to, że nie jest żadnym zbiegiem, ale pochodzi z rodu gnomów, którzy mieszkają w Aryadorze i mieszają się tam z ludźmi. Wówczas Melko rozgniewał się jeszcze bardziej, zawsze bowiem dążył do zniszczenia przyjaźni i związków elfów z ludźmi. Uznał, że najwyraźniej ma przed sobą zdrajcę i spiskowca przeciwko swej władzy, zasługującego na tortury Balrogów. Widząc zagrażające mu niebezpieczeństwo, Beren odpowiedział: „Nie myśl, o przepotężny Ainurze Melko, Władco Świata, że może być to prawdą, bo wówczas nie powinienem się tu znaleźć bez pomocy i sam. Beren, syn Egnora, nie darzy przyjaźnią rodu ludzkiego; przeciwnie, znużony do szpiku kości krainami rojącymi się od tego plemienia, wywędrował z Aryadoru. Ojciec wiele mu kiedyś opowiadał o twojej świetności i chwale, toteż choć nie jestem zbiegłym niewolnikiem, niczego nie pragnę bardziej niż służyć ci z całych sił"; następnie dodał, że doskonale chwyta w sidła małe zwierzęta i ptaki, że w pogoni za nimi zgubił się wśród wzgórz i długo się błąkał, zanim dotarł do obcych krain, i nawet gdyby nie pojmali go orkowie, nie miałby innej możliwości zapewnienia sobie bezpieczeństwa, jak zwrócić się do potężnego Ainura Melka i ubłagać go, by dał mu jakieś skromne stanowisko — na przykład dostarczyciela mięsa na jego stół.

Do wygłoszenia tej mowy natchnęli go zapewne Valarowie albo może Gwendelinga, zdjęta współczuciem, obdarzyła go czarem przemyślnych słów, rzeczywiście bowiem ocaliła mu życie. Melko, przekonany jego fizyczną wytrzymałością, uwierzył mu i chciał go przyjąć jako niewolnika do kuchni. Pochlebstwo zawsze łechtało nozdrza tego Ainura słodką wonią i mimo swojej niezgłębionej mądrości dawał się omamiać kłamstwom tych, którymi gardził, jeśli tylko były ubrane w piękne szaty pochwał; wydał więc rozkazy, by uczyniono Berena niewolnikiem księcia kotów Tevilda*. Otóż Tevildo był potężnym kotem — najpotężniejszym ze wszystkich — opętanym, jak powiadali niektórzy, przez złego ducha. Zawsze był poplecznikiem Melka i miał pod sobą wszystkie inne koty; wraz ze swoimi poddanymi zdobywał mięso na stół Melka i na jego często wyprawiane uczty. Dlatego też między elfami i wszystkimi kotami wciąż panuje nienawiść, chociaż skończyło się już panowanie Melka i jego zwierzęta niewiele dziś znaczą.

Kiedy zatem odprowadzano Berena do komnat Tevilda, a nie leżały one bardzo daleko od miejsca, w którym stał tron Melka, zdjął go strach, ponieważ nie spodziewał się takiego obrotu sprawy. Komnaty te były źle oświetlone, a w ciemności rozbrzmiewało warczenie i potworne pomruki. Wszędzie tam, gdzie siedzieli wasale Tevilda, poruszając i wściekle chlastając boki pięknymi ogonami, lśniły kocie oczy jak zielone latarnie albo latarnie czerwone i żółte, lecz na najwyższym miejscu siedział sam Tevildo, kot ogromny, czarny jak węgiel i wyglądający na istotę nikczemną. Oczy miał długie i skośne, rzucające jednocześnie czerwone i zielone błyski, a jego szare wąsy były mocne i ostre jak igły. Jego mruczenie rozlegało się niczym werbel, pomruk był jak grzmot, a kiedy unosił się gniewem, krew zastygała

* Przypis w rękopisie: „Tifil (Bridhon) Miaugion lub Tevildo (Vardo) Meoita".

innym w żyłach, a drobne zwierzęta i ptaki nieruchomiały jak skamieniałe albo padały bez życia na sam dźwięk jego głosu. Ujrzawszy Berena, Tevildo tak bardzo zmrużył oczy, że wyglądały jak zamknięte, i powiedział: „Czuję zapach psa". Od razu powziął niechęć do Berena, który w swoim domu w dziczy zawsze kochał ogary.

„Dlaczego", spytał Tevildo, „ośmielacie się przyprowadzać przed moje oblicze kogoś takiego, chyba że ma się nadać na mięso?" Lecz ci, którzy eskortowali Berena, odparli: „Nie, to Melko rozkazał, by ten nieszczęsny elf dokonał żywota, chwytając zwierzęta i ptaki w służbie Tevilda". Wtedy Tevildo prychnął pogardliwie i powiedział: „A zatem naprawdę pan mój spał albo gdzie indziej myślami przebywał, bo na co, waszym zdaniem, przy chwytaniu ptaków albo zwierząt zda się księciu kotów i jego wasalom dziecko Eldarów? Równie dobrze mogliście byli przyprowadzić jakiegoś niezdarnego człowieka, nie ma bowiem ni elfów, ni ludzi, którzy mogą z nami współzawodniczyć w pościgach". Pomimo to wystawił jednak Berena na próbę i kazał mu schwytać trzy myszy, „bo w mojej komnacie się od nich roi", powiedział. To, jak można sobie wyobrazić, nie było w istocie prawdą, chociaż było tam kilka myszy — bardzo dzikich, złych i magicznych, które ośmielały się mieszkać w ciemnych dziurach, lecz były większe od szczurów i bardzo groźne, a Tevildo dawał im schronienie dla własnej uciechy i nie dopuszczał, by ich ubywało.

Trzy dni polował na nie Beren, lecz nie mając niczego, co mogłoby mu posłużyć do zrobienia sideł (a w rzeczy samej nie okłamał Melka, mówiąc, że nie brak mu w tym względzie przemyślności), polował na próżno i za całą swoją pracę mógł się pochwalić tylko pogryzionym palcem. Wtedy zapłonął Tevildo wielkim gniewem połączonym z pogardą, lecz dzięki rozkazom Melka Beren nie doznał ani od niego, ani od jego wasali większej krzywdy niż kilka zaledwie zadrapań. Jednak od tej pory źle mu się wiodło w siedzibie Tevilda. Został kuchennym pomocnikiem i spędzał w niedoli dni na myciu podłóg i naczyń, na szorowaniu stołów, rąbaniu drew i przynoszeniu wody. Często też kazano mu obracać rożny, na których piekły się dla kotów delikatne ptaki i tłuste myszy, lecz on sam rzadko jadł i spał. Wymizerowany, ze skudlonymi włosami, często żałował, że wypuścił się poza granice Hisilómë i ujrzał Tinúviel.

A ta piękna panna po odejściu Berena bardzo długo szlochała i już nie tańczyła po lasach, Dairon zaś gniewał się na nią i jej nie rozumiał. Ona jednak pokochała twarz Berena, przyglądającego się jej poprzez gałęzie, i trzask gałązek pękających pod jego stopami, kiedy podążał za nią przez las. Pragnęła znowu usłyszeć jego głos: „Tinúviel, Tinúviel", tęsknie wołający zza strumienia przed wrotami do siedziby jej ojca, i nie chciała już tańczyć, skoro Beren podążył do straszliwych komnat Melka i może już zginął. W końcu myśl ta stała się dla niej tak gorzka, że ta wielce łagodna panna udała się do matki, do ojca bowiem nie śmiała iść ani nawet pokazywać mu swoich łez.

„O Gwendelingo, matko moja", rzekła, „dowiedz się mocą swej magii, jeśli możesz, i powiedz mi, jak się wiedzie Berenowi. Czy wszystko u niego dobrze?" „Przeciwnie", odparła Gwendelinga. „Żyw jest, lecz w podłej niewoli i nie ma w sercu nadziei, bo został oto niewolnikiem we władzy księcia kotów Tevilda".

„A zatem muszę mu przyjść z pomocą, nie znam bowiem nikogo innego, kto chciałby to uczynić", rzekła Tinúviel.

Gwendelinga się nie roześmiała, posiadła bowiem mądrość w wielu sprawach, także dotyczących przyszłości, a jednak nie do pomyślenia nawet w najbardziej szalonym śnie było, by jakikolwiek elf, a co dopiero ta panna, córka króla, miał się udać bez opieki do siedziby Melka, nawet w tych dawnych czasach przed Bitwą Łez, kiedy potęga Melka nie była jeszcze tak wielka, a on sam ukrywał swe zamiary i rozsnuwał sieć kłamstw. Dlatego Gwendelinga cicho nakazała jej, by nie mówiła o takich szalonych czynach, lecz Tinúviel odparła: „A zatem musisz prosić o pomoc mojego ojca, żeby wysłał do Angamandi wojowników i zażądał od Ainura Melka, by uwolnił Berena".

Tak też Gwendelinga uczyniła z miłości do córki, a Tinwelint wpadł w tak srogi gniew, że Tinúviel żałowała, iż wyjawiła swe pragnienie. Tinwelint zakazał jej mówić i myśleć o Berenie i przysiągł, że jeśli Beren jeszcze raz postawi stopę w jego komnatach, zabije go. Zatem Tinúviel długo rozważała, co może zrobić; poszła do Dairona i błagała go o pomoc, a właściwie o to, by razem z nią udał się do Angamandi, jeśli taka będzie jego wola, lecz Dairon, który bynajmniej nie darzył Berena miłością, powiedział: „Dlaczegóż miałbym się narażać dla wędrownego gnoma z lasu na największe niebezpieczeństwo na świecie? Zaiste, nie sprzyjam mu, zniszczył bowiem naszą muzykę i nasz taniec". Ponadto powiedział Dairon królowi, o co poprosiła go Tinúviel — lecz nie zrobił tego ze złej woli, ale ze strachu, że w szaleństwie swego serca Tinúviel narazi się na śmierć.

Kiedy[5] usłyszał o tym Tinwelint, wezwał Tinúviel do siebie i rzekł: „Dlaczegóż to, moja córko, nie chcesz się wyrzec tego szaleństwa i spełnić mojego nakazu?". Lecz Tinúviel nie odpowiedziała i król kazał jej złożyć obietnicę, że ani nie będzie już myśleć o Berenie, ani nie będzie w swoim szaleństwie próbowała podążyć jego śladem do złych krain czy to samotnie, czy namawiając kogokolwiek z jego ludu, by jej towarzyszył. Lecz Tinúviel odparła, że tego pierwszego nie obieca, a drugie tylko po części, nie będzie bowiem namawiać nikogo z leśnego ludu, by udał się razem z nią.

Wówczas jej ojciec zapłonął wielkim gniewem, pod którym skrywało się ogromne zdumienie i obawa, kochał bowiem Tinúviel. Taki więc ułożył plan, nie mógł bowiem zamknąć córki na zawsze w jaskiniach, gdzie pełgało tylko nikłe światło. Otóż nad wrotami jego otchłannej siedziby wznosił się stromy stok opadający do rzeki i rosły tam potężne buki; jeden z nich zwał się Hirilorna, Królowa Drzew. Był przepotężny, a jego pień był tak nisko rozwidlony, że wydawało się, iż z ziemi strzelają razem trzy pnie podobnej wielkości, okrągłe i proste; ich szara kora była gładka jak jedwab, pozbawiona konarów i gałązek aż do miejsca położonego ponad głowami mężów.

Otóż Tinwelint rozkazał wybudować na tym dziwnym drzewie, na wysokości, do której mogły dosięgnąć najdłuższe drabiny, drewniany domek. Umieszczony był on ponad najniższymi konarami i ślicznie oplatały go liście. Domek ten miał trzy narożniki i trzy okna w każdej ścianie, a w każdym narożniku znajdował się jeden pień Hirilorny. Tam zatem nakazał Tinwelint zamieszkać Tinúviel do czasu, aż zdecyduje się nabrać mądrości, a kiedy weszła na górę po drabinach z wysokich sosen, zostały one zabrane i nie miała już sposobu, żeby zejść na ziemię. Przynoszono jej, czego potrzebowała, a elfowie wchodzili po drabinach i dawali jej jedzenie i wszystko inne, czego sobie zażyczyła, jednak po zejściu na dół zabierali drabiny; król bowiem zagroził śmiercią każdemu, kto by pozostawił drabinę opartą o drzewo albo próbował ukradkiem nocą ją przystawić. Postawiono zatem u stóp drzewa wartownika, a Dairon przychodził tam często, zasmucony tym, co sprawił, bo bez Tinúviel był samotny. Lecz z początku Tinúviel bardzo się podobał jej dom wśród liści; wyglądała z okienka, a Dairon grał pod nim swoje najpiękniejsze melodie.

Jednak pewnej nocy nawiedził Tinúviel sen zesłany przez Valarów i przyśnił jej się Beren, i jej serce powiedziało: „Odejdę na poszukiwanie tego, o którym wszyscy inni zapomnieli". Kiedy się obudziła, przez drzewa przenikało światło księżyca; pogrążyła się w głębokich rozmyślaniach nad tym, jak mogłaby uciec. Otóż, jak można słusznie przypuszczać, Tinúviel, córka Gwendelingi, znała się na magii i zaklęciach i po długim namyśle ułożyła plan. Następnego dnia poprosiła tych, którzy do niej przyszli, by przynieśli jej, jeśli zechcą, najczystszej wody ze strumienia. „Lecz", jak powiedziała, „trzeba ją zaczerpnąć srebrną misą o północy i przynieść do mnie bez jednego wypowiedzianego słowa". Zapragnęła też, by przyniesiono jej wino, „lecz trzeba je tu wnieść w złotym dzbanie w południe, a ten, kto będzie go niósł, musi śpiewać po drodze". Spełnili jej życzenie, Tinwelintowi jednak nic nie powiedzieli.

Wówczas rzekła Tinúviel: „Idźcie teraz do mojej matki i powiedzcie jej, że jej córka pragnie dostać kołowrotek, przy którym będą jej mijać nużące godziny"; Dairona zaś poprosiła w tajemnicy, by zrobił dla niej maleńkie krosno, a on to uczynił w samym domku Tinúviel na drzewie. „Ale co będziesz prząść i co będziesz tkać?", zapytał, a Tinúviel mu odpowiedziała: „Zaklęcia i magię", lecz Dairon nie znał jej zamiarów i nic nie powiedział królowi ani Gwendelindze.

Gdy Tinúviel była już sama, wzięła wino i wodę i cały czas śpiewając magiczną pieśń, zmieszała je i kiedy wypełniły złotą misę, wzniosła pieśń wzrastania, a kiedy spoczywały w srebrnej misie, zaśpiewała inną pieśń, w którą wplecione były nazwy wszystkich najwyższych i najdłuższych rzeczy na Ziemi — wymieniła brody Indravangów, ogon Karkarasa, ciało Glorunda, pień Hirilorny i miecz Nana, nie zapomniała też o łańcuchu Angainu, wykutym przez Aulëgo i Tulkasa, ani o szyi olbrzyma Gilima, a na końcu najdłużej śpiewała o włosach pani mórz Uineny, które rozpościerają się we wszystkich wodach. Następnie polała swoje włosy wodą zmieszaną z winem, śpiewając przy tym trzecią pieśń, pieśń głębokiego snu. I oto włosy Tinúviel, które były ciemne i delikatniejsze od najdelikatniejszych pasm zmierzchu, nagle zaczęły bardzo szybko rosnąć i po dwunastu godzinach wypełniły niemal cały jej domek. Tinúviel była bardzo zadowolona i położyła się, by odpocząć, a kiedy się obudziła, pokoik był wypełniony jakby czarną mgłą, głęboko pod którą ona się znajdowała, a o poranku jej włosy zwisały z okien i powiewały wokół pni drzewa. Wtedy z trudem znalazła swoje małe nożyczki i obcięła włosy tuż przy skórze; później odrosły one już tylko do dawnej długości.

Wówczas rozpoczął się trud Tinúviel i chociaż pracowała ze zręcznością elfa, długo trwało przędzenie i jeszcze dłużej tkanie, a gdy ktoś przychodził i z dołu ją nawoływał, odprawiała go słowami: „Leżę w łóżku i pragnę tylko snu". Dairon bardzo się temu dziwił i często do niej wołał, lecz Tinúviel mu nie odpowiadała.

Otóż z tych leciuteńkich włosów utkała Tinúviel szatę niczym z czarnej mgły, a przesiąkniętą sennością i o wiele bardziej magiczną niż ta, którą nosiła i w której tańczyła dawno temu jej matka. Okryła nią swoje migotliwie białe odzienie, a wtedy powietrze wokół niej wypełniło się magicznymi snami, z tego zaś, co jej zostało, uplotła mocną linę i przywiązała ją do pnia drzewa wewnątrz domku. Na tym skończyła się jej praca i Tinúviel wyjrzała przez okno na zachód, ku rzece. Blask słońca już rozpływał się wśród drzew i kiedy lasy napełniły się zmierzchem, zaczęła bardzo cicho śpiewać, a śpiewając, spuściła przez okno swoje długie włosy, a ich senna mgła dotknęła głów i twarzy wartowników trzymających straż pod drzewem. Słuchając jej głosu, zapadli nagle w bezdenną otchłań snu. Wówczas odziana w ciemność Tinúviel zsunęła się po linie z włosów jak wiewiórka, pobiegła tanecznym krokiem do mostu i znalazła się wśród wartowników, zanim zdołali krzyknąć, a kiedy dotykał ich skraj jej czarnej szaty, zasypiali. Tinúviel uciekła bardzo daleko tak szybko, jak tylko zdołały ją nieść migające w tańcu stopy.

Kiedy wieść o ucieczce Tinúviel dotarła do uszu Tinwelinta, wielka była jego rozpacz pomieszana z gniewem, we dworze zapanował chaos, a cały las rozbrzmiał odgłosami poszukiwań, lecz Tinúviel bardzo się już oddaliła i zbliżała do ponurego pogórza, gdzie zaczynają się Góry Nocy. I powiada się, że Dairon, który szedł jej śladem, zgubił się i nie wrócił już do Elfinesse, lecz skierował się ku Palisorowi i wciąż tam gra[6] delikatne magiczne melodie, smutny i samotny w lasach i puszczach południa.

Tinúviel jeszcze niedaleko zaszła, gdy ogarnął ją nagły strach na myśl o tym, co poważyła się uczynić i co ją czeka; wtedy na krótko zawróciła i zapłakała, żałując, że nie ma przy niej Dairona. Powiada się, że w istocie nie był od niej daleko, lecz błąkał się wśród wielkich sosen, w Lesie Nocy, gdzie później Túrin zabił przypadkiem Belega[7]. Niedaleko tych miejsc znajdowała się teraz Tinúviel, lecz nie wkroczyła do tej mrocznej krainy i odzyskawszy ducha, podążała dalej, a dzięki temu, że była istotą o potężnej magii i że otaczało ją zaklęcie oszołomienia i snu, nie była narażona na takie niebezpieczeństwa jak przed nią Beren; mimo to dla tej panny wędrówka okazała się długa, zła i nużąca.

Trzeba ci teraz powiedzieć, Eriolu, że w owych czasach Tevildo kłopotał się tylko jedną rzeczą na świecie, a mianowicie plemieniem psów. W istocie wiele z nich nie było kotom ani przyjaciółmi, ani wrogami, zostały bowiem poddanymi Melka i dzikością oraz okrucieństwem przewyższały wszystkie jego bestie; z najokrutniejszych i najdzikszych spośród nich wyhodował on rasę wilków, które bardzo były mu drogie. Czyż to nie wielki szary wilk Karkaras, Żelazny Kieł, ojciec wilków, strzegł wówczas od dawna bram Angamandi? Wiele jednak psów ani nie uległo Melkowi, ani nie żyło w strachu przed nim; mieszkały one razem z ludźmi i strzegły ich od zła, które inaczej mogłoby się im przydarzyć, albo wędrowały po lasach Hisilómë lub przeszedłszy przez górskie rejony, czasem zapuszczały się nawet do Artanoru i na ziemie leżące na południe od niego.

Jeśli któryś z nich spostrzegł Tevilda albo któregoś z jego wasali czy poddanych, rozlegało się rozgłośne szczekanie i następował wielki pościg, i choć dzięki swym wyjątkowym umiejętnościom wspinania się i ukrywania oraz ochronnej mocy Melka rzadko który z kotów ponosił śmierć, panowała między nimi a psami wielka wrogość i koty bardzo się bały niektórych ogarów. Tevildo jednakże nie bał się żadnego z nich, bo był od nich silniejszy, zwinniejszy i szybszy. Ustępował pod tym względem tylko Huanowi, dowódcy psów. Był on tak szybki, że zakosztował kiedyś futra Tevilda i chociaż ten odpłacił mu smagnięciem wielkich pazurów, duma księcia kotów pozostawała nadal zraniona, toteż pałał on żądzą wyrządzenia psu Huanowi wielkiej krzywdy.

Dlatego wiele szczęścia miała Tinúviel, że spotkała w lesie Huana, chociaż z początku śmiertelnie się go przestraszyła i uciekła. Lecz pies dogonił ją dwoma susami i posługując się językiem Zaginionych Elfów, poprosił miękkim, głębokim głosem, by się go nie bała, a potem zapytał: „Dlaczego widzę pannę z rodu elfów, i to bardzo piękną pannę, wędrującą samotnie tak blisko siedziby Ainura Zła? Nie wiesz, maleńka, że to są bardzo niebezpieczne okolice, nawet jeśli ma się towarzysza, a dla kogoś samotnego oznaczają pewną śmierć?".

„To wiem", odparła. „Nie jestem tu z powodu umiłowania wędrówek, lecz tylko szukam Berena".

„Co zatem wiesz o Berenie?", spytał Huan. „I czy naprawdę mówisz o Berenie, synu myśliwego elfów Egnora bo-Rimiona, z dawien dawna moim przyjacielu?"

„Nie wiem, czy mój Beren jest twoim przyjacielem, szukam bowiem tylko Berena zza Gorzkich Wzgórz, którego poznałam w lasach w pobliżu domu mego ojca. Teraz odszedł, a moja matka Gwendelinga w swej mądrości powiada, że jest niewolnikiem w okrutnej siedzibie księcia kotów Tevilda. Nie wiem, czy to prawda, czy przydarzyło mu się coś jeszcze gorszego; idę, by to odkryć, chociaż planu nie mam żadnego".

„A zatem ja ci go ułożę", rzekł Huan, „a ty mi zaufaj, jestem bowiem Huan z plemienia psów, największy nieprzyjaciel Tevilda. Odpocznij tu ze mną w cieniu lasu, a ja oddam się rozmyślaniom".

Posłuchała go i długo spała, była bowiem wielce znużona, a Huan jej pilnował. Kiedy się obudziła, rzekła: „Oto zwlekałam już za długo. Powiedz, co myślisz, Huanie?".

A Huan odpowiedział: „Mroczna to i trudna sprawa i innej rady nie mogę wymyślić niż ta oto. Zakradnij się, jeśli masz taką wolę, do siedziby księcia kotów, gdy słońce wzniesie się wysoko i Tevildo wraz z większością domowników będzie drzemał na tarasach przed swoją bramą. Tam dowiedz się jakimś sposobem, czy Beren rzeczywiście jest wewnątrz, jak ci powiedziała matka. Ja ukryję się nieopodal w lesie, ty zaś sprawisz mi radość i pomożesz własnej sprawie, jeśli — niezależnie, czy Beren tam będzie, czy nie — stawisz się przed Tevildem i powiesz mu, jak to natknęłaś się na Huana z plemienia psów leżącego bez sił w lesie w pewnym miejscu. W istocie nie mów mu, gdzie ono jest, bo jeśli ci się uda, musisz go tu sama przyprowadzić. Wtedy ujrzysz, co przygotowałem dla ciebie i dla Tevilda. Sądzę, że usłyszawszy takie wieści, Tevildo nie potraktuje cię źle w swej siedzibie ani nie będzie cię pragnął tam zatrzymać".

W ten sposób zamierzał Huan zarówno zranić Tevilda, a może, gdyby się udało, nawet go zabić, jak i pomóc Berenowi, domyślał się bowiem, że to jest ten Beren, syn Egnora, którego kochają ogary z Hisilómë. W istocie gdy usłyszał imię Gwendelingi i dzięki temu zrozumiał, że owa panna jest księżniczką leśnych wróżków, zapragnął też jej pomóc, a łagodność panny obudziła w jego sercu sympatię dla niej.

Tinúviel nabrała ducha i zakradła się w pobliże siedziby Tevilda; odwaga panny zadziwiła Huana, który bez jej wiedzy szedł za nią tak daleko, jak tylko mógł, aby powiódł się jego plan. W końcu jednak zniknęła mu z oczu i porzuciwszy schronienie, jakie dawały jej drzewa, wyszła na teren porośnięty wysoką trawą i z rzadka porozrzucanymi krzakami, wznoszący się coraz wyżej ku grani wzgórz. Ten skalny grzebień był oświetlony słońcem, lecz nad wszystkimi wzgórzami i ciągnącymi się za nimi górami zawisła czarna chmura, tam bowiem leżały Angamandi. Tinúviel szła, nie śmiejąc podnieść oczu i spojrzeć na tę ciemność, opadł ją bowiem strach. Grunt wciąż się wznosił, a coraz gęściej usiana głazami trawa się przerzedzała, aż wreszcie wzniesienie skończyło się urwiskiem opadającym pionowo na drugą stronę. Tam na kamiennej półce stał zamek Tevilda. Nie prowadziła do niego żadna droga, a teren, na którym stał, schodził tarasami w stronę lasu, tak że do bramy zamku można było dotrzeć tylko wielkimi susami, a im bliżej pałacu znajdowały się tarasy, tym bardziej strome się stawały. Zamek niewiele miał okien, a tuż nad ziemią nie było ich wcale; w istocie brama znajdowała się na wysokości, na jakiej w siedzibach ludzi bywają zwykle okna górnego poziomu. Na dachu znajdowało się natomiast wiele szerokich, płaskich miejsc wystawionych na słońce.

Chodzi więc zrozpaczona Tinúviel po najniższym tarasie i patrzy ze strachem na mroczne domostwo na wzgórzu. Nagle, gdy obeszła skałę, natknęła się na samotnego kota, który leżał na słońcu, jakby spał. Kiedy jednak się zbliżyła, otworzył żółte oko i mrugnął do niej, a potem wstał, przeciągnął się, podszedł do Tinúviel i powiedział: „Dokąd to, dzieweczko? Nie wiesz, że weszłaś bez pozwolenia na teren, gdzie wygrzewa się na słońcu jego wysokość Tevildo i jego wasale?".

Tinúviel bardzo się bała, lecz odpowiedziała tak zuchwale, jak tylko zdołała: „Tego nie wiem, wielmożny panie" (staremu kotu ogromnie się to spodobało, bo w rzeczywistości był tylko odźwiernym Tevilda), „ale zaiste, gdybyś był tak dobry, mógłbyś mnie zaprowadzić przed oblicze Tevilda, nawet jeżeli śpi" — dorzuciła, bo zdumiony odźwierny chlastał ogonem na znak odmowy. „Mam bardzo ważne wiadomości przeznaczone tylko dla jego uszu. Zaprowadź mnie do niego, panie", poprosiła, na co kot zamruczał tak głośno, że odważyła się pogłaskać go po szpetnej głowie, która była dużo większa od jej głowy i od głowy jakiegokolwiek psa żyjącego dziś na ziemi. Proszony w ten sposób Umuiyan, bo tak się zwał, rzekł: „Chodź zatem ze mną", i chwyciwszy nagle Tinúviel, ku jej wielkiemu przestrachowi, za kraj szaty na ramieniu, podrzucił ją sobie na grzbiet, po czym wskoczył na drugi taras. Tam się zatrzymał i kiedy Tinúviel ześliznęła się na ziemię, powiedział: „Szczęśliwie się dla ciebie złożyło, że tego popołudnia pan mój, Tevildo, leży na tym nisko położonym tarasie z dala od domu, obawiam się bowiem, że nie miałbym chęci nieść cię dalej, ponieważ ogarnęło mnie wielkie znużenie i naszło pragnienie snu". Tinúviel miała teraz na sobie swoją szatę z czarnej mgły.

Mówiąc te słowa, Umuiyan* potężnie ziewnął i przeciągnął się, a potem poprowadził ją wzdłuż tarasu na otwartą przestrzeń, gdzie na szerokim legowisku z kamieni służących do pieczenia spoczywał sam straszliwy Tevildo. Oboje złych oczu miał zamknięte. Odźwierny Umuiyan podszedł i powiedział mu cicho do ucha: „Pewna panna czeka, żebyś zechciał ją wysłuchać, panie, a ma ci do przekazania ważne wieści i nie przyjęła mojej odmowy". Tevildo machnął gniewnie ogonem i odemknąwszy oko, rzekł: „O co chodzi? Pośpiesz się, bo nie jest to pora, gdy książę kotów Tevildo udziela posłuchań".

„Nie, panie", powiedziała Tinúviel z drżeniem. „Nie gniewaj się; nie sądzę też, byś wpadł w gniew, gdy usłyszysz, w czym rzecz, a lepiej nie mówić o niej nawet szeptem tu, wśród podmuchów wiatru". I zerknęła niby z niepokojem w stronę lasu.

„Nie, odejdź", rzekł Tevildo. „Pachniesz psem, a jakie dobre wieści przyniosła kiedykolwiek kotu wróżka, która zadawała się z psami?"

„Ależ, panie, nic dziwnego, że pachnę psami, właśnie bowiem uciekłam jednemu z nich, a w istocie chciałabym ci powiedzieć o pewnym wielce potężnym psie, którego imię jest ci znane". Usiadł wówczas Tevildo i otworzył oczy, rozejrzał się dokoła i przeciągnął trzy razy, a w końcu nakazał odźwiernemu wprowadzić Tinúviel do środka, a Umuiyan, tak jak poprzednio, posadził ją sobie na grzbiecie. Tinúviel ogarnęło wielkie przerażenie, uzyskawszy bowiem to, czego pragnęła, czyli sposobność wejścia do twierdzy Tevilda i być może odkrycia, czy jest w niej Beren, nie miała planu, co ma robić dalej, i nie wiedziała, co się z nią stanie. Tak naprawdę uciekłaby, gdyby mogła; teraz jednak koty zaczynają wchodzić po tarasach, kierując się w stronę zamku, a Umuiyan z Tinúviel na grzbiecie skacze raz i drugi. Za trzecim razem potknął się, aż Tinúviel krzyknęła ze strachu,

---

* Nad słowem „Umuiyan" widnieje ujęte w nawias imię *Gumniow*.

a Tevildo powiedział: „Co ci dolega, Umuiyanie o niezdarnych łapach? Jeśli tak ci doskwiera wiek, to czas, byś opuścił moją służbę". Lecz Umuiyan odrzekł: „Nie, panie, nie wiem, co to jest, ale mam przed oczyma mgłę i głowa mi ciąży". Potknął się jak pijany, że aż Tinúviel zsunęła się z jego grzbietu, po czym legł jakby pogrążony w głębokim śnie, a Tevildo zapłonął gniewem, chwycił Tinúviel wcale nie delikatnie i sam zaniósł ją do bramy. Potężnym skokiem pokonał ją i znalazł się we wnętrzu. Rozkazawszy pannie zsiąść, wydał wrzask, który rozbrzmiał straszliwym echem w ciemnych przejściach i korytarzach. Natychmiast pośpieszyli ku niemu słudzy; niektórym z nich kazał Tevildo zejść do Umuiyana, związać go i zrzucić ze skał „na północną stronę, gdzie urwisko jest najbardziej strome, bo na nic już mi się nie zda", jak powiedział, „wiek bowiem pozbawił go pewności kroku". Usłyszawszy bezwzględny rozkaz tego zwierza, Tinúviel zadrżała. Lecz kiedy jeszcze to mówił, sam ziewał i się słaniał, jakby ogarnięty nagłą sennością. Kazał odprowadzić Tinúviel do pewnej komnaty w zamku, a była to komnata, w której zwykł zasiadać i raczyć się mięsiwem ze swoimi głównymi wasalami. Było w niej pełno kości i wypełniał ją straszliwy odór; nie miała okien i tylko jedne drzwi, lecz otwór w ścianie łączył ją z wielkimi kuchniami i stamtąd sączyło się nikłe czerwone światło.

Kiedy koty zostawiły tam Tinúviel, była tak przerażona, że stała chwilę, nie mogąc się poruszyć, ale wkrótce jej oczy przywykły do ciemności; rozejrzała się i dostrzegła otwór w ścianie, pod którym był szeroki parapet. Wskoczyła na niego, nie znajdował się bowiem zbyt wysoko, a ona była zwinnym elfem. Zaglądając przez otwór, zasłaniająca go klapa była bowiem uchylona, ujrzała przestronne sklepione kuchnie i płonące wielkie ognie oraz tych, którzy zawsze tam pracowali. Większość z nich stanowiły koty — lecz oto przy wielkim palenisku pochylał się Beren, ubrudzony od ciężkiej pracy. Tinúviel usiadła i zapłakała, ale jeszcze nie ważyła się nic uczynić. A kiedy tak siedziała, w komnacie rozległ się nagle ostry głos Tevilda: „Dokąd to, na Melka, uciekła ta szalona panna elfów?". Tinúviel skuliła się i przylgnęła do ściany, lecz Tevildo dostrzegł ją tam, gdzie przysiadła, i zawołał: „A zatem ptaszek już nie śpiewa; zejdź, bo inaczej sam cię przyniosę, zważ bowiem, że nie mogę pozwolić, by elfowie dla kpiny prosili mnie o posłuchanie".

Wówczas częściowo ze strachu, a częściowo w nadziei, że jej wyraźny głos mógłby dobiec do Berena, Tinúviel nagle zaczęła opowiadać swoją historię tak głośno, że rozbrzmiała w całej komnacie, lecz Tevildo rzekł: „Ciszej, miła panno, jeśli sprawa była tajna na dworze, to nie należy jej wywrzaskiwać pod dachem ". Tinúviel odparła: „Nie mów tak do mnie, o kocie, mimo żeś potężnym władcą kotów, bo czyż nie jestem Tinúviel, księżniczką wróżków, która zboczyła z drogi, by sprawić ci przyjemność?". Przy tych słowach, a wykrzyknęła je głośniej jeszcze niż poprzednie, rozległ się w kuchni głośny trzask, jakby nagle spadło na ziemię kilka metalowych i ceramicznych naczyń, a Tevildo warknął: „To się potyka ten głupiec elf Beren. Wyzwól mnie, Melko, od takich sług" — lecz Tinúviel, która się domyśliła, że Beren ją usłyszał i zdrętwiał z zaskoczenia, wyzbyła się obaw i już nie żałowała swego zuchwalstwa. Tevilda jednak na jej wyniosłe słowa ogarnął gniew i gdyby nie chciał najpierw sprawdzić, co dobrego mogłaby mu przynieść jej opowieść, sprawy od razu przybrałyby zły dla Tinúviel obrót. Zaiste od tej chwili znajdowała się w wielkim niebezpieczeństwie, Melko bowiem i wszyscy jego wasale uważali Tinwelinta i jego lud za wyjętych spod prawa, toteż z wielką radością się na nich zasadzali i okrutnie ich traktowali, tak więc gdyby Tevildo zaprowadził Tinúviel przed oblicze swego pana, wielką by zyskał jego przychylność. W rzeczywistości kot zamierzał to uczynić od chwili, gdy wyjawiła swoje imię, ale najpierw pragnął załatwić swoje sprawy. Prawdą jest też, że tego dnia miał przytępione zmysły i nie przyszło mu do głowy, by się zdziwić, dlaczego panna przycupnęła na parapecie, o Berenie zaś więcej nie myślał, zajęty wyłącznie opowieścią przyniesioną przez Tinúviel. Dlatego też powiedział, ukrywając zły nastrój: „Nie, pani, powściągnij gniew i powiedz wreszcie — zwłoka bowiem zaostrza mój apetyt — co takiego przynosisz moim uszom, bo całe już drgają".

A Tinúviel odparła: „Jest wielki zwierz, zajadły i gwałtowny, a nazywa się Huan". Na dźwięk tego imienia Tevildo wygiął grzbiet, sierść mu się zjeżyła z cichym potrzaskiwaniem, a oczy zapłonęły na czerwono. „Zdaje mi się, że nie powinno się dopuszczać, by ta bestia plugawiła swoją obecnością las tak blisko siedziby potężnego księcia kotów, pana Tevilda". Na co Tevildo powiedział: „Nikt go tu nie dopuszcza, a sam przychodzi tylko potajemnie".

„Jakkolwiek się dzieje", rzekła Tinúviel, „teraz tu jest, lecz zdaje mi się, że nareszcie można będzie zakończyć jego życie; bo oto kiedy szłam przez las, ujrzałam wielkiego zwierza leżącego na ziemi i jęczącego jakby z bólu, a był to Huan dotknięty przez złe zaklęcie czy chorobę. Nadal tak leży, bezradny, w kotlince niecałą milę na zachód od tego zamku. Nie trudziłabym może twoich uszu, gdyby zwierz, kiedy zbliżyłam się, by mu pomóc, nie warknął na mnie i nie usiłował mnie ugryźć, toteż wydaje mi się, że taka bestia zasługuje na to, co jej się przydarzyło".

Otóż wszystko, co mówiła Tinúviel, było wielkim kłamstwem, które pomógł jej wymyślić Huan, jako że panny z rodu Eldarów nie mają w zwyczaju kłamać; nigdy jednak nie słyszałam, by potem winił ją za to ani ktokolwiek z Eldarów, ani Beren, i nie winię jej ja, Tevildo bowiem był złym kotem, a Melko najnikczemniejszą ze wszystkich istot, Tinúviel zaś groziło z ich rąk straszliwe niebezpieczeństwo. Jednakże Tevildo, sam wielki i wprawny kłamca, tak dobrze znał się na kłamstwach i subtelnościach wszystkich zwierząt i stworzeń, że rzadko był gotów z przekonaniem uwierzyć lub nie w to, co słyszy. Ponieważ w związku z tym miał w zwyczaju kwestionować wszystko prócz tego, co chciał uznać za prawdę, bardziej uczciwi często go zwodzili. Otóż opowieść o Huanie i jego bezradności tak go ucieszyła, że chętnie w nią uwierzył i postanowił ją przynajmniej sprawdzić; z początku jednak udawał obojętność, mówiąc, że to za drobna sprawa, by robić z niej taką tajemnicę, i że można było śmiało o niej mówić na zewnątrz zamku. Lecz Tinúviel odparła, że nie sądziła, iż trzeba przypominać księciu kotów Tevildowi o właściwościach uszu Huana, które słyszą najcichszy dźwięk — a głos kota najlepiej ze wszystkich — z odległości staja.

Udając zatem, że nie dowierza jej słowom, Tevildo chciał dowiedzieć się od Tinúviel, gdzie dokładnie można znaleźć Huana, lecz ona udzielała tylko niejasnych odpowiedzi, widząc w takim postępowaniu jedyną nadzieję na wydostanie się z zamku, aż w końcu Tevildo, ogarnięty ciekawością i grożąc Tinúviel złymi następstwami, gdyby go okłamała, wezwał do siebie dwóch swoich wasali, a jednym z nich był Oikeroi, kot groźny i wojowniczy. Wówczas wszyscy trzej wraz z Tinúviel wyruszyli w drogę. Tinúviel zdjęła swoją magiczną szatę i złożyła ją tak, że mimo swojego rozmiaru i grubości wyglądała jak malutka chusteczka (takie bowiem umiejętności posiadała ta wróżka), i Oikeroi bezpiecznie zniósł ją z tarasów na swym grzbiecie, nienękany sennością. Przemknęli się przez las w kierunku przez nią wskazanym. Niebawem też Tevildo czuje zapach psa, jeży sierść i siecze wielkim ogonem, a potem wspina się na wysokie drzewo i obserwuje z niego kotlinkę, którą wskazała im Tinúviel. Tam rzeczywiście widzi wielkie ciało Huana, który leży jak długi i tylko stęka i jęczy, schodzi więc w wielkim pośpiechu i czując mściwą radość, zapomina przy tym o Tinúviel, która bojąc się o Huana, schowała się w gęstwinie paproci. Tevildo umyślił sobie, że wraz z dwoma kompanami wkroczą cicho do kotlinki z różnych kierunków, zaskoczą Huana i zabiją go albo — gdyby był zbyt słaby, by walczyć — zabawią się z nim, zadając mu męczarnie. Tak też zrobili, lecz kiedy rzucili się na Huana, ogar wyskoczył w powietrze z głośnym szczekaniem i zacisnął szczęki na grzbiecie kota Oikeroi blisko jego karku i zabił go, lecz drugi wasal uciekł z miauczeniem na potężne drzewo. Tak więc Tevildo został sam na sam z Huanem, a takie spotkanie nie było po jego myśli. Jednakże Huan rzucił się na niego zbyt szybko, by uciekł, i w kotlince wywiązała się zaciekła walka. Tevildo wydawał straszliwe dźwięki, lecz w końcu Huan chwycił go za gardło i kot byłby zginął, gdyby nie to, że uderzając na ślepo łapą, przebił pazurem oko Huana. Huan zawył, a Tevildo szarpnął się mocno, oswobodził ze strasznym wrzaskiem i tak jak jego towarzysz wskoczył na rosnące w pobliżu wysokie, gładkie drzewo. I oto mimo ciężkiej rany Huan skacze teraz pod tym drzewem i rozgłośnie szczeka, a Tevildo przeklina go i rzuca na niego z góry złe słowa.

Rzekł wtedy Huan: „Słuchaj, Tevildo, oto są słowa Huana, którego chciałeś schwytać i zabić bezradnego jak te nieszczęsne myszy, na które lubisz polować — zostań na zawsze na swoim samotnym drzewie i wykrwaw się na śmierć albo zejdź i jeszcze raz zasmakuj moich zębów. A jeśli nie podoba ci się ani jedno, ani drugie, powiedz mi, gdzie jest księżniczka wróżków Tinúviel i Beren, syn Egnora, są to bowiem moi przyjaciele. Oni posłużą jako okup za ciebie, chociaż znacznie przekracza on twoją wartość".

„Jeśli chodzi o tę przeklętą pannę elfów, to, o ile słuch mnie nie myli, leży skomląca w tamtych paprociach", odparł Tevildo. „Berena zaś porządnie drapie kucharz Miaulë w kuchni mojego zamku za nieuwagę, jakiej dopuścił się przed godziną".

„A zatem niech zostaną mi bezpiecznie oddani", powiedział Huan, „a ty będziesz mógł wrócić do swoich komnat, by nieniepokojony lizać rany".

„Z pewnością przyprowadzi ich do ciebie mój wasal, który jest tu ze mną", rzekł Tevildo, lecz Huan warknął: „Tak, i przyprowadzi także całe twoje plemię, zastępy orków i plagi Melka. Nie, nie jestem taki głupi; wolę, żebyś dał Tinúviel jakiś fant, by przyprowadziła Berena, albo zostaniesz tutaj, jeśli nie podoba ci się ten sposób". Wtedy Tevildo został zmuszony do zrzucenia na dół swojej złotej obroży — fantu, który musiałby uznać każdy kot, lecz Huan rzekł: „Nie, więcej jeszcze trzeba, ten fant bowiem sprawi, że cały twój lud będzie cię szukał", a Tevildo o tym wiedział i taką właśnie miał nadzieję. Tak więc na koniec dumny kot, książę w służbie Melka, ugiął się wobec zmęczenia, głodu i strachu i wyjawił sekret kotów oraz zaklęcie powierzone mu przez Melka; a były to magiczne słowa, które spajały kamienie jego złego domostwa i dzięki którym panował nad wszystkimi członkami kociego plemienia, napełniając ich ponadnaturalną złą mocą; od dawna bowiem mawiano, że Tevildo jest złym wróżem w zwierzęcej postaci. Kiedy zatem wypowiedział zaklęcie, Huan roześmiał się tak, że cały las rozbrzmiał echem tego śmiechu, wiedział bowiem, że skończyły się dni panowania kotów.

Pomknęła więc Tinúviel ze złotą obrożą Tevilda na najniższy taras przed bramą i tam się zatrzymawszy, wymówiła czystym głosem zaklęcie. I oto powietrze wypełniło się głosami kotów, a dom Tevilda się zatrząsł i wyszły z niego całe zastępy mieszkańców, a byli oni zmniejszeni do mizernej postaci i bali się Tinúviel. Ona zaś, wymachując obrożą Tevilda, wymówiła niektóre ze słów wyjawionych przez niego Huanowi w jej obecności, a oni ukorzyli się przed nią. Tinúviel zaś powiedziała: „Przyprowadźcie tych, którzy należą do plemienia elfów lub do dzieci człowieczych i są więzieni w tych komnatach". I oto został przyprowadzony Beren, lecz innych niewolników nie było prócz Gimlego, wiekowego gnoma, którego niewola zgięła wpół i odebrała mu wzrok, lecz który, jak głoszą wszystkie pieśni, miał najostrzejszy w całym świecie słuch. Gimli wyszedł, podpierając się kijem, podtrzymywany przez Berena. Beren był wynędzniały i miał na sobie łachmany, a w ręku trzymał wielki nóż pochwycony w kuchni z obawy przed jakimś nowym złem, kiedy zatrzęsło się domostwo i rozległy głosy wszystkich kotów. Kiedy jednak ujrzał Tinúviel stojącą pośród zastępu kulących się poddanych Tevilda i dostrzegł jego wielką obrożę[8], zdumiał się niepomiernie i nie wiedział, co o tym sądzić. Lecz Tinúviel bardzo się ucieszyła i powiedziała: „O Berenie spoza Gorzkich Wzgórz, czy zechcesz teraz ze mną zatańczyć — lecz nie tutaj". I odprowadziła Berena daleko, a wszystkie koty zaczęły rozgłośnie miauczeć i zawodzić, aż Huan i Tevildo usłyszeli je w lesie, lecz żaden z nich nie poszedł za Tinúviel i Berenem ani ich nie napastował, bo się ich bały, a magia Melka je opuściła.

Wielce tego żałowały potem, gdy Tevildo wrócił do domu, a za nim jego trzęsący się towarzysz, straszliwy bowiem był gniew Tevilda, który siekł ogonem i zadawał ciosy wszystkim znajdującym się w pobliżu. A chociaż mogło się to wydawać szaleństwem, Huan z plemienia psów, kiedy Beren i Tinúviel wrócili na polankę, bez wszczynania dalszej wojny pozwolił, by nikczemny książę wrócił do swej siedziby, lecz wielką obrożę ze złota włożył sobie na szyję. To rozgniewało Tevilda bardziej niż wszystko inne, wielka bowiem kryła się w niej magia siły i mocy. Nie podobało się Huanowi, że Tevildo dalej żyje, lecz teraz nie bał się już kotów, które odtąd zawsze uciekają przed psami, a od czasu upokorzenia Tevilda w lesie nieopodal Angamandi psy mają je w pogardzie. Był to największy czyn Huana. Kiedy zaś o tym wszystkim usłyszał Melko, przeklął Tevilda wraz z jego plemieniem i wszystkich ich przegnał. Od tego czasu koty nie mają władcy ni pana, ani żadnego przyjaciela; ich głosy skrzeczą i zawodzą, a ich serca są bardzo samotne, pełne goryczy i poczucia straty, lecz jest w nich tylko mrok i żadnej dobroci.

W czasie, o którym mówi ta opowieść, Tevildo przede wszystkim pragnął ponownie schwytać Berena i Tinúviel oraz zabić Huana, aby odzyskać utracone zaklęcie i magię, bardzo bowiem bał się Melka i nie śmiał szukać u swego pana pomocy ani wyjawić mu, że został pokonany i zmuszony do zdradzenia magicznych słów. Nie wiedząc o tym, Huan obawiał się tych okolic i przejmował go strach, że wieść o owych wydarzeniach, jak o większości innych na świecie, szybko dotrze do uszu Melka. Dlatego Tinúviel i Beren odeszli teraz daleko wraz z Huanem i bardzo się z nim zaprzyjaźnili, a tak żyjąc, Beren odzyskał siły i wyzbył się wspomnień o niewoli, Tinúviel zaś go kochała.

Dzikie, surowe i bardzo samotne płynęły im dni, nie widzieli bowiem ni elfów, ni ludzi, a w końcu Tinúviel bardzo zatęskniła za swoją matką Gwendelingą i pieśniami pełnymi słodkiej magii, które ta śpiewała swoim dzieciom, kiedy nad lasem wokół ich pradawnej siedziby zapadał zmierzch. Na pełnych uroku polanach[9], które odwiedzali, często wydawało się jej, że słyszy flet swojego brata Dairona, i robiło jej się ciężko na sercu. W końcu powiedziała do Berena i Huana: „Muszę wrócić do domu", i teraz to sercem Berena owładnął smutek. Pokochał bowiem to życie w lesie z psami (wiele bowiem innych dołączyło do Huana), ale nie chciał go bez Tinúviel.

Mimo to powiedział: „Nie mogę ani wrócić z tobą na ziemie Artanoru, ani później na nie przybyć w poszukiwaniu ciebie, słodka Tinúviel, chyba że zdobędę Silmaril; tego zaś nigdy nie dokonam. Czyż bowiem nie jestem uciekinierem z komnat Melka i czy nie wisi nade mną groźba najstraszniejszych cierpień, jeśliby spostrzegł mnie któryś z jego sług?". Wyrzekł to z żalem w sercu, bo rozstawał się oto z Tinúviel, ona zaś była w rozterce, nie mogąc znieść ani myśli o odejściu od Berena, ani takiego życia na wygnaniu. Siedziała więc długo, pogrążona w smutnych rozmyślaniach, i nic nie mówiła, a Beren usiadł nieopodal i w końcu przemówił:

„Jedno tylko możemy uczynić, Tinúviel, zdobyć Silmaril". Wtedy poszukała Huana i poprosiła go o pomoc i radę, lecz on przyjął jej słowa z wielką powagą, bo dostrzegał w tym jedynie szaleństwo. Jednakże w końcu Tinúviel wybłagała u niego skórę kota Oikeroi, którego zabił w utarczce na polanie; ów Oikeroi był potężnym kotem i Huan nosił jego skórę ze sobą jako trofeum.

Używa zatem Tinúviel swoich umiejętności i magii wróżków, zaszywa Berena w tę skórę i upodabnia go do wielkiego kota, uczy go, jak siadać i jak się wylegiwać, chodzić, skakać i biegać jak kot. Na ten widok jeżyły się wąsy Huana, co budziło śmiech Berena i Tinúviel. Nie zdołał jednak Beren nauczyć się wrzeszczeć, zawodzić ani mruczeć jak każdy kot, który kiedykolwiek chodził po ziemi, ani nie zdołała Tinúviel obudzić błysku w martwych kocich oczach. „Musimy się z tym pogodzić", powiedziała, „a ty będziesz sprawiał wrażenie bardzo szlachetnego kota, jeśli tylko powstrzymasz swój język".

Pożegnali się wówczas z Huanem i wyruszyli ku siedzibie Melka nieśpiesznym marszem, bo Berenowi w skórze Oikeroi było bardzo niewygodnie i gorąco. Wkrótce Tinúviel zrobiło się lżej na sercu, niż to było dawniej. Głaskała Berena albo ciągnęła go za ogon, a on wpadał w gniew, nie mógł bowiem w odpowiedzi wymachiwać nim tak gwałtownie, jak chciał. W końcu jednak dotarli w pobliże Angamandi, o czym świadczyły głuche odgłosy, dudnienie i huk nieustannej pracy potężnych młotów dziesięciu tysięcy kowali. Nieopodal znajdowały się ponure komory, w których mozolili się niewolni Noldoli pod rozkazami orków i goblinów ze wzgórz, a było tam tak posępnie i ciemno, że zrobiło im się ciężko na sercach. Tinúviel raz jeszcze przywdziała swoją szatę głębokiego snu. Brama Angamandi była zrobiona z ohydnie kutego żelaza, najeżona nożami i kolcami, a przed nią leżał największy wilk, jakiego widział świat — sam Karkaras, Żelazny Kieł, który nigdy nie spał. Na widok Tinúviel Karkaras zawarczał, lecz na kota nie zwrócił większej uwagi, bo ani trochę nie poważał kotów, które wciąż przechodziły przez bramę w jedną i drugą stronę.

„Nie warcz, o Karkarasie", rzekła Tinúviel, „chcę się bowiem zobaczyć z twym panem, Melkiem, a ten oto wasal Tevilda towarzyszy mi jako obrońca". Ciemna szata zakrywała w całości jej migotliwą piękność, Karkaras zaś nie był zbytnio zaniepokojony, lecz mimo to zbliżył się, by zgodnie ze swoim zwyczajem ją obwąchać, a szata nie zdołała stłumić słodkiej woni Eldarów. Dlatego też Tinúviel ruszyła w magiczny tan i pasmami ciemnego welonu omiotła oczy wilka; od senności ugięły mu się nogi, upadł i zasnął. Lecz Tinúviel przerwała taniec dopiero wtedy, gdy pogrążył się w głębokim śnie o wielkich pościgach w lasach Hisilómë, kiedy jeszcze był szczenięciem. Wówczas ona i Beren przeszli przez czarną bramę i zszedłszy na dół krętymi, mrocznymi korytarzami, w końcu stanęli na chwiejnych nogach przed obliczem Melka.

W mroku Beren mógł uchodzić za wasala Tevilda, a w rzeczy samej Oikeroi często przebywał w komnatach Melka, nikt więc nie zwracał nań uwagi. Niepostrzeżenie wśliznął się pod tron Ainura, lecz leżące tam żmije i inne złe istoty przyprawiły go o tak wielki strach, że nie śmiał się ruszyć.

Otóż wszystko to zdarzyło się nadzwyczaj fortunnie, bo gdyby u Melka przebywał Tevildo, ich oszustwo zostałoby odkryte — a właśnie o tym niebezpieczeństwie myśleli, nie wiedząc, że Tevildo jest w swojej siedzibie i nie wie, co miałby zrobić, gdyby wieść o jego rozterkach rozniosła się w Angamandi. Lecz oto Melko dostrzega Tinúviel i powiada: „Kimże jesteś ty, co pomykasz po mych komnatach jak nietoperz? Z całą pewnością nie twoje to miejsce, jakimże więc sposobem tu się pojawiasz?".

„Nie, jeszcze nie moje", rzecze Tinúviel, „chociaż może tak się stać niebawem z twojej łaski, panie. Nie wiesz, żem jest Tinúviel, córa banity Tinwelinta, który wygnał mnie ze swojej siedziby, nie znosi bowiem żadnego sprzeciwu, a ja nie darzę miłością na jego rozkaz".

Zdumiał się prawdziwie Melko, że córka Tinwelinta przybyła z własnej woli do jego straszliwej fortecy Angamandi, i podejrzewając coś złego, zapytał, czego pragnie przybyła. „Nie wiesz chyba", rzecze, „że nie kochają tu twego ojca ani jego ludu, ani że nie masz co żywić nadziei na moje łagodne słowa i dobry humor?"

„Tak mówił mój ojciec", powiada Tinúviel, „czemuż jednak miałabym mu wierzyć? Posiadłam sztukę subtelnego tańca i chcę oto teraz przed tobą zatańczyć, panie, sądzę bowiem, że mogłabym dostać pomieszkanie w jakimś skromnym zakątku twojej siedziby do czasu, kiedy zechciałbyś wezwać tancereczkę Tinúviel, by zdjęła z ciebie brzemię trosk".

„Nie", rzecze Melko, „za nic mam takie sprawy, ale skoro przybyłaś z tak daleka, by zatańczyć, tańcz, a potem zobaczymy". Spojrzał przy tych słowach straszliwym wzrokiem, w jego mrocznym umyśle rodził się bowiem zły zamysł.

Puściła się wówczas Tinúviel w taki tan, jakiego nigdy przedtem ani nigdy potem nie wiodła ani ona, ani żaden inny chochlik, duszek czy elf, i po chwili nawet Melko wodził za nią wzrokiem w zdumieniu i zachwycie. Po sali krążyła szybka jak jaskółka, bezgłośna jak nietoperz, magicznie piękna, jak tylko ona być mogła, zjawiając się to u boku Melka, to przed nim, to za nim, a jej mglista szata muskała jego twarz i powiewała mu przed oczami, wszyscy zaś, którzy siedzieli pod ścianami albo tam stali, zasypiali jeden po drugim, pogrążając się głęboko w sny o tym wszystkim, czego pożądały ich nikczemne serca.

Pod tronem żmije leżały jak skamieniałe, wilki u stóp Melka ziewały i drzemały, a on patrzył zauroczony, lecz nie spał. Puściła się wówczas Tinúviel przed nim w jeszcze żywszy tan, a tańcząc, śpiewała bardzo cichym i zachwycającym głosem pieśń, której dawno temu nauczyła ją Gwendelinga, pieśń śpiewaną przez młodzieńców i panny pod cyprysami ogrodów Lóriena, gdy zanikał blask Drzewa Złota, a lśnił Silpion. Brzmiały w niej głosy słowików, a kiedy Tinúviel tak stąpała po podłodze lekko jak piórko niesione wiatrem, wydawało się, że to cuchnące miejsce wypełniają słodkie wonie. Takiego głosu ani takiego piękna nigdy potem tam nie widziano, toteż mimo całej swej potęgi i majestatu Ainur Melko uległ magii panny elfów, a gdyby znalazł się tam Lórien i ją zobaczył, nawet jego powieki zrobiłyby się ciężkie. Wówczas pochylił się Melko, uśpiony, i w końcu zsunął się w głębokim śnie z tronu na podłogę, a jego żelazna korona odtoczyła się precz.

Nagle Tinúviel przerwała tan. W komnacie nie rozlegał się żaden dźwięk prócz oddechów pogrążonych we śnie; pod tronem Melka zasnął nawet Beren, lecz Tinúviel tak nim potrząsała, że wreszcie się obudził. Wtedy, drżąc ze strachu, zdarł z siebie przebranie i zerwał się na nogi.

I oto dobywa nóż, który porwał z kuchni Tevilda, i chwyta potężną żelazną koronę, której Tinúviel nie zdołała poruszyć, a siła Berena ledwie wystarczyła, by ją obrócić. W wielkim gorączkowym strachu, który ich ogarnął, w mrocznej komnacie śpiącego zła Beren jak najciszej się trudzi, by nożem wyłuskać Silmaril. Obluzowuje wielki środkowy klejnot, a pot kapie mu z czoła, lecz w chwili, gdy wyrywa klejnot z korony, jego nóż pęka z głośnym trzaskiem.

Na ten widok Tinúviel tłumi okrzyk, a Beren odskakuje, dzierżąc w dłoni jeden Silmaril; śpiący poruszają się, a Melko jęczy, jakby złe myśli zakłóciły mu sen, a na jego uśpionej twarzy pojawia się ponury grymas. Zadowolona teraz ze zdobycia tego jednego błyskającego klejnotu para elfów rzuciła się do desperackiej ucieczki z sali; potykali się, biegnąc na oślep przez kręte korytarze, aż po szarej poświacie poznali, że zbliżają się do wyjścia. Lecz oto na progu leży Karkaras, rozbudzony już i czujny.

Natychmiast rzucił się Beren, by osłonić Tinúviel, chociaż mu tego zabroniła — i na złe to ostatecznie wyszło, Tinúviel bowiem nie miała czasu, by ponownie rzucić zaklęcie snu na bestię, nim ta na widok Berena obnażyła kły i gniewnie zawarczała. „Skąd ta gburowatość, Karkarasie?", rzekła Tinúviel. „A skąd wziął się ten gnom[10], który nie wszedł, a mimo to wychodzi w pośpiechu?", zapytał Żelazny Kieł i z tymi słowy skoczył na Berena, który wymierzył pięścią cios prosto między oczy wilka, a drugą ręką sięgnął do jego gardła.

Wówczas chwycił Karkaras tę dłoń swymi straszliwymi szczękami, a była to dłoń, w której Beren ściskał płonący blaskiem Silmaril, i zarówno dłoń, jak i klejnot odgryzł Karkaras i pochłonął je swą czerwoną paszczą. Wielki był ból Berena oraz strach i cierpienie Tinúviel. Lecz oto w chwili, gdy spodziewają się poczuć na swych ciałach zęby wilka, dzieje się coś nowego, dziwnego i strasznego. Oto Silmaril wybucha ukrytym dotąd białym ogniem, ujawniając swą prawdziwą naturę i ukazując gwałtownie swoją świętą magię — czyż bowiem nie pochodzi z Valinoru i błogosławionych królestw, stworzony zaklęciami bogów i gnomów, zanim pojawiło się tam zło? Klejnot nie znosi kontaktu z nikczemnym ciałem ni dotyku niecnej dłoni. Wnika on w plugawe ciało Karkarasa i nagle w trzewiach bestii rodzi się straszliwe cierpienie, a skowyt bólu rozbrzmiewa upiornym echem w skalnych korytarzach. Obudził się cały pogrążony we śnie dwór. Uciekli wówczas Tinúviel i Beren niczym wiatr od bram Angamandi, a mimo to Karkaras znalazł się daleko przed nimi, wściekły i oszalały jak zwierz ścigany przez Balrogów. Potem, kiedy mogli zaczerpnąć tchu, Tinúviel załkała nad okaleczoną ręką Berena, obsypując ją pocałunkami, tak że nie krwawiła i opuścił ją ból, uzdrowiła go bowiem czuła opieka jej miłości. I już zawsze potem nosił Beren wśród wszystkich ludów przezwisko Ermabwed, Jednoręki, które w języku Samotnej Wyspy brzmi Elmavoitë.

Teraz jednakże musieli pomyśleć o ucieczce — jeśli taki miał im przypaść los. Tinúviel okryła Berena skrajem swej szaty i przez czas niejaki pomykali w zmierzchu i w ciemnościach wśród wzgórz, niewidziani przez nikogo, chociaż Melko wysłał przeciwko nim wszystkich swoich siejących przerażenie orków; a takiej furii, w jaką wpadł po porwaniu klejnotu, elfowie jeszcze u niego nie widzieli.

Mimo to wkrótce wydało się im, że sieć myśliwych coraz mocniej się wokół nich zaciska, i chociaż dotarli na skraj lepiej znanych sobie puszcz i przebyli mrok lasu Taurfuin, między nimi a jaskiniami króla Tinwelinta wciąż leżało jeszcze wiele staj niebezpieczeństw, a nawet gdyby kiedykolwiek tam dotarli, wydawało się prawdopodobne, że sprowadziliby za sobą pościg i ściągnęliby nienawiść Melka na cały leśny lud. W istocie tak wielka wybuchła wrzawa, że Huan dowiedział się z daleka o owych wydarzeniach i bardzo się dziwił śmiałości tych dwojga, a jeszcze bardziej, że udało im się uciec z Angamandi.

Owóż przemierzał on z licznymi psami lasy, polując na orków i wasali Tevilda, i wiele przy tej okazji otrzymał ran, i wielu zabił albo przestraszył i zmusił do ucieczki, aż pewnego wieczoru o zmierzchu Valarowie przywiedli go na polanę w tej północnej części Artanoru, która później otrzymała nazwę Nan Dumgorthin, kraina mrocznych bożków, lecz owa sprawa nie dotyczy tej opowieści. Jednakże już wtedy była to okolica ciemna i ponura, i budząca złe przeczucia, a pod jej posępnymi drzewami rozlewał się strach równy temu, który panował w Taurfuin. Dwoje elfów, Tinúviel i Beren, leżało tam znużonych i wyzbytych nadziei; Tinúviel płakała, Beren zaś obracał w palcach swój nóż.

A kiedy odnalazł ich Huan, nie pozwolił im mówić ani opowiedzieć choćby części tego, co im się przydarzyło, lecz od razu posadził sobie Tinúviel na grzbiecie, a Berenowi kazał jak najszybciej biec obok siebie, bo, jak powiedział, „przybliża się tu szybko wielki oddział orków, a za tropicieli i zwiadowców mają wilki". Teraz więc biegną otoczeni ze wszystkich stron przez sforę Huana i podążają bardzo szybko tajemnymi ścieżkami ku odległym domom ludu Tinwelinta. W ten sposób wymknęli się zastępowi wrogów, niemniej mieli później wiele spotkań z błąkającymi się sługami zła i Beren zabił orka, który o mały włos by porwał Tinúviel, i był to dobry czyn. Widząc, że łowcy wciąż się przybliżają, raz jeszcze poprowadził ich Huan krętymi ścieżkami, jednak nie odważył się powieść ich prosto do krainy leśnych wróżków. Takim był wszelako przemyślnym przewodnikiem, że w końcu po wielu dniach zgubili pościg i już nie widzieli ani nie słyszeli band orków; gobliny już się na nich nie zasadzały ani nocą nie dochodziło ich wycie złych wilków, a działo się tak zapewne dlatego, że znaleźli się już w kręgu magii Gwendelingi, która chroniła tamtejsze ścieżki i nie dopuszczała do krainy leśnych elfów żadnego zła.

Wówczas Tinúviel zaczęła znowu oddychać tak swobodnie, jak nie oddychała od czasu ucieczki z siedziby ojca, a Beren odpoczywał w słońcu z dala od mroku Angbandu, aż pozbył się resztek goryczy wyniesionej z niewoli. I oto, dzięki światłu przesianemu przez zielone liście, szeptowi czystych wiatrów i pieśniom ptaków, znowu niczego się nie boją.

Atoli nastał w końcu dzień, kiedy Beren, obudzony z głębokiego snu, ozwał się jak ktoś, kto zostaje wyrwany z sennych marzeń o szczęśliwych chwilach i nagle wraca do przytomności — i powiedział: „Żegnaj, o Huanie, najwierniejszy towarzyszu, i ty, mała Tinúviel, którą kocham, żegnaj. Proszę cię tylko o to jedno, byś podążyła prosto do twojego bezpiecznego domu, i niech cię poprowadzi zacny Huan. Lecz ja — o tak, ja muszę zaszyć się w leśnej samotni, utraciłem bowiem Silmaril, który był w moim posiadaniu, i nigdy więcej nie ośmielę się wrócić do Angamandi ani nie wejdę do siedziby Tinwelinta". Zapłakał wtedy, lecz Tinúviel, która znajdowała się nieopodal i usłyszała jego rozważania, podeszła do niego i rzekła: „Nie, odmieniło się teraz moje serce[11] i jeśli zamieszkasz w lesie, o Berenie Jednoręki, uczynię to i ja, a jeśli zechcesz wędrować po dzikiej okolicy, będę po niej wędrować i ja, z tobą czy za tobą, a ojciec mój mnie już nie ujrzy, chyba że ty mnie do niego zaprowadzisz". Ucieszył się Beren z jej słodkich słów; chętnie zamieszkałby z nią jako myśliwy w dzikich ostępach, lecz na wspomnienie tego, co dla niego wycierpiała, zakłuło go serce i Beren wyrzekł się dla niej swej dumy. Ona zaś przekonywała go, mówiąc, że szaleństwem byłby upór i że jej ojciec powitałby ich z radością, zadowolony, że widzi córkę żywą. „I być może”, powiedziała, „zawstydzi się, że przez jego żart twoja piękna dłoń znalazła się w paszczy Karkarasa”. Huana także błagała, by im towarzyszył przez jakiś czas, bo, jak mu rzekła, „ojciec mój jest ci winien wielką nagrodę, o Huanie, jeśli w ogóle kocha swoją córkę”.

I stało się, że tych troje znów ruszyło razem w drogę. Wrócili w końcu do lasów, które Tinúviel znała i kochała, a które leżały w pobliżu siedzib jej plemienia i podziemnych komnat jej domu. Kiedy jednak się zbliżają, widzą, że wśród tamtejszego ludu panuje strach i pomieszanie, jakich nie zaznał on od wieków. Spytali o to napotkanych elfów, którzy płakali przed drzwiami własnych siedzib, i dowiedzieli się, że od dnia sekretnej ucieczki Tinúviel prześladuje ich pech. Król zaś, oszalały z rozpaczy, wyzbył się dawnej czujności i przebiegłości i wysyłał wojowników w różne miejsca groźnego lasu, by szukali panny, a wielu z nich zostało zabitych albo na zawsze zaginęło. Ponadto wzdłuż północnych i wschodnich granic kraju toczyła się wojna ze sługami Melka i lud bardzo się bał, że Ainur, zebrawszy wszystkie swe siły, nadciągnie, by ich zmiażdżyć, a Gwendelindze zabraknie mocy, by powstrzymać hordy orków. „Patrzcie, oto przydarzyło się najgorsze ze wszystkiego”, powiedzieli, „długo bowiem królowa Gwendelinga siedziała samotnie i nie uśmiechała się ani nic nie mówiła, patrząc w dal umęczonym wzrokiem, a sieć jej magii osłabła w lesie i las stał się ponury, Dairon bowiem nie wraca i na polanach nie słychać już jego muzyki. A poznajcie oto najgorszą ze wszystkich złych wieści: z siedziby Zła wypadł na nas rozwścieczony wielki szary wilk napełniony złym duchem i miota się, jakby poganiało go jakieś ukryte szaleństwo, i nikt nie jest bezpieczny. Wielu już zabił, pędząc dziko przez las z kłapaniem zębów i wyciem, tak że niebezpieczeństwo czai się nawet nad brzegami strumienia, który płynie przed siedzibą króla. Straszliwy ten wilk przychodzi tam często, by się napić, a z oczyma nabiegłymi krwią i wywalonym jęzorem wygląda jak sam książę zła, i nie może ugasić pragnienia, jakby trawił go wewnętrzny ogień”.

Wówczas na myśl o nieszczęściach, jakie spadły na jej lud, ogarnął Tinúviel smutek, a największą gorycz zasiała w jej sercu opowieść o Daironie, bo wcześniej nie słyszała o nim ani słowa. Nie żałowała jednak, że Beren przybył wraz z nią do Artanoru, i razem pośpieszyli do Tinwelinta. Elfom z lasu już się zdawało, że skoro Tinúviel wróciła do nich nieukrzywdzona, to zbliża się kres ich nieszczęść. Zaiste niewielką dotąd mieli na to nadzieję.

Przybywszy tam, zastają króla Tinwelinta bardzo przygnębionego, lecz jego smutek rozpuszcza się nagle we łzach wesela, a Gwendelinga znowu śpiewa z radości, kiedy Tinúviel wchodzi do komnaty i zrzuciwszy swoją szatę z ciemnej mgły, staje przed nimi w swej dawnej perłowej poświacie. Przez chwilę panuje radość i zdumienie, atoli w końcu król zwraca spojrzenie na Berena i powiada: „A więc ty też wróciłeś — przynosząc bez wątpienia Silmaril jako zadośćuczynienie za całe zło, które wyrządziłeś mojej krainie; jeśli tak nie jest, to nie wiem, dlaczego się tu zjawiłeś".

Wówczas Tinúviel tupnęła i odezwała się w te słowa, a król i wszyscy wokół dziwili się jej nowej, nieustraszonej postawie: „Wstydź się, ojcze mój — patrz, oto dzielny Beren, którego twoje żarty zawiodły w mroczne miejsca i skazały na podłą niewolę i którego od okrutnej śmierci ocalili sami Valarowie. Sądzę, że królowi Eldarów bardziej przystoi raczej go wynagrodzić niż piętnować".

„Nie, twój ojciec król ma słuszność", rzekł Beren. „Panie", tu zwrócił się do Tinwelinta, „właśnie w tej chwili trzymam Silmaril w dłoni".

„Pokaż mi go zatem", rzekł zdumiony król.

„Tego uczynić nie mogę", odparł Beren, „bo mojej dłoni tu nie ma". I pokazał okaleczoną rękę.

Wówczas jego niezłomność i uprzejme zachowanie przekonały do niego króla i Tinwelint poprosił Berena i Tinúviel, by opowiedzieli mu o wszystkim, co im się przydarzyło, a słuchał ich pilnie, bo nie w pełni pojmował znaczenie słów Berena. Kiedy wysłuchał wszystkiego do końca, jeszcze bardziej skłoniło się jego serce ku Berenowi. I Tinwelint dziwował się miłości, która obudziła się w sercu Tinúviel i natchnęła ją do większych czynów i większej odwagi niż te, na które zdobył się którykolwiek z wojowników jego ludu.

„Proszę cię usilnie, Berenie", rzekł król, „byś nigdy już nie opuszczał tego dworu ani Tinúviel, wielkim bowiem jesteś elfem, a twoje imię zawsze będzie słynąć wśród naszych rodów". Beren zaś odpowiedział mu takimi dumnymi słowy: „Nie, o królu, dotrzymam tego, co powiedziałem ja i co ty powiedziałeś, i przyniosę ci Silmaril, inaczej nie zamieszkam w spokoju w twoich komnatach". Król prosił go, by już nie zapuszczał się do mrocznych i nieznanych królestw, lecz Beren rzekł: „Nie ma już takiej potrzeby, bo oto klejnot ten w tej właśnie chwili znajduje się w pobliżu twoich jaskiń", i wyjaśnił Tinwelintowi, że zwierz, który sroży się na jego ziemiach, to ni mniej, ni więcej, tylko Karkaras, wilczy strażnik bramy Melka — a inni tego nie wiedzieli, lecz Beren usłyszał o tym od Huana, który swoją przemyślnością w odczytywaniu tropów i śladów przewyższał wszystkie ogary, choć żaden z nich nie jest tej umiejętności pozbawiony. W rzeczy samej Huan towarzyszył Berenowi w siedzibie Tinwelinta i kiedy ci dwaj mówili o pościgu i wielkim polowaniu, poprosił, by mógł wziąć w nich udział, a jego prośba została z radością spełniona. Teraz wszyscy trzej przygotowują się do pościgu za bestią, żeby uwolnić lud od grozy wilka i by Beren mógł dotrzymać słowa i przynieść Silmaril, aby znowu rozbłysnął w Elfinesse. Pościg poprowadził sam król Tinwelint z Berenem u boku. Zerwał się też Mablung o ciężkiej ręce, dowódca królewskich wasali, i chwycił włócznię[12], potężną broń zdobytą w walce z orkami z dalekich stron. Razem z nimi trzema podążał Huan, najpotężniejszy z psów, lecz nikogo innego nie chcieli wziąć ze sobą, co było zgodne z wolą króla, który rzekł: „Do zabicia wilka, nawet z piekła rodem, wystarczy czterech". Jednakże tylko ci, co go widzieli, zdawali sobie sprawę, jak przerażająca jest ta bestia, wielkością niemal dorównująca koniowi, a ziejąca oddechem tak gorącym, że paliła wszystko, co napotkała na swej drodze. Wyruszyli o wschodzie słońca, a wkrótce Huan dostrzegł nad strumieniem niedaleko królewskiej bramy nowy trop i rzekł: „To jest odcisk łapy Karkarasa". Szli zatem cały dzień wzdłuż strumienia; w wielu miejscach jego brzegi były niedawno stratowane i poszarpane, a woda w położonych obok stawach pozostawała zmącona, jakby niedawno tarzały się tam i walczyły jakieś oszalałe bestie.

I oto słońce się zniża i znika za drzewami na zachodzie, a od Hisilómë skrada się ciemność i gaśnie światło w lesie.

Właśnie wtedy natykają się na miejsce, w którym trop oddala się od strumienia, a może ginie w jego wodach. Huan nie może już za nim podążać; rozbijają zatem obóz i śpią na zmianę nad strumieniem, i tak mija początek nocy.

Nagle podczas warty Berena rozlega się w oddali przerażający dźwięk, jak wycie siedemdziesięciu oszalałych wilków, i oto z trzaskiem tratując zarośla i łamiąc młode drzewka, zbliża się zgroza. Wie Beren, że dopadł ich Karkaras. Ledwie zdążył obudzić pozostałych; a kiedy zerwali się na wpół śpiący, w sączącym się z góry niepewnym blasku księżyca zamajaczyła ogromna sylwetka, pędząca jak oszalała w stronę wody. Wtedy zaszczekał

Huan i zwierz natychmiast skręcił ku nim; z paszczy spływała mu piana, z oczu bił czerwony blask, a na pysku malowało się przerażenie pomieszane z wściekłością. Ledwie wyłonił się spośród drzew, rzucił się na niego Huan nieustraszonego serca, lecz on potężnym susem przesadził wielkiego psa, ponieważ na widok Berena, który stał z tyłu i którego Karkaras rozpoznał, nagle rozpaliła się cała jego wściekłość, a zamroczonemu umysłowi wydało się, że ma przed sobą przyczynę całego swego bólu. Wówczas Beren pchnął włócznią wymierzoną w jego szyję, a Huan skoczył i chwycił wilka za tylną nogę. Karkaras padł jak kamień, bo w tej samej chwili królewska włócznia przeszyła mu serce, a jego zły duch wyrwał się na zewnątrz i ze słabnącym zawodzeniem pomknął ponad ciemnymi wzgórzami do Mandosa, lecz Beren leżał pod nim, przygnieciony jego ciężarem. Odtaczają truchło i zaczynają je rozcinać, a Huan liże twarz Berena, po której płynie krew. Wkrótce wychodzi na jaw prawdziwość słów Berena, trzewia wilka są bowiem na wpół spalone, jakby od dawna tlił się w nich wewnętrzny ogień. I nagle noc napełnia się cudownym blaskiem przetykanym bladymi, tajemnymi kolorami, bo Mablung[13] wydobywa Silmaril. Wyciągając go do króla, rzekł: „Spójrz, o królu"[14], lecz Tinwelint odparł: „Nie, dotknę go tylko wtedy, gdy otrzymam klejnot z ręki Berena". Huan zaś powiedział: „A to się być może nigdy nie stanie, chyba że szybko go opatrzysz, bo zdaje mi się, że jest ciężko ranny"; a Mablunga i króla zdjął wstyd.

Podnieśli zatem ostrożnie Berena, opatrzyli go i umyli, a on oddychał, lecz nie mówił i nie otwierał oczu. Kiedy wstało słońce i trochę odpoczęli, ponieśli go przez las jak najdelikatniej na noszach z gałęzi. Około południa znowu znaleźli się blisko zamieszkanych okolic i wtedy poczuli śmiertelne znużenie, a Beren przez cały ten czas nie poruszył się ani nie przemówił, tylko trzy razy jęknął.

Kiedy rozeszła się wśród ludu wieść, że się zbliżają, wszyscy przybiegli im na spotkanie. Niektórzy przynieśli mięso i chłodne napoje, a także maści i leki na ich skaleczenia, i wielka byłaby ich radość, gdyby nie rany Berena. Teraz liściaste gałęzie, na których leżał, przykryli miękkimi szatami i zanieśli go prosto do siedziby króla, gdzie w wielkiej rozpaczy czekała na nich Tinúviel. Padła na pierś Berena z płaczem i ucałowała go, a on się ocknął i poznał ją, a potem Mablung podał mu Silmaril, on zaś uniósł go, wpatrując się w jego piękno, i powiedział powoli, z bólem: „Spójrz, o królu, daję ci ten cudowny klejnot, którego pragnąłeś, lecz jest to tylko drobnostka znaleziona przy drodze, bo zdaje mi się, że miałeś niegdyś rzecz piękniejszą nad wszelkie wyobrażenie, lecz ona należy teraz do mnie". Lecz gdy to mówił, na jego twarzy leżały już cienie Mandosa i w tej godzinie duch Berena uleciał na kraniec świata, a czułe pocałunki Tinúviel nie przywołały go z powrotem.

Wtedy Vëannë nagle zamilkła, a Eriol rzekł ze smutkiem:

— Niewesoła to opowieść w ustach tak słodkiej dzieweczki.

Lecz oto Vëannë zapłakała, a po chwili rzekła:

— Nie, to jeszcze nie cała opowieść, lecz co było dalej, nie potrafię powiedzieć.

Odezwały się też inne dzieci, a jeden z chłopców powiedział:

— Słyszałem, że magia czułych pocałunków Tinúviel uzdrowiła Berena i przywołała jego ducha sprzed bram Mandosa, i że długo mieszkał wśród Zaginionych Elfów, gdzie wędrował wśród polan, zakochany w słodkiej Tinúviel.

Lecz inne dziecko rzekło:

— Nie, nie tak było, Ausirze, a jeśli zechcesz posłuchać, opowiem tę prawdziwą i zdumiewającą historię. Beren bowiem umarł wtedy w ramionach Tinúviel, jak powiedziała Vëannë, a Tinúviel, przygnieciona smutkiem, nie znajdując pocieszenia ni światła na świecie, podążyła szybko za nim tymi mrocznymi ścieżkami, które wszyscy muszą przejść w samotności. I oto jej uroda i delikatny urok poruszyły nawet zimne serce Mandosa, dozwolił więc, by wyprowadziła Berena jeszcze raz na świat, a nigdy więcej nie zdarzyło się to ani człowiekowi, ani elfowi. Jest wiele pieśni i opowieści o modlitwie Tinúviel przed tronem Mandosa, których dobrze nie pamiętam. Zatem rzekł Mandos do tych dwojga: „Zważcie, o elfowie, że nie odprawiam was do życia w doskonałej radości, takiej bowiem nie da się już znaleźć na całym świecie, gdzie usadowił się Melko o złym sercu — i wiedzcie, że staniecie się takimi samymi śmiertelnikami jak ludzie, a kiedy znowu tu przyjdziecie, przyjdziecie już na zawsze, chyba że bogowie wezwą was do Valinoru". Jednakże tych dwoje odeszło, trzymając się za ręce, i wędrowali razem przez północne lasy, i często ich widywano w magicznym tańcu na zboczach wzgórz, a ich imiona stały się znane jak świat długi i szeroki.

Tutaj chłopiec ów zamilkł, a odezwała się Vëannë:

— To prawda, i nie tylko tańczyli, dokonali bowiem później wielkich czynów, o których opowieści musisz wysłuchać, o Eriolu Melinonie, przy innej okazji. Opowieści bowiem nazywają tych dwoje i·Cuilwarthon, czyli żyjącymi umarłymi. Stali się oni potężnymi wróżkami na ziemiach wokół północnego biegu Sirionu. Oto teraz wszystko się skończyło — czy ci się podoba?

Lecz Eriol rzekł:

— Zaiste zdumiewająca to opowieść, jakiej nie spodziewałem się usłyszeć z ust dzieweczek z Mar Vanwa Tyaliéva.

Na to odparła Vëannë:

— Choć nie ułożyłam jej własnymi słowami, jest mi jednak droga — a w istocie wydarzenia, o których opowiada, znają wszystkie dzieci — i nauczyłam się jej na pamięć, czytając o niej w wielkich księgach, mimo że nie pojmuję wszystkiego, co jest w nich zapisane.

— Ja też nie — rzekł Eriol, lecz nagle zawołał Ausir:

— A oto, Eriolu, Vëannë nie powiedziała ci, co się stało z Huanem ani o tym, jak nie chciał żadnych nagród od Tinwelinta ni pozostawać blisko niego, lecz znowu wypuścił się w lasy, pogrążony w żałobie po Tinúviel i Berenie. Pewnego razu natknął się na Mablunga[15], który pomagał w pościgu, a teraz chętnie polował na odludziu, i ci dwaj polowali razem jako przyjaciele aż do czasów smoka Glorunda i Túrina Turambara, kiedy raz jeszcze Huan odnalazł Berena i miał swój udział w wielkich czynach związanych z Nauglafringiem, Naszyjnikiem Krasnoludów.

— Nie, jakżebym mogła opowiedzieć o tym wszystkim — rzekła Vëannë — skoro nadszedł już czas wieczornego posiłku?

Wkrótce potem rozbrzmiał dźwięk wielkiego gongu.

Druga wersja *Opowieści o Tinúviel*

Jak już zostało wspomniane (s. 9), istnieje poprawiona wersja pewnej części tej opowieści, utrwalona w formie maszynopisu (sporządzonego przez mojego ojca). Ogólnie tekst ten w dużym, a nawet bardzo dużym stopniu zgadza się z wersją przedstawioną w rękopisie i pod żadnym względem nie zmienia jej stylu czy ducha, nie jest zatem konieczne podanie tej drugiej wersji *in extenso*. Maszynopis jednakże wprowadza w niektórych miejscach interesujące zmiany; są one podane poniżej (na marginesie znajdują się numery odpowiednich stron rękopisu).

Tytuł maszynopisu (który rozpoczyna się przedstawionym na s. 10–14 tekstem łącznika) brzmiał początkowo „Opowieść o Tynwfiel, księżniczce Dor Athro", co zostało zmienione na „Opowieść o Tinúviel, tancerce z Doriathu".

(s. 8) — Kim zatem była Tinúviel? — zapytał Eriol.

— Nie wiesz? — odparł Ausir. — Była córką Singolda, króla Artanoru.

— Ucisz się, Ausirze — powiedziała Vëannë — to jest moja opowieść, a jest to opowieść o gnomach, zatem proszę cię, byś nie napełniał ucha Eriola twoimi elfickimi imionami! Oto opowiem tylko tę historię, czyż nie widziałam bowiem dawno temu raz na własne oczy Meliany i Tinúviel wędrujących Drogą Snów?

— Jaka zatem była królowa Meliana, skoro ją widziałaś, o Vëannë? — zapytał Eriol.

— Szczupła i ciemnowłosa — odparła dzieweczka. — Skórę miała jasną i bladą, lecz oczy jej lśniły i wydawało się, że kryje się w nich wielka głębia, a była odziana w prześliczne, lecz jak noc czarne przejrzyste szaty usiane gagatami i przepasane srebrem. Jeśli śpiewała albo jeśli tańczyła, nad głowami znajdujących się w pobliżu płynęły sny i marzenia senne, od których robiły się ciężkie niczym od mocnego wina snu. Zaiste była chochlikiem, który zbiegłszy z ogrodów Lóriena, zanim jeszcze zbudowano Kôr, wędrował po pustkowiach świata oraz wszystkich samotnych lasach. Razem z nią podążały słowiki, towarzysząc jej śpiewem — i to pieśń tych ptaków trafiła do uszu Thingola, kroczącego na czele tego drugiego[16] szczepu Eldalië, którzy później zostali Nadbrzeżnymi Fletnikami, Solosimpimi z Wyspy. Otóż przebyli długą drogę z przyćmionego Palisoru i znużone ich zastępy z mozołem podążały za szybkonogim rumakiem Oromëgo, dlatego też muzyka magicznych ptaków Meliany wydawała się Thingolowi pełna pociechy, piękniejsza od innych melodii Ziemi, oddalił się zatem na chwilę, jak sądził, od hufca, szukając pośród ciemnych drzew jej źródła.

I powiada się, że nie chwilę słuchał, lecz wiele lat, a jego pobratymcy szukali go na próżno, aż w końcu musieli podążyć za Oromëm na Tol Eressëę i ruszyć na niej w daleką drogę, zostawiając Thingola zasłuchanego w śpiew zaczarowanych ptaków w lasach Aryadoru. To był pierwszy smutek Solosimpich, a po nich nadeszło wiele innych; lecz w pamięci Thingola Ilúvatar zasiał ziarno muzyki w sercach tego ludu — i ziarno to, bardziej niż u wszystkich innych szczepów prócz jedynie bogów — później, jak głosi opowieść, cudownie zakwitło na wyspie i we wspaniałym Valinorze.

Thingol jednak niewielki czuł smutek; ponieważ po krótkim czasie, jak mu się wydawało, natknął się na Melianę, która leżała na posłaniu z liści…

(s. 9) Dużo później, jak teraz już wiesz, Melko znów wyrwał się z Valinoru na świat i niemal wszystkie mieszkające tam istoty popadły w jego ohydną niewolę; nie byli też wolni Zaginieni Elfowie ani gnomowie błąkający się po górach w poszukiwaniu skradzionego im skarbu. A jednak znaleźli się nieliczni, którzy pod wodzą potężnych królów wciąż opierali się temu złu w umocnionych i ukrytych miejscach i jeśli najwspanialszym wśród nich był Turgon, król Gondolinu, to przez pewien czas najpotężniejszym i najdłużej wolnym był Thingol z Lasów.

Otóż w późniejszych czasach Światła Słońca i Blasku Księżyca Thingol nadal mieszkał w Artanorze i rządził licznym, wytrzymałym ludem wywodzącym się ze wszystkich plemion starodawnej Elfinesse — ani bowiem on, ani jego lud nie przystąpili do strasznej

Bitwy Nieprzeliczonych Łez — kwestia ta z tą opowieścią się nie wiąże. Jednakże po tej gorzkiej bitwie jego władza znacznie wzrosła dzięki uciekinierom, którzy u niego szukali przywódcy i domu. Siedzibę jego ukryła następnie przed wzrokiem i wiedzą Melka przemyślna magia duszki Meliany, która oplotła wszystkie prowadzące do niej ścieżki zaklęciami, żeby mogły po nich bez błądzenia stąpać jedynie dzieci Eldalië. W ten sposób król był strzeżony przed wszelkim złem, wyjąwszy jedynie zdradę; jego komnaty zostały wybudowane w głębokiej jaskini o przepastnym sklepieniu, niemającej innego wejścia niż skalne wrota, potężne, obramowane kamiennymi kolumnami i ocienione przez najwynioślejsze i najstarsze drzewa spośród wszystkich omszałych lasów Artanoru. Płynął tam szeroki strumień, wijący się w głębokim lesie ciemnym i cichym nurtem, a przed owymi wrotami rozlewał się szeroką i bystrą wodą, tak że wszyscy, którzy chcieli przez nie przejść, musieli najpierw wkroczyć na most zawieszony nad tą wodą przez Noldolich w służbie Thingola — a wąski on był i strzegli go liczni strażnicy. Żadną miarą tej leśnej krainy nie przenikało zło, chociaż nie całkiem daleko leżały Góry Żelazne i czarna Hisilómë, gdzie mieszkała dziwna rasa ludzi i trudzili się niewolni Noldoli, i gdzie zapuszczało się niewielu wolnych Eldarów.

Dwoje miał wówczas dzieci Tinwelint, Dairona i Tinúviel…

(s. 10) „jej matka bowiem była duszką, córą Lóriena" zamiast „jej matka bowiem była duszką, córą bogów" w rękopisie.

(s. 11) „Otóż Beren był gnomem, synem Egnora, myśliwego" — jak w rękopisie; lecz imię *Egnor* zmienione na *Barahir*. Ta zmiana była jednak o wiele późniejsza i poniekąd przypadkowa; w 1925 roku ojciec Berena nadal nosił imię *Egnor*.

(s. 11) „wszyscy elfowie leśnej krainy uważali gnomów z Dor Lóminu za istoty zdradzieckie, okrutne i wiarołomne" — pominięte w maszynopisie.

(s. 13) *Angamandi* zastąpione w całym maszynopisie przez *Angband.*

(s. 14) Wiele wówczas stoczył walk i wiele razy się wymykał wrogom, i nieraz zabijał wilki i dosiadających ich orków jedynie jesionową pałką, którą nosił przy sobie; każdego dnia wędrówki…

(s. 15) Jednakże, patrząc na niego z gniewem, Melko zapytał: „Jakim sposobem, niewolniku, ośmieliłeś się tak wyprawić z ziemi, gdzie twoi pobratymcy mieszkają z mego rozkazu, i samowolnie wędrować po wielkich lasach, porzucając prace, które kazano ci wykonać?". Odparł na to Beren, że nie jest zbiegłym niewolnikiem, ale pochodzi z rodu gnomów, którzy mieszkają w Aryadorze, gdzie przebywa wielu ludzi. Wówczas Melko zapałał jeszcze większym gniewem i rzekł: „Oto mamy tu zdrajcę i spiskowca przeciwko władzy Melka, zasługującego na tortury Balrogów" — zawsze bowiem dążył do zniszczenia przyjaźni i związków elfów z ludźmi, bo inaczej mogliby zapomnieć o Bitwie Nieprzeliczonych Łez i raz jeszcze powstać w gniewie przeciwko niemu. Widząc zagrażające mu niebezpieczeństwo, Beren odpowiedział: „Nie myśl, o przepotężny Belcha Morgocie (takie bowiem nosi imiona wśród gnomów), że może to być, bo wówczas nie powinienem się tu znaleźć bez pomocy i sam. Beren, syn Egnora, nie darzy przyjaźnią rodu ludzkiego; przeciwnie, znużony do szpiku kości krainami rojącymi się od tego plemienia, wywędrował z Aryadoru. Dokąd zatem miałby się udać, jak nie do Angbandu? Ojciec wiele mi bowiem kiedyś opowiadał o twojej świetności i chwale. Oto, panie, choć nie jestem zbiegłym niewolnikiem, i tak niczego nie pragnę bardziej, niż służyć ci z całych sił".

Niewiele w tym zawierało się prawdy, a w istocie jego ojciec Egnor był największym wrogiem Melka spośród wszystkich gnomów, którzy jeszcze zaznawali wolności, prócz jedynie Turgona, króla Gondolinu, i synów Fëanora, długi też czas zaznawał przyjaźni z ludźmi, kiedy był towarzyszem broni niezłomnego Úrina; w owych czasach nosił on jednak inne miano, a Egnor dla Melka nic nie znaczył. Wtedy jednak Beren zaiste powiedział prawdę, oświadczając, że jest wspaniałym myśliwym, szybkim i przebiegłym, który zabija wszelkie zwierzęta i ptaki strzałami albo chwyta je w sidła, i biega szybciej od nich. „Polując", rzekł, „zabłądziłem nieświadomie wśród nieznanych mi wzgórz, o panie; długo się błąkałem, zanim dotarłem do obcych krain i nie miałem innej możliwości zapewnienia sobie bezpieczeństwa, jak podążyć do Angbandu, który mogą znaleźć wszyscy, co z daleka widzą czarne wzgórza na północy. Gdyby nie pojmali mnie ci orkowie i niezasłużenie nie poddali katuszom, sam udałbym się do ciebie i błagał o jakieś skromne stanowisko (na przykład dostarczyciela mięsa na twój stół)".

Do wygłoszenia tej mowy natchnęli go zapewne Valarowie albo może Meliana, zdjęta współczuciem, obdarzyła go czarem przemyślnych słów, kiedy uciekał z sali; rzeczywiście bowiem ocaliła mu życie...

Następnie część tego fragmentu została poprawiona na maszynopisie do postaci:

...długi też czas zaznawał przyjaźni z ludźmi (tak jak później sam Beren jako towarzysz broni Úrina Niezłomnego); w owych czasach orkowie nazywali go Ścigłym Rogiem, a Egnor dla Melka nic nie znaczył.

W tym samym czasie słowa „Do wygłoszenia tej mowy natchnęli go zapewne Valarowie" zostały zmieniona na „Do wygłoszenia tej mowy natchnęli go Valarowie".

(s. 15) W ten sposób Melko uczynił Berena niewolnikiem księcia kotów, znanego gnomom jako Tiberth Bridhon Miaugion, lecz elfom jako Tevildo.

Następnie w całym rękopisie zamiast imienia *Tevildo* pojawia się *Tiberth*, a w jednym miejscu ponownie pojawia się pełne imię *Tiberth Bridhon Miaugion*. W rękopisie gnomickie imię to *Tifil*.

(s. 17) ...za całą swoją pracę mógł się pochwalić tylko pogryzionym palcem. Zawrzał wtedy Tiberth gniewem i rzekł: „Okłamałeś mego pana, gnomie, i lepszym jesteś pomocnikiem kuchennym niż myśliwym, który nie potrafisz schwytać nawet myszy w moich komnatach". Źle mu się od tej pory wiodło we władzy Tibertha; został kuchennym pomocnikiem i trudził się bez końca przy rąbaniu drew i przynoszeniu wody, i przy poślednich pracach w tej odrażającej siedzibie. Często także dręczyły go koty i inne przebywające tam złe stwory, a kiedy, jak czasami się zdarzało, odbywała się w tych komnatach orkowa uczta, nierzadko kazano mu piec ptaki oraz inne mięsa na rożnach przed potężnymi paleniskami w lochach Melka, aż omdlewał z wielkiego gorąca; mimo to wiedział, że wciąż zachowując życie wśród tych okrutnych wrogów bogów i elfów, ma szczęście przekraczające wszelką nadzieję. On sam rzadko jadł i spał. Wymizerowany, na wpół ślepy, często żałował, że wypuścił się poza granice dzikiej, wolnej Hisilómë i ujrzał Tinúviel.

(s. 17) Lecz Meliana się nie roześmiała ani nic na to nie powiedziała, posiadła bowiem mądrość w wielu sprawach, także dotyczących przyszłości — niemniej nie do pomyślenia nawet w najbardziej szalonym śnie było, by jakikolwiek elf, a co dopiero panna, córka tego króla, który najdłużej opierał się Melkowi, miała się udać samotnie do granicy tego smutnego kraju, gdzie leży Angband i Piekła Żelaza. Między leśnymi elfami i mieszkańcami Angbandu panowała wrogość nawet w tych dawnych czasach przed Bitwą Nieprzeliczonych Łez, kiedy potęga Melka nie osiągnęła jeszcze pełni, a on sam ukrywał swoje zamiary i rozsnuwał sieć kłamstw. „Nie otrzymasz w tym ode mnie żadnej pomocy, maleńka", rzekła Meliana, „bo nawet jeśli magia i przeznaczenie wyprowadzą cię bezpiecznie z tego nieroztropnego przedsięwzięcia, to wyniknie z niego wiele wielkich spraw, a kilka z nich przyniesie wiele smutków, zatem radzę ci, byś nie mówiła ojcu o swoim pragnieniu".

Lecz te ostatnie słowa Meliany podsłuchał mimowolnie przechodzący obok Thingol, zatem siłą rzeczy o wszystkim się dowiedział i wpadł w tak srogi gniew, że Tinúviel żałowała, iż wyjawiła swe myśli nawet matce.

(s. 18) „Zaiste, nie sprzyjam mu, zniszczył bowiem nasze wspólne zabawy, naszą muzykę i nasz taniec". Lecz Tinúviel rzekła: „Nie proszę o to ze względu na niego, lecz na mnie i na te właśnie nasze dawne wspólne zabawy". A Dairon tak odrzekł: „A ja ze względu na ciebie odmawiam". Więcej już o tym nie rozmawiali, lecz Dairon powiedział królowi, o co poprosiła go Tinúviel, bojąc się, że w szaleństwie swego serca ta nieustraszona panna narazi się na śmierć.

(s. 18) ...nie mógł bowiem zamknąć córki na zawsze w pieczarach, gdzie jedynym światłem był nikły i pełgający blask pochodni.

(s. 19) ...zaśpiewała inną pieśń, a wplecione w nią były nazwy wszystkich najwyższych i najdłuższych rzeczy na Ziemi — wymieniła brody Indrafangów, ogon Karkarasa, ciało smoka Glorunda, pień Hirilorny i miecz Nana, nie zapomniała też o łańcuchu Angainu, wykutym przez Aulëgo i Tulkasa, ani o szyi olbrzyma Gilima, który przewyższa wzrostem wiele wiązów; [...]

Dalej w maszynopisie imię *Carcaras* występuje w takiej właśnie pisowni.

(s. 20) …tak szybko, jak tylko zdołały ją nieść migające w tańcu stopy.

Otóż kiedy strażnicy obudzili się późno rano, uciekli, nie śmiejąc zanieść wieści swemu panu; i to Dairon zaniósł Thingolowi wiadomość o ucieczce Tinúviel, ponieważ napotkał tych, którzy, oszołomieni, odbiegli od drabin przystawianych co rano do jej drzwi. Wielka była rozpacz króla pomieszana z gniewem, we wszystkich zakamarkach jego dworu zapanował chaos, a cały las rozbrzmiał odgłosami poszukiwań, lecz Tinúviel bardzo się już oddaliła i w szaleńczym tańcu zmierzała przez ciemne lasy do ponurego pogórza, gdzie zaczynają się Góry Nocy. I powiada się, że Dairon biegł najszybciej i zapuścił się w pościgu najdalej, lecz opadły go omamy tych odległych miejsc; zgubił się i nie wrócił już do Elfinesse, lecz skierował się ku Palisorowi i wciąż tam gra delikatne magiczne melodie, smutny i samotny w lasach i puszczach południa.

I gdy zdążała Tinúviel przed siebie, ogarnął ją nagły strach na myśl o tym, co poważyła się uczynić i co ją czeka. Wtedy na krótko zawróciła i zapłakała, żałując, że nie ma przy niej Dairona. Powiada się, że w istocie nie był od niej daleko, lecz błąkał się w Taurfuin, w Lesie Nocy, gdzie później Túrin zabił przypadkiem Belega. Niedaleko tych miejsc znajdowała się teraz Tinúviel, lecz nie wkroczyła do tej mrocznej krainy, a Valarowie zasiali w jej sercu nową nadzieję, ruszyła przeto dalej.

(s. 21) Rzadko zaiste któryś z kotów ponosił śmierć; w owych bowiem czasach były znacznie waleczniejsze i silniejsze niż później, po wydarzeniach, o których niebawem się dowiesz, potężniejsze nawet od płowych kotów z południowych krain, gdzie mocno pali słońce. Nie mniejsze miały też umiejętności wspinania się i ukrywania, a biegły z szybkością strzały, lecz wolne psy północnych lasów były cudownie odważne i nie znały strachu; panowała między nimi wielka nieprzyjaźń i niektóre z tych ogarów napełniały przerażeniem nawet największe z kotów. Tiberth nie bał się jednak żadnego z nich prócz jedynie Huana, władcy ogarów z Hisilómë. Tak szybki był Huan, że pewnego razu zaatakował Tibertha, który polował samotnie w lesie, i ścigając go, przegonił i niemal zdarł mu futro z karku, lecz kota uratowała banda orków, którzy usłyszeli jego wrzaski. Huan otrzymał w tej walce wiele zadrapań, zanim się wyrwał wrogom, lecz zraniony w swej dumie Tiberth pałał żądzą zadania mu śmierci.

Dlatego wiele szczęścia miała Tinúviel, że spotkała w lesie Huana; a stało się to na polance w pobliżu granicy lasu, gdzie zaczynają się pierwsze trawiaste obszary zasilane wodami górnego biegu Sirionu. Na widok psa śmiertelnie się przestraszyła i rzuciła do ucieczki, lecz Huan dogonił ją dwoma szybkimi susami. Posługując się głębokim językiem Zaginionych Elfów, poprosił miękkim głosem, by się go nie bała, a potem zapytał: „Dlaczego widzę pannę z rodu elfów, i to bardzo piękną pannę, wędrującą samotnie tak blisko siedziby Księcia o Złym Sercu?".

(s. 22) „Powiedz, co myślisz, Huanie?"

„Taką tylko mam dla ciebie radę", odrzekł ogar, „żebyś jak najszybciej udała się z powrotem do Artanoru i komnat twego ojca, a ja będę ci towarzyszył przez całą drogę aż do tych ziem, które oplata magia królowej Meliany". „Tego nie uczynię nigdy", powiedziała Tinúviel, „póki przebywa tam Beren, zapomniany od przyjaciół". „Przypuszczałem, że takiej udzielisz mi odpowiedzi", rzekł Huan, „lecz jeśli nadal chcesz się podjąć tej szalonej wyprawy, to nie mam dla ciebie rady innej niż ta, rozpaczliwa i niebezpieczna: musimy teraz jak najszybciej ruszyć ku siedzibie Tibertha, która jest jeszcze bardzo odległa. Zaprowadzę cię do niej tajemnymi ścieżkami, a kiedy już tam dojdziemy, będziesz musiała przekraść się samotnie, jeśli masz taką wolę, do tego złego miejsca, gdzie mieszka ów książę, w południowej godzinie, kiedy wraz z większością domowników będzie drzemał na tarasach przed swoją bramą. Tam, jeśli szczęście będzie ci bardzo sprzyjać, może jakimś sposobem się dowiesz, czy Beren rzeczywiście jest wewnątrz, jak ci powiedziała matka. Zaś ja ukryję się nieopodal podnóża góry, na której wznosi się dwór Tibertha, a ty, kiedy tylko ujrzysz tego złego księcia — niezależnie, czy Beren tam będzie, czy nie — musisz mu powiedzieć, że natknęłaś się na Huana z plemienia psów leżącego bez sił i bardzo poranionego w wyschniętej kotlince za jego bramą. Nie bój się zbytnio, bo w ten sposób sprawisz mi radość i pomożesz własnej sprawie; nie sądzę też, że kiedy Tiberth usłyszy, co masz mu do powiedzenia, znajdziesz się w jakimkolwiek niebezpieczeństwie, przynajmniej przez jakiś czas. Tylko nie mów mu, gdzie jest to miejsce, które ci pokażę; musisz zaproponować, że sama go tu przyprowadzisz. W ten sposób wydostaniesz się z jego złej siedziby i ujrzysz, co przygotowałem dla księcia kotów". Zadrżała wówczas Tinúviel na myśl o tym, co ją czeka, lecz powiedziała, że woli postąpić wedle tej rady, niż wrócić do domu, wyruszyli więc natychmiast tajemnymi ścieżkami przez las, a potem krętymi szlakami prowadzącymi przez leżącą dalej ponurą, skalistą krainę.

W końcu pewnego ranka przybyli do szerokiej kotlinki wydrążonej jak misa między skałami. Strome były jej zbocza, lecz nie rosło tam nic prócz zwiędniętej trawy i niskich krzaków pokrytych rzadkim listowiem. „Oto Wyschnięta Kotlinka, o której mówiłem", rzekł Huan. „Po tamtej stronie znajduje się jaskinia, gdzie wielki..."

W tym miejscu, u dołu strony, kończy się maszynopis *Opowieści o Tinúviel*. Według mnie jest rzeczą nieprawdopodobną, że powstała dalsza część tej wersji.

Przypisy

1. Jeśli chodzi o wcześniejsze wzmianki o Olórë Mallë, Drodze Snów, zob. I.26, I.38; I.247, I.262.
2. Uczynione tu rozróżnienie między elfami (którzy nazywają królową *Wendeliną*) a, przez domniemanie, gnomami (którzy nazywają ją *Gwendelingą*) jest jeszcze wyraźniejsze w tekście maszynopisu: s. 51(„jest to opowieść o *gnomach*, zatem proszę cię, byś nie napełniał ucha Eriola twoimi *elfickimi* imionami") oraz s. 55 („księcia kotów, znanego gnomom jako Tiberth Bridhon Miaugion, lecz elfom jako Tevildo"). Zob. I.67–68.
3. Pierwsza wersja tekstu w rękopisie brzmiała: „Otóż Beren był gnomem, synem niewolnika Melka, jak powiadali niektórzy, trudzącego się w co mroczniejszych miejscach…". Zob. przyp. 4.
4. Pierwsza wersja rękopisu brzmiała: „Ja, Beren, syn Noldolich, syn myśliwego Egnora…". Zob. przyp. 3.
5. Od tego miejsca aż do słów „puszczach południa" na s. 28 tekst jest napisany na luźnych kartkach umieszczonych w notatniku. Nie ma żadnego odrzuconego materiału, odpowiadającego temu fragmentowi. Możliwe, że istniał, lecz został usunięty z notatnika i zaginął, ale mimo iż notatnik jest zniszczony, nie wygląda na to, że zostały usunięte z niego jakieś kartki. Sądzę, iż bardziej prawdopodobne jest to, że kiedy ojciec pisał na pierwotnej, wytartej wersji i (niemal na pewno) rozbudowywał tekst, po prostu zabrakło mu miejsca.
6. Pierwsza wersja tekstu brzmiała: „nie wrócił już do Ellu, lecz wciąż gra…" (jeśli chodzi o imię *Ellu*, zob. *Zmiany imion i nazw własnych*, poniżej). W wyniku wstawienia słów „lecz skierował się ku Palisorowi" Palisor zostaje umieszczony w południowej części przedstawionego świata. W opowieści *Przybycie elfów i powstanie Kôru* (I.140) Palisor jest określony jako „leżący pośrodku" (zob. także rysunek „Statku świa-

ta", I.105) i wydaje się możliwe, że słowo „południa" powinno było zostać zmienione, lecz pozostaje w maszynopisie (s. 58).

7. Chociaż *Opowieść o Turambarze* została ułożona po *Opowieści o Tinúviel*, istniała w czasie, kiedy była przeredagowywana *Tinúviel* (zob. s. 87).
8. Od „zdumiał się niepomiernie" do „nie chciał go bez Tinúviel" (s. 37–38) tekst jest napisany na dołączonej kartce; zob. przyp. 5 — tutaj także sytuacja tekstu jest niejasna.
9. Tutaj widać krótki fragment wcześniejszego tekstu napisanego ołówkiem, kończący się słowami: „...a w końcu Tinúviel bardzo zatęskniła za swoją matką Wendeliną oraz widokiem Linwëgo i Kapalena grających na pełnych uroku polanach". *Kapalen* było zapewne imieniem poprzedzającym imię *Tifanto*, które z kolei poprzedzało *Dairona* (zob. *Zmiany imion i nazw własnych*, poniżej).
10. „ten gnom": pierwotnie „ten mąż". To była pomyłka, lecz wedle wszelkiego prawdopodobieństwa pomyłka znacząca (zob. s. 65). Możliwe, że słowo „mąż" zostało użyte tutaj, podobnie jak sporadycznie gdzie indziej (np. na s. 26 „aż do miejsca położonego ponad głowami mężów", gdzie chodzi o elfów z Artanoru), w znaczeniu „elf płci męskiej", lecz w takim wypadku wydawałoby się, że nie ma powodu go zmieniać.
11. Tu w rękopisie przekreślone: „Berenie ze Wzgórz".
12. Słowa „Zerwał się też Mablung o ciężkiej ręce, dowódca królewskich wasali, i chwycił włócznię" zastąpiły pierwotny tekst „Tifanto odrzucił swój flet i chwycił włócznię". Pierwotnie imię brata Tinúviel brzmiało w całej opowieści *Tifanto*. Zob. przypisy 13–15 oraz „Komentarz", s. 74.
13. Imię *Mablung* zastąpiło imię *Tifanto*, podobnie jak kawałek poniżej, zob. przyp. 12.
14. Słowa „o królu" zastąpiły słowa „o ojcze"; zob. przyp. 12.
15. W tym miejscu imię *Mablung* było imieniem napisanym pierwotnie; zob. „Komentarz", s. 74.
16. Sprawą zasadniczą w opowieści *Przybycie elfów i powstanie Kôru* jest to, że Solosimpi byli trzecim i ostatnim spośród trzech szczepów; słowo „drugiego" może tu być tylko pomyłką, chociaż zaskakującą.

Zmiany imion i nazw własnych w *Opowieści o Tinúviel*

(i) Rękopis

Ilfiniol < *Elfriniol* — w maszynopisie imię to brzmi *Ilfrin*. Zob. s. 240–241.

Tinwë Linto, Tinwelint — na początku opowieści (s. 15), gdzie Ausir i Vëannë różnią się co do formy imienia Tinwelinta, rękopis jest bardzo niejednoznaczny i trudno zrozumieć kolejne etapy tej historii. W całej opowieści w jej pierwotnej postaci Vëannë nazywa Tinwelinta *Tinto Ellu* lub *Ellu*, lecz podczas początkowej sprzeczki to Ausir nazywa go *Tinto Ellu*, a Vëannë — *Tinto'ellon*. (*Tinto*) *Ellu* to z pewnością forma „elficka", lecz w całej opowieści została zmieniona na gnomickie imię *Tinwelint*, podczas gdy forma *Tinto Ellu*, używana przez Ausira, została zmieniona na początku na *Tinwë Linto*. (Kiedy imię *Tinwë* pojawiło się tam po raz trzeci, pierwotną jego formą było *Linwë*: zob. I.157).

W *Zaginionych opowieściach* części 1 — *Przybycie elfów i powstanie Kôru* oraz *Kradzież klejnotów przez Melka* — *Ellu* jest imieniem drugiego władcy Solosimpich, wybranego zamiast Tinwelinta (później Olwëgo), lecz w obu wypadkach (I.146, I.170–171) jest to późniejszy dodatek (I.156 przyp. 5, I.185). Wiele lat później *Ellu* znowu stało się imieniem Thingola (w *Silmarillionie* to w sindarinie *Elu Thingol*, w języku quenya *Elwë Singollo*).

Gwendelinga — w pierwotnej wersji opowieści wszędzie figurowało imię *Wendelina* (pojawia się ono w opowieściach przytoczonych w części 1 jako forma, która zastąpiła imię *Tindriel*: I.131, I.157). Zostało później wszędzie zmienione na gnomicką formę *Gwendelinga* (figurującą we wczesnym słowniku języka gnomickiego, I.325, zmienioną później na *Gwedhilinga*) z wyjątkiem wypowiedzi Ausira, który używa „elfickiej" formy *Wendelina* (s. 15).

Dairon < *Tifanto* w całym tekście. Jeśli chodzi o zmianę *Tifanto* > *Mablung* pod koniec opowieści (przypisy 12–14 powyżej), zob. „Komentarz", s. 74, a jeśli chodzi o imię *Kapalen*, poprzedzające imię *Tifanto*, zob. przyp. 9.

Dor Lómin < *Aryador* (s. 18). W *Przybyciu elfów* jest powiedziane (I.145), że *Aryador* było nazwą Hisilómë używaną wśród ludzi; jeśli chodzi o *Dor Lómin — Hisilómë*, zob. I.137. W tej opowieści nazwa *Aryador* nie została przy kolejnych okazjach zmieniona.

Angband — pierwotnie nazwa ta pojawiła się dwa razy; w jednym wypadku została zmieniona na *Angamandi*, a w drugim (s. 44) pozostała niezmieniona. We wszystkich innych wypadkach pierwotną formą była *Angamandi*. W wersji opowieści istniejącej w rękopisie Vëannë nie używa gnomickich lub „elfickich" form konsekwentnie i mówi *Tevildo* (nie *Tifil*), *Angamandi*, *Gwendelinga* (< *Wendelina*), *Tinwelint* (< *Tinto* [*Ellu*]). Natomiast w maszynopisie Vëannë formą używa nazw własnych *Tiberth*, *Angband*, *Meliana* (< *Gwenethlina*), *Thingol* (< *Tinwelint*).

Hirilorna, Królowa Drzew < *Golosbrindi, Królowa Puszczy* (s. 18); później wszędzie *Hirilorna* < *Golosbrindi*.

Uinena < *Ónena* (lub może *Únena*).

Egnor bo-Rimion < *Egnor go-Rimion*. W poprzednich opowieściach przedrostek patronimiczny brzmi *go-* (I.175, I.186).

Tinwelint < *Tinthellon* (s. 35, jedyny wypadek). Por. imię *Tinto'ellon* wspomniane powyżej pod hasłem *Tinwë Linto*.

i·Cuilwarthon < *i·Guilwarthon*.

(ii) Maszynopis

Tinúviel < *Tynwfiel* w tytule i we wszystkich wypadkach aż do fragmentu odpowiadającego wersji z rękopisu na s. 18 „Jednak teraz ujrzał Beren Tinúviel tańczącą o zmierzchu"; tam i dalej w maszynopisie widnieje forma *Tinúviel*.

Singoldo < *Tinwë Linto* (s. 51).

Meliana < *Gwenethlina* we wszystkich wypadkach aż do fragmentu odpowiadającego wersji z rękopisu na s. 20 „dostojeństwa królowej Gwendelingi"; tam i dalej w maszynopisie widnieje forma *Meliana*.

Thingol < *Tinwelint* we wszystkich wypadkach aż do fragmentu odpowiadającego wersji z rękopisu na s. 20 „krętymi ścieżkami do siedziby Tinwelinta"; tam i dalej w maszynopisie widnieje forma *Thingol*.

Egnor > *Barahir* — zob. s. 53.

Uwagi do *Opowieści o Tinúviel*

§ 1. Narracja zasadnicza

W tej części wezmę pod uwagę jedynie tok głównej opowieści i na razie pominę takie kwestie, jak zawarta w niej szersza historia, opis siedziby Tinwelinta i jego ludu czy geografia pojawiających się w opowieści krain.

Przedstawiona w najwcześniejszej zapisanej postaci historia natknięcia się Berena na Tinúviel na polanie oświetlonej blaskiem księżyca (s. 18–19) nigdy nie została zmieniona, jeśli chodzi o główny obraz; należy zauważyć, że odpowiedni fragment *Silmarillionu** (s. 239) jest niezwykle skondensowanym i egzaltowanym opisem tej sceny, a wiele pominiętych w nim elementów w gruncie rzeczy nigdy nie zaginęło. W bardzo późnej przeróbce tego fragmentu w *Balladzie o Leithian*** nadal pojawia się szalej i białe ćmy, a kiedy na polankę przybywa Beren, jest tam też minstrel Dairon. Niemniej istnieją też znaczne różnice; główną z nich jest oczywiście to, że Beren jest tutaj elfem, jednym z Noldolich, a nie śmiertelnym człowiekiem — ten zdecydowanie zasadniczy element historii Berena i Lúthien tu nie występuje. Później (s. 90, 168) zostanie wykazane, że pierwotnie jednak było inaczej: w zaginionej dziś (ponieważ została wytarta gumką) pierwszej wersji *Opowieści o Tinúviel* Beren był człowiekiem (właśnie z tego powodu stwierdziłem, że słowo „mąż" w rękopisie — zob. s. 42 oraz przyp. 10 — później zmienione na „gnom" to „znacząca pomyłka"). Kilka lat po spisaniu tej opowieści w formie, w jakiej ją teraz mamy, Beren ponownie stał się człowiekiem, chociaż wygląda na to, że w owym czasie (w latach 1925–1926) ojciec mój długo się wahał w kwestii elfickiej czy ludzkiej natury Berena.

W opowieści istnieje z konieczności zupełnie inny powód wrogości i nieufności okazywanych Berenowi w Artanorze (Doriacie) — a mianowicie to, że „elfowie leśnej krainy uważali gnomów z Dor Lóminu za istoty zdradzieckie, okrutne i wiarołomne" (zob. poniżej, s. 82). Wydaje się ja-

---

* Dane bibliograficzne polskich przekładów dzieł J.R.R. Tolkiena podane są na s. 6 (przyp. tłum).

** Długi, niedokończony poemat w formie rymujących się dwuwierszy, opowiadający historię Berena i Lúthien Tinúviel, napisany w latach 1925–1931; wiele lat później jego fragmenty zostały znacznie zmienione.

sne, że w owym czasie historia Berena i jego ojca (Egnora) była dopiero ledwie naszkicowana; w każdym razie było tak przed powstaniem pierwszej wersji *Ballady o Leithian*, gdzie owa historia pojawia się w pełni ukształtowana (pod koniec lata 1925 roku *Ballada* wykroczyła już poza ten punkt). Nigdzie nie ma ani śladu opowieści o grupie banitów dowodzonych przez ojca Berena i o zdradzeniu jej przez Gorlima Nieszczęśliwego (*Silmarillion*, s. 235 i nast.). Natomiast w maszynopisie opowieści jest wspomniany związek ojca Berena (zmienionego w samego Berena) z Úrinem (Húrinem) jako „towarzysz broni" (s. 55); według najpóźniejszego szkicu *Opowieści Gilfanona* (I.280) „Úrin i Egnor pomaszerowali z niezliczonymi batalionami" (przeciwko siłom Melka).

W tej dawnej opowieści Tinúviel spotkała się z Berenem, dopiero gdy ten zuchwale ją zagadnął, i to wtedy zaprowadziła go do jaskini Tinwelinta. Nie byli kochankami, Tinúviel wiedziała o Berenie tylko to, że zachwycił go jej taniec, i wydaje się, że przyprowadziła go przed oblicze ojca z uprzejmości, bo tak się normalnie robi. Zatem w tej dawnej opowieści nie ma miejsca na donos Daerona na Berena do Thingola (*Silmarillion*, s. 240). Dairon nie ma o czym donosić; poza tym w opowieści nie jest pokazane, że Dairon cokolwiek wiedział o Berenie, zanim Tinúviel przyprowadziła go do jaskini — raz tylko widział jego twarz w blasku księżyca.

Mimo tych radykalnych różnic w strukturze narracji godne uwagi jest to, jak wiele cech sceny w komnacie Tinwelinta (s. 20–21), kiedy Beren stanął przed królem, przetrwało, podczas gdy zmieniło się i wzrosło jej wewnętrzne znaczenie. Na przykład od samego początku Beren jest zmieszany i milczy, zamiast niego odpowiedzi królowi udziela Tinúviel, a potem Beren doznaje nagłego przypływu odwagi i bez żadnych wstępów czy wahania mówi, czego pragnie. Lecz ton jest o wiele lżejszy i mniej poważny niż w późniejszych wersjach; w szyderczym śmiechu Tinwelinta, który traktuje sprawę jako żart, a Berena jako nieoświeconego głupca, nie ma nawet cienia tego, co zostało jasno wyrażone w późniejszej opowieści: „W tym momencie Thingol rozstrzygnął o losach Doriathu i uwikłał się w ciążącą nad Noldorami klątwę Mandosa" (*Silmarillion*, s. 243). Silmarile rzeczywiście są sławne i mają świętą moc (s. 42), lecz nie wiąże się z nimi los świata (*Silmarillion*, s. 66); Beren jest elfem, co prawda wywodzącym się z ludu budzącego strach i nieufność, w jego żądaniu brak tonu oburzenia, nie jest też kochankiem Tinúviel.

W tym fragmencie pojawia się też pierwsza wzmianka o Żelaznej Koronie Melka i osadzeniu w niej Silmarilów; jest tu też element, który nie zaginął: „Korony tej nigdy nie zdejmował" (por. *Silmarillion*, s. 125: „Nosił koronę stale, chociaż męczył go śmiertelnie jej ciężar").

Lecz od tego miejsca opowieść Vëannë odbiega od późniejszego tekstu w dość nieoczekiwany sposób. Jeśli chodzi o pierwszą wersję, w żadnym innym miejscu *Zaginionych opowieści* późniejsza transformacja nie jest tak niezwykła, jak w wypadku schwytania Berena, Felagunda i jego towarzyszy przez czarnoksiężnika Saurona, uwięzienia i śmierci ich wszystkich oprócz Berena w lochach Tol-in-Gaurhoth (Wyspy Wilkołaków na Sirionie), a następnie uratowania Berena i pokonania Saurona przez Lúthien i Huana.

W szczególności brak tu całkowicie tego, co można by nazwać „elementem nargothrondzkim", a chociaż już istniał, nie został jeszcze włączony do opowieści o Berenie i Tinúviel (jeśli chodzi o jeszcze tak nienazwany Nargothrond w tym okresie, zob. s. 101, 147–148). Beren nie ma pierścienia Felagunda, w drodze na północ nikt mu nie towarzyszy i nie ma żadnego związku między (z jednej strony) historią jego pojmania, jego rozmową z Melkiem i wysłaniem go do siedziby Tevilda a (z drugiej strony) wydarzeniami z późniejszego tekstu, w wyniku których Beren i grupa elfów z Nargothrondu trafiają do lochu Saurona. W istocie całe złożone tło legend, walk i rywalizacji, przysiąg i sojuszy, z których wyrasta w *Silmarillionie* opowieść o Berenie i Lúthien, jest w ogromnym stopniu nieobecne. Zamek kotów „jest" wieżą Saurona na Tol-in-Gaurhoth, lecz tylko w takim znaczeniu, że zajmuje tę samą „przestrzeń" w narracji: poza tym nie ma sensu szukać choćby drobnych podobieństw między tymi dwiema budowlami. Potworne obżerające się koty, ich kuchnie i tarasy, na których zażywały słonecznych kąpieli, oraz czarująco elficko-kocie imiona (*Miaugion*, *Miaulë*, *Meoita*) zniknęły bez śladu. A Tevildo? Sądzę, że niewłaściwe byłoby twierdzenie, iż Sauron „wywodzi się" od kota: w następnej fazie legend Czarnoksiężnik (Thû) nie ma żadnych kocich przymiotów. Jednakże niesłusznie też byłoby traktować to jako zwykłą kwestię *zastąpienia* (Thû wszedł na miejsce zwolnione przez Tevilda) bez żadnego elementu *przekształcenia* tego, co istniało w narracji wcześniej. Bezpośrednim następcą Tevilda jest „Pan Wilków", sam będący wilkołakiem; podobnie jak Tevildo nienawidzi Huana bardziej niż jakiekolwiek inne stworzenie na świecie. Tevildo był „złym wróżem w zwierzęcej postaci" (s. 37), a walka między tymi potężnymi istotami, psem i wilkołakiem (pierwotnie psem i demonem w kociej postaci), nigdy nie zniknęła z opowieści.

Kiedy zaś narracja wraca do Tinúviel w Artanorze, sytuacja jest odwrotna: historia jej uwięzienia w domku na Hirilornie i jej ucieczka nigdy nie przeszły znaczącej zmiany. Odpowiedni fragment w *Silmarillionie* (s. 249) jest w istocie bardzo krótki, lecz niewielka liczba zawartych w nim szczegółów wynika bardziej ze zwięzłości stylu niż z pominięcia czegoś, co okazało się niezadowalające. *Ballada o Leithian*, z której bezpośrednio wywodzi się prozatorski opis w *Silmarillionie*, jest w tym miejscu pod względem szczegółów narracyjnych niemal identyczna z *Opowieścią o Tinúviel*.

Można zauważyć, że w tej części historii wersja najwcześniejsza miała fabularną energię, która później uległa zmniejszeniu, jako że czas trwania uwięzienia Tinúviel i jej wędrówki mającej na celu uwolnienie Berena dość dobrze odpowiada czasowi trwania niewoli Berena, która w intencjach jego dręczycieli miała nigdy się nie skończyć; natomiast w tekście późniejszym pojawia się sporo wydarzeń (z dodaniem niewoli Lúthien w Nargothrondzie) zachodzących w czasie, kiedy Beren czekał na śmierć w lochu Czarnoksiężnika.

Podczas gdy mocny element „objaśniającej" bajki zwierzęcej (dotyczącej kotów i psów) miał zostać całkowicie wyeliminowany, a księcia kotów Tevilda miał zastąpić Czarnoksiężnik, zachowany został z niej Huan jako wielki Pies z Valinoru. Jego spotkanie z Tinúviel w lesie, jej niemożność ucieczki przed nim i jego miłość do niej zbudzona w chwili spotkania (zasugerowana w opowieści na s. 30–31, a w *Silmarillionie* jasno stwierdzona na s. 250) już były obecne, chociaż kontekst owego spotkania i motywacja Huana całkowicie się różniły ze względu na nieobecność „elementu nargothrondzkiego" (Felagunda, Celegorma i Curufina).

W opowieści o pokonaniu Tevilda i uratowaniu Berena wyraźnie widać zalążek późniejszej legendy, chociaż w większości jedynie w postaci ogólnych podobieństw strukturalnych. Ciekawym spostrzeżeniem jest to, że przeznaczona dla uszu Berena głośna przemowa Tinúviel przycupniętej na parapecie przy kuchni w zamku kotów jest pierwowzorem jej śpiewu na moście prowadzącym do Tol-in-Gaurhoth, który usłyszał Beren w lochu (*Silmarillion*, s. 252). Zamiar Tevilda przekazania jej Melkowi pozostał w podobnym zamyśle Saurona (tamże); zabicie kota imieniem Oikeroi (s. 36) to zalążek walki Huana z Draugluinem — w obu wypadkach skóra martwego przeciwnika Huana zostaje wykorzystana w taki sam sposób (s. 39, *Silmarillion*, s. 259); walka Tevilda i Huana miała zmienić się w walkę Huana i Wilka-Saurona z takim samym zasadniczo wynikiem: Huan wypuścił przeciwnika, kiedy ten oddał mu władzę nad swoją siedzibą. Warto zwrócić uwagę na to ostatnie oraz na wypowiedzenie przez Tinúviel zaklęcia, które spajało ze sobą kamienie straszliwego zamku (s. 37). Oczywiście, kiedy było to pisane, zamek Tevilda stanowił przypadkowy element opowieści — nie miał wcześniejszej historii, był miejscem przesiąkniętym złem, a zaklęcie (pochodzące od Melka), które Tevildo został zmuszony wyjawić, stanowiło zarówno tajemnicę jego władzy nad podwładnymi, jak magiczną siłę wiążącą kamienie. Wraz z pojawieniem się w rozwijającej się legendzie Felagunda i elfickiej strażnicy na Tol Sirion (Minas Tirith, zob. *Silmarillion*, s. 177, 226–227) przejętej przez Czarnoksiężnika zaklęcie zmienia charakter, ponieważ nie może być uznane za dzieło Felagunda, który zbudował tę fortecę. Gdyby nim było, Felagund mógłby je wypowiedzieć w lochu i zwalić budowlę na głowy więźniów, przez co zginęliby mniej okrutną śmiercią. Ten element pozostał jednak w legendzie i jest w pełni obecny w *Silmarillionie* (s. 253–254), ale ponieważ ojciec mój nie napisał tam wyraźnie, że Sauron powiedział Huanowi i Lúthien, jak brzmiało zaklęcie, tylko stwierdził, że „poddał się", czytelnikowi może umknąć znaczenie tego, co się stało:

> Rzekła mu:
> — Od dziś nagi będziesz musiał cierpieć jego pogardę, przeszywany jego strasznym wzrokiem, chyba że natychmiast odstąpisz mi władzę nad tą wieżą.
> Sauron poddał się, a Lúthien objęła panowanie nad wyspą i wszystkim, co na niej było [...].
> Lúthien, stojąc na moście, oznajmiła, że bierze wyspę pod swoją władzę, i natychmiast prysnął czar, który skuwał kamienie: bramy runęły, ściany się otwarły, odsłaniając lochy.

Tutaj znowu materia narracji we wczesnej i późniejszej postaci legendy jest całkowicie odmienna: w *Silmarillionie* [z lochów] „wyszedł [...] tłum więźniów i niewolników, a wszyscy, zdumieni i oszołomieni [...] po długim przebywaniu w ciemnościach Saurona", natomiast w opowieści wyłaniający się ze zniszczonej budowli mieszkańcy (poza Berenem i najwyraźniej pozbawioną większego znaczenia postacią niewidomego niewolnika, gnoma Gimlego) to zastępy kotów zmniejszonych do „mizernej postaci". (Gdyby ojciec posłużył się w opowieści imionami innymi niż „Huan", „Beren" i „Tinúviel", to nie dysponując żadną inną wiedzą, łącznie z tą o autorstwie, trudno by było wykazać na podstawie prostego porównania tej części opowieści i historii opowiedzianej w *Silmarillionie*, że podobieństwa te nie są powierzchowne i przypadkowe).

Można tu zwrócić uwagę na pewien drobny aspekt opowieści. W wersji istniejącej w maszynopisie walka Huana z Tevildem prawdopodobnie zostałaby ujęta nieco inaczej, ponieważ w rękopisie Tevildo i jego towarzysze mogą uciekać na wysokie drzewa (s. 36), podczas gdy w maszynopisie w Wyschniętej Kotlince (gdzie miał leżeć udający słabość Huan) nie rosło nic prócz „niskich krzaków pokrytych rzadkim listowiem" (s. 60).

W dalszej części opowieści zbieżności między jej wczesną i późniejszą postacią są większe. Strukturę narracyjną tej historii można przedstawić w następujący sposób:

— W celu ukrycia tożsamości Beren przywdziewa skórę martwego kota Oikeroi.
— Wraz z Tinúviel zdążają do Angamandi.
— Tinúviel rzuca zaklęcie snu na Karkarasa, wilczego strażnika Angamandi.
— Wchodzą do Angamandi, Beren pod kocią postacią wślizguje się pod tron Melka, a Tinúviel przed nim tańczy.
— Wszystkie zastępy Angamandi, a w końcu i sam Melko zapadają w sen, a żelazna korona zsuwa mu się z głowy.
— Tinúviel budzi Berena, który wycina Silmaril z korony; jego nóż pęka.
— Śpiący się budzą, a Beren i Tinúviel uciekają do bramy, lecz tam widzą, że Karkaras już się obudził.
— Karkaras odgryza wyciągniętą dłoń Berena, w której ten trzyma Silmaril.
— Karkaras szaleje z bólu wywołanego przez znajdujący się w jego brzuchu Silmaril, ponieważ jest to święty klejnot, parzący ciała złych istot.

— Karkaras pędzi w szale na południe do Artanoru.
— Beren i Tinúviel wracają do Artanoru; stawiają się przed Tinwelintem i Beren oznajmia, że w jego dłoni znajduje się Silmaril.
— Następują łowy na wilka, a jednym z myśliwych jest Mablung Twardoręki.
— Karkaras śmiertelnie rani Berena, który zostaje następnie przeniesiony do jaskiń Tinwelinta na noszach z gałęzi; umierając, daje Silmaril Tinwelintowi.
— Tinúviel idzie za Berenem do Mandosa, a ten pozwala im wrócić do świata.

Po zmianie kilku imion oraz kociej skóry Oikeroi na wilczą skórę Draugluina powyższy plan mógłby być dość dobrym streszczeniem historii przedstawionej w *Silmarillionie*! Lecz oczywiście było to w zamierzeniu podsumowanie podobieństw. Istnieją poważne oraz liczne drobne różnice, które nie zostają w nim uwzględnione.

Najważniejszy jednak jest brak „elementu nargothrondzkiego". Po połączeniu go z legendą o Berenie zostaje wprowadzony Felagund jako jego towarzysz, pojawia się uwięzienie Lúthien w Nargothrondzie przez Celegorma i Curufina, jej ucieczka z Huanem, psem Celegorma, oraz atak uciekających teraz z Nargothrondu Celegorma i Curufina na Berena i Lúthien, kiedy ci dwoje wracają z Tol-in-Gaurhoth (*Silmarillion*, s. 250–252, 255–256).

Opowieść po zakończeniu epizodu „niewoli Berena" jest poprowadzona zupełnie inaczej w starej wersji (s. 39–40), jako że tutaj Huan towarzyszy Berenowi i Tinúviel; Tinúviel tęskni za domem, a Beren cierpi, ponieważ bardzo lubi życie w lesie z psami, lecz rozwiązuje impas przez podjęcie decyzji o zdobyciu Silmarila i chociaż Huan uważa ich plan za szalony, daje im skórę Oikeroi, którą przywdziewa Beren i wyrusza z Tinúviel do Angamandi. Podobnie w *Silmarillionie* (s. 255) po długich wędrówkach w lesie z Lúthien (chociaż bez Huana) Beren postanawia ponownie wyruszyć po Silmaril, lecz postawa Lúthien jest w tej kwestii odmienna:

> Musisz wybrać, Berenie, jedno z dwojga: albo wyrzekniesz się misji i danego królowi Thingolowi słowa, aby pędzić życie wędrowca na powierzchni ziemi, albo dotrzymując obietnicy, rzu-

cisz wyzwanie siłom ciemności w ich królestwie. Jakąkolwiek drogę wybierzesz, ja pójdę z tobą i podzielę twój los.

Wtedy następuje atak Celegorma i Curufina na Berena i Lúthien, kiedy to Huan porzuca swojego pana i przyłącza się do nich. Razem wrócili do Doriathu, a kiedy tam dotarli, Beren odszedł od śpiącej Lúthien i samotnie wrócił na północ, jadąc na koniu Curufina. Na skraju równiny Anfauglith dogonił go Huan z Lúthien na grzbiecie, przynosząc mu z Tol-in-Gaurhoth skóry Draugluina i nietoperzycy Thuringwethil, posłanniczki Saurona (o której w starej wersji nie ma ani słowa); odziani w nie Beren i Lúthien udali się do Angbandu. Huan jest tutaj ich aktywnym doradcą.

W tej części późniejszej legendy jest zatem więcej akcji i wydarzeń niż w *Opowieści o Tinúviel* (chociaż, jak można sobie wyobrazić, ostateczna wersja nie powstała od razu); w *Silmarillionie* widać to wyraźniej, ponieważ jego tekst stanowi skondensowane streszczenie długiej *Ballady o Leithian**.

W *Opowieści o Tinúviel* opis przebrania Berena jest w charakterystyczny sposób szczegółowy: czytamy w nim o pouczaniu Berena przez Tinúviel co do kociego zachowania oraz jak gorąco i niewygodnie było mu wewnątrz skóry. Tinúviel przebrana za nietoperzycę jeszcze się jednak nie pojawiła i podczas gdy w *Silmarillionie* zatrzymana przez Carcharotha, „odrzuciwszy przebranie [...] kazała mu usnąć", tutaj ponownie użyła magicznej szaty z mgły utkanej ze swoich włosów: „pasmami ciemnego welonu omiotła oczy wilka" (s. 31). Obojętność Karkarasa na fałszywego Oikeroi kontrastuje z po-

---

* Por. T.A. Shippey, *Droga do Śródziemia*, tłum. J. Kokot, Zysk i S-ka Wydawnictwo, Poznań 2001, s. 291–292: „W całej opowieści o Berenie i Lúthien dzieje się zbyt wiele. Z drugiej strony, Tolkien musiał żwawo uwijać się ze swoimi inwencjami. Celegorm rani Berena, a wilczur Huan zwraca się przeciwko swojemu panu i ściga go. »Potem wrócił, przynosząc z lasu lecznicze ziele. Jego liśćmi królewna opatrzyła ranę i uzdrowiła Berena czarodziejską sztuką i miłością [...]«. Motyw uzdrawiającego zioła jest powszechny, znajduje się na przykład w centrum bretońskiej *lai* o Eliducu (zmienionej w *conte* przez Marie de France). Tam jednak jest to cała scena, niemal cały wiersz. W *Silmarillionie* motyw ten skwitowano dwiema linijkami, podczas gdy samo zranienie i uleczenie Berena zajmuje pięć linijek. Nieraz czytelnik ma poczucie streszczenia [...]". To poczucie jest zdecydowanie uzasadnione! W *Balladzie o Leithian* zranienie i leczenie ziołami zajmują około sześćdziesięciu czterech wersów. (Por. moją „Przedmowę" do *Silmarillionu*, s. 10).

dejrzliwością Carcharotha wobec fałszywego Draugluina, o którego śmierci słyszał. W starej wersji jest podkreślone, że do Angamandi nie dotarły jeszcze żadne wieści o rozterkach Tevilda (i o śmierci Oikeroi).

Spotkanie Tinúviel z Melkiem jest opisane o wiele bardziej szczegółowo niż w *Silmarillionie* (tutaj tekst źródłowy jest w dużym stopniu skondensowany); godne uwagi jest zdanie „Spojrzał przy tych słowach straszliwym wzrokiem, w jego mrocznym umyśle rodził się bowiem zły zamysł" (s. 41), poprzednik zdania w *Silmarillionie* (s. 261):

> Morgoth, widząc jej piękność, zapałał nikczemną żądzą i powziął zamiar najprzewrotniejszy ze wszystkich, jakie się zrodziły w jego sercu, odkąd uciekł z Valinoru.

Trudno o wyraźniejszą sugestię.

Nie można powiedzieć, że pytanie Melka skierowane do Tinúviel: „Kimże jesteś ty, co pomykasz po mych komnatach jak nietoperz?" oraz stwierdzenie, że w tańcu jest „bezgłośna jak nietoperz", były zalążkiem jej późniejszego przebrania za nietoperzycę, choć wydaje się to możliwe.

Nóż, którym Beren wyłuskał Silmaril z Żelaznej Korony, ma zupełnie inne pochodzenie w *Opowieści o Tinúviel*, gdzie jest kuchennym nożem zabranym przez Berena z zamku Tevilda (s. 37, 42); w *Silmarillionie* był to Angrist, słynny nóż wykuty przez Telchara i odebrany przez Berena Curufinowi. Śpiący w Angamandi budzą się tu na odgłos pęknięcia ostrza noża; w *Silmarillionie* odprysk pękniętego noża trafia Morgotha w policzek, wyrywając mu z gardła jęk i niemal go budząc.

Istnieje drobna różnica w opisach spotkania uciekających Berena i Tinúviel z wilkiem. W *Silmarillionie* „Lúthien była bardzo zmęczona, nie miała czasu ani sił, by stawić czoło bestii"; w opowieści wydaje się, że mogłaby to uczynić, gdyby nie pochopność Berena. O wiele ważniejsze jest to, że po raz pierwszy pojawia się tu koncepcja świętej mocy Silmarilów, która parzy nieuświęcone ciało*.

Ucieczka Tinúviel i Berena z Angamandi oraz ich powrót do Artanoru (s. 43–45) są w *Opowieści o Tinúviel* potraktowane nieco odmiennie.

---

* W jednym z wczesnych przypisów figuruje wzmianka o „świętych Silmarilach", zob. I.201, przyp. 2.

W *Silmarillionie* (s. 262–264) zostali oni uratowani przez orły i przeniesieni na granicę Doriathu; o wiele więcej miejsca zajmuje tu leczenie rany Berena, w którym brał też udział Huan. W starej opowieści Huan przybywa do nich później, po ich długiej pieszej ucieczce na południe. W obu wersjach wywiązuje się między nimi dyskusja, czy powinni wrócić do ojca Tinúviel, lecz dyskusja ta jest przeprowadzona zupełnie inaczej — w opowieści to Tinúviel przekonuje Berena do powrotu, a w *Silmarillionie* on przekonuje ją.

W historii łowów na wilka (s. 47–48) jest pewien ciekawy element, nad którym można się tutaj zastanowić (zob. s. 62, przypisy 12–15). Początkowo w polowaniu brał udział razem z Tinwelintem, Berenem i Huanem brat Tinúviel, który nosi tu imię *Tifanto*, występujące w całej opowieści do czasu zastąpienia go imieniem *Dairon**. Następnie Tifanta — bez przechodzenia przez etap Dairona — zastąpił „Mablung o ciężkiej ręce, dowódca królewskich wasali", który pojawia się tutaj po raz pierwszy, jako czwarty uczestnik łowów. Lecz wcześniej w opowieści jest powiedziane, że Tifanto > Dairon, opuściwszy Artanor w poszukiwaniu Tinúviel, zabłądził „i nie wrócił już do Elfinesse" (s. 28), a o zaginięciu Tifanta > Dairona wspomina się ponownie po powrocie Berena i Tinúviel do Artanoru (s. 45–46).

Tak więc z jednej strony Tifanto zaginął i wiadomość o tym zasmuca Tinúviel po jej powrocie, lecz z drugiej strony brał udział w łowach na wilka. Wtedy imię *Tifanto* zostało zmienione na *Dairon* w całej opowieści z wyjątkiem historii polowania na wilka, gdzie Tifanto został zastąpiony przez nową postać, Mablunga. To dowodzi, że Tifanto został usunięty z polowania przed zmianą imienia na *Dairon*, lecz nie wyjaśnia, w jaki sposób jako Tifanto zarówno zabłądził na pustkowiach, jak wziął udział w polowaniu. Ponieważ w samym rękopisie nie ma niczego, co mogłoby wyjaśnić tę zagadkę, mogę jedynie dojść do wniosku, że ojciec rzeczywiście początkowo napisał, że Tifanto zaginął i nie wrócił, a także wziął udział w polowaniu na wilka; zauważywszy jednak tę sprzeczność, wprowadził w tej drugiej roli

* Pomysł, by Timpinen (Tinfang Trel) był synem Tinwelinta i bratem Tinúviel (zob. I.106, przyp. 1), został porzucony. Teraz Tifanto/Dairon jest wymieniony obok Ivárëgo i Tinfanga jako jeden z „trzech najbardziej magicznych grajków elfów" (s. 17).

Mablunga (i prawdopodobnie zrobił to jeszcze przed ukończeniem opowieści, ponieważ kiedy Mablung pojawia się po raz ostatni, jego imię jest tak właśnie zapisane, a nie podstawione w miejsce *Tifanto*; zob. przyp. 15). Dopiero potem imię *Tifanto* zostało poprawione tam, gdzie jeszcze figurowało, na *Dairon*.

W opowieści polowanie jest pokazane inaczej niż w *Silmarillionie* (gdzie, nawiasem mówiąc, pojawił się Beleg Mistrz Łuku). Ciekawe, że kiedy łowców dopadł Karkaras („podczas warty Berena", s. 47), wszyscy (łącznie, jak się wydaje, z Huanem!) oprócz Berena spali. W *Silmarillionie* Huan zabił Carcharotha i sam został przez niego zabity, podczas gdy tutaj Karkaras ginie przeszyty królewską włócznią, a mały Ausir mówi na końcu, że Huan przeżył i ponownie odnalazł Berena w czasie, gdy rozgrywały się „wielkie czyny związane z Nauglafringiem" (s. 50). O przeznaczeniu Huana, że umrze „dopiero wtedy, gdy stoczy walkę z najpotężniejszym wilkiem, jaki kiedykolwiek chodził po ziemi" (*Silmarillion*, s. 249), i że „jemu samemu wolno było przemówić tylko trzy razy w ciągu całego życia" (*Silmarillion*, s. 250), nie ma tu ani słowa.

Najbardziej godną uwagi cechą *Opowieści o Tinúviel* pozostaje to, że w jej najwcześniejszej zachowanej postaci Beren był elfem i w związku z tym bardzo znaczące są słowa chłopca wypowiedziane na końcu (s. 49):

> Zatem rzekł Mandos do tych dwojga: „Zważcie, o elfowie, że nie odprawiam was do życia w doskonałej radości, takiej bowiem nie da się już znaleźć na całym świecie, gdzie usadowił się Melko o złym sercu — i wiedzcie, że staniecie się *takimi samymi śmiertelnikami jak ludzie*, a kiedy znowu tu przyjdziecie, przyjdziecie już na zawsze, chyba że bogowie wezwą was do Valinoru".

W opowieści *Przybycie Valarów i budowa Valinoru* pojawia się następujący fragment (I.96; „Komentarz", I.112):

> Tam też [tj. do Mandosu] w dniach późniejszych udawali się elfowie ze wszystkich klanów, zgładzeni orężem bądź zmarli z żałości po poległych; jedynie bowiem wtedy umrzeć mogą Eldarowie, a i tylko na chwilę. Mandos rozstrzygał ich losy i czekali w ciemności, śniąc o swych przeszłych czynach, aż upłynął czas wyznaczony

przez niego i mogli wtedy odrodzić się we własnych dzieciach, aby znów śmiać się i śpiewać.

Ta sama koncepcja pojawia się w opowieści *Muzyka Ainurów* (I.77). Wymyślona tu szczególna dyspensa Mandosa w odniesieniu do Berena i Tinúviel polega zatem na zmianie ich całego „naturalnego" przeznaczenia jako elfów: straciwszy życie tak, jak mogli stracić je elfowie (z powodu ran lub żałoby), nie odradzali się jako nowe istoty, lecz wracali z Mandosu we własnych osobach — jednak będąc teraz „takimi samymi śmiertelnikami jak ludzie". Najwcześniejsza eschatologia jest zbyt niejasna, by pozwalała na zadowalającą interpretację tej „śmiertelności", a fragment *Przybycia Valarów i budowy Valinoru* dotyczący losu ludzi (I.96–97) jest szczególnie trudny do zrozumienia (zob. uwagi do niego, I.112 i nast.). Wydaje się jednak, że słowa Mandosa „jak ludzie", skierowane do Berena i Tinúviel, mają podkreślić ostateczność drugiej śmierci, jaka mogłaby przypaść im w udziale; ich odejście byłoby tak ostateczne, jak odejście ludzi, nie wróciliby po raz drugi we własnych osobach i nie przeszliby reinkarnacji. Pozostaną w Mandosie („kiedy znowu tu przyjdziecie, przyjdziecie już na zawsze") — chyba że bogowie wezwą ich do zamieszkania w Valinorze. Te ostatnie słowa należałoby zapewne powiązać z fragmentem z *Przybycia Valarów...* dotyczącym losu niektórych ludzi (I.97):

> Niewielu z nich zaiste spotyka to szczęście, że w swoim czasie przybywa po nich Nornorë, herold bogów. Zabiera ich w rydwanach albo na rączych wierzchowcach do doliny Valinoru, gdzie ucztują w salach Valmaru, zamieszkując domostwa bogów po sam Wielki Koniec.

§ 2. Miejsca i ludy w *Opowieści o Tinúviel*

Zajmę się najpierw tym, czego można się dowiedzieć z tej opowieści o geografii Wielkich Krain: wczesny „słownik" języka gnomickiego wyraźnie mówi, że *Artanor* znaczy „Kraj Po Drugiej Stronie", jak to zostało zinterpretowane w tekście (s. 16). Światło na tę nazwę rzuca kilka fragmentów *Zaginionych opowieści*. W szkicu nieopowiedzianej historii Gilfanona (I.280) Noldoli wygnani z Valinoru stoczyli pierwszy bój z orkami, zdobyli przełęcz w Gorzkich Wzgórzach i tamtędy uciekli z Krainy Cieni [...]. Weszli do Lasu Artanor (późniejszy Doriath) i na obszar Wielkich Równin...

(te ostatnie, jak sugerowałem, mogą być zapowiedzią późniejszej Talath Dirnen, Strzeżonej Równiny Nargothrondu). Według planowanej kolejności (I.282) po opowieści Gilfanona miała następować opowieść o Tinúviel i jej szkic zaczyna się tak: „Beren, syn Egnora, powędrował z Dor Lóminu [tj. Hisilómë, zob. I.137] do Artanoru...". W niniejszej opowieści jest powiedziane, że Beren przeszedł „przez grozę Gór Żelaznych, aż dotarł do Kraju Po Drugiej Stronie" (s. 18), oraz (s. 29) że niektóre z psów „wędrowały po lasach Hisilómë lub przeszedłszy przez górskie rejony, czasem zapuszczały się nawet do Artanoru i na ziemie leżące na południe od niego". I w końcu, w *Opowieści o Turambarze* (s. 91) znajduje się wzmianka o drodze, która prowadziła „przez ciemne wzgórza Hithlumu do wielkich lasów Kraju Po Drugiej Stronie, gdzie w owych czasach miał swoją siedzibę ukryty król Tinwelint".

Jest zatem zupełnie jasne, że Artanor, później nazywany Doriathem (która to nazwa pojawia się w tytule maszynopisu *Opowieści o Tinúviel* wraz z wcześniejszą formą *Dor Athro*, s. 51), był w pierwotnym zamyśle bardzo podobnie położony wobec Hisilómë (Krainy Cienia/Cieni, Dor Lóminu, Aryadoru), jak Doriath wobec Hithlumu (Hisilómë) w *Silmarillionie*: na południu, oddzielony od niej górskim pasmem, Górami Żelaznymi lub Gorzkimi Wzgórzami.

W uwagach do opowieści *Kradzież klejnotów przez Melka i mrok nad Valinorem* zauważyłem (I.189), że chociaż w *Zaginionych opowieściach* Hisilómë zostaje umieszczona za Górami Żelaznymi, to jest także powiedziane (w *Opowieści o Turambarze*, s. 96), że góry te zyskały nazwę od Angbandu, Piekła Żelaza, leżącego pod „ich najbardziej na północ wysuniętymi twierdzami", a zatem wydaje się, że istnieje pewna sprzeczność w posługiwaniu się nazwą „Góry Żelazne" w *Zaginionych opowieściach* — „chyba że zostały one pomyślane jako ciągłe pasmo sięgające daleko na południe (późniejsze Góry Cienia), na granicy Hisilómë, choć ich nazwa pochodzi od północnych szczytów nad Angbandem".

Otóż w *Opowieści o Tinúviel* Beren, wędrując z Artanoru na północ, „dotarł w pobliże niskich wzgórz i bezleśnych ziem, co świadczyło o tym, że niedaleko już do ponurych Gór Żelaznych" (s. 21). Przekroczył je już wcześniej w drodze z Hisilómë, lecz teraz „znalazł się wśród Gór Żelaznych i przybliżył do straszliwej siedziby Melka". Może to potwierdzać przypuszczenie, że góry oddzielające Hisilómë od Kraju Po Drugiej Stronie tworzyły jedno pasmo z tymi wznoszącymi się nad Angbandem; możemy też spojrzeć na schematyczną mapkę (I.102), gdzie pasmo górskie *f* ogranicza Hisilómë *g* (zob. I.138, I.162). Wynika z tego, że „przyćmiona" lub „czarna" Hisilómë nie miała żadnej osłony przed Melkiem.

Pojawiają się teraz także Góry Nocy (s. 28, 58) i wydaje się jasne, że na tych wzniesieniach (w *Silmarillionie* Dorthonion, „Kraj Sosen", później nazwany Taur-nu-Fuin) rosły wielkie bory sosnowe: Taurfuin, „Las Okryty Nocą". Tam zabłądził Dairon, ale Tinúviel nie wkroczyła do „tej mrocznej krainy", lecz ją ominęła. Nie ma żadnego dowodu na to, że kraina ta wtedy nie została umieszczona w tym samym miejscu, w którym znajdowała się później — na wschód od Ered Wethrin, Gór Cienia. Jest także przynajmniej możliwe, że opis (znajdujący się tylko w rękopisie, s. 31) tego, jak Tinúviel, oddalając się od Huana, porzuciła „schronienie, jakie dawały jej drzewa [i] wyszła na teren porośnięty wysoką trawą", stanowi pierwszy zwiastun wielkiej równiny Ard-galen (po spustoszeniu nazwanej Anfauglith i Dor-nu-Fauglith), zwłaszcza jeśli opis ten ma związek z fragmentem w maszynopisie opisującym spotkanie Tinúviel z Huanem „na polance w pobliżu granicy lasu, gdzie zaczynają się pierwsze trawiaste obszary zasilane wodami górnego biegu Sirionu" (s. 59).

Po ucieczce z Angamandi Huan odnalazł Berena i Tinúviel „w tej północnej części Artanoru, która później otrzymała nazwę Nan Dumgorthin, kraina mrocznych bożków" (s. 43). W słowniku gnomickiego hasło *Nan Dumgorthin* jest określone jako „kraina ciemnej puszczy leżąca na wschód od Artanoru, gdzie na zalesionej górze były ukryte bożki, którym składały ofiary niektóre nikczemne plemiona ludzkich renegatów" (*dum*, „tajemny, niewymawialny", *dumgort, dungort*, „(zły) bożek"). W aliteracyjnym poemacie *Ballada o dzieciach Húrina* do krainy tej przybyli Túrin i jego towarzysz Flinding (późniejszy Gwindor), uciekając po śmierci Belega Mistrza Łuku:

Tam obydwu ich objął ów półmrok widmowy,
mgliste dróg plątaniny posępne i ciemne,
w Nan Dungorthin, gdzie stoją kirami spowite

pośród cieni świątynie bezimiennych bogów,
starsze niż Morgoth, niźli starodawni władcy,
strzeżonego Zachodu bogowie złociści.
Lecz upiorni mieszkańcy tej mrocznej doliny
ich nie zatrzymywali ani nie zranili,
szli więc drogą obydwaj skuleni i drżący.
Tylko czasem śmiech jakiś, utrwalony w echu,
niby dalekie drwiny głosów demonicznych,
głuche, ostre, zgrzytliwe w oniemiałym zmroku,
Flinding słyszał, jak sądził — złowrogie i wstrętne...

Wydaje mi się, że nie ma innych wzmianek o bogach Nan Dumgorthin. W poemacie kraina ta została umieszczona na zachód od Sirionu, a w końcu jako Nan Dungortheb, „Dolina Okropnej Śmierci", staje się w *Silmarillionie* (s. 180, 255) „nie-krainą" leżącą pomiędzy Obręczą Meliany i Ered Gorgoroth, Górami Zgrozy. Jednakże z jej opisu w *Opowieści o Tinúviel* jako „północnej część Artanoru" wcale nie wynika, że leżała w strefie ochronnej magii Gwendelingi, i wydaje się, że obszar ów był początkowo mniej wyraźnie ograniczony i mniejszy niż ten obejmowany późniejszą Obręczą Meliany. Prawdopodobnie Artanor powstał w owym czasie jako wielki obszar leśny, w którego sercu leżała jaskinia Tinwelinta, a moc królowej chroniła tylko jego najbliższe włości:

> Siedzibę jego ukryła przed wzrokiem i wiedzą Melka magia duszki Gwendelingi, która oplotła prowadzące do niej ścieżki zaklęciami, żeby mogli po nich z łatwością stąpać jedynie Eldarowie, i w ten sposób król był bezpieczny od wszelkich zagrożeń, wyjąwszy jedynie zdradę (s. 9).

Wydaje się też, że początkowo zapewniana przez nią ochrona w żadnym razie nie była tak całkowita i nie stanowiła tak potężnego muru obronnego. Toteż mimo że wilki i orkowie zniknęli, kiedy Beren i Tinúviel „znaleźli się już w kręgu magii Gwendelingi, która chroniła tamtejsze ścieżki i nie dopuszczała do krainy leśnych elfów żadnego zła" (s. 44), pojawia się obawa, że nawet jeśli Beren i Tinúviel dotarliby do jaskini króla Tinwelinta, „sprowadziliby za sobą pościg" (s. 43), zaś lud Tinwelinta bał się, że Melko,

„zebrawszy wszystkie swe siły, nadciągnie, by ich zmiażdżyć, a Gwendelindze zabraknie mocy, by powstrzymać hordy orków" (s. 45).

Obraz Menegrothu nad Esgalduiną, do którego można się dostać jedynie przez most (*Silmarillion*, s. 141), istnieje od samego początku, chociaż w tej opowieści ani jaskinia, ani rzeka nie mają nazw. Lecz (jak zostanie pokazane w późniejszych opowieściach zawartych w niniejszej książce) Tinwelint, leśny wróżek z jaskini, miał przed sobą długą drogę do tego, by stać się Thingolem z Tysiąca Grot („[ż]aden król na wschód od morza nie mógł się nigdy poszczycić piękniejszą siedzibą"). Początkowo siedziba Tinwelinta nie była pełnym cudów podziemnym miastem, w którym woda tryskająca ze srebrzystych fontann spadała do marmurowych mis, a kolumny były rzeźbione na podobieństwo drzew, lecz surową pieczarą; a jeśli nawet w maszynopisie pieczara ta otrzymuje „przepastne sklepienie", to wciąż oświetla ją nikły, pełgający blask pochodni (s. 53, 57).

W *Zaginionych opowieściach* są też wcześniejsze wzmianki o Tinwelincie i jego siedzibie. We fragmencie dodanym do opowieści *Skowanie Melka*, a następnie z niej usuniętym (I.131, przyp. 1) jest powiedziane, że Tingwelint zabłądził w Hisilómë i spotkał tam Wendelinę; „[r]ozmiłowawszy się w niej, bez żalu porzucił swój lud, aby na zawsze tańcować z nią w cieniach". W *Przybyciu elfów i powstaniu Kôru* czytamy (I.141–142), że „Tinwë natomiast niedługo przebywał ze swoim ludem, powiadają jednak, że nadal włada żyjącymi w rozproszeniu elfami w Hisilómë". W tej samej opowieści (I.144–145) „Zaginieni Elfowie" nadal tam przebywali długo po tym, jak „Melko zamknął ludzi w Hisilómë", a ludzie nazywali ich Ludem Cienia i bali się ich. Natomiast w *Opowieści o Tinúviel* koncepcja ta uległa zmianie. Tinwelint jest teraz królem panującym nie w Hisilómë, lecz w Artanorze*. (Nie jest powiedziane, gdzie się natknął na Gwendelingę).

W opisie ludu Tinwelinta (tylko w maszynopisie, zob. s. 16, 52) są wspomniani elfowie, „którzy pozostali w ciemności"; to niewątpliwie odnosi się do elfów, którzy nie odeszli od Wód Przebudzenia. (Oczywiście ci, którzy zaginęli podczas marszu z Palisoru, też nie odeszli od „ciemności" [tj. nie przybyli do światła Drzew], lecz w zdaniu tym chodzi nie o różnicę między ciemnością i światłem, lecz między tymi, którzy *pozostali*, i tymi,

* W szkicach *Opowieści Gilfanona* „Lud Cienia" z Hisilómë przestał być ludem elfów i stał się ludem „duszków" o nieznanym pochodzeniu, zob. I.277, I.279.

którzy *wyruszyli*). Jeśli chodzi o pojawienie się tej koncepcji w trakcie pisania *Zaginionych opowieści*, zob. I.274. Wśród poddanych Tinwelinta „najliczniejsi byli Ilkorindi" i to musieli być ci elfowie, którzy „zabłądzili podczas marszu z Palisoru" (wcześniejsi „Zaginieni Elfowie z Hisilómë").

Ujawnia się tu poważna różnica w zasadniczej koncepcji między starą legendą i jej postacią w *Silmarillionie*. Owi Ilkorindi podążający za Tinwelintem (będący „niesamowitymi oraz przedziwnymi [...] istotami", których „mroczne pieśni i [...] zaśpiewy [...] cichły wśród drzew albo odbijały się echem w głębokich pieczarach") zostali opisani w kategoriach odpowiednich dla dzikich Avarich („Opornych") z *Silmarillionu*, lecz oczywiście stanowią oni pierwowzór Elfów Szarych z Doriathu. Nazwa „Eldarowie" znaczy tu „elfowie" („wszyscy Eldarowie, *zarówno ci, którzy pozostali w ciemności* albo zabłądzili podczas marszu z Palisoru") i nie ogranicza się do tych, którzy odbyli Wielką Wędrówkę lub przynajmniej na nią wyruszyli. Jeśli nie przeprawili się przez Morze, wszyscy byli Ilkorindimi — Elfami Ciemnymi. Późniejsze znaczenie Wielkiej Wędrówki dla nadawania „eldarskiego" statusu było aspektem wyniesienia Elfów Szarych z Beleriandu i wprowadzało bardzo ważne rozróżnienie w ramach kategorii Moriquendich albo „Elfów Ciemności" — na Avarich (którzy nie byli Eldarami) i Úmanyarów (Eldarów, którzy nie byli „z Amanu") — zob. tabela „Rozłamy wśród elfów" podana w *Silmarillionie*. Tak więc:

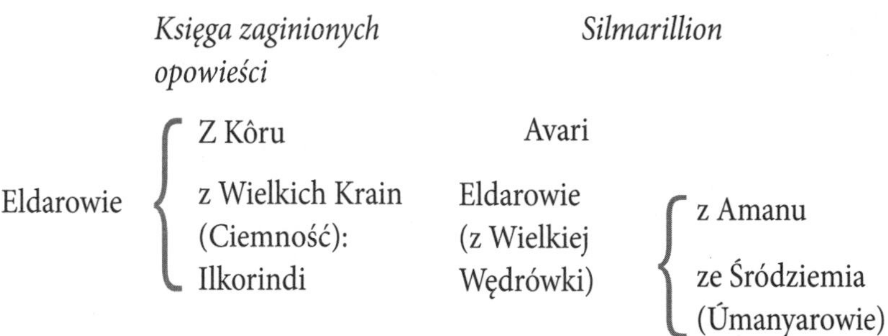

	Księga zaginionych opowieści	*Silmarillion*	
Eldarowie	Z Kôru	Avari	
	z Wielkich Krain (Ciemność): Ilkorindi	Eldarowie (z Wielkiej Wędrówki)	z Amanu
			ze Śródziemia (Úmanyarowie)

Jednak wśród poddanych Tinwelinta znajdowali się też Noldoli, gnomowie. Kwestia ta jest nieco niejasna, lecz przynajmniej można zauważyć, że rękopis i maszynopis *Opowieści o Tinúviel* nie przedstawiają dokładnie tej samej sytuacji.

Tekst rękopisu może nie jest idealnie jasny, lecz powiedziane jest (s. 16), że wśród poddanych Tinwelinta „*najliczniejsi* byli Ilkorindi" i że jeszcze przed wstaniem Słońca „zmieszali się z wędrownymi gnomami". Mimo to Dairon uciekł przed Berenem, który pojawił się w lesie, ponieważ „wszyscy elfowie leśnej krainy uważali gnomów z Dor Lóminu za istoty zdradzieckie, okrutne i wiarołomne" (s. 18), a także „[m]iędzy Eldarami i tymi ich pobratymcami, którzy zaznali niewoli u Melka, strach panował i podejrzliwość, i tak zemściły się złe czyny gnomów w Przystani Łabędzi" (s. 18). Wrogość elfów z Artanoru wobec gnomów była zatem w szczególności wrogością wobec gnomów z Hisilómë (Dor Lóminu), podejrzewanych o wykonywanie woli Melka (i jest to prawdopodobnie zapowiedź podejrzliwości i odrzucenia, z jakimi spotykali się elfowie zbiegli z Angbandu, co zostało opisane w *Silmarillionie* na s. 227). W rękopisie czytamy (s. 16), że *wszyscy* elfowie z Wielkich Krain (ci, którzy pozostali w Palisorze, ci, którzy zabłądzili podczas wędrówki, oraz Noldoli, którzy wrócili z Valinoru) dostali się pod władanie Melka, chociaż wielu z nich uciekło i błąkało się po pustkowiach; a w pierwotnej wersji rękopisu (zob. s. 18 i przyp. 3) Beren był „synem niewolnika Melka [...], trudzącego się w co mroczniejszych miejscach na północy Hisilómë". Na razie ta koncepcja wydaje się dość jasna.

W maszynopisie jest wyraźnie powiedziane, że „w służbie Thingola" znajdowali się gnomowie (s. 53): oni to zawiesili most nad leśną rzeką, prowadzący do wrót Tinwelinta. W tej wersji nie powiedziano, że wszyscy elfowie z Wielkich Krain dostali się we władanie Melka, a ponadto wymieniono kilku przywódców oporu przeciwko jego potędze — oprócz Tinwelinta/Thingola w Artanorze byli to: Turgon z Gondolinu, synowie Fëanora i Egnor z Hisilómë (ojciec Berena) — jeden z najważniejszych wrogów Melka „spośród wszystkich gnomów, którzy jeszcze zaznawali wolności" (s. 55). Prawdopodobnie doprowadziło to do usunięcia z maszynopisu stwierdzenia, że leśni elfowie uważali gnomów z Dor Lóminu za zdradzieckich i wiarołomnych (zob. s. 54), chociaż zastrzeżenie dotyczące braku zaufania do gnomów będących niegdyś niewolnikami Melka zostało zachowane. Został także zachowany fragment dotyczący Hisilómë, „gdzie mieszkali ludzie i trudzili się niewolni Noldoli, i gdzie zapuszczało się niewielu wolnych Eldarów" (s. 17); lecz Hisilómë, o której Beren mówi, że wolałby nigdy się nie zapuszczać poza jej granice, staje się „dziką, wolną Hisilómë" (s. 56).

To prowadzi do bardzo zaskakującej kwestii wzmianek o Bitwie Nieprzeliczonych Łez, a kilka właśnie zacytowanych fragmentów odnosi się do niej.

Po opowieści *Gorzki los Noldolich i nadejście człowieka*, jaką miał przedstawić Gilfanon, która jednak po pierwszych kilku stronach nieszczęśliwie nie wyszła poza stadium szkiców, miała następować ta o Berenie i Tinúviel (zob. I.282). Po opisie Bitwy Nieprzeliczonych Łez następuje wzmianka o niewoli Noldolich, kopalniach Melka, czarze bezdennego przerażenia, o zamknięciu ludzi w Hisilómë, a *później* „Beren, syn Egnora, powędrował z Dor Lóminu do Artanoru…". (W *Silmarillionie* czyny Berena i Lúthien poprzedzały Bitwę Nieprzeliczonych Łez).

Otóż w obu wersjach *Opowieści o Tinúviel* znajduje się wzmianka o „niewolnych Noldolich", którzy trudzili się w Hisilómë, i o mieszkających tam ludziach. Kiedy powstawał zapisany w rękopisie fragment wprowadzający Berena, jego ojciec był jednym z tych niewolników. W obu wersjach jest powiedziane, że ani Tinwelint, ani większość jego ludu nie poszła do bitwy, natomiast jego władzę znacznie powiększyli uciekinierzy z pola walki (s. 16). Do następującego po tym stwierdzenia, że jego siedziba została ukryta dzięki magii Gwendelingi/Meliany, w maszynopisie zostaje dodane słowo „następnie" (s. 53), tj. po Bitwie Nieprzeliczonych Łez. W zmienionym w maszynopisie fragmencie dotyczącym Egnora jest on jednym z najważniejszych wrogów Melka „spośród wszystkich gnomów, *którzy jeszcze zaznawali wolności*".

Wydaje się, że wszystko to prowadzi do jednego tylko wniosku: wydarzenia opisane w *Opowieści o Tinúviel* miały miejsce *po* tej wielkiej bitwie; kwestię tę rozstrzyga chyba wyraźne stwierdzenie w maszynopisie: tam, gdzie rękopis (s. 22) mówi, że Melko „zawsze […] dążył do zniszczenia przyjaźni i związków elfów z ludźmi", druga wersja dodaje (s. 54): „*bo inaczej mogliby zapomnieć o Bitwie Nieprzeliczonych Łez* i raz jeszcze powstać w gniewie przeciwko niemu".

Jest zatem bardzo dziwne, że Vëannë mówi na początku (tylko w rękopisie, s. 17 i zob. s. 52–53), że opowie „o tym, co się zdarzyło w komnatach Tinwelinta *po wzejściu Słońca, lecz na długo przed pamiętną Bitwą Nieprzeliczonych Łez*". (To w każdym razie sugeruje chyba o wiele większy odstęp czasu między tymi dwoma wydarzeniami, niż na to wskazują szkice *Opowieści Gilfanona*, zob. I.281). Zostaje to powtórzone później (s. 25): „nie do pomyślenia […] było, by jakikolwiek elf […] miał się udać bez opieki do siedziby Melka, *nawet w tych dawnych czasach przed Bitwą Łez*, kiedy potęga Melka nie była jeszcze tak wielka…". Lecz jeszcze dziwniejsze jest, że to drugie zdanie zostało zachowane w maszynopisie (s. 56). W ten sposób znajdują się tam dwa niezaprzeczalnie rozbieżne stwierdzenia:

Melko „zawsze [...] dążył do zniszczenia przyjaźni i związków elfów z ludźmi, bo inaczej mogliby zapomnieć o Bitwie Nieprzeliczonych Łez" (s. 54);

„Między leśnymi elfami i mieszkańcami Angbandu panowała wrogość nawet w tych dawnych czasach przed Bitwą Nieprzeliczonych Łez" (s. 56).

Jeśli chodzi o teksty dotyczące Pierwszej Ery, taka zasadnicza rozbieżność w jednym z nich jest w najwyższym stopniu niezwykła, a może nawet unikatowa. Nie widzę jednak żadnego sposobu, żeby ją wyjaśnić, i po prostu przyjmuję ją jako zasadniczą rozbieżność; podobnie nie umiem wyjaśnić stwierdzeń z obu wersji opowieści, że opisane w niej wydarzenia rozegrały się *przed* bitwą, ponieważ właściwie wszystkie opisy wskazują na coś wręcz przeciwnego*.

§ 3. Sprawy różne

(i) Morgoth

Beren zwraca się do Melka „przepotężny Belcha Morgocie", bo tak nazywają go gnomowie (s. 54). W słowniku gnomickiego słowo *Belcha* jest podane jako gnomicki odpowiednik imienia *Melko* (zob. I.308), lecz nie ma tam imienia *Morgoth*; w gruncie rzeczy pojawia się tu ono po raz pierwszy i jedyny w *Zaginionych opowieściach*. Element *goth* w słowniku gnomickiego ma znaczenie „wojna, walka, potyczka"; lecz jeśli *Morgoth* znaczył w tym okresie „Czarna Walka", to wydaje się dziwne, że Beren użył tego imienia, chcąc pochlebić Melkowi. Lista nazw własnych sporządzona w latach 30. XX wieku wyjaśnia, że imię *Morgoth* zostało „utworzone z jego imienia używanego przez orków, *Goth*: »Władca« lub »Pan«, poprzedzonego słowem *mor* »ciemny« lub »czarny«", lecz wydaje się bardzo wątpliwe, żeby ta etymologia dotyczyła wcześniejszego okresu. Na tej samej liście nazw własnych znajduje się wyjaśnienie, że *Gothmog* „Dowódca Balrogów" zawiera ten sam element z mowy orków („Głos *Gotha* [Morgotha]"),

* W *Opowieści o Turambarze* historia Berena i Lúthien wyraźnie i z konieczności rozegrała się *przed* Bitwą Nieprzeliczonych Łez (s. 90, 169).

lecz na liście nazw własnych do opowieści *Upadek Gondolinu* (s. 259) imię *Gothmog* znaczy „Walka-i-nienawiść" (*mog-* „pogardzać, nienawidzić" pojawia się w słowniku gnomickiego), co potwierdza interpretację imienia *Morgoth* w niniejszej opowieści jako „Czarna Walka"*.

(ii) Orkowie i Balrogowie

Mimo stwierdzenia, że widywano „wałęsające się hordy goblinów *i* orków" (s. 21–22, zachowane w maszynopisie), w *Opowieści o Turambarze* nazwy te są z całą pewnością równoznaczne. W niniejszej opowieści (tamże) orkowie są opisani jako „nikczemne pomioty Melka". W drugiej wersji (s. 54) pojawiają się orkowie jeżdżący na wilkach.

Balrogowie wspomniani w opowieści (s. 22) pojawili się też w jednym ze szkiców w *Opowieści Gilfanona* (I.281), lecz odegrali już ważną rolę w najwcześniejszej z *Zaginionych opowieści* — w *Upadku Gondolinu* (zob. s. 254–256).

(iii) „Wydłużające zaklęcie" Tinúviel

Wydaje się, że spośród „najdłuższych rzeczy" wymienionych w tym zaklęciu (s. 27, 57) dwie, a mianowicie „miecz Nana" i „szyja olbrzyma Gilima", bezpowrotnie zaginęły, chociaż dotrwały do zaklęcia w *Balladzie o Leithian*, gdzie miecz Nana otrzymuje imię *Glend*, a Gilim jest nazwany „olbrzymem z Erumanu". *Gilim* w słowniku gnomickiego znaczy „zima" (zob. I.308, hasło *Melko*), co nie wydaje się szczególnie odpowiednie. Z bardzo trudnej do odczytania notatki umieszczonej w niewielkim notatniku używanym do zapisków związanych z *Zaginionymi opowieściami* (zob. I.203)

* W żadnym tekście nie ma niczego, co mogłoby świadczyć, że Gothmog odgrywał taką rolę w odniesieniu do Morgotha, jaką sugeruje interpretacja tego imienia jako „Głos *Gotha*", jednak nie ma też niczego, co mogłoby temu zaprzeczyć. Od samego początku Gothmog był ważną postacią w królestwie zła i pozostawał w szczególnym związku z Morgothem (zob. s. 260). Być może jakiś ślad „Głosu Morgotha" znajdujemy w „Głosie Saurona", imieniu Czarnego Númenórejczyka, który był posłem Barad-dûru (WP III, s. 191).

wynika, jak się zdaje, że Nan był „olbrzymem lata z południa" i że wyglądał jak wiąz.

Indravangowie (w maszynopisie *Indrafangowie*) to „Długobrodzi"; w słowniku gnomickiego jest powiedziane, że to „specjalne miano Nauglathów albo krasnoludów" (zob. dalej *Opowieść o Nauglafringu*, s. 298).

Karkaras (w maszynopisie *Carcaras*), „Żelazny Nóż", zostaje wymieniony w zaklęciu, ponieważ początkowo został wymyślony jako „ojciec wilków, [który] strzegł wówczas *od dawna* bram Angamandi" (s. 29). W *Silmarillionie* (s. 260) jego historia jest inna: wybrany przez Morgotha jako „wilcze szczenię z rodu Draugluina" i wychowany na zabójcę Huana, został umieszczony przed bramą Angbandu. W *Silmarillionie* (tamże) imię *Carcharoth* tłumaczy się jako „Czerwona Paszcza" i wyrażenie to jest użyte w tekście opowieści (s. 42): „zarówno dłoń, jak i klejnot odgryzł Karkaras i pochłonął je swą czerwoną paszczą".

Glorund to imię smoka w *Opowieści o Turambarze* (w *Silmarillionie* to *Glaurung*).

W opowieści *Skowanie Melka* nie ma żadnej sugestii, że Tulkas brał jakikolwiek udział w wykuciu łańcucha (tam nazwanego *Angaino*), zob. I.124.

(iv) Wpływ Valarów

Często daje się do zrozumienia, że Valarowie wywierali w jakiś sposób bezpośredni wpływ na umysły i serca elfów w odległych Wielkich Krainach. Tak więc jest powiedziane (s. 23), że pomysłowa przemowa, którą Beren skierował do Melka, powstała zapewne z natchnienia Valarów; jest też jasne, że sen Tinúviel o Berenie ma być przyjęty jako „sen zesłany przez Valarów" (s. 26), chociaż może to być jedynie „retoryczny" ozdobnik. Podobnie w stwierdzeniu „Valarowie zasiali w jej sercu nową nadzieję" (s. 58), a później w opowieści Vëannë Valarowie są postrzegani jako aktywni „bogowie przeznaczenia", kierujący losami postaci — tak więc to Valarowie „przywiedli" Huana do Berena i Tinúviel w Nan Dumgorthin (s. 43), a Tinúviel mówi do Tinwelinta, że Berena „od okrutnej śmierci ocalili sami Valarowie" (s. 46).

II

Turambar i Foalókë

Opowieść o Turambarze, podobnie jak *Opowieść o Tinúviel*, to tekst nadpisany atramentem na ołówkowym oryginale całkowicie wytartym gumką. Wydaje się jednak pewne, że *zachowana* postać *Turambara* jest wcześniejsza od *zachowanej* postaci *Tinúviel*. Można to wywnioskować na kilka sposobów. Na kolejność powstawania tych tekstów wyraźnie wskazują użyte tam formy imienia króla leśnych elfów (Thingola). W całym rękopisie *Opowieści o Turambarze* brzmi ono pierwotnie *Tintoglin* (i w takiej formie pojawia się także w opowieści *Przybycie elfów i powstanie Kôru*, gdzie zostało zmienione na *Tinwelint*, I.141, I.157). W rękopisie na początku tej opowieści znajduje się notka: „Imię Tintoglina trzeba wszędzie zmienić na *Ellon* albo *Tinthellon* = q. *Ellu*", lecz została ona przekreślona, a w całej opowieści imię *Tintoglin* zostało zmienione na *Tinwelint*.

Otóż w *Opowieści o Tinúviel* król najpierw miał na imię *Ellu* (albo *Tinto Ellu*), a raz *Tinthellon* (s. 63–64); następnie wszędzie zostało ono zmienione na *Tinwelint*. Jest jasne, że zalecenie zmiany imienia *Tintoglin* na „*Ellon* albo *Tinthellon* = q. *Ellu*" datuje się z okresu, kiedy *Opowieść o Tinúviel* była przeredagowywana lub już została przeredagowana, i że istniała wówczas zachowana wersja *Opowieści o Turambarze*.

Faktem jest też, że po przeredagowanej *Opowieści o Tinúviel* powstawała w tym samym czasie pierwsza wersja „przerywnika", w której pojawia się Gilfanon (zob. I.238), podczas gdy na początku *Opowieści o Turambarze* znajduje się wzmianka o pojawiającym się na końcu poprzedniej opowieści Ailiosie (którego zastąpił Gilfanon). Jeśli chodzi o różne układy snucia opowieści, które kolejno planował mój ojciec, lecz nie wprowadził ich do końca, zob. I.267–269. Zgodnie z wcześniejszym układem Ailios przedstawił swoją opowieść pierwszego wieczoru uczty z okazji Turuhalmë lub dnia Zwożenia Bierwion, a drugiego wieczoru *Opowieść o Turambarze* przedstawił Eltas.

Istnieją dowody na to, że, tak czy owak, istniała ona w połowie 1919 roku. Humphrey Carpenter odkrył fragment napisany wcześniej wymyślonym przez mojego ojca alfabetem na kawałku korekty *Oxford English Dic-*

tionary. Po transliteracji Carpenter stwierdził, że fragment pochodzi z tej opowieści w pobliżu jej początku. Powiedział mi, że ojciec posługiwał się tą wersją „alfabetu Rúmila" mniej więcej w czerwcu 1919 roku (zob. *Biografia**, s. 152).

KIEDY AILIOS NAGADAŁ SIĘ JUŻ DO WOLI, nadszedł czas zapalenia świec i tak dobiegł końca pierwszy dzień Turuhalmë. Drugiego wieczoru Ailiosa jednak nie było i na prośbę Linda począł opowiadać niejaki Eltas:

— Wszyscy zgromadzeni tu wiedzą, że jest to opowieść o Turambarze i Foalókë, a jest to ulubiona opowieść ludzi, mówiąca o bardzo dawnych czasach tego plemienia jeszcze sprzed Bitwy w Tasarinanie, kiedy pierwsi ludzie wkroczyli do ciemnych dolin Hisilómë.

W dzisiejszych czasach ludzie nadal snują wiele takich opowieści, a jeszcze więcej ich mieli w przeszłości, zwłaszcza w tych królestwach północy, które niegdyś znałem. Może do tych najstarszych przeniknęły wątki opowiadające o czynach innych ich wojowników i sprawach, które z tą nie mają związku — lecz teraz opowiem wam prawdziwą i żałośliwą historię, a znałem ją dużo wcześniej, nim wszedłem na Olórë Mallë w czasach przed upadkiem Gondolinu.

W owych czasach lud mój mieszkał w jednej z dolin Hisilómë i kraj ten nazwali ludzie w językach, jakimi się wówczas posługiwali, Aryadorem. Osiedlili się oni bardzo daleko od brzegów jeziora Asgon, a pod ich siedziby podchodziły odnogi Gór Żelaznych i rozległe lasy ponurych drzew. Ojciec powiedział mi, że wielu naszych starszych mężów, którzy wypuszczali się na dalekie wyprawy, widziało złe gady Melka, a niektórzy z nich stracili przy takich okazjach życie, i że z powodu nienawiści naszego ludu do tych stworów oraz ze względu na owego złego Valara często opowiadano historię Turambara i Foalókë — lecz, na modłę gnomów, nazywano ich Turumart i Fuithlug.

Wiedzcie bowiem, że przed Bitwą Lamentu i zniszczeniem Noldolich mieszkał tam władca ludzi imieniem Úrin, a posłuchawszy wezwania gnomów, wraz ze swoim ludem wyruszył z Ilkorindimi przeciwko Melkowi,

* H. Carpenter, *J.R.R. Tolkien. Biografia*, tłum. Agnieszka Sylwanowicz, W.A.B., Warszawa 2016 (dalej: *Biografia*).

lecz ich żony i dzieci zostały w lasach, a wśród nich była Mavwina, żona Úrina, i został z nią jej syn, nie dość jeszcze duży, by brać udział w wojnie. Otóż chłopiec ten miał na imię Túrin i tak jest nazywany we wszystkich językach, lecz Mavwinę Eldarowie obdarzyli mianem Mavoinë.

Otóż Úrin i jego poplecznicy nie uciekli z tej bitwy, jak uczyniła większość ludzkich rodów, lecz wielu z nich poległo, walcząc do końca, a Úrin został pojmany w niewolę. Spośród Noldolich, którzy tam walczyli, wszystkie ich oddziały zostały wycięte do nogi albo pojmane, lub też, rozgromione, uciekły — jedynie prócz zastępu Turonda (Turgona), który wraz ze swoim oddziałem wyrąbał sobie drogę wyjścia i w tej opowieści się nie pojawia. Niemniej wymknięcie się tego licznego zastępu stanowiło skazę na obrazie całkowitego zwycięstwa odniesionego przez Melka nad jego przeciwnikami, toteż bardzo pragnął on odkryć, dokąd ów zastęp uciekł. Jednak nie zdołał tego uczynić, jako że jego szpiedzy na nic się nie zdali, a żadne katusze nie mogły w owym czasie wymusić na pojmanych Noldolich zdrady tego, co było im wiadome.

Widząc zatem, że elfowie z Kôru mają niezbyt wysokie mniemanie o ludziach, prawie się ich nie obawiają, a ze względu na ludzką tępotę i brak umiejętności nie traktują ich podejrzliwie, chciał Melko przymusić Úrina, by do niego przystał i jako jego szpieg wyruszył na poszukiwanie Turonda. Jednak ani groźby tortur, ani obietnice wielkiej nagrody nie zdołały wymóc zgody Úrina, który rzekł: „Nie, rób, co chcesz, do żadnej bowiem swojej nikczemnej pracy mnie nie przymusisz, o Melko, ty wrogu bogów i ludzi".

„Z całą pewnością", powiedział Melko w gniewie, „nigdy już ci nie każę wykonać dla mnie żadnej pracy ani cię do niej nie przymuszę, lecz będziesz tu siedział i oglądał moje czyny, które wcale nie potoczą się po twojej myśli, i nie będziesz mógł unieść nogi ni ręki, by się im przeciwstawić". Taką oto męczarnię umyślił dla udręki Úrina Niezłomnego, a posadziwszy go na wyniosłym szczycie pośród gór, stanął obok niego, przeklął go i jego rodzinę straszliwymi klątwami Valarów, skazując jego ród na boleść i śmierć ze zgryzoty. Dał jednak Úrinowi moc częściowego widzenia na odległość, by mógł zobaczyć wiele z tego, co przydarzało się jego żonie i dzieciom, lecz pozostając bezsilny, nie mógł im pomóc, magia trzymała go bowiem na tym wyniosłym miejscu. „Spójrz!", rzekł Melko. „Oto życie syna twego, Túrina, będzie wyciskać wszystkim z oczu łzy, gdziekolwiek elfowie albo ludzie będą się gromadzić, by snuć opowieści". Lecz odpowiedział mu Úrin: „Przynajmniej nikt nie będzie się nad nim użalać, że tchórza miał za ojca".

Otóż po tej bitwie Mavwina dotarła we łzach do krainy Hithlum czy też Dor Lómin, gdzie z rozkazu Melka musieli teraz mieszkać wszyscy ludzie prócz nielicznych dzikich, którzy jeszcze wędrowali poza jego granicami. Tam powiła Nienóri, lecz mąż jej Úrin marniał w niewoli Melka, a jako że Túrin był jeszcze małym chłopcem, pogrążona w rozpaczy Mavwina nie wiedziała, jak wychować syna i jego siostrę. Wszyscy bowiem podwładni Úrina zginęli w tych wielkich zmaganiach, a mieszkający w pobliżu obcy nie znali godności pani Mavwiny, cała zaś ta kraina była mroczna i niezbyt łaskawa.

Następny krótki fragment został później przekreślony i zastąpiony wstawką na dołączonym kawałku papieru. Odrzucony fragment brzmi:

W owym czasie w Dor Lóminie szybko roznosiła się pogłoska [*napisane powyżej*: wspomnienie] o czynach Berena Ermabweda, dlatego też to w sercu Mavwiny zrodził się pomysł, z braku lepszej porady, by wysłać Túrina na dwór Tintoglina[1] i ubłagać go, by wychował tę sierotę w imię pamięci o Berenie i nauczył go mądrości duszków i Eldarów, Egnor[2] bowiem był krewniakiem Mavwiny i to on był ojcem Berena Jednorękiego.

Wstawka brzmi:

Poprawiony fragment lepiej pasujący do opowieści o Tinúviel i późniejszej historii Nauglafringa:

Opowieść jednak mówi, że Úrin był przyjacielem elfów i że różnił się w tym od wielu swoich pobratymców. Wielka była jego przyjaźń z Egnorem, elfem z zielonego lasu, myśliwym gnomów, a Berena Ermabweda, syna Egnora, znał i wyświadczył mu kiedyś przysługę w sprawie jego syna, Damroda, a w Dor Lóminie wciąż pamiętano czyny Berena o Jednej Ręce w komnatach Tinwelinta[3]. Dlatego też w sercu Mavwiny zrodził się pomysł, z braku lepszej porady, by wysłać Túrina, jej syna, na dwór Tinwelinta i ubłagać go, by wychował tę sierotę w imię pamięci o Úrinie i Berenie, synu Egnora[4].

Gorzkie zaiste było to rozstanie i długo [jeszcze?] Túrin szlochał, nie chcąc opuścić matki, i to był pierwszy z wielu smutków, które przypadły mu w życiu. Jednak w końcu, kiedy matka go przekonała, ustąpił i przygotował się, zbolały, do tej podróży. Wyprawiło się z nim dwóch starych mężów, dawnych służących jego ojca, Úrina, a kiedy wszystko było już gotowe, kiedy się pożegnali i zwrócili stopy ku ciemnym wzgórzom, niedużą sadybę Mavwiny przesłoniły drzewa i oślepiony łzami Túrin stracił ją z oczu. Wtedy, zanim znaleźli się poza zasięgiem słuchu, zawołał: „O Mavwino, matko moja, wkrótce do ciebie wrócę" — nie wiedział jednak, że między nimi leży wyrok Melka.

Długa, mozolna i niepewna droga prowadziła przez ciemne wzgórza Hithlumu do wielkich lasów Kraju Po Drugiej Stronie, gdzie w owych czasach miał swą siedzibę ukryty król Tinwelint, zaś Túrin, syn Úrina[5], był pierwszym z ludzi, który nią podążał, a i potem niewielu na nią wkroczyło. Túrinowi i jego opiekunom groziło niebezpieczeństwo ze strony wilków i wałęsających się orków, którzy zapuszczali się wówczas nawet tak daleko od Angbandu, ponieważ potęga Melka rosła i rozszerzała się na królestwa północy. Zła otaczała ich magia, tak że często zbaczali z drogi i błąkali się bezowocnie przez wiele dni, a jednak w końcu dotarli do celu i dziękowali za to Valarom — a może to była tylko część losu, jakim oplótł ich stopy Melko, bo później Túrin, jako dziecko, niechybnie zginąłby w tych mrocznych lasach.

Jakkolwiek mogło to być, w taki sposób przybyli do komnat Tinwelinta; bowiem w leśnej krainie za górami całkiem już zabłądzili, aż w końcu, nie mając pożywienia, mogli umrzeć, ale odkrył ich leśny strażnik, myśliwy tajemnych elfów. Zwał się Beleg, jako że był wielkiego wzrostu i słusznej postury, jak to u tego ludu. Potem Beleg poprowadził ich krętymi ścieżkami przez liczne ciemne leśne ostępy do brzegów ocienionego strumienia, płynącego przed ogromną bramą komnat Tinwelinta. Kiedy stawili się przed królem, zostali dobrze przyjęci ze względu na pamięć o Úrinie Niezłomnym, a kiedy król dodatkowo usłyszał o więzi łączącej Úrina i Berena Jednorękiego[6] oraz o losie pani Mavwiny, zmiękło mu serce; spełnił jej prośbę i nie chciał odesłać Túrina, lecz rzekł: „Synu Úrina, zostaniesz przyjęty mile na moim leśnym dworze, i to nie jako sługa, lecz oto jakby drugim moim dzieckiem będziesz, i zostanie ci przekazana cała mądrość Gwedhelingi i moja".

Przeto po pewnym czasie, kiedy podróżni wypoczęli, wysłał z powrotem do Mavwiny młodszego z dwóch strażników Túrina, strażnik ten bowiem żywił pragnienie, by umrzeć w służbie żony Úrina. Otrzymał on jednak eskortę elfów i wszelkie udogodnienia, jakie tylko dało się zaplanować, a także magię przydatną w podróży. Co więcej, takie słowa zaniósł od Tinwelinta Mavwinie: „Tak oto, o pani Mavwino, żono Úrina Niezłomnego, nie dla umiłowania Melka ani ze strachu przed nim, lecz dzięki mądrości mego serca i przeznaczeniu Valarów nie udałem się z moim ludem na Bitwę Nieprzeliczonych Łez i teraz zapewniam ochronę i schronienie wszystkim, którzy bojąc się zła, zdołają odnaleźć tajemne drogi prowadzące do mojej bezpiecznej siedziby. Być może nie ostał się już żaden inny bastion chroniący przed zuchwałością Żelaznego Valara, choć bowiem powiada się, że Turgon nie został zabity, któż wie, czy to prawda albo jak długo może się on wymykać? Dlatego też syn twój, Túrin, zostanie tu wychowany jak moje własne dziecko do czasu osiągnięcia wieku, kiedy będzie mógł ci przyjść z pomocą — wtedy, jeśli zechce, będzie mógł odejść". Ponadto zalecił pani Mavwinie, aby, jeśli zdoła znieść trudy podróży, też udała się na jego dwór i zamieszkała tam w spokoju; jednakże ona, wysłuchawszy tego zaproszenia, nie przyjęła go zarówno ze względu na delikatność jej malutkiej córeczki Nienóri, jak i na to, że wolała ubogo mieszkać wśród ludzi, niż wieść miłe życie jako gość korzystający z jałmużny, nawet leśnych elfów. Możliwe też, że trzymała się tej sadyby, w której umieścił ją Úrin, zanim udał się na wielką wojnę, wciąż mając odrobinę nadziei na jego powrót, żaden bowiem z posłańców, którzy przynieśli żałosne wieści z pola walki, nie mógł powiedzieć, że Úrin nie żyje — mówili tylko, że nikt nie wie, gdzie on może przebywać. W istocie byli oni nieliczni i na wpół szaleni, a teraz minęło już wiele lat od tego bolesnego dnia, kiedy padł ów ostatni cios. Rzeczywiście, później matka zapragnęła znów ujrzeć Túrina i może w końcu, kiedy Nienóri podrosła, wyzbyłaby się dumy i przemierzyła wzgórza, gdyby nie to, że stały się one nieprzebyte z powodu potęgi i wielkiej magii Melka, który osaczył wszystkich ludzi w Hithlumie i zabijał każdego, kto ważył się wypuścić za jego granice.

Tak się przeto stało, że Túrin zamieszkał w komnatach Tinwelinta, a razem z nim pozwolono zamieszkać wiekowemu Gumlinowi, który przywędrował z nim z Hithlumu i nie miał ni serca, ni sił, by tam wrócić. Wiele radości czerpał Túrin z tego pobytu, lecz smutek rozłąki z Mavwiną nigdy go całkiem nie opuścił. Wielkiej nabrał siły ciała, a jego dzielne czyny przysparzały mu pochwał wszędzie tam, gdzie Tinwelinta uważano za władcę. Mimo to Túrin był cichym chłopcem, często pogrążonym w ponurym nastroju, i niełatwo zdobywał miłość, a szczęście nie podążało za nim, niewiele bowiem ziszczało się z tego, czego najbardziej pragnął, a wiele z tego, nad czym się trudził, przynosiło skutek przeciwny do zamierzonego. Niczego jednak nie żałował tak bardzo, jak tego, że między Mavwiną i nim przestali krążyć posłańcy, gdy po kilku latach, jak już zostało wspomniane, wzgórza stały się nieprzebyte, a drogi zablokowane. Otóż kiedy Túrin wyprawił się do leśnych elfów, liczył sobie siedem lat i siedem lat mieszkał u nich, a co pewien czas docierały do niego wieści od matki, tak więc usłyszał, że jego siostra Nienóri wyrosła na smukłą i bardzo piękną pannę oraz że sytuacja w Hithlumie się polepszyła, a jego matka zaznała spokoju; potem jednak ustały wszelkie poselstwa — a lata mijały.

Chcąc złagodzić smutek i gniew panujące w jego sercu, które nigdy nie zapomniało, jak Úrin i jego lud padł w bitwie przeciwko Melkowi, Túrin nieustannie wypuszczał się na dalekie wyprawy z najbardziej wojowniczymi elfami Tinwelinta i na długo przedtem, nim zyskał pierwsze oznaki męskości, zabijał i odnosił rany w potyczkach z orkami, którzy niestrudzenie grasowali na obrzeżach królestwa i stanowili zagrożenie dla elfów. Zaiste, gdyby nie waleczność Túrina, doznaliby oni licznych krzywd, bo przez wiele lat chronił ich przed gniewem Melka. Po odejściu Túrina srodze byli nękani i w końcu popadliby w niewolę, gdyby nie doszło do tak wielkich i strasznych wydarzeń, że Melko o nich zapomniał.

Na dworze Tinwelinta mieszkał elf imieniem Orgof. Jak większość poddanych tego króla, był Ilkorinem, lecz w jego żyłach płynęła także krew gnomów. Od strony matki był blisko spokrewniony z samym królem, a jako dobry myśliwy i waleczny elf cieszył się pewnymi jego względami, lecz bywał nieoględny w mowie i — z uwagi na królewską przychylność — wyniosły. Niczego jednak nie lubił tak bardzo jak pięknych strojów, klejnotów oraz ozdób ze złota i srebra i zawsze ubierał się wspaniale. Natomiast Túrin, jako że nieustannie przebywał w lesie i znosił niewygody w odległych i odludnych miejscach, strój miał zaniedbany, a włosy zmierzwione i Orgof sobie z niego dworował, ilekroć obaj siedzieli przy królewskim stole. Túrin jednak nigdy nie odpowiadał ani jednym słowem na jego niemądre żarty i w istocie niewiele zważał na kierowane do niego słowa; jego oczy pod nastroszonymi brwiami często patrzyły w dal, jakby widział oddalone rzeczy i nasłuchiwał odgłosów lasu, których inni nie słyszeli.

Pewnego razu spożywał Túrin posiłek przy królewskim stole, a mijało tego dnia dwanaście lat od chwili, kiedy patrząc przez łzy na zapłakaną Mavwinę stojącą przed drzwiami, oddalał się między drzewami, aż w końcu ich pnie zasłoniły mu jej widok. Był więc w ponurym nastroju i szorstko odpowiadał tym, którzy siedzieli blisko niego, a już najbardziej Orgofowi.

Lecz ów głupiec nie chciał dać mu spokoju, wyśmiewając się z jego znoszonego ubioru i skołtunionych włosów, Túrin bowiem właśnie wrócił po długim pobycie w lasach. W końcu Orgof wyciągnął z gracją swój złoty grzebień i chciał go podać Túrinowi, a kiedy ten udawał, że tego nie zauważył, Orgof, który dobrze już sobie popił, rzekł: „Nie, skoro nie umiesz używać grzebienia, zmykaj do matki, żeby może cię tego nauczyła — chyba że kobiety z Hithlumu są zaiste tak samo brzydkie, jak ich synowie, i tak samo nieuczesane". Wówczas w piersi Túrina zapłonął nagle gwałtowny gniew zrodzony z jego zbolałego serca i pod wpływem tych słów na temat pani Mavwiny. Młodzieniec chwycił ciężki złoty puchar, który stał przy jego prawej dłoni, i nie zważając na swoją siłę, cisnął go z wielką mocą w twarz Orgofa, mówiąc: „Natychmiast zamknij usta, głupcze, i przestań mleć językiem". Lecz Orgof miał rozbitą twarz, a przy tym, przewracając się do tyłu i pociągając za sobą stół z całą zastawą, z wielką siłą uderzył głową w kamienną posadzkę. I już się nie odezwał ani nie mełł językiem, był bowiem martwy.

Wówczas wszyscy mężowie powstali w milczeniu, lecz Túrin, spojrzawszy z osłupieniem na ciało Orgofa i swoją dłoń poplamioną rozlanym winem, obrócił się na pięcie i wyszedł w noc. A ci, którzy byli spokrewnieni z Orgofem, wyciągnęli broń do połowy z pochew, lecz żaden z nich nie uderzył, król bowiem nie dał żadnego znaku, tylko patrzył nieruchomym wzrokiem na ciało Orgofa, a na jego twarzy malowało się wielkie zdumienie. Túrin zaś obmył ręce w strumieniu płynącym za bramą i wybuchnął tam płaczem, mówiąc: „Czyż wisi nade mną klątwa, bo wszystkie moje czyny wychodzą na złe, i czy teraz tak się stało, że muszę uciekać z domu przybranego ojca jako banita winny rozlewu krwi i nigdy więcej nie oglądać twarzy tych, których kocham?". W głębi serca nie miał odwagi, by wrócić do Hithlumu, żeby jego matka nie pogrążyła się w gorzkiej rozpaczy z powodu jego hańby. Mógłby też ściągnąć na swoich pobratymców gniew elfów; dlatego też odszedł daleko, a kiedy mężowie elfów ruszyli na poszukiwania, nie mogli go znaleźć.

Nie chcieli jednak wyrządzić mu krzywdy, chociaż on o tym nie wiedział. Tinwelint bowiem mimo żalu wybaczył Túrinowi zły czyn, a większość jego podwładnych podzielała jego decyzję. Túrin przecież długo zbywał głupotę Orgofa milczeniem lub odpowiadał na nią uprzejmością, chociaż często czuł się boleśnie ukłuty, elf bowiem z zazdrości kierował w jego stronę przytyki. Teraz bliskich krewniaków Orgofa powstrzymywał strach przed Tinwelintem, a także liczne dary, które otrzymali, by pogodzili się z królewskim wyrokiem.

Lecz zgnębiony Túrin, przekonany, że wszyscy zwrócili się przeciwko niemu, a serce króla stało się sercem wroga, przekradł się do najdalszych granic leśnego królestwa. Tam zdobywał pożywienie, polując, jako że był dobrym łucznikiem, chociaż w łucznictwie nie dorównywał elfom; natomiast przewyższał ich w sztuce władania mieczem. Zebrało się wokół niego kilka niespokojnych duchów, a wśród nich myśliwy Beleg, który wcześniej uratował w lesie Gumlina i Túrina. Otóż tych dwóch, elf Beleg i człowiek Túrin, razem przeżyło wiele przygód, o których się teraz nie opowiada ani się ich nie pamięta, lecz o których śpiewano niegdyś w wielu miejscach. Toczyli wojny z dzikimi zwierzami i z goblinami, zapuszczali się czasem w dalekie ostępy nieznane elfom, a sława tych dwóch ukrytych myśliwych z pogranicza zaczęła dochodzić do uszu orków i elfów. Może więc Tinwelint dowiedziałby się wkrótce, gdzie przebywa Túrin, gdyby pewnego razu cała drużyna Túrina nie wdała się w rozpaczliwą potyczkę z trzykrotnie liczniejszymi orkami. Wszyscy tam zginęli prócz Túrina i Belega, ten ostatni, poraniony, uciekł, lecz Túrin został pokonany i związany, wolą Melka było bowiem, żeby przyprowadzono go żywego. Túrin zniknął mu z oczu, gdy mieszkał w komnatach Linwëgo[7], które duszka, królowa Gwedhelinga, otoczyła wielką magią i tajemnicą oraz taką siłą zaklęć, jaka może pochodzić jedynie z Valinoru, skąd w istocie kiedyś w zamierzchłych czasach je przyniosła. Melko zatem bał się, że Túrin oszuka los, który został mu przeznaczony. Teraz zamierzał się z nim srogo obejść na oczach Úrina, lecz ten zwrócił się do Valarów z Zachodu — wiele go o nich nauczyli Eldarowie z Kôru, gnomowie, z którymi niegdyś się zetknął — i jego słowa dotarły, kto wie jakimi drogami, do Manwëgo Súlimo na szczytach Taniquetilu, Góry Świata. Mimo to jako jeniec orków Túrin był wleczony wiele bolesnych staj w okrutnym cierpieniu. Podróż się przeciągała, szli bowiem wzdłuż linii ciemnych wzgórz ku tym okolicom, gdzie wznoszą się one wysoko, a ich ponure szczyty spowijają czarne wyziewy. Tam noszą nazwę Angorodin lub Góry Żelazne, a to z tego względu, że pod ich najbardziej na północ wysuniętymi twierdzami leży Angband, Piekła Żelaza, najstraszniejsze ze wszystkich pomieszkań — i tam teraz zdążali orkowie, niosąc brzemię łupów i złych czynów.

Wiedzcie bowiem, że w owym czasie wciąż w Hithlumie i Krajach Po Drugiej Stronie przebywało mrowie wolnych dzikich elfów i Noldolich, uciekinierów z dawnej bitwy. Niektórzy stale wędrowali, zachowując wielką czujność, a inni mieli ukryte, sekretne siedziby w jaskiniach albo leśnych fortecach, lecz Melko poszukiwał ich niestrudzenie, a kiedy już schwytał, poczynał sobie z nimi bardziej bezlitośnie niż z którymikolwiek swymi niewolnikami. Wypuszczał na nich orków, smoki i złych wróżów, a ich życie pełne było smutku i cierpienia, jako że ci, którzy nie odnaleźli w końcu królestw Tinwelinta ani tajemnej twierdzy króla kamiennego miasta*, ginęli lub popadali w niewolę.

Zdarzali się też Noldoli będący we władaniu złych czarów Melka i ci błąkali się jakby pogrążeni w strasznym śnie, wykonując jego podłe rozkazy, omotał ich bowiem czar bezdennego przerażenia i czuli na sobie palący ich z dala wzrok Melka. Jednakże ci nieszczęśni elfowie, zarówno zniewoleni, jak i wolni, często słyszeli w strumieniach albo nad morzem, gdzie z falami mieszały się wody Sirionu, głos Ulma. Ulmo bowiem jako jedyny spośród Valarów wciąż myślał o nich z ogromną czułością i zamierzał przy ich wątłej pomocy zniszczyć zło Melka. Wówczas, przypominając sobie błogostan Valinoru, odrzucali niekiedy strach, by czynić dobro i pomagać zarówno elfom, jak i ludziom przeciwko Władcy Żelaza.

I oto zrodziło się w sercu Belega, myśliwego elfów, pragnienie, by kiedy tylko wygoją się jego rany, wybrać się na poszukiwanie Túrina. Stało się tak po niezbyt wielu dniach, posiadł on bowiem sztukę uzdrawiania. Ruszył z wielkim pośpiechem za zgrają orków, potrzebował jednak wszystkich swoich umiejętności tropiciela, by podążać ich szlakiem, jako że gobliny Melka przemieszczają się sprawnie i nie zostawiają śladów. Wkrótce znalazł się daleko poza wszelkimi znanymi mu terenami, lecz powodo-

* Gondolinu.

wany miłością do Túrina parł naprzód, w ten sposób okazując odwagę przewyższającą odwagę większości leśnego ludu, a nikt teraz nie potrafi zmierzyć głębi strachu i udręki, które Melko zasiał w sercach ludzi i elfów w owych nieszczęsnych czasach. I stało się, że Beleg zabłądził, otumaniony, w mrocznej i niebezpiecznej okolicy porośniętej tak gęsto ogromnymi sosnami, że drogę wśród nich mogły odnaleźć tylko gobliny, obdarzone wzrokiem przenikającym największy mrok, a mimo to wiele nawet spośród nich błądziło na tym terenie. Noldoli nazwali ten bór Taurfuinem, Lasem Okrytym Nocą. Beleg dał za wygraną i uznał, że zabłądził, usiadł więc oparty plecami o wielkie drzewo i słuchał szumu wiatru w przerzedzonych koronach drzew wznoszących się na wiele sążni nad nim, a jęk nocnych powiewów i skrzypienie gałęzi niosły ze sobą smutek i złe przeczucia. Beleg stracił ducha.

Wtem spostrzegł daleko wśród drzew spokojne blade światełko jakby bardzo jasnego świetlika. Uznawszy, że w takim miejscu to raczej nie może być świetlik, jął się ku niemu skradać. Otóż Noldoli, którzy mozolili się pod ziemią, a wcześniej posiedli w Valinorze sztukę obróbki metali i klejnotów, byli dla Melka najcenniejszymi niewolnikami i nie pozwalał im odchodzić daleko. Beleg nie wiedział, że elfowie ci mają niezwykłe latarenki zrobione ze srebra i kryształu, w których płonie wieczny jasnobłękitny płomień. Tajemnicę ich wyrobu posiedli jedynie ci, którzy umieli obrabiać klejnoty, i nie chcieli jej wyjawić nawet Melkowi, chociaż przymuszał ich, by wytwarzali dla niego liczne kosztowności i magiczne światła.

Pomagając sobie tymi lampami, Noldoli często wypuszczali się na nocne wędrówki i rzadko zbaczali ze ścieżki, którą już raz wcześniej kroczyli. Tak więc zbliżywszy się, Beleg ujrzał jednego z gnomów ze wzgórz rozciągniętego we śnie na igliwiu pod wielką sosną, a przy jego głowie lśniła błękitna latarenka. Wówczas Beleg obudził go; elf zerwał się w wielkim strachu i udręce. Od niego Beleg dowiedział się, że zbiegł on z kopalni Melka i nazywa się Flinding bo-Dhuilin ze starożytnego rodu gnomów. Flinding uradował się niezmiernie, że może rozmawiać z wolnym Noldorem, i chętnie opowiedział o swej ucieczce z najgłębszej kopalnianej twierdzy Melka, a w końcu rzekł: „Kiedy sądziłem, że jestem już wolny, oto zabłąkałem się nocą nieświadomie w sam środek orkowego obozu. Wszyscy spali, a mieli ze sobą wiele łupów i ciężkich pakunków, i wydawało mi się, że dostrzegłem wielu pojmanych elfów. A jeden z nich leżał blisko drzewa, do którego był okrutnie przywiązany, i jęczał, i głośno złorzeczył Melkowi, wzywając imion Úrina i Mavwiny. A chociaż, będąc wówczas tchórzliwy po długiej niewoli, uciekłem stamtąd, na nic nie zważając, teraz wielce się dziwuję. Któż bowiem spośród niewolników Angbandu nie wie o Úrinie Niezłomnym, który jedyny wśród ludzi opiera się Melkowi, cierpiąc w kajdanach katusze na okrutnym górskim szczycie?".

Wielce poruszony, zerwał się wtedy Beleg na równe nogi i zawołał: „To Túrin, wychowanek Tinwelinta, którego szukam i który dawno temu był synem Úrina. Zaprowadź mnie do tego obozu, o synu Duilina, a wkrótce będzie wolny". Lecz Flinding bardzo się wystraszył i rzekł: „Ciszej, mój Belegu, orkowie mają bowiem uszy kotów i chociaż dzieli mnie od tego obozu dzień drogi, kto wie, czy nie podążyli za mną".

Usłyszawszy jednak od Belega historię Túrina, Flinding zgodził się, mimo strachu, zaprowadzić go w tamto miejsce. Ruszyli w drogę, prowadzeni roztańczonym światłem kołyszącej się lampy Flindinga, na długo przed tym, nim wstało tego dnia słońce i jego nikłe promienie zakradły się do tego mrocznego lasu. Otóż zdarzyło się, że obrana przez nich droga przecięła drogę orków, którzy podjęli marsz na nowo, lecz w kierunku odmiennym od dotychczasowego, bojąc się bowiem teraz ucieczki więźnia, kierowali się do miejsca, gdzie drzewa rosły rzadziej i gdzie przez wiele staj prowadził łatwy szlak. Dlatego też kiedy ci dwaj wieczorem zbliżali się do miejsca, którego szukał Flinding, usłyszeli rozlegające się daleko w lesie, coraz bliższe krzyki i chrapliwy śpiew. Ledwie zdołali się ukryć, przeszła obok nich owa banda orków. Kilku dowódców jechało na niedużych koniach, a do jednego z nich był przywiązany za nadgarstki Túrin, tak że musiał biec, bo inaczej byłby okrutnie wleczony po ziemi. Po tym, jak nad lasem zapadł zmrok, Beleg i Flinding z drżeniem serc ruszyli za orkami, a kiedy ci rozbili obóz, zaczaili się w pobliżu, aż ucichło wszystko prócz jęków pojmanych nieszczęśników. Flinding osłonił lampę futrem, a następnie obaj podkradli się bliżej. Gobliny spały, nie miały bowiem w zwyczaju palić na postojach ognia ani trzymać wart, a stróżowanie powierzały zajadłym wilkom, które zawsze towarzyszyły ich zgrajom, tak jak psy towarzyszyły ludziom. Wilki jednak nie spały, kiedy orkowie rozbijali obóz, a ich oczy lśniły wśród drzew jak punkciki czerwonego światła. Flindinga zdjął wielki strach, lecz Beleg kazał mu iść za sobą i tak wśliznęli się do obozu w miejscu, gdzie między stróżującymi wilkami był większy odstęp.

Szczęśliwy traf Valarów sprawił, że Túrin leżał w pobliżu, z dala od innych, a niedostrzeżony przez nikogo Beleg znalazł się u jego boku i chciał przeciąć mu więzy, lecz spostrzegł, że czołgając się, zgubił nóż, a miecz zostawił poza obrębem obozu. Teraz zatem, nie ważąc się powtórnie zakraść do obozu, Beleg i Flinding, obaj mocarni mężowie, postanawiają wynieść z obozu Túrina pogrążonego w głębokim śnie całkowitego wyczerpania. Tak też uczynili, a później zawsze uważano to za wielki wyczyn, bo niewielu dokonało czegoś podobnego, omijając wilczych strażników goblinów i plądrując ich obozy.

Tak oto położyli go na ziemi w lesie niedaleko obozu, nie mogli go bowiem nieść dalej, jako że był człowiekiem roślejszym od nich[8], lecz Beleg przyniósł miecz i chciał od razu przeciąć więzy Túrina. Te na jego nadgarstkach rozciął najpierw i właśnie uwalniał nogi jeńca spętane w kostkach, lecz niewiele widząc w ciemności, głęboko skaleczył Túrina w stopę. Turin obudził się przerażony i widząc w mroku pochyloną nad sobą postać z mieczem w ręku, a także czując ból zranionej stopy, pomyślał, że to któryś z orków przyszedł, żeby go zabić lub dręczyć — bo często tak czynili, kalecząc go nożami lub raniąc włóczniami. Teraz jednak Túrin poczuł, że ma wolne ręce, zerwał się i całym ciężarem rzucił nagle na Belega, przewracając go i na wpół przygniatając, oniemiałego, do ziemi. W tej samej chwili chwycił miecz i zanim Flinding zdołał pojąć, co się dzieje, przebił Belegowi gardło. Odskoczył wtedy Túrin do tyłu i miotając przekleństwa na gobliny, wołał, żeby przyszły i go zabiły albo zasmakowały jego miecza, sądził bowiem, że znajduje się w środku ich obozu, i myślał nie o ucieczce, lecz tylko o tym, by drogo sprzedać życie. Już chciał się rzucić na Flindinga, lecz ten odskoczył do tyłu, upuszczając lampę; jej osłona się zsunęła, rozbłysło światło i Flinding krzyknął w języku gnomów, że Túrin powinien powstrzymać rękę i nie zabijać przyjaciół. Słysząc te słowa, Túrin znieruchomiał i przy świetle lampy ujrzał bladą twarz Belega leżącego u jego stóp z przebitym gardłem. Stał jak skamieniały z takim wyrazem twarzy, że Flinding przez długi czas nie ważył się odezwać. Zaiste nie zaprzątał sobie głowy słowami, jako że przy tym świetle również ujrzał los Belega i wielką poczuł gorycz w sercu. W końcu jednak zdało mu się, że orkowie się budzą, i tak też było, doszły ich bowiem krzyki Túrina. Rzekł więc do niego: „Zbliżają się orkowie, uciekajmy", lecz Túrin mu nie odpowiedział. Flinding nim potrząsnął, każąc zebrać myśli, bo inaczej zginie, i wtedy Túrin go posłuchał, lecz był jak otumaniony; pochylił się, uniósł Belega i złożył na jego ustach pocałunek.

Wówczas Flinding szybko poprowadził Túrina najlepiej jak umiał, oddalając się od tego miejsca, a Túrin szedł za nim, poddając się jego przewodnictwu. W końcu na jakiś czas zgubili pościg i znowu mogli oddychać swobodnie, a wtedy Flinding mógł wreszcie opowiedzieć Túrinowi wszystko, co wiedział, a także o spotkaniu z Belegiem. Wówczas pękły tamy łez Túrina i rozszlochał się on gorzko, Beleg towarzyszył mu bowiem często w wielu przedsięwzięciach. I była to trzecia boleść, jaka przypadła w udziale Túrinowi, a ślad tego strapienia nosił przez całe życie. Długo wędrował z Flindingiem, nie dbając o to, dokąd zmierza, i gdyby nie ten gnom, wkrótce zostałby ponownie schwytany lub zabłądziłby, myślał bowiem tylko o surowej twarzy myśliwego Belega, który leżał w ciemnym lesie, poniósłszy śmierć z jego ręki w chwili, kiedy oswobadzał go z więzów niewoli.

W owym czasie włosy Túrina przyprószyła siwizna, mimo że niewiele liczył sobie lat. Długo wędrowali razem, Túrin z Noldorem; i dzięki magii jego lampy poruszali się nocą, a ukrywali w dzień; rozpłynęli się wśród wzgórz i orkowie ich nie znaleźli.

A oto w górach nad strumieniem, który spływając w dół, zasilał rzekę Sirion, znajdowało się kilka jaskiń. Przed wejściem do nich rosła trawa, a wejście to było przemyślnie zasłonięte przez drzewa i ukryte za pomocą magii, ile jej jeszcze pamiętały mieszkające tam rozproszone grupy uchodźców. Zaiste w owym czasie miejsce to stało się warowną siedzibą ludu, którego zastępy powiększał niejeden uciekinier. Tam to jeszcze raz odżyły starożytne sztuki i dzieła Noldolich, chociaż w prostej i surowej postaci.

Działały tam tajemne kuźnie, a kowale wykuwali dobrą broń i wytwarzali prócz tego miłe dla oka przedmioty; kobiety, jak wcześniej, przędły i tkały. Czasami potajemnie wydobywano w okolicy złoto, jeśli udało się je znaleźć, toteż głęboko w owych jaskiniach można było ujrzeć w świetle sekretnych lamp piękne naczynia; śpiewano też cicho stare pieśni. Mieszkańcy tych jaskiń zawsze uciekali przed orkami i nigdy nie stawali z nimi do walki, chyba że zmusił ich do tego nieszczęśliwy zbieg okoliczności albo mogli wciągnąć nieprzyjaciół w zasadzkę, tak by wszyscy orkowie zostali zabici i żaden nie uszedł z życiem. Trzymali się bowiem zasady, że do Melka nie mogą dotrzeć żadne wieści o ich siedzibie ani że nie może on podejrzewać, iż w tej okolicy zbierają się jakieś liczniejsze grupy elfów.

Miejsce to było jednakże znane Noldorowi Flindingowi, który wędrował z Túrinem, jako że dawno temu, zanim schwytali go i zniewolili orkowie, należał do tego ludu. Zmierzał teraz w tamtą stronę, pewien, że zostawili pościg daleko w tyle, lecz mimo to kluczył okrężną drogą i minęło dużo czasu, nim zbliżyli się do owych okolic. Szpiedzy i wartownicy Rodothlimów (tak bowiem zwał się ten lud) ostrzegli współbraci o zbliżaniu się obcych i wszyscy, którzy oddalili się od ich siedziby, unikali przybyszów, wycofując się przed nimi. Następnie zamknęli drzwi z nadzieją, że obcy nie odkryją jaskiń, bali się bowiem wszystkich nieznanych sobie osób bez względu na ich rasę i nie dowierzali im — tak złe wyciągano nauki z owych strasznych czasów.

Kiedy zaś Flinding i Túrin odważyli się podejść do samej bramy jaskiń, Rodothlimowie, pojąwszy, że ci dwaj znają już wiodące do nich ścieżki, wypadli, pojmali przybyszów i zawlekli ich w głąb skalnych komnat. Tam zostali oni zaprowadzeni przed oblicze przywódcy, Orodretha. Otóż wolni Noldoli bardzo się wówczas obawiali swoich pobratymców, którzy doświadczyli niewoli, ci bowiem, zastraszeni, zmuszeni torturami i czarami, dopuścili się wielu zdradzieckich czynów. W taki właśnie sposób zostały pomszczone złe czyny gnomów w Cópas Alqalunten[9], kiedy jedni gnomowie przeciwstawili się innym. Noldoli przeklinali dzień, w którym pierwszy raz posłuchali oszukańczych słów Melka, głęboko żałując odejścia z błogosławionego królestwa Valinoru.

Niemniej kiedy Orodreth wysłuchał opowieści Flindinga i poznał, że jest prawdziwa, z radością powitał go z powrotem wśród Rodothlimów, lecz gnoma owego tak zmieniły cierpienia niewoli, że poznawali go tylko nieliczni. Ze względu na Flindinga Orodreth wysłuchał opowieści Túrina, on zaś opowiedział o swoich cierpieniach i wspomniał o Úrinie jako swoim ojcu, a tego imienia gnomowie jeszcze nie zapomnieli. Zmiękło wtedy serce Orodretha, który zaprosił ich, by osiedli wśród jego ludu, a jemu dochowali wierności. Tak więc zaczął się pobyt Túrina u mieszkańców jaskiń. Zamieszkał z Flindingiem bo-Dhuilinem i ciężko pracował dla dobra tych gnomów, zabił niejednego błąkającego się w pobliżu orka i dokonywał mężnych czynów w ich obronie. W zamian wiele zyskał od nich nowych nauk, głęboko w dzikich sercach gnomów płonęły bowiem wspomnienia

Valinoru, a mądrością wciąż przewyższali tych Eldarów, których wzrok nigdy nie padł na błogosławione oblicza bogów.

Wśród tego ludu żyła wielce urodziwa panna imieniem Failivrin, a jej ojcem był Galweg. Gnom ten polubił Túrina i bardzo mu pomagał, a Túrin często mu towarzyszył w rozmaitych przedsięwzięciach i szlachetnych czynach. Niejedną o nich opowieść snuł Galweg przy swoim palenisku. Túrin często zasiadał u jego stołu, a na widok przybysza poruszyło się serce Failivrin. Panna często dziwiła się jego przygnębieniu i smutkowi, zastanawiając się, jaki w jego piersi zamknięty jest żal. Túrin bowiem nie okazywał wesołości, obarczony śmiercią Belega, która, jak czuł, spadła na jego głowę, i nie chciał, by poruszyło się jego serce, chociaż miła mu była słodycz owej panny. Uważał się jednak za banitę i człowieka obciążonego złym losem. Dlatego też Failivrin smuciła się i szlochała w ukryciu, i tak pobladła, że elfowie zdumiewali się bielą i delikatnością jej lica oraz lśniącymi w nim jasnymi oczami.

Otóż nadeszły czasy, w których zgraje orków i innych złych stworów Melka coraz bardziej przybliżały się do siedziby owego ludu i mimo dobrych czarów w płynącym obok strumieniu wydawało się, że nie pozostanie już dłużej ukryta. Powiada się jednak, że przez cały ten czas pobyt Túrina w jaskiniach i czyny, jakich dokonywał wśród Rodothlimów, były osłonięte przed wzrokiem Melka, i że nękał on Rodothlimów nie ze względu na Túrina ani na jakiś swój zamysł, lecz dlatego, iż jego stwory, coraz liczniejsze, potężniejsze i bardziej zawzięte, mogły wypuszczać się daleko. Niemniej, jak się okaże, Túrin wciąż był ślepy i trzymał się go zły los, który Melko utkał dla niego dawno temu.

Z każdym dniem oblicza przywódców Rodothlimów mroczniały coraz bardziej, nawiedzały ich też sny[10], nakazujące im powstać i odejść szybko i potajemnie, być może w poszukiwaniu Turgona, bo to u niego gnomowie mogliby jeszcze znaleźć ratunek. Wieczorami dawały się słyszeć w strumieniu szepty i ci wśród nich, którzy potrafili usłyszeć takie głosy, podczas narad wyjawiali swoje złe przeczucia. Túrin, który na owych naradach zdobył sobie miejsce dzięki licznym walecznym czynom, zaprzeczał ich obawom, ufny w swoją siłę, cały czas bowiem pałał żądzą walki ze stworami Melka. Ganił gnomów, mówiąc: „Słuchajcie! Macie broń doskonałego wyrobu, a mimo to większość waszego oręża nie utoczyła krwi wrogów. Wspomnijcie na Bitwę Nieprzeliczonych Łez i nie zapominajcie swoich braci, którzy w niej polegli, i nie rozważajcie ucieczki, lecz stańcie do walki".

Takie gorzkie słowa sprawiły, że pomimo rozumu ich największych mędrców zostały zakłócone ich narady i opóźnione działania. Jednak wielu gnomów o mężnych sercach znalazło w owych słowach nadzieję, smucili się bowiem na myśl o porzuceniu miejsca, w którym zaczęli tworzyć siedzibę spokojną i wygodną. Túrin poprosił Orodretha o miecz, a nie dzierżył takiego oręża w ręku, od kiedy zabił Belega, lecz zadowalał się grubą pałką. Wówczas Orodreth kazał wykuć dla niego wielki miecz, a dzięki magii był on całkiem czarny z wyjątkiem krawędzi, które lśniły jasnym, ostrym blaskiem, jakim lśnić może tylko gnomicka stal. Ciężki był i miał czarną pochwę wiszącą u kruczoczarnego pasa, a Túrin nazwał go Gurtholfinem, „Różdżką Śmierci". Często klinga ta poruszała się w jego dłoni powodowana własną wolą i powiada się, że czasem przemawiała do niego mrocznymi słowy. Przemierzał teraz Túrin wzgórza z owym mieczem i nieustannie zadawał nim śmierć, tak że imię Czarnego Miecza Rodothlimów zaczęło budzić wśród orków przerażenie i przez dłuższy czas jaskinie gnomów były chronione przed wszelkim złem. Stąd wywodzi się imię Túrina używane wśród gnomów, którzy nazwali go Mormaglim albo Mormakilem, zależnie od używanej przez nich mowy, imiona te bowiem oznaczają czarny miecz.

Im bardziej rosło męstwo Túrina, tym głębsza stawała się miłość Failivrin, a gdy mężowe szemrali przeciwko niemu pod jego nieobecność, przemawiała za nim i zawsze starała się mu usłużyć. Túrin przyjmował to z radością i traktował ją uprzejmie, mówiąc, że w krainie gnomów znalazł piękną siostrę. Jednak jego czyny sprawiły, że dawne postanowienia Rodothlimów poszły w niepamięć, a ich siedziba stała się znana w bliższej i dalszej okolicy, a Melko też się o niej dowiedział. Mimo to wielu Noldolich uciekało teraz do nich, powiększając ich siły, Túrin zaś cieszył się wśród nich ogromnym szacunkiem. Nastały wówczas dni wielkiej szczęśliwości i przez pewien czas mężowie znów mogli wyjść z ukrycia i bezpiecznie wypuszczać się daleko od swoich domów, a liczni przechwalali się, że Noldoli zostali ocaleni. Tymczasem Melko gromadził w tajemnicy liczne oddziały, które wypuścił na nich znienacka. Gnomowie w wielkim pośpiechu zebrali swoich wojowników i wyruszyli przeciw niemu, lecz zaatakowała ich armia orków, wilków i orków dosiadających wilki; był też z nimi wielki smok o łuskach wypolerowanych jak brąz, który ział ogniem i dymem, a zwał się

Glorund[11]. W bitwie polegli lub zostali wzięci do niewoli wszyscy mężowie Rodothlimów, wroga bowiem były niezliczone zastępy. To starcie przyniosło najwięcej goryczy od owej nieszczęsnej bitwy Nínin-Udathriol*, Orodreth został w nim ciężko ranny i nim wszystko się skończyło, Túrin wyniósł go z pola walki i z pomocą Flindinga, który nie odniósł większych ran[12], przeniósł do jaskiń.

Tam umarł Orodreth, czyniąc Túrinowi wyrzuty, że zawsze sprzeciwiał się jego mądrym radom, a serce Túrina przepełniła gorzka świadomość, że to on jest winny zagłady tego ludu[13]. Odszedł wówczas Túrin od ciała władcy Orodretha i udał się tam, gdzie mieszkał Galweg; zastał Failivrin gorzko opłakującą śmierć ojca. Túrin chciał ją pocieszyć. Pogrążona w bólu serca i smutku wywołanym śmiercią ojca oraz zagładą jej ludu, osunęła się na Túrinową pierś i objęła go ramionami. Tak głębokie ogarnęło go współczucie, że wydało mu się w tej godzinie, iż bardzo ją kocha. Teraz został z Flindingiem sam z wyjątkiem kilku wiekowych sług i umierających. Tymczasem, ograbiwszy poległych w bitwie, orkowie już się zbliżali.

Stał tak Túrin przed wejściem z Gurtholfinem w ręku i Flindingiem u boku, a orkowie rzucili się na tę siedzibę i dokładnie ją złupili, wywlekając na zewnątrz wszystkich tam się chowających i cały ich ukryty dobytek bez względu na to, jak wielką czy małą miał wartość. Lecz Túrin bronił im wstępu do pomieszkania Galwega, a oni opadli go chmarą, aż oddział ich łuczników stojący w pewnej odległości wypuścił na niego deszcz strzał. Otóż Túrin miał na sobie taką kolczugę, jaką wszyscy wojownicy gnomów zawsze lubili i nadal wdziewają, lecz nie powstrzymała tych wszystkich strzał, a już był ciężko ranny, kiedy padł Flinding, nagle trafiony w oko; Túrina też wkrótce spotkałaby śmierć — a jego los okazałby się dzięki temu szczęśliwszy — gdyby do plądrowanej siedziby gnomów nie przybył właśnie ów wielki smok i nie kazał im przestać szyć z łuków; lecz siłą swego oddechu odrzucił Túrina od drzwi, a magią swoich ślepiów spętał mu ręce i nogi.

---

* Na dole strony rękopisu jest napisane:

„*Nieriltasinwa* bitwa nieprzeliczonych łez
Glorund Laurundo czy *Undolaurë*"

Później imiona *Glorund* i *Laurundo* zostały poprawione na *Glorunt* i *Laurunto*.

Otóż te gady, smoki, są najnikczemniejszymi stworami, jakie uczynił Melko, i najdziwniejszymi, lecz ze wszystkich poza tylko Balrogami są najpotężniejsze. Wielce są przebiegłe i mądre, zaś wśród ludzi od dawna się powiadało, że jeśli ktoś posmakowałby serca smoka, to poznałby wszystkie języki bogów i ludzi, zwierzów i ptaków, a uszami łowiłby szepty Valarów i Melka, jakich wcześniej nigdy nie słyszał. Nieliczni byli tacy, którym udało się dokonać czynu tak odważnego, jak zabicie smoka, a nikt spośród nawet takich śmiałków nie zdołałby skosztować jego krwi i przeżyć, jest ona bowiem niczym paląca trucizna, która zabija wszystkich prócz tych, którzy dorównują siłą bogom. Jakakolwiek jest prawda, podobnie jak ich władca, plugawe te bestie kochają złoto oraz drogocenne przedmioty i pożądają ich z zawziętą chciwością, chociaż nie mogą ich używać ani się nimi cieszyć.

Tak więc stało się, że ten *lókë* (tak bowiem zwą Eldarowie smoki Melka) pozwolił orkom zabijać, kogo chcieli, i spędzić, kogo sobie życzyli, w wielki i bardzo smutny tłum kobiet, panien i małych dzieci, lecz cały wielki skarb, który wynieśli ze skalnych komnat i usypali przed bramą w kopiec lśniący w słonecznym blasku, zapragnął mieć dla siebie i zakazał im choćby tknąć go palcem, a oni nie śmieli mu się sprzeciwić ani nie zdołaliby tego uczynić, choćby nawet chcieli.

W tej smutnej grupie stała zgrozą zdjęta Failivrin, wyciągając ręce ku Túrinowi, lecz był on w mocy smoczego zaklęcia, bowiem w spojrzeniu tej bestii, jak i wielu innych z jej rodzaju, kryła się plugawa magia, która przemieniła ścięgna Túrina jakby w kamień, bo smok patrzył Túrinowi w oczy i w ten sposób uśmiercił jego wolę, a Túrin, choć nie mógł się poruszyć sam z siebie, widział i słyszał.

Wtedy Glorund drwinami doprowadził Túrina niemal do szaleństwa, mówiąc, że oto odrzucił miecz i nie miał odwagi zadać nim ani jednego ciosu w obronie przyjaciół — miecz Túrina leżał u jego stóp, wysunąwszy się z jego osłabionej dłoni. Wielkie męki z tego powodu cierpiało serce Túrina; orkowie się z niego śmiali, a niektórzy jeńcy czynili mu gorzkie wyrzuty. Wtedy właśnie orkowie poczęli poganiać zastęp niewolników i na ten widok pękło Túrinowi serce, nie mógł się jednak poruszyć, a blada twarz Failivrin zniknęła w oddali i tylko wiatr przyniósł mu jej wołanie: „O Túrinie Mormakilu, gdzie serce twoje; o mój ukochany, czemu mnie porzucasz?". Tak wielkie stało się wówczas cierpienie Túrina, że nie zdołał go powstrzymać nawet czar tego gada; krzyknąwszy głośno, sięgnął Túrin po leżący u jego stóp miecz i ugodziłby nim smoka, lecz ten tchnął na niego plugawym, gorącym oddechem i Túrin padł zemdlony, sądząc, że spotkała go śmierć.

Po długim czasie, a opowieść nie mówi, jak długim, przyszedł Túrin do siebie; leżał przed bramą, patrząc na słońce, a głowę miał opartą o stertę złota porzuconego przez łupieżców. Odezwał się wtedy smok, który był bardzo blisko niego: „Nie zastanawiasz się, dlaczego nie zadałem ci śmierci, Túrinie Mormakilu, który nosiłeś niegdyś miano odważnego?". Wówczas przypomniał sobie Túrin wszystkie swoje smutki i zło, jakie na niego spadło, i rzekł: „Nie drwij ze mnie, gadzie plugawy, wiesz bowiem, że chciałbym umrzeć, a ja sądzę, że właśnie dlatego mnie nie zabijasz".

Lecz smok tak mu odpowiedział: „Wiedz zatem, Túrinie, synu Úrina, że spowija cię całun złego losu i gdziekolwiek pójdziesz, nie zdołasz się z niego wyplątać. Zaiste, nie chciałem cię zabić, w taki bowiem sposób uwolniłbyś się od gorzkich smutków i przeznaczonego ci cierpienia". Zerwał się na to nagle Túrin na nogi i unikając złowrogiego spojrzenia stwora, uniósł wysoko miecz i zawołał: „Nie, od tej chwili, jeśli żyć będę, nikt nie będzie mnie nazywał Túrinem. Oto nadam sobie nowe miano i będzie nim Turambar!". Znaczy to „Zwycięzca Losu", a w mowie gnomów imię to brzmi Turumart. Następnie, wypowiedziawszy te słowa, zamierzył się Túrin na smoka po raz drugi, istotnie chcąc go zmusić, by go zabił, i w ten sposób zwyciężyć swój los śmiercią, lecz smok się roześmiał i to mu powiedział: „Ty głupcze! Gdybym chciał, zabiłbym cię już dawno temu i mógłbym to uczynić tutaj i teraz, a jeśli tego nie zrobię, nie zdołasz walczyć ze mną świadomie, oko moje może bowiem raz jeszcze rzucić na ciebie czar spętania, byś stał niczym głaz. Nie, odejdź, Turambarze Zwycięzco Losu! Jeśli chcesz przezwyciężyć swoje przeznaczenie, pierwej musisz się z nim spotkać". Lecz Turambara przepełniał wstyd i gniew, i może nawet zabiłby samego siebie, tak wielkie było jego obłąkanie, chociaż przez to nie mógłby żywić nadziei, że jego duch zostanie kiedykolwiek uwolniony z mrocznych ciemności Mandosu albo że zabłądzi na urocze ścieżki Valinoru[14]; lecz wśród tej niedoli wspomniał na bladą twarz Failivrin i spuścił w pokorze głowę, umyślił bowiem poszukać we wszystkich lasach nieszczęsnych śladów jej stóp, choćby nawet musiał dojść do Angamandi i Żelaznych Wzgórz. Może w trakcie tej desperackiej wyprawy znalazłby łagodną i szybką śmierć, a może też nieprzyjemną, a może ocaliłby Failivrin i znalazł szczęście, lecz nie było mu przeznaczone tak zasłużyć na imię, które sobie obrał, a smok, który czytał mu w myślach, nie pozwolił mu tak łatwo umknąć fali złego losu.

„Posłuchaj mnie, synu Úrina", rzekł, „zawsze tchórzem byłeś w głębi serca, fałszywie pusząc się przed innymi. Czy może za mężny uważasz czyn pośpieszyć za panną obcego rodu, niewiele zważając na własną rodzinę, doznającą teraz strasznych cierpień? Oto Mavwina, która cię kocha, od dawna niecierpliwie wygląda twojego powrotu, świadoma, że osiągnąłeś już wiek męski, i na próżno oczekuje od ciebie pomocy, nie wie bowiem, że syn jej stał się banitą splamionym krwią swoich towarzyszy, który kazi stół swego pana. Źle ją traktują inni, a oto te okolice Hithlumu opanowali orkowie. W strachu i niebezpieczeństwie żyje twoja matka, a razem z nią jej córka, a twoja siostra Nienóri".

Ogarnął wówczas Turambara smutek i palący wstyd, kłamstwa smoka kłuły go bowiem prawdą, a przez zły urok jego oczu nieszczęśnik ów wierzył we wszystko, co usłyszał. Zapłonął zatem pragnieniem ponownego ujrzenia matki i spojrzenia na Nienóri, której nie widział ani razu od pierwszych dni swego życia[15], i z sercem pękającym z rozpaczy na myśl o losie Failivrin skierował kroki ku wzgórzom i Dor Lóminowi, a miecz schował do pochwy. I prawdziwie się powiada: „Za nic nie opuszczaj przyjaciół ani nie wierz tym, którzy ci to doradzają", z tego bowiem porzucenia Failivrin w niebezpieczeństwie, które Turambar sam widział, przyszło na niego i na wszystko, co kochał, najstraszliwsze zło. W jego sercu zaś panowały zamęt i niepewność, odszedł więc z tamtych okolic z poczuciem hańby, ogarnięty znużeniem. Smok natomiast napawał się zdobyczą i ułożył na skarbie zwoje swego cielska, a fama o tej wielkiej stercie złotych naczyń i nieobrobionego kruszcu, leżącej obok jaskiń nad strumieniem, rozniosła się wzdłuż i wszerz tej krainy. Smok zaś drzemał przed tym stosem skarbów i snuł nikczemne myśli o rozsiewaniu przebiegłych kłamstw, a także o tym, jak one kiełkują, wzrastają i rodzą owoce, a z jego nozdrzy unosiły się smużki dymu.

I tak, pokonawszy wiele trudów, przybył po długim czasie Turambar do Hisilómë i znalazł w końcu sadybę matki, tę samą, w której się rozstali, kiedy był dzieckiem, lecz oto chata nie miała dachu, a otaczające ją ziemie uprawne leżały odłogiem. Zabolało go wówczas serce, atoli dowiedział się od mieszkających w pobliżu, że zaznawszy biedy, pani Mavwina odeszła przed laty do nieodległej dużej i dostatniej siedziby ludzi. Tamten bowiem obszar Hisilómë był żyzny i jego mieszkańcy uprawiali trochę ziemi, a wielu z nich hodowało bydło, chociaż w mrocznych czasach po wielkiej bitwie ludzie w większości bali się osiedlać w jednym miejscu i wędrowali po lasach, polując i łowiąc ryby. Tak właśnie żyli nad brzegami Asgonu, gdzie później urodził się Tuor, syn Pelega.

Zdumiał się jednak Turambar, słysząc te wieści, i wypytywał owych ludzi o wyprawy na tamte tereny opanowane przez orków oraz inne groźne sługi Melka, lecz ci kręcili głowami i oświadczyli, że podobne stwory nigdy nie zapuszczały się tak daleko w głąb Hisilómë[16]. „Jeśli pragniesz spotkać orków, powędruj ku wzgórzom otaczającym nasze ziemie", rzekli mu, „a nie będziesz ich szukał długo. Rzadko mogą najostrożniejsi nawet mężowie wejść i opuścić tę krainę, tak nieustannie jest pilnowana. Wielu orków strażuje też przy skalnej bramie, aby ludzkie dzieci nigdy się nie wydostały z Krainy Cieni, powiadają jednak, że to z woli Melka stwory te nas nie nękają. Jednakże wydaje się, że przybyłeś z daleka, i to nas zdumiewa, dawno już bowiem nie zawitał tu ktoś z innych ziem". Nie wiedział Turambar, co ma o tym myśleć, i zwątpił w oszukańcze słowa smoka, mimo to z nadzieją udał się ku siedzibom ludzi i do domu matki, a w tamtejszych gospodarstwach z łatwością uzyskał wskazówki, jak do niego dotrzeć. Oto ludzie dziwnie na niego patrzyli, kiedy tak ich wypytywał, a mieli ku temu zaiste powód — w tych, do których się zwracał, budził wielką obawę i zdumienie. Nie chcieli z nim rozmawiać, jego odzienie było bowiem odzieniem dzikiego człowieka lasu, włosy miał długie, twarz wymizerowaną i ściągniętą jakby nieutulonymi smutkami, a pod ciemnymi brwiami jego ciemne oczy płonęły mocnym blaskiem. Miał piękny naszyjnik ze złota, a u boku potężny miecz i ludzie bardzo mu się dziwili; a jeśli ktoś ośmielił się zadać mu pytanie, mówił, że zowie się Turambar, syn znużonego lasu*, lecz to zdawało się im jeszcze dziwniejsze.

Otóż przybył on do sadyby Mavwiny, a był to piękny dom, lecz nikt w nim nie mieszkał, trawa w ogrodach rosła wysoko, w oborach nie stało bydło ani w stajniach konie, a otaczające dom pastwiska były milczące i puste. Tylko jaskółki miały gniazda pod drewnianym okapem dachu, a pano-

---

* Naniesiona na rękopis notatka dotycząca tego imienia brzmi: „*Turumart go-Dhrauthodauros* [poprawione na *bo-Dhrauthodavros*] albo *Turambar Rúsitaurion*".

wał wśród nich taki rozgardiasz, jakby gotowały się do jesiennego odlotu. Usiadł Turambar przed rzeźbionymi drzwiami i zapłakał. Zauważył go mąż zmierzający do innych siedzib, blisko bowiem tego gospodarstwa biegła ścieżka. Zbliżywszy się, zapytał, co go trapi, a Turambar odrzekł, że gorzkim doświadczeniem jest dla syna po długiej rozłące z domem porzucić wszystko, co było mu drogie, i — kiedy w końcu wrócił, naraziwszy się na niebezpieczeństwa czyhające wśród wzgórz opanowanych przez orków — zastać siedlisko swojej rodziny puste.

„Nie, to zatem musi być podstęp Melka", rzekł ów przechodzień, „bo prawdziwie mieszkała tu pani Mavwina, żona Úrina, lecz przed dwoma laty odeszła stąd nagle i w tajemnicy, a ludzie mówią, że szuka swego zaginionego syna; wędruje z nią jej córka Nienóri, ale nie znam całej tej historii. Lecz jedno wiem, podobnie jak wielu w tej okolicy, i nazywam hańbą — wiedz bowiem, że opiekę nad całym swoim dobytkiem i ziemią powierzyła ona Broddzie, człowiekowi, któremu ufała. Jest on mężem jej krewniaczki i — za zgodą innych — zwierzchnikiem tej okolicy. Jednak teraz, skoro nie ma jej tak długo, Brodda połączył jej stada bydła i kóz, choć były niewielkie, ze swoimi, znakując zwierzęta własnym piętnem, a także pozwolił, by dom i gospodarstwo Mavwiny popadło w ruinę. Ludzie źle o tym myślą, lecz nic nie robią, bowiem władza Broddy stała się bardzo potężna".

Wówczas Turambar poprosił go, by skierował jego stopy na ścieżkę prowadzącą do siedziby Broddy, i człowiek ten spełnił jego pragnienie. Idąc żwawym krokiem, Turambar przybył tam tuż po zapadnięciu nocy, kiedy miejscowi ludzie zasiadali do posiłku. Owej nocy zgromadzenie było liczne, a oświetlał je blask wielu pochodni, lecz pani Airiny tam nie było, ponieważ na ucztach u Broddy mężowie pili za dużo, śpiewali dzikie pieśni i przy stole wybuchały kłótnie, a tego nie lubiła. Turambar uderzył w drzwi z mrocznym sercem i przepełniony wielkim gniewem, gorzko bowiem brzmiały w jego uszach słowa tamtego obcego wypowiedziane przed drzwiami domu jego matki.

Ktoś otworzył i Turambar wkroczył do komnaty. Brodda poprosił go, by usiadł, i kazał przynieść mu wino i mięsiwo, lecz Turambar nie chciał ani jeść, ani pić, więc mężowie patrzący z ukosa na jego posępną twarz zapytali, kim jest. Wówczas Turambar wystąpił na środek ich kręgu, stanął przed podwyższeniem, gdzie siedział Brodda, i rzekł: „Oto jestem ja,

Turambar, syn lasu", a oni się na to roześmieli, lecz w oczach Turambara płonął gniew. Wówczas niepewnie odezwał się Brodda: „Czego ode mnie chcesz, o synu dzikiego lasu?". Turambar zaś rzekł: „Przybyłem tu, wielki Broddo, by odpłacić ci za opiekę nad cudzym dobytkiem", a w sali zapadło milczenie, lecz Brodda wybuchnął śmiechem i powiedział: „Ale kimże ty jesteś?". Na to wskoczył Turambar na podwyższenie i zanim Brodda zdołał przewidzieć, co uczyni, dobył Gurtholfina i chwyciwszy Broddę za włosy, niemal odciął jego głowę od ciała i zawołał głośno: „Tak ginie bogacz, który dodaje do swojego dostatku wdowią chudobę. Oto nie wszyscy ludzie w dzikim giną lesie, a ja prawdziwie jestem synem Úrina i powróciwszy do swoich, znajduję splądrowany pusty dom". Podniosła się na to wielka wrzawa, a chociaż zaiste Turambar przygnieciony był licznymi smutkami i żalem doprowadzony niemal do szaleństwa, ten jego czyn był gwałtowny i bezprawny. Jednak niektórzy z biesiadników nie chcieli dobyć broni, mówiąc, że Brodda był złodziejem i jak złodziej zginął, lecz wielu rzuciło się z mieczami na Turambara. Ciężką miał z nimi przeprawę i zabił jednego z nich imieniem Orlin. Weszła wówczas do komnaty długowłosa Airina, pełna strachu, a słysząc jej głos, opuścili mężowie ręce. Kiedy jednak ujrzała, jakich tu dokonano czynów, zdjęła ją zgroza, a Turambar odwrócił twarz i nie mógł na nią patrzeć, ostygł bowiem jego gniew, a on sam czuł mdłości i wielkie znużenie.

Wysłuchawszy jego opowieści, rzekła Airina: „Nie, nie żałuj mnie, synu Úrina, lecz siebie; był bowiem pan mój panem twardym, okrutnym i niesprawiedliwym, a ludzie mogliby przemówić w twojej obronie, lecz oto zabiłeś go przy stole, będąc jego gościem, zabiłeś także Orlina, krewniaka twojej matki. Jaki zatem należy ci się wyrok?". Po tych słowach niektórzy milczeli, a wielu wołało: „Śmierć!", lecz Airina orzekła, że nie jest to do końca zgodne z prawem tego miejsca, bo, jak powiedziała, „Brodda został zabity bezprawnie, atoli gniew zabójcy był słuszny, a Orlina też zabił w obronie, chociaż działo się to w sali biesiadnej. Teraz jednakże, jak się obawiam, człek ten musi nas szybko opuścić, nigdy też nie ma prawa postawić stopy na tej ziemi, a jeśli postąpi inaczej, każdy będzie mógł go zabić. Ziemie i dobytek, które należały do Úrina, zatrzymają krewni Broddy, chyba że wrócą z tułaczki Mavwina i Nienóri, lecz nawet wtedy Túrin, syn Úrina, nie będzie mógł odziedziczyć po nich niczego". Wyrok ten wydał się sprawiedliwy wszystkim prócz Turambara; dziwili się bezstronności Airiny, której pan leżał zabity, i nie domyślali się, jak straszliwe życie zgotował jej mąż. Lecz Turambar cisnął miecz na podłogę i powiedział, żeby go zabili, czego nie chcieli uczynić ze względu na słowa Airiny, którą miłowali, a i ona sama nie chciała do tego dopuścić, kochała bowiem Mavwinę i miała nadzieję na połączenie tych dwojga, matki i syna, w szczęściu, a taki wyrok wydała, by zaspokoić gniew mężów i ocalić Túrina od śmierci. „Nie", rzekła, „trzy daję ci dni na opuszczenie tej krainy, zatem idź!" Turambar podniósł miecz, wytarł go, powiedział: „Żałuję, że przelałem jego krew" i wyszedł w noc. W szaleństwie swego serca uważał, że na zawsze został rozdzielony z Mavwiną i że nikt, kogo kocha, nigdy już nie zechce na niego spojrzeć. Zatęsknił za wieściami o matce i siostrze, a nikogo nie mógł o nie zapytać. Zawrócił, zmierzając przez krainę wzgórz i wiedząc tylko tyle, że może one też nadal szukają go w lasach Kraju Po Drugiej Stronie, i długo nie dowiedział się niczego więcej.

O jego późniejszych wędrówkach żadna opowieść nie mówi nic poza tym, że po długiej tułaczce ostrze jego smutku stępiło się, a serce stało się nieczułe. W końcu w miejscach bardzo dalekich, leżących w odległości wielu dni drogi za rzeką Rodothlimów, natknął się na leśnych myśliwych należących do ludzkiego plemienia. Niektórzy z nich byli wasalami Úrina lub synami jego wasali, błąkali się w mroku aż od Bitwy Łez, lecz teraz przyłączył się do nich Turambar i tak jak umiał, stworzył sobie nowe życie. Otóż lud ten miał domy w bardziej pogodnym rejonie tych lasów, na ziemiach niezbyt odległych od Sirionu czy też trawiastych wzgórz środkowego biegu owej rzeki. Byli to wytrzymali mężowie, którzy nie zginali karków przed Melkiem, a Turambar zdobył sobie ich szacunek.

Godzi się teraz wspomnieć, że znacznie więcej innych rzeczy przytrafiło się Mavwinie, niż to powiedział Túrinowi Foalókë. Jej życie stało się lepsze, a wśród mieszkańców tamtych okolic znalazła spokój i szacunek. Niemniej smutek, jaki odczuwała z powodu utraty syna — bo nie przybywali od niego żadni posłańcy — z upływem lat jedynie się pogłębiał. Nienóri wyrosła na bardzo urodziwą, smukłą pannę. Kiedy Túrin uciekał z komnat Tinwelinta, liczyła już sobie dwanaście[17] wiosen, była wysoka i piękna.

Otóż opowieść nie podaje, ile dni Turambar spędził u Rodothlimów, lecz było ich bardzo wiele. Przez ten czas Nienóri znalazła się u progu kobiecości i często rozmawiała z matką o zaginionym Túrinie. Także w komnatach Tinwelinta wciąż żyła pamięć o Túrinie i wciąż mieszkał tam Gumlin, teraz już podeszły w leciech, który niegdyś był strażnikiem dzieciństwa Túrina podczas tej pierwszej wyprawy do Kraju Po Drugiej Stronie. Teraz Gumlin posiwiał i ciążyły mu lata, lecz bardzo pragnął raz jeszcze ujrzeć ludzi i swoją panią Mavwinę. Dowiedział się kiedyś Gumlin, że ze wzgórz wycofała się większa liczba tych hord orków i innych groźnych stworów Melka, przez które owe tereny tak długo były nie do przebycia. Tak więc przez pewien czas wzgórza i prowadzące przez nie ścieżki stały się wolne od zła Melka, był on bowiem zajęty wprowadzaniem w życie wielkiego i straszliwego planu zniszczenia Rodothlimów oraz wielu siedzib gnomów, które odkryli jego szpiedzy[18]. Jednakże wszyscy mieszkańcy tych okolic przez czas jakiś oddychali swobodniej, chociaż być może tak by nie było, gdyby o wszystkim wiedzieli.

Wówczas, padłszy przed Tinwelintem na kolana, poprosił go wiekowy Gumlin o pozwolenie na wyprawę do starej siedziby, żeby mógł ujrzeć swoją dawną panią, zanim śmierć poprowadzi go do sal Mandosa — jeśli zaiste jego pani nie udała się tam przed nim. Król[19] się zgodził i przydał mu na podróż dwóch przewodników do pomocy w jego starości. Tych trzech, Gumlina i dwóch leśnych elfów, czekała bardzo trudna droga, nastała bowiem późna zima, lecz Gumlin żadną miarą nie chciał czekać do nadejścia wiosny.

Otóż kiedy zbliżali się do tej części Hisilómë, gdzie dawniej miała siedzibę Mavwina, i byli już blisko okolicy, w której mieszkała teraz, spadł gęsty śnieg, jak często się tu zdarzało w dniach, które powinny raczej przypadać na wczesną wiosnę. Gumlin został całkowicie zasypany, a szukając pomocy, jego przewodnicy natknęli się przypadkiem na dom Mavwiny, gdzie pomocy im udzielono. Wraz z domownikami Mavwiny odnaleźli Gumlina, przenieśli go do domu i ogrzali. Gdy w końcu przyszedł do siebie, rozpoznał Mavwinę i bardzo się uradował.

Kiedy już częściowo odzyskał zdrowie, opowiedział o wszystkim swojej pani, opisując szczegółowo minione lata i co odważniejsze wyczyny Túrina. Słuchała o nich z zadowoleniem, lecz z wielkim smutkiem i niepokojem przyjęła wieść o jego rozstaniu z Linwëm[20] oraz o tym, jak ono przebiegło. Wtedy oddaliła się od Gumlina i gorzko zapłakała. W istocie od bardzo dawna wiedziała, że jeśli Túrin żyje, to osiągnął wiek męski, i dziwiła się, że nie stara się do niej wrócić. Często jej serce przepełniał strach, że zginął, przemierzając wzgórza, lecz teraz trudno było jej znieść gorzką prawdę; i na długi czas pogrążyła się Mavwina w smutku, a Nienóri nie zdołała jej pocieszyć.

Z powodu niesprzyjającej pogody przewodnicy, którzy przyprowadzili Gumlina z królewskich dziedzin Tinwelinta, zostali u niej jako goście aż do nadejścia wiosny, lecz na samym jej początku Gumlin umarł.

Wówczas wstała Mavwina i udała się do kilku okolicznych przywódców z prośbą o pomoc, opowiadając im o losie Túrina tak, jak opowiedział jej o nim Gumlin. Jednak niektórzy z nich się śmiali, twierdząc, że dała się omamić paplaninie umierającego starca, a większość mówiła, że oszalała z rozpaczy i że niemądrze byłoby szukać po drugiej stronie wzgórz kogoś, kto zaginął przed wielu laty. „Mimo całej do ciebie miłości", oświadczyli, „Mavwino, żono Úrina, nie damy na taką wyprawę ani ludzi, ani koni".

Wówczas Mavwina odeszła we łzach, lecz nie narzekała na nich, niewielką bowiem żywiła nadzieję na spełnienie swojej prośby, wiedziała też, że przemawiają oni słowami mądrości. Nie mogła się jednak uspokoić i udała się do owych przewodników, którzy niecierpliwie wyczekiwali, chcąc wyruszyć w blask słońca, i tak im powiedziała: „Zaprowadźcie mnie do waszego pana". Chcieli ją od tego pomysłu odwieść, mówiąc, że to nie jest droga dla kobiecych stóp, lecz ona ich nie słuchała. Co więcej, poprosiła swoją przyjaciółkę, która zwała się Airina Faiglindra* (Długowłosa) i była poślubiona Broddzie, władcy tej okolicy, człekowi bogatemu i potężnemu, żeby jej mąż wziął pod opiekę Nienóri i cały jej dobytek. Airina nie musiała go długo prosić o zgodę, a kiedy Mavwina się o tym dowiedziała, chciała się pożegnać z córką; lecz jej plan nie zdał się na wiele, Nienóri stanęła bowiem przed matką i rzekła: „Albo Mavwino, matko moja, nie pójdziesz wcale, albo pójdziemy obie" — i nic nie zdołało jej od tego odwieść. Zatem w końcu i matka, i córka przygotowały się do tej trudnej podróży, a przewodnicy bardzo na to szemrali. Atoli stało się, że pora, jaka nastała po tej srogiej zimie, była bardzo łagodna i wbrew złym przeczuciom przewodników wszyscy czworo przebyli wzgórza i odbyli tę podróż bez przeszkód większych niż głód i pragnienie.

---

* Na marginesie jest napisane: *Firilanda*.

Przybywszy zatem w końcu do Tinwelinta, rzuciła się Mavwina na ziemię i zapłakała, błagając o przebaczenie dla Túrina oraz o współczucie i pomoc dla siebie i Nienóri. Lecz Tinwelint poprosił, by wstała i usiadła obok królowej Gwedhelingi, i rzekł: „Wiele już lat temu syn twój, Túrin, uzyskał przebaczenie, a to wtedy, gdy opuszczał te komnaty, a my wiele razy wyprawialiśmy się na żmudne poszukiwania, by go odnaleźć. Z królestwa tego nie wygnał go mój wyrok skazujący na banicję, lecz jego własna skrucha i gorycz; one to pognały go na pustkowie, tam zaś, jak sądzę, dopadły go złe stwory, a jeśli jeszcze żyje, to obawiam się, że jako niewolnik orków". Na te słowa Mavwina ponownie zalała się łzami i usilnie prosiła króla o pomoc, tak przemawiając: „Zaprawdę wędrowałabym tak daleko, aż odarłabym stopy z ciała, gdybym na końcu drogi mogła ujrzeć twarz Túrina, syna mojego ukochanego Úrina". Lecz król odparł, że nie wie, gdzie mogłaby szukać syna — z wyjątkiem Angamandi, ale tam nie wysłałby żadnego ze swoich poddanych, chociaż jego serce przepełniało współczucie dla smutku krewnych Úrina. Prawdziwie Tinwelint mówił to, co uważał za słuszne, ani nie chciał przysporzyć Mavwinie zgryzoty, pragnąc jedynie powstrzymać ją od przedsięwzięcia tak szalonej i śmiertelnie niebezpiecznej wyprawy, lecz wysłuchawszy go, Mavwina nic już nie rzekła, oddaliła się do lasu i nie pozwoliła, by ktokolwiek ją zatrzymał. Tylko Nienóri podążała za nią wszędzie, dokądkolwiek szła.

Z litością i z życzliwością patrzyli na nie poddani Tinwelinta i potajemnie je obserwowali, bez wiedzy obu kobiet chroniąc je przed wieloma zagrożeniami, tak że te wędrujące przez lasy panie stały się im znajome, a dla wielu z nich — drogie, widok ich bowiem budził u gnomów współczucie, przeto ci, którzy widzieli je z dala, poprzysięgli nienawiść Melkowi i jego dziełom. I po wielu księżycach stało się, że Mavwina natknęła się na grupę wędrownych gnomów, a nawiązawszy z nimi rozmowę, usłyszała opowieść o Rodothlimach — taką, jaką znali owi gnomowie — i o mieszkającym wśród nich Túrinie. Opowiedzieli jej też o zdobyciu tamtejszej siedziby przez zastępy Melka i o smoku Glorundzie, te bowiem wydarzenia były wówczas nowe, a ich sława rozeszła się szeroko. Lecz Túrina nie nazywali jego imieniem, tylko mówili o nim jako o Mormakilu, dzikim człowieku, który uciekł sprzed oblicza Tinwelinta, a potem wyrwał się z rąk orków.

Wówczas serce Mavwiny wypełniła nadzieja i matka Túrina zadawała im więcej pytań, lecz Noldoli powiedzieli, iż nie słyszeli, by z tego rozboju ktoś uszedł z życiem prócz tych, którzy zostali zawleczeni do Angamandi, a wtedy nadzieja Mavwiny znowu osłabła. Mimo to wróciła do komnat króla i opowiedziawszy o tych wydarzeniach, poprosiła o pomoc przeciwko Foalókë. Oto przyszło jej na myśl, że może Túrin wciąż jeszcze przebywa w niewoli u smoka, a im przypadłoby w udziale uwolnienie go jakimś sposobem albo też — gdyby stało waleczności królewskim wojownikom — mogliby zabić smoka, mszcząc jego nikczemne czyny, a on w chwili śmierci mógłby wyjawić prawdę o losie Túrina, gdyby ten rzeczywiście nie mieszkał już w jaskiniach Rodothlimów. Mavwina nie zważała na wielki skarb strzeżony przez smoka, lecz dużo o nim mówiła Tinwelintowi, podobnie jak Noldoli jej o nim opowiadali. Lud Tinwelinta mieszkał bowiem w lesie i niewielkie miał bogactwa, lecz kochał piękne i pełne uroku przedmioty, złoto, srebro i klejnoty, tak jak kochają je wszyscy Eldarowie, a najbardziej Noldoli. Król nie różnił się od nich w tej kwestii; niewielkie miał bogactwa z wyjątkiem wspaniałego Silmarila, za który niejeden władca oddałby wszystkie swoje skarby, gdyby tylko mógł go posiąść.

Tak zatem odrzekł Tinwelint: „Otrzymasz zaiste pomoc, o Mavwino wielce niezłomna. Otwarcie to mówię: daję ci ją nie w nadziei uwolnienia Túrina, bo takiej nadziei nie dostrzegam w twojej opowieści, niosącej raczej nadzieję śmierci. Jednak prawdą jest, że potrzebuję i pożądam skarbów, a może się zdarzyć, że je w tym przedsięwzięciu zdobędę, lecz połowę łupów otrzymasz ty, o Mavwino, przez pamięć Úrina i Túrina, albo będziesz je przechowywała dla córki twej, Nienóri". Rzekła wówczas Mavwina: „Nie, daj mi tylko leśną chatkę i mojego syna", a król odparł: „Tego uczynić nie mogę, jestem bowiem jedynie królem dzikich elfów, a nie Valarem z zachodnich wysp".

Zebrał wówczas Tinwelint oddział swoich doborowych wojowników oraz myśliwych i oznajmił im swoją wolę. Wydawało się, że imię Foalókë jest już im znane i było wielu takich, którzy mogliby zaprowadzić oddział w okolice jego siedziby, a jednak imię to budziło przerażenie u najmężniejszych, a miejsca, gdzie przebywał, jawiły im się przeklętą krainą strachu. Otóż pradawna siedziba Rodothlimów nie leżała bardzo daleko od królestwa Tinwelinta, choć znajdowała się od niego w pewnej odległości. I tak powiedział król do Mavwiny: „Zaczekajcie teraz, ty i Nienóri, u mnie, a moi wojownicy wyprawią się na smoka i o wszystkim, co uczynią i co znajdą w tamtych miejscach, wiernie doniosą". A wojownicy odpowiedzieli: „Zaiste, wykonamy twoją wolę, o królu", lecz z ich oczu wyzierał strach.

Widząc to, rzekła Mavwina: „Tak, o królu, niech Nienóri, córka moja, w rzeczy samej zaczeka u stóp królowej Gwedhelingi, lecz ja, która nie dbam o to, czy umrę, czy żyć będę, pójdę, by spojrzeć na smoka i znaleźć mojego syna". Roześmiał się na to Tinwelint, lecz Gwedhelinga i Nienóri, obawiając się, że Mavwina nie żartuje, poczęły usilnie ją od tych planów odwodzić. Ona jednak okazała się równie niezwruszona, gdyż bała się, że z powodu strachu wojowników Tinwelinta jej ostatnia nadzieja na ocalenie Túrina spełznie na niczym, i nikt nie zdołał skłonić jej do zmiany zdania. „Z miłości", rzekła, „biorą się wszystkie wasze słowa, ale dajcie mi raczej wierzchowca i jeśli zechcecie, ostry nóż, żebym mogła w razie potrzeby zadać sobie śmierć, i pozwólcie mi odjechać". Słowa te wielce zdumiały elfów, którzy je słyszeli. Zaiste bowiem żony i córy ludzi były w owych czasach odważne, a ich młodość trwała długo, lecz to wydało się wszystkim szaleństwem.

Jeszcze bardziej szalone się zdało, gdy Nienóri, widząc upór matki, ozwała się w obecności wszystkich: „A zatem ja też pójdę. Tam, dokąd uda się matka moja Mavwina, z tym większą łatwością podążę i ja, Nienóri, córka Úrina". Lecz Gwedhelinga powiedziała królowi, by na to nie zezwolił; była ona bowiem duszką i być może przewidywała niejasno, co może się wydarzyć.

Mavwina zakończyłaby wówczas tę dysputę i oddaliła się sprzed oblicza króla do lasu, gdyby Nienóri nie chwyciła rąbka jej szaty i nie zatrzymała matki. Wszyscy jęli przekonywać Mavwinę, aż w końcu zgodzono się, że król wyśle przeciwko Foalókë silny oddział oraz że Nienóri i Mavwina będą mu towarzyszyć do czasu, kiedy znajdą się w okolicy, w której przebywa bestia. Wtedy zaś powinny poszukać pewnego wyżej położonego miejsca, skąd mogłyby widzieć rozgrywające się wypadki, pozostając jednak bezpiecznie ukryte, podczas gdy wojownicy podkradaliby się do smoka, by go zabić. O tym wysoko położonym miejscu powiedział jeden z mieszkańców lasu, który często obserwował stamtąd siedzibę gada. W końcu oddział zabójców smoka był gotowy; wojownicy dosiadali dobrych, ścigłych koni o pewnym chodzie, chociaż leśny lud miał ich bardzo niewiele. Znalazły się też wierzchowce dla Nienóri i Mavwiny, które jechały na czele wojowników, a elfowie bardzo się zdumiewali, widząc ich postawę w siodle, podwładni bowiem Úrina i ci z nich, pośród których wychowywała się Nienóri, często dosiadali koni, a nawet we wczesnym dzieciństwie jeździli konno, zarówno chłopcy, jak i dzieweczki.

Po wielu dniach dotarła kawalkada do miejsca, skąd było widać piękną niegdyś okolicę, przez którą płynęła bystra rzeka o skalistym dnie; po jednej stronie brzeg był wysoki i porośnięty drzewami, a po drugiej bardziej płaski, żyzny i łagodnie falujący, lecz na tym wysokim brzegu do rzeki zbliżały się wzgórza. Patrząc w tamtą stronę, widzieli jałową ziemię, na wielkiej przestrzeni wokół pradawnych jaskiń Rodothlimów wypaloną, rosnące tam drzewa były zaś wgniecione w grunt albo połamane. W stronę wzgórz ciągnęło się czarne pustkowie poznaczone wielkimi bruzdami wyżłobionymi przez odrażające cielsko pełzającego smoka.

Wiele smoków wypuścił Melko na świat, a niektóre potężniejsze niż inne. Otóż najmniej potężne — chociaż w porównaniu z ludźmi owych czasów były ogromne — są smoki zimne, podobne żmijom i wężom. Wiele z nich ma skrzydła i dzięki nim poruszają się z hałasem i z wielką szybkością. Potężniejsze są smoki gorące, bardzo ciężkie i powolne. Niektóre z nich rzygają ogniem, pod ich łuskami błyskają płomienie, a ich apetyt, chciwość i przebiegła złośliwość są największe wśród wszystkich stworzeń. Taki był Foalókë, który spalił wszystko wokół swej siedziby, zmieniając okolicę w jałowe pustkowie. Smok ten już urósł i był większy niż w czasach ataku na Rodothlimów, urosły też nagromadzone przez niego skarby. Zabijał on bowiem ludzi, elfów, a nawet orków albo niewolił ich, by mu służyli i dostarczali pożywienie, aby mógł zaspokajać apetyt, jedząc [na?] drogocennej zastawie, a także przynosili łupy ze swoich grabieżczych wypraw, powiększając jego skarbiec.

Elfowie z przerażeniem patrzyli z daleka na tę okolicę, lecz przygotowali się do walki, a pociągnąwszy losy, wysłali jednego wojownika wraz z Nienóri i Mavwiną na to wysoko położone miejsce[21] na skraju zniszczonych ziem, które zostało im uprzednio wskazane, a było ono porośnięte drzewami i wiodły do niego ukryte ścieżki. Kiedy tych troje jechało w tamtą stronę, a wojownicy, zostawiwszy spocone ze strachu konie, skradali się ku jaskiniom, Foalókë wychynął oto ze swego leża, zsunął się z brzegu i ułożył cielsko w poprzek strumienia, jak często czynił. Od razu wzniosły się kłęby gęstej, cuchnącej mgły i pary, spowijając wojowników i niemal ich dusząc, a oni, nawołując się we mgle, zdradzili swoją obecność przed smokiem, który się głośno roześmiał. Słysząc ten najstraszliwszy spośród wszystkich zwierzęcych głosów, wojownicy rzucili się w szaleńczym popłochu do ucieczki we mgle, lecz nie mogli znaleźć koni, te bowiem, zdjęte straszliwym przerażeniem, zerwały pęta i uciekły.

Wówczas Nienóri, słysząc odległe krzyki i widząc nadciągającą znad rzeki gęstą mgłę, wróciła z matką do miejsca rozstania z oddziałem. Tam zsiadły z koni i czekały w wielkiej niepewności. Nagle otoczyła je oślepiająca mgła, a wraz z nią pojawiły się ledwie widoczne sylwetki spłoszonych koni łowców. Wtedy ich wierzchowce też wpadły w panikę, stratowały na śmierć strzegącego kobiet elfa, który chciał chwycić poplątane wodze, i — oszalałe ze strachu — pomknęły do ciemnego lasu; nigdy też więcej nie miał ich dosiadać człek ani elf. Mavwina i Nienóri zostały same, bez pomocy, niedaleko tego budzącego strach miejsca. Zaiste wielce niebezpieczne było ich położenie i długo krążyły po omacku we mgle, nie wiedząc, gdzie się znajdują. Nigdy już nie ujrzały nikogo z tego oddziału i tylko wydawało im się, że gdzieś w oddali poruszają się nikłe głosy, krzyczące jakby z przerażenia, a potem wszystko ucichło. Przywarły do siebie i znużone ruszyły naprzód, potykając się i nie zważając, dokąd stopy mogą je zaprowadzić, aż nagle ukazało się zamglone słońce i wróciła im nadzieja. I oto mgła się uniosła, powietrze stało się przejrzyste, one zaś zobaczyły, że są niedaleko rzeki. Jej woda parowała, jakby była gorąca, i leżał tam Foalókë, patrząc prosto na nie.

Nie przemówił ni słowem ani się nie poruszył, lecz nie przestawał złowieszczo patrzeć im w oczy, aż matce i córce wydało się, że tracą siłę w kolanach, a ich umysły ogarnia mrok. Wtedy Nienóri siłą woli wyrwała się na chwilę spod tego wpływu i zawołała: „O wężu Melka, czego oto od nas chcesz — szybko to powiedz lub uczyń, wiedz bowiem, że nie szukamy ciebie ani twego złota, lecz pewnego Túrina, który niegdyś tu mieszkał". Odparł smok, a ziemia zatrzęsła się pod nim: „Kłamiesz — z chęcią ujrzałabyś moją śmierć i z chęcią ograbiłaby mnie banda twoich tchórzy, którzy teraz uciekają przez las, bełkocząc ze strachu. Głupcy i kłamcy, kłamcy i tchórze, jak chcecie zabić lub ograbić Foalókë Glorunda, który, zanim jeszcze wzrosła jego moc, zgładził zastępy Rodothlimów i władcę ich Orodretha, pożerając wszystkich jego poddanych?".

„Może jednak", odparła Nienóri, „Túrin ocalał z owych zmagań i nadal tu mieszka, spętany przez ciebie, jeśli nie uciekł daleko stąd". A mówiąc to, zdała się na los szczęścia, mimo wszystko nie tracąc nadziei. Lecz zły stwór jej odrzekł: „Słuchaj! W mądrości mej poznałem imiona wszystkich, którzy tu mieszkali, zanim zagarnąłem te jaskinie, i mówię ci, że nie uszedł stąd z życiem nikt, kto zwał siebie Túrinem". I w ten oto sposób przechwałka Túrina została subtelnie zwrócona przeciwko niemu, takie bestie bowiem lubią w rozmowie zwodzić przebiegłymi słowami[22].

„A zatem został Túrin zabity w tym złym miejscu", ozwała się Mavwina, lecz smok odrzekł: „Tutaj imię Túrina na zawsze zniknęło z ziemi — lecz nie szlochaj, kobieto, było to bowiem imię tchórza, który zdradził przyjaciół". „Bestio nikczemna, powstrzymaj swój zły język", odparła Mavwina. „Zabójco mego syna, nie oczerniaj zmarłych, by ciebie samego nie spotkała zguba". „Mniej dumne muszą być twe słowa, o Mavwino, jeśli pragniesz razem z córką twoją uniknąć mąk", rzekł smok, lecz Mavwina zawołała: „Słuchaj, po wielekroć przeklęty! Nie boję się ciebie. Weź mnie na męki i w niewolę, bom zaiste pragnęła twej śmierci, lecz dozwól, by córka ma Nienóri wróciła do siedzib ludzi, przybyła tu bowiem przymuszona przeze mnie, nie znając celu naszej podróży".

„Nie staraj się do mnie przymilać, kobieto", rzekł szyderczo zły stwór. „Chętniej zatrzymałbym twą córkę, a ciebie zabił albo odesłał do twoich ruder, ale na nic żadna z was mi się nie zda". Z tymi słowy szeroko otworzył ślepia; rozbłysło w nich światło i Mavwina z Nienóri zadrżały pod tym spojrzeniem, a ich umysły omdlały. Potem zdało im się, że chodzą na oślep w niekończących się tunelach ciemności i już się nigdy w nich nie odnajdą, a kiedy wołały, odpowiadało im tylko daremne echo i nie było tam ani promyka światła.

Kiedy jednak po pewnym czasie, którego nie zapamiętała, ciemność opuściła umysł Nienóri, nie ujrzała już w pobliżu rzeki jałowych przestrzeni Foalókë, lecz leśną głuszę. Zapadł już zmierzch. Wydawało jej się, że obudziła się z przerażających snów, których nie potrafiła sobie przypomnieć, lecz ich groza wisiała ciemną chmurą nad jej umysłem, a wspomnienia wszystkich minionych wydarzeń były niewyraźne. Długo się tak błąkała po lasach i możliwe, że tylko rzucony na nią czar utrzymywał ją przy życiu, cierpiała bowiem wielki głód i nie mogła ugasić pragnienia; szczęśliwie było lato, bo jej odzienie się podarło, zmęczone nieobute stopy bolały. Często płakała i nie wiedziała, dokąd idzie.

Otóż pewnego razu dostrzegła na leśnej polanie obozowisko, jak jej się zdało, ludzi, a podkradłszy się bliżej, by mu się przyjrzeć, bo była głodna, ujrzała, że mieszkają tam stwory krępej budowy i szpetne, o szkaradnych twarzach, a ich głosy i śmiech brzmiały jak szczęk kamieni uderzających o metal. Uzbrojone były w zakrzywione szable i rogowe łuki; kiedy tak na nie patrzyła, ogarnął ją strach, chociaż nie wiedziała, że są to orkowie, nigdy bowiem wcześniej nie widziała tych złych istot. Odwróciła się i rzuciła do ucieczki, lecz została dostrzeżona i któryś z orków wypuścił strzałę, która zadrgała nagle, wbita w pień drzewa tuż obok biegnącej Nienóri, a inni, widząc, że to młoda i ładna kobieta, puścili się za nią w pogoń, wydając ohydne wrzaski i krzyki. Nienóri biegła tak szybko, jak jej na to pozwalały gęsto rosnące drzewa, lecz wkrótce opadła z sił. Groźba pojmania i przerażającej niewoli była już bliska spełnienia, lecz wtedy, jakby w odpowiedzi na jej żałosne wołania, ktoś przedarł się ku niej przez las.

Włosy miał rozczochrane — czarne, choć przyprószone siwizną — twarz bladą i pobrużdżoną, jakby przez dawne głębokie smutki; w dłoni dzierżył wielki miecz, który prócz samych krawędzi był cały czarny. Skoczył z nim na zbliżających się orków i zaczął zadawać im ciosy, a oni, zaskoczeni, wkrótce uciekli. Chociaż niektórzy wypuszczali na oślep strzały z łuków pomiędzy drzewa, niewiele wyrządzili szkód, a pięciu z nich straciło życie.

Wówczas usiadła Nienóri na głazie i zaczęła płakać ze zmęczenia i z przeżytego strachu, a szloch tak nią wstrząsał, że nie mogła nic powiedzieć. Jej wybawca stał obok przez jakiś czas, zdumiony jej urodą, a także tym, że samotnie wędrowała przez las, a w końcu zapytał: „O słodka panno z lasu, skąd przybywasz i jak brzmi twoje imię?".

„Tego nie wiem", odrzekła Nienóri. „Wydaje mi się jednak, że zabłąkałam się bardzo daleko od mojego domu i rodziny i że bardzo wiele złego spotkało mnie po drodze. Pamięć moją przesłania jakaś chmura — nie, nie wiem, skąd przyszłam ani dokąd zmierzam". I rozpłakała się znowu, lecz ów mąż powiedział: „Zatem nazwę cię Níniel, czyli »maleńka we łzach«". Na te słowa uniosła ku niemu twarz, pełną słodyczy, choć zalaną łzami, i rzekła ze zdumieniem: „Nie Níniel, nie Níniel". Więcej jednak nic nie pamiętała, a na jej twarzy odmalowało się cierpienie, i zawołała: „Nie, kim jesteś, wojowniku z lasu i dlaczego mnie nękasz?". „Turambarem się zwę", odparł, „i nie mam domu ni rodziny, ni przeszłości, by ją rozważać, lecz wciąż wędruję". I znowu, usłyszawszy to imię, zdumiała się panna.

„A teraz osusz łzy, o Níniel", rzekł Turambar, „znalazłaś się bowiem w jedynym bezpiecznym miejscu, jakie może zapewnić ten las. Oto niewielka grupa leśnych ludzi, do której przynależę, ma piękną siedzibę na polanie daleko stąd, lecz dzisiaj szczęśliwym dla ciebie zrządzeniem losu wybraliśmy się na polowanie — a także by zaatakować orków, z wielkim bowiem trudem przychodzi nam bronić naszych domów przed tymi złymi stworami".

Wówczas Níniel (tak bowiem zwał ją odtąd Turambar, a ona przyswoiła sobie to imię) poszła z nim do jego towarzyszy, oni zaś, nie zadając wiele pytań, dosiedli koni, a Turambar wziął Níniel przed siebie na siodło, i tak szybko, jak tylko się dało, oddalili się od zagrożonego przez orków terenu.

Minęła połowa dnia, gdy Turambar starł się ze ścigającymi dziewczynę orkami, a dopiero krótko po zapadnięciu nocy zsiedli z koni, pokonawszy wiele staj. Już o zachodzie słońca zdało się Níniel, że las jest jaśniejszy i mniej ponury, a powietrze nie tak przesycone złem, jak to było wcześniej. Teraz rozłożyli obóz na polanie i tam, gdzie leśne sklepienie było cieńsze, wyraźnie świeciły gwiazdy. Jednak Níniel położyła się nieco dalej; dostała wiele futer dla ochrony przed nocnym chłodem, toteż spała wygodniej niż przez wiele minionych nocy, a łagodne powiewy wiatru muskały jej twarz. Turambar opowiedział towarzyszom o spotkaniu w lesie, a oni zastanawiali się, kim może być ta panna i jakim sposobem zawędrowała tak daleko — jak ktoś znajdujący się w mocy czaru ślepego zapomnienia.

Nazajutrz ruszyli dalej i powtarzali to codziennie, aż w końcu, znużeni i spragnieni odpoczynku, pewnego dnia w południe natrafili na leśny strumień, z biegiem którego jechali jakiś czas. Wreszcie przybyli do miejsca, gdzie można było się przeprawić na drugi brzeg: nurt był tu płytki, a z wody wystawały kamienie, lecz z prawej strony strumień spadał wielką kaskadą w przepaść. Turambar wskazał nań ręką i rzekł: „Niedaleko już mamy do domu, to jest bowiem wodospad Srebrzystej Misy", ale Níniel z niewiadomego powodu poczuła strach i nie mogła podziwiać piękna spienionej wody. Wkrótce znaleźli się w okolicy, gdzie drzewa rosły rzadziej, i dotarli do stoku, na którym tylko gdzieniegdzie wznosiły się nieliczne ogromne stare dęby. Trawa pod stopami wędrowców była miękka, znaleźli się bowiem na rozległej polanie, która powstała tam przed wielu laty. Było tam skupisko pięknych drewnianych domów, otoczonych polami uprawnymi i drzewami owocowymi. Do jednego z nich, ozdobionego osobliwymi prostymi rzeźbami i otoczonego kwiatami, poprowadził teraz Turambar

Níniel. „Oto moja siedziba", rzekł. „Możesz tu na razie zamieszkać, choć wydaje mi się, że to odludne miejsce, a są tutaj też domy, gdzie spotkasz panny i kobiety, i pewnie tam byłoby ci lepiej". I stało się później, że Nienóri zamieszkała z leśnymi strażnikami*, a po pewnym czasie przeniosła się do domu Bethosa, dzielnego męża, który, choć wówczas był jeszcze chłopcem, walczył w Bitwie Nieprzeliczonych Łez. Po klęsce uciekł, a jego żoną była panna z plemienia Noldorów — i to, jak mówi opowieść, bardzo urodziwa. Urodziwe były też jego dzieci, córki i synowie, z wyjątkiem jedynie najstarszego, Tamara Kulawostopego.

W miarę upływu czasu Turambar pokochał Níniel głęboką miłością i wszyscy inni też ją pokochali za jej wielką urodę i słodycz charakteru, lecz ona wciąż była na wpół pogrążona w smutku i często niespokojna jak ktoś, kto szuka zagubionej rzeczy, którą szybko musi znaleźć, aż ludzie mówili: „Oby Valarowie zdjęli czar rzucony na Níniel". Mimo to zwykle była naprawdę szczęśliwa wśród tych ludzi i w domu Bethosa, a każdego dnia robiła się jeszcze piękniejsza. Tamar Kulawostopy, chociaż nie zważano na niego wiele, kochał ją beznadziejnie.

Nastał czas, gdy wydawało się, że Turambar znów znajduje w życiu radość. Gorycz przeszłości zatarła się i oddaliła, a w jego sercu zagościła nowa miłość. Pomyślał wówczas, by na zawsze odrzucić swoje przeznaczenie i przeżyć życie tu, w leśnych domach w otoczeniu dzieci, a patrząc na Níniel, zapragnął ją poślubić. Często się jej wówczas oświadczał, lecz chociaż był mężem wielkiej odwagi i sławy, ona zwlekała z decyzją, nie przyjmując oświadczyn ani ich nie odrzucając, chociaż sama nie wiedziała, dlaczego tak czyni, wydawało jej się bowiem, że głęboko go miłuje. Bała się o niego, kiedy się oddalał, a przy nim czuła się szczęśliwa.

Otóż ludzie tamtejsi mieli w zwyczaju słuchać przywódcy, a wybierali go spośród najdzielniejszych mężów. Tę funkcję sprawował do czasu, gdy dobrowolnie z niej rezygnował z powodu choroby lub sędziwego wieku, lub kiedy został zabity. W owym czasie ich przywódcą był Bethos, lecz wkrótce potem zrządzeniem złego losu zginął podczas zbrojnej wyprawy — mimo bowiem swoich lat nadal stawiał się konno do walki — i okazało się, że trzeba wybrać nowego dowódcę. Ostatecznie wybór padł na Tu-

* Na marginesie, wyraźnie w odniesieniu do słów „leśnymi strażnikami", jest napisane: *Vettarowie.*

rambara, ponieważ jego ród — wiedziano bowiem, że jest synem Úrina — cieszył się szacunkiem wśród tych dzielnych buntowników przeciwko Melkowi, zaś on sam[23] dzięki swoim czynom stał się mężem potężnym, a w rezultacie dalekich wędrówek i przestawania z elfami mądrym ponad swój wiek.

Widząc zatem miłość swojego nowego przywódcy do Níniel i sądząc, że ona miłuje go nawzajem, ludzie ci poczęli mówić, jak chętnie widzieliby swojego władcę żonatym i że niemądrze jest odwlekać zaślubiny bez wyraźnego powodu. Doszło to do uszu Níniel, która w końcu zgodziła się zostać żoną Turambara. Wszyscy się z tego ucieszyli. Wyprawiono wspaniałą ucztę, śpiewano i weselono się, a Níniel została panią leśnych strażników i zamieszkała w domu Turambara. Wielkie było ich szczęście, chociaż serce Níniel ogarniał czasem chłód złego przeczucia, lecz Turambar się radował i mówił sobie w duchu: „Słusznie nazwałem się Turambarem, bo oto przezwyciężyłem zły los, który oplótł moje stopy". Odsunął od siebie przeszłość i nie opowiadał Níniel o minionych sprawach z wyjątkiem tych dotyczących ojca, matki i siostry, której nigdy nie widział, lecz wówczas Níniel zawsze okazywała niepokój, a on nie wiedział dlaczego[24]. Lecz o ucieczce z dworu Tinwelinta, śmierci Belega i powrocie do Hisilómë nigdy nie powiedział ni słowa, a myśl o Failivrin, niemal zapomniana, spoczywała zamknięta w głębi jego serca.

Níniel nie umiała mu nic powiedzieć o tym, co działo się z nią wcześniej, a kiedy ją o to pytał, na jej twarzy malował się ból, jak gdyby Turambar zmącił powierzchnię mrocznych snów. Czasem się tym trapił, lecz zbytnio mu to nie ciążyło.

Mijają zatem dni i Níniel wraz z Turambarem mieszkają w spokoju, lecz Tamar Kulawostopy wędruje po lasach, mając świat za miejsce złe i pełne goryczy, kochał bowiem Níniel wielką miłością, której nie umiał stłumić. W owych czasach Foalókë utył i spotężniał, a podporządkowawszy sobie liczne grupy Noldolich i orków, postanowił znacznie rozszerzyć swoje władztwo. W owych czasach bestie Melka w wielu miejscach postępowały w podobny sposób, ustanawiając własne królestwa grozy, które rozkwitały pod jego nikczemnym zwierzchnictwem. Tak więc hordy sług smoka Glorunda srodze nękały lud Tinwelinta, aż w końcu dotarły w pobliże owych lasów i polan, które ulubili sobie Turambar i jego ludzie.

Otóż leśny ten lud nie uciekał, lecz odważnie rozprawiał się z wrogami, toteż smok Glorund zapłonął wielkim gniewem, kiedy przyniesiono mu wieści o dzielnej grupie ludzi mieszkających daleko za rzeką, których jego zbiry nie zdołały sobie podporządkować. W istocie powiada się, że mimo swych przebiegłych, niecnych zamierzeń Glorund jeszcze nie wiedział, gdzie się znajduje siedziba Turambara i Nienóri. W owym czasie wydawało się, że los na chwilę uśmiechnął się do Turambara, jego lud bowiem stawał się liczniejszy i dobrze mu się wiodło, a wielu uciekinierów, nawet z najdalszych zakątków Hisilómë, dołączyło do Turambara, który zgromadził wiele bogactw i przydatnych przedmiotów, jako że wszystkie bitwy przynosiły mu zwycięstwo i łupy. Turambar i Níniel byli niczym król i królowa; ich siedziby rozbrzmiewały pieśniami i weselem, zaś w komnatach gościła radość. A Níniel poczęła dziecko[25].

Wiele z tego dowiedział się Foalókë od szpiegów, a gniew jego był straszliwy. Co więcej, rozpaliła się potężnym płomieniem jego chciwość. Po długim więc namyśle wybrał strażników, którym mógł zaufać, i kazał im pilnować swej siedziby i skarbów, a dowódcą tej straży był krasnolud Mîm[26]. Smok opuścił jaskinie i miejsca, w których sypiał, przeszedł przez strumień i zagłębił się w las, a pod jego spojrzeniem drzewa stawały w ogniu. Wieść o tym szybko dotarła do Turambara, lecz on nie bał się ani w istocie niezbyt zważał na owe wieści, bardzo bowiem było daleko od domu leśnych ludzi do jaskiń gada. Lecz Níniel straciła otuchę i chociaż nie wiedziała, dlaczego przygniata ją ciężar strachu i smutku, to rzadko po usłyszeniu tej wieści się uśmiechała, a Turambar, zasmucony, nad tym rozmyślał.

Oto wówczas przez gęsty las nadciąga Foalókë, zostawiając za sobą spustoszony szlak, i pełznie tak długo, aż nagle, kiedy zasypia pośród połamanych drzew, znienacka natyka się na niego grupa leśnych ludzi. Kilku z nich nie wytrzymało trującego oddechu bestii i później umarło, lecz dwóch pośpieszyło zanieść swemu władcy wieść, że wcześniejsza opowieść nie była wymysłem, bo rzeczywiście smok znalazł się już w granicach jego królestwa — a powiedziawszy to, padli zemdleni u jego stóp.

Otóż miejsce, w którym ułożył się smok, było nisko położone, a niedaleko wznosił się pagórek — niczym wyspa otoczona drzewami, choć sam był niezbyt gęsto nimi porośnięty — z którego dało się widzieć, choć z daleka, dużą część obszaru zniszczonego przejściem smoka. Między jego leżem a sadybami leśnych ludzi płynął przez las strumień, a jego koryto, przebiegające blisko gada, wcinało się w grunt, tworząc wąski wąwóz o stromych ścianach, nad którymi zwieszały się gałęzie drzew. Dlatego też Turambar zamierzał zaprowadzić swoich najodważniejszych towarzyszy na ów pagórek i jeśli się uda, potajemnie obserwować poruszenia smoka, żeby zaatakować go w niedogodnej dla niego sytuacji i spróbować zabić, to było bowiem ich największą nadzieją. Turambar nie chciał, by ta grupa była bardzo liczna; pozostałym polecił wziąć broń i przetrząsnąć okolicę, bał się bowiem, że wraz ze smokiem przybyły hordy podległych mu orków. W rzeczywistości tak jednak nie było; Foalókë nadciągnął samotnie, wierzył bowiem w swą przemożną siłę.

Otóż kiedy Turambar gotował się na wyprawę, błagała go Níniel, by pozwolił jej jechać obok siebie, a on się zgodził, jako że ją kochał; pomyślał, że jeśli on zginie, a smok przeżyje, to może się zdarzyć, że nie ocaleje nikt z jego ludzi. Wolał mieć Níniel przy sobie, mając nadzieję, że w najgorszym razie uda mu się w ostatniej chwili wyrwać ją z łap gada i zadać jej śmierć własnymi rękami lub rękami któregoś z jego wasali.

Zatem pojechali konno razem Turambar i Níniel — pod takimi bowiem imionami znali ich ludzie — a za nimi podążało dwudziestu doborowych wojowników. Odległość do owego śródleśnego pagórka pokonali w ciągu jednego dnia, a za nimi, chociaż wbrew zakazowi i radom Turambara, szedł ukradkiem wielki tłum jego ludu, nawet kobiety i dzieci. Szli, owładnięci dziwnym przerażeniem, niektórzy chcieli ujrzeć wielką bitwę, a pozostali, niewiele myśląc, szli z innymi, nikt też nie sądził, że zobaczy to, co na końcu ujrzały ich oczy. Podążali w niedużej odległości za grupą Turambara, ta bowiem jechała powoli i ostrożnie. Z początku, kiedy Turambar pozwolił Níniel jechać obok siebie, dawno nie widział jej tak radosnej, a jej nastrój udzielił się całej grupie, podnosząc mężów na duchu i łagodząc ich złe przeczucia. Wkrótce jednak dotarli do podnóża pagórka i tam Níniel posmutniała, a wszystkich ogarnęły ponure myśli.

Atoli miejsce to było bardzo piękne, tutaj bowiem płynął ten sam strumień, który dalej wił się obok smoczego leża głębokim korytem wyrytym w ziemi; wypływał zimnym, wartkim nurtem spośród wzgórz za domami leśnych ludzi i spadał wielką kaskadą tam, gdzie z trawy wystawał wygładzony przez wodę szary głaz. To był początek wodospadu, który leśni ludzie nazywali Srebrzystą Misą i który niegdyś, w drodze do domu, minęli

Turambar i ocalona przez niego Níniel. Woda spadała z wielkiej wysokości z głośnym i melodyjnym szumem, rozpryskując się w srebrzystą mgiełkę daleko w dole, gdzie wyżłobiła w skałach wielkie zagłębienie, ocienione teraz drzewami i krzakami, lecz blask słońca przenikał przez gałęzie i padał na rozpryskującą się wodę. Wokół szczytu wodospadu rozciągała się szeroka polana z zieloną trawą usianą kwiatami, a ludzie bardzo lubili to miejsce.

Tutaj Níniel nagle zapłakała i rzuciwszy się Turambarowi w ramiona, błagała go, by nie kusił losu, lecz uciekł z nią i całym swoim ludem do dalekich krain. Patrząc jednak na nią, rzekł Turambar: „Nie, moja Níniel, ani ciebie, ani mnie nie zabije dziś ani też jutro złość smoka czy miecze wrogów". Nie wiedział jednak, jak się spełnią jego słowa, a słysząc je, powstrzymała Níniel łzy i bardzo się uspokoiła. Po krótkim odpoczynku wojownicy wspięli się na pagórek, a Níniel im towarzyszyła. Z jego szczytu widzieli daleko rozległy obszar, na którym zostały połamane wszystkie drzewa, a ziemia była okaleczona[27] — wypalona i czarna. Jednak blisko granicy obszaru, gdzie drzewa były jeszcze nietknięte, niedaleko głębokiego wąwozu, którym płynęła rzeka, unosiła się strużka czarnego dymu. „Tam leży smok", orzekli mężowie.

Wiele i rozmaicie radzono na szczycie owego pagórka. Wojownicy bali się wyprawić otwarcie na smoka za dnia albo nocą, bez względu na to, czy czuwał, czy spał, a widząc ich przerażenie, udzielił im Turambar rady, którą przyjęli. Tak brzmiały jego słowa: „Słusznie mówicie, o leśni myśliwi, że ani za dnia, ani nocą nie mogą mieć ludzie nadziei na zaskoczenie Melkowego smoka, który zmienił kraj wokół w pustkowie z ubitą na płask ziemią, tak że nikt nie zdoła się do niego podkraść niezauważenie. Dlatego też ci, którzy mają odwagę, zejdą ze mną po skałach do stóp wodospadu i w ten sposób, idąc wzdłuż strumienia, może uda nam się podkraść do smoka tak blisko, jak tylko można. Wtedy, jeśli zdołamy, będziemy musieli się dostać pod bliższy brzeg i czekać, wydaje mi się bowiem, że Foalókë nie będzie już długo odpoczywał i niebawem ruszy ku naszym sadybom. Wtedy musi on albo pokonać ten głęboki parów, albo wybrać inną trasę, bo zbytnio urósł, by móc pełznąć korytem strumienia. Otóż nie sądzę, żeby zboczył z drogi; dla wielkiego Foalókë ze złocistych jaskiń jest to zaledwie rów, wąska koleina wypełniona sączącą się wodą. Jeśli jednak zawiodą moje oczekiwania i nie wybierze on tej drogi, kilku z was musi zebrać się na odwagę i spróbować zwabić go z powrotem na drugą stronę strumienia, by leżący w ukryciu mogli go od dołu śmiertelnie ugodzić, zbroja bowiem na brzuchu tych podłych smoków niewiele jest warta".

Z tej grupy zgłosiło się ledwie sześciu ochotników gotowych pójść z Turambarem. Na ich widok rzekł on, że sądził, iż wśród jego ludzi jest więcej niż sześciu odważnych, jednak potem nie chciał, by dołączyli inni. Lepiej jest poprzestać na tych sześciu, oświadczył, niż dołączyć do nich zalęknionych, którzy byliby tylko zawadą. Pożegnał się wówczas Turambar z Níniel; pocałowali się na szczycie pagórka, a było późne popołudnie. Serce Níniel z rozpaczy jakby skamieniało. Potem wszyscy zeszli do miejsca, skąd brał początek wodospad Srebrzystej Misy. Tam patrzyła Níniel, jak jej pan z sześcioma towarzyszami schodzi po ścianie wąwozu do stóp wodospadu. Teraz, kiedy zniknął daleko w dole, przemówiła gorzkimi słowy do tych, którzy nie odważyli się pójść za nim, a oni ze wstydu nic nie odrzekli, tylko przekradli się z powrotem na szczyt pagórka i spoglądali ku leżu smoka. Níniel zaś usiadła nad wodą ze wzrokiem utkwionym przed siebie. Nie płakała, lecz pogrążyła się w udręce.

Nikt nie został przy niej prócz jedynie Tamara, który, nieproszony, wyruszył wraz z tym oddziałem. Miłował ją od chwili, kiedy zamieszkała w komnatach Bethosa, i kiedyś myślał, że ją zdobędzie, zanim pannę wziął do siebie Turambar. Tamar kulał od dzieciństwa i był zarówno mądry, jak i życzliwy, chociaż nie cieszył się poważaniem wśród tych ludzi, dla których siła oznaczała bezpieczeństwo, a największym powodem do chwały było bitewne męstwo. Teraz jednak Tamar miał miecz, co ściągnęło na niego wiele szyderstw, jednak on cieszył się, że może strzec Níniel, chociaż nie zwracała na niego uwagi.

Trzeba teraz opowiedzieć, że po mozolnej wędrówce wzdłuż skalistego koryta strumienia Turambar dotarł do miejsca, które wybrał, i wraz z towarzyszami z trudem wspiął się po stromej ścianie wąwozu. Zajęli miejsce tuż pod jej krawędzią, wśród zwieszających się gałęzi drzew. Odgłos potężnego oddechu bestii dobiegał ich z bliska, tak że kilku zdjętych przerażeniem towarzyszy Turina spadło na dno wąwozu.

Zapadła ciemność; tkwili tam całą noc. W miejscu, gdzie leżał smok, migotały dziwne poblaski, a kiedy się poruszał, dobiegały ich przerażające odgłosy i drżała ziemia. Gdy nadszedł świt, ujrzał Turambar, że ma już tylko trzech towarzyszy, przeklął więc innych za tchórzostwo. Żadna opowieść nie mówi, dokąd ci niewierni mężowie uciekli. Tego dnia wydarzyło się wszystko tak, jak liczył na to Turambar, smok bowiem podniósł się i zbliżył powoli do krawędzi wąwozu. Nie zboczył z drogi, lecz chciał przepełznąć nad nim i w ten sposób dotrzeć do domów leśnych ludzi. Wielką budził grozę, gdy nadciągał, ziemia bowiem drżała, a trzej wojownicy bali się, że korzenie drzew, na których siedzieli, stracą oparcie i wszyscy spadną na kamieniste dno strumienia. Liście rosnących w pobliżu drzew zwiędły od oddechu gada, lecz wojowników osłoniła krawędź wąwozu.

W końcu smok dotarł do brzegu strumienia, a jego plugawa głowa i ociekająca śliną paszcza przedstawiały widok ohydny. Widzieli je wyraźnie i przerazili się, że smok też ich zobaczy, przechodził bowiem na drugą stronę nie w miejscu, które — ze względu na to, że wąwóz był tu wąski i nie tak głęboki — wybrał Turambar na kryjówkę. Teraz gad zaczął przemieszczać się nieco dalej; ześliznąwszy się zatem z drzew, Turambar i jego towarzysze z najwyższym pośpiechem dotarli nad strumień i zakradli się pod sam brzuch smoka. Tutaj żar był tak wielki, a smród tak wstrętny, że ogarnięci przerażeniem wojownicy nie ośmielili się ponownie wspiąć na brzeg parowu. Wówczas Turambar chciał w gniewie zwrócić swój miecz przeciwko nim, lecz uciekli. Tak więc sam wspinał się po ścianie wąwozu, aż w końcu znalazł się tak blisko smoczego cielska, że zachwiał się od żaru i smrodu i musiał przytrzymać się krzaka, który zapuścił tam mocne korzenie.

Turambar zaczekał, aż w zasięgu ciosu znalazło się nieosłonięte, acz ważne dla życia miejsce, po czym podniósł nad głowę swój czarny miecz Gurtholfin i z całej siły pchnął nim w górę — a magiczna klinga Rodothlimów zagłębiła się aż po rękojeść w trzewia smoka, którego przedśmiertny wrzask rozdarł las i napełnił przerażeniem wszystkich, którzy go usłyszeli.

Zaczął się wtedy smok straszliwie miotać; wzniesione wysoko wijące się sploty jego cielska przedstawiały przerażający widok, a wszystkie drzewa rosnące w pobliżu miejsca jego agonii zostały połamane. Kiedy ugodził go Gurtholfin, niemal już cały przepełzł nad wąwozem i teraz rzucił się na jego dalszy brzeg i go pustoszył, miotając się, wijąc i rycząc tak, że pobledli i rzucili się do ucieczki nawet najodważniejsi. Otóż ci znajdujący się daleko sądzili, że to są przerażające odgłosy walki toczonej przez owych siedmiu, Turambara i jego towarzyszy[28], i niewielką żywili nadzieję, że kiedykolwiek ujrzą któregoś z nich. Kiedy usłyszała ten hałas Níniel, serce w niej zamarło, a na dole w wąwozie trzej tchórze, którzy obserwowali Turambara z daleka, teraz uciekli, przerażeni, ku wodospadowi. Opadły z sił Turambar, blady i drżący, przywarł do ściany wąwozu blisko jej krawędzi.

W końcu ucichły te budzące grozę odgłosy i wzniósł się wielki dym, bo Glorund umierał. Wówczas, okazując najwyższą śmiałość, wypełzł Turambar ze swej kryjówki. W przedśmiertnych bowiem drgawkach Foalókë wyrwał mu z ręki miecz, zanim Turambar sam zdołał go wyciągnąć z jego cielska, a Gurtholfina cenił nad wszelką inną swoją własność, jako że każdy, człek czy zwierz, raz ukąszony jego ostrzem umierał. Teraz Turambar zobaczył, gdzie leży smok — był rozciągnięty sztywno na boku, a choć z jego brzucha sterczał Gurtholfin, gad wciąż oddychał.

Mimo to Turambar podkradł się, postawił stopę na jego ciele i używając całej siły, z trudem wyciągnął Gurtholfina i oświadczył tryumfalnie: „Oto spotykamy się ponownie, o Glorundzie, ty i ja, Turambar, którego niegdyś zwano odważnym”[29], lecz w tym momencie ze smoczej rany trysnęła krew i oparzyła jego dłoń tak, że uschła. Turambar krzyknął głośno z nagłego bólu, a wówczas Foalókë odemknął swoje straszliwe oczy i spojrzał na niego tak, że Turambar upadł omdlały obok smoka, ciałem przykrywając miecz.

Dzień mijał, a na szczyt pagórka nie docierały żadne wieści. Níniel nie mogła już dłużej znieść tej udręki, podniosła się więc i chciała opuścić polanę nad wodospadem. Wtedy odezwał się Tamar Kulawostopy: „Co chcesz uczynić?”, a ona odrzekła: „Chcę odnaleźć mojego pana i spotkać śmierć, leżąc obok niego, sądzę bowiem, że nie żyje”. Tamar usiłował ją od tego odwieść, lecz na próżno. Kiedy zapadł wieczór, piękna pani ruszyła ostrożnie przez las, ale nie chciała, by Tamar szedł za nią. Dostrzegłszy, że podąża jej śladem, rzuciła się na oślep do ucieczki, rozdzierając szaty i kalecząc twarz o kolce leśnego podszycia, a kulawy Tamar nie mógł dotrzymać jej kroku. Tak oto, gdy nad lasem zapadła noc i wszystko ucichło, ogarnął go wielki strach o Níniel; przeklął swą słabość i serce zalała mu gorycz, lecz nadal podążał za umiłowaną tak szybko, jak tylko zdołał. Kiedy stracił ją z oczu, skierował kroki ku tej części lasu blisko wąwozu, gdzie rozegrała się ostatnia walka smoka, którą akurat widzieli obserwujący ze wzgórza. Minęła już duża część nocy i wzeszedł jasny księżyc, a Tamar, który często zapuszczał się samotnie daleko od domów leśnych ludzi i znał tę okolicę, przybył w końcu na skraj terenu spustoszonego przez smoka w przedśmiertnych drgawkach. Księżyc świecił bardzo jasno i Tamar, kryjąc się wśród krzaków blisko tego miejsca, słyszał i widział wszystko, co się zdarzyło.

Níniel dotarła tam niedługo przed nim i powodowana miłością do Turambara wybiegła nieustraszenie na otwartą przestrzeń i znalazła go z uschniętą dłonią, leżącego na widocznym spod jego ciała mieczu. Nie zważając na ogromną bestię, rozciągniętą obok, rzuciła się na ziemię przy Turambarze i zapłakała. Potem ucałowała jego twarz i nałożyła na okaleczoną dłoń maść, wzięła ją bowiem ze sobą w pudełeczku, kiedy wyruszali, obawiając się, że nim wojownicy powrócą do domu, odniosą wiele ran.

Lecz Turambar nie obudził się pod jej dotykiem ani nawet nie drgnął, ona zaś, sądząc, że z pewnością nie żyje, zawołała głośno: „O Turambarze, panie mój, obudź się, wąż gniewu jest bowiem martwy, a ja jestem przy tobie!". Lecz oto po raz ostatni poruszył się na te słowa smok i zwróciwszy na nią złowrogie spojrzenie swoich oczu, rzekł, nim zamknął je na zawsze: „O Nienóri, córko Mavwiny, przekazuję ci tę radosną nowinę: nareszcie odnalazłaś swego brata, poszukiwania bowiem były nużące, on zaś wyrósł na potężnego męża, który, sam niewidziany, przebija wrogów mieczem". Lecz Nienóri siedziała oszołomiona, a gdy Glorund umarł i opadła z niej zasłona jego czarów, cała jej pamięć powróciła, jasna i wyraźna. Teraz pamiętała Níniel wszystko, co jej się przydarzyło, od kiedy znalazła się pod wpływem smoczej magii — i zadrżała ze zgrozy i udręki. Zerwała się na równe nogi i stojąc blada w blasku księżyca, wpatrzona szeroko rozwartymi oczyma w Turambara, tak przemówiła na głos: „A zatem dopełnił się w końcu twój los. Dobrze, że umarłeś, o nieszczęsny". Zgnębiona cierpieniem, uciekła nagle z tego miejsca i biegła na oślep jak oszalała tam, gdzie prowadziły ją stopy.

Tamar, którego serce odrętwiało z żałości i współczucia, wytężając wszystkie siły, podążył za nią; nie zważał wiele na Turambara, przepełniał go bowiem gniew z powodu losu Nienóri. Jej ścieżkę przecinał strumień i głęboki wąwóz, lecz tak się stało, że zanim tam dotarła, skręciła i podążyła za krętym biegiem jego nurtu, przez skały i ciernie, aż ponownie wyszła na polanę, przy której brał początek wielki, huczący wodospad. W szarym brzasku nowego dnia przesączającym się przez gałęzie drzew polana była pusta.

Tam zatrzymała się Nienóri i tak do siebie rzekła: „O leśne wody, dokąd płyniecie? Czy przyjmiecie Nienóri, Nienóri, córkę Úrina, dziecko żałości? O biała piano, gdybyś mogła mnie oczyścić — lecz zaiste głębokie, głębokie muszą być wody, które zmyją moją pamięć o tej klątwie. O, zanieście mnie daleko, daleko stąd, do wód niepamiętającego niczego morza. O leśne wody, dokąd płyniecie?". I zamilkłszy nagle, rzuciła się z brzegu do wodospadu i zniknęła tam, gdzie na skałach bieliła się piana. Lecz w tej chwili nad drzewami wzeszło słońce i na wody padł jego blask, a wodospad huczał, obojętny na śmierć Nienóri.

Otóż Tamar widział to wszystko i blask nowego słońca zdał mu się ciemnością. Odwróciwszy się od tego miejsca, podążył na szczyt wzgórza, gdzie zebrał się już wielki tłum ludzi. Wśród nich byli ci trzej, którzy na ostatku opuścili Turambara, i teraz ułożyli historię przeznaczoną dla uszu zgromadzonych. Lecz nagle stanął przed nimi Tamar, a twarz miał tak straszną, że wśród zebranych poniósł się szept: „Nie żyje", lecz inni mówili: „Cóż więc stało się z małą Níniel?" — a Tamar zawołał rozgłośnie: „Posłuchaj, ludu mój, i powiedz, czy istnieje los podobny do tego, o którym ci opowiem, albo żałość tak wielka. Nie żyje smok, lecz u jego boku leży także martwy Turambar — ten, który wcześniej zwał się Túrinem, synem Úrina[30] — i dobrze się stało, zaprawdę, bardzo dobrze". Ludzie zaczęli szemrać, dziwiąc się jego przemowie, a niektórzy mówili, że oszalał. Lecz Tamar rzekł: „Wiedz bowiem, mój ludu, że wasza ukochana, piękna Níniel, którą miłuję bardziej niż własne serce, nie żyje i huczą nad nią wody. Skoczyła bowiem do wodospadu Srebrzystej Misy, nie pragnąc już oglądać blasku dnia. Kończy się więc cały ten zły czar, wypełnia się w straszliwy sposób nieuchronne przeznaczenie rodziny Úrina. Ta bowiem, którą nazywaliście Níniel, to Nienóri, córka Úrina, a dowiedziała się tego, zanim umarła, i ogłosiła to leśnej głuszy, a echo jej słów dotarło do mnie".

Na te słowa pękły ze smutku i przerażenia serca wszystkim, którzy tam stali, nikt jednak nie śmiał udać się na miejsce, gdzie cierpiała ta piękna pani, i nikt nie wchodzi na rosnącą tam trawę, wciąż bowiem mieszka tam jej smutny duch. Lecz owi trzej tchórze poczuli skruchę i opuściwszy zgromadzenie, udali się na poszukiwanie ciała swego pana. I oto znaleźli go, gdy budził się do życia, kiedy bowiem smok umarł, rozwiała się spowijająca Turambara mgła omdlenia, on zaś, wyczerpany, zapadł w głęboki sen. Teraz jednak ocknął się i cierpiał ból. Kiedy tych trzech stanęło przy nim, wypowiedział jedno słowo: „Níniel", a oni zakryli twarze, przejęci współczuciem i zgrozą. Nie potrafili spojrzeć mu w oczy, lecz później ocucili go, a on bardzo się cieszył swoim zwycięstwem. Zwróciwszy nagle wzrok na swoją dłoń, powiedział: „Patrzcie! Oto ktoś umiejętnie opatrzył mi ranę — jak myślicie, kto to był?". Oni jednak nie udzielili mu odpowiedzi, ponieważ się jej domyślali. Zanieśli zatem Turambara, znużonego i rannego, do jego poddanych, a jeden pobiegł przodem, wołając, że ich pan żyje, lecz ludzie nie wiedzieli, czy mają się cieszyć, kiedy zaś pojawił się wśród nich, wielu odwracało twarz, by ukryć zmieszanie i łzy, i nikt nie ośmielił się odezwać.

I rzekł Turambar do tych, którzy stali w pobliżu: „Gdzie jest Níniel, moja Níniel? Sądziłem, że tu ją zastanę, uradowaną — lecz jeśli wolała wrócić do mojej siedziby, to dobrze", lecz ci, co go słyszeli, nie mogli już dłużej powstrzymać łez. Turambar zaś wstał i krzyknął: „Cóż to za nowe zło — mów, mów, mój ludu, i nie dręcz mnie dłużej!". A jeden ze zgromadzonych rzekł: „Niestety, Níniel nie żyje, panie mój". Wtedy Turambar wykrzyczał gorzkie słowa przeciwko Valarom i swojemu losowi pełnemu udręki. W końcu odezwał się ktoś inny: „Tak, nie żyje, wpadła bowiem w głębię wodospadu Srebrzystej Misy", lecz stojący w pobliżu Tamar mruknął: „Nie, ona się sama do niego rzuciła". Wówczas Turambar, który usłyszał te słowa, chwycił go za ramię i zawołał: „Mów, szpotawa stopo, mów, powiedz, co znaczą twe niegodziwe słowa, bo inaczej stracisz język" — a w swej niedoli straszny przedstawiał widok.

Tamar czuł w sercu wielki zamęt i ból z powodu strasznych rzeczy, które oglądał i słyszał, a także w związku z jego długą, beznadziejną miłością do Níniel, więc zapłonął nagle gniewem na Turambara. Strząsnął jego dłoń i rzekł: „Znalazłeś w leśnej głuszy pannę i nadałeś jej żartobliwe imię — wraz z innymi zwałeś ją Níniel, »maleńka we łzach«. Niefortunny to był żart, Turambarze, bo oto rzuciła się do wody, oślepła ze zgrozy i udręki, nie chcąc cię widzieć nigdy więcej i nazywając siebie w chwili śmierci Nienóri, córką Úrina, dzieckiem żałości. Opłakać Níniel nie zdołają wszystkie spadające z wysokości wody w Srebrzystej Misie".

Wówczas Turambar wydał ryk, schwycił go za gardło, potrząsnął nim i krzyknął: „Kłamiesz, niegodziwy synu Bethosa", lecz Tamar wykrztusił: „Nie kłamię, o przeklęty. Tak powiedział smok Glorund, a Níniel, usłyszawszy go, wiedziała, że to prawda". Odparł na to Turambar: „Idź więc porozmawiać z twoim Glorundem w Mandosie" — i zabił go na oczach wszystkich, a potem puścił się biegiem jak ktoś ogarnięty szaleństwem, wołając: „On kłamie, kłamie!", lecz teraz, uwolniony od zaślepienia i sennych koszmarów, wiedział w głębi serca, że to prawda i że jego los w końcu się dopełnił.

Tak więc porzucił swój lud i pędził bez opamiętania pomiędzy drzewami, wciąż wykrzykując imię Níniel, aż cały las zaczął rozbrzmiewać posępnym echem tego imienia. W końcu dotarł okrężną drogą do polany przy wodospadzie Srebrzystej Misy, a nikt nie śmiał pójść tam za nim. Świeciło popołudniowe słońce, lecz wszystkie drzewa stały uschnięte, chociaż była pełnia lata, i rozlegał się szum, jakby umierającego jesienią listowia. Zwiędłe były wszystkie kwiaty i trawa, a odgłos spadającej wody był smutniejszy niż łzy wylane nad śmiercią białej panny Nienóri, córki Úrina. Tam zatrzymał się wreszcie opadły z sił Turambar i dobył miecza, mówiąc: „Witaj, Gurtholfinie, Różdżko Śmierci, jesteś bowiem zgubą wszystkich ludzi i chętnie wypiłbyś z nich życie. Nie znasz pana ani nie jesteś wierna nikomu prócz ręki, co — jeśli jest silna — tobą włada. Ciebie tylko mam teraz — zabij mnie zatem i spraw się szybko, całe moje życie jest bowiem przeklęte, wszystkie moje dni obracają się w zło, wszystkie moje czyny okazują się podłe, a wszystko, co kocham, umiera". A Gurtholfin rzekł: „To chętnie uczynię, bowiem krew to krew, a twoja jest być może nie mniej słodka niż krew wielu innych, którą mi dotąd dawałeś". I rzucił się Turambar na czubek Gurtholfina, a ciemna klinga odebrała mu życie.

Lecz później zbliżyło się nieśmiało kilku mężów i odniosło jego ciało kawałek dalej, a położywszy na ziemi, usypało nad nim wielki kurhan. Potem zaś inni przytoczyli tam wielki głaz i na jego gładkiej powierzchni wycięli dziwne znaki, jakich w wolnych chwilach nauczył ich Turambar, który wyniósł tę wiedzę z jaskiń Rodothlimów. Napis ten głosił:

Turambar zabójca smoka Glorunda
który był także Túrinem Mormakilem
synem Úrina z Lasu

a poniżej było wyryte słowo „Níniel" (czyli „dziecko łez"), lecz jej tam nie było i żaden człowiek nie wie, gdzie wody zaniosły jej piękną postać.

Tu przestał Eltas mówić i nagle wszyscy, którzy go słuchali, zapłakali, lecz on na to rzekł:

— Tak, nieszczęsna to historia, smutek bowiem zawsze szerzył się między ludźmi i szerzy się nadal. W tych barbarzyńskich czasach dokonywano strasznych rzeczy i straszne rzeczy cierpiano, ale Melko rzadko uczynił coś okrutniejszego, a i ja nie znam żałośniejszej opowieści.

Potem niektórzy pytali go o Mavwinę i Úrina, i o dalsze wydarzenia, to więc rzekł:

— Otóż o Mavwinie nie zachował się żaden pewny przekaz, taki jak opowieść o jej synu Túrinie Turambarze. Opowiada się wiele historii i niektóre z nich różnią się między sobą, lecz tyle mogę wam powiedzieć, że po tych strasznych wydarzeniach leśny lud nie miał już serca do swojej siedziby i odszedł do innych leśnych dolin, chociaż nieliczni ociągali się i mieszkali smutni w pobliżu swych dawnych domów. Pewnego razu pojawiła się wiekowa kobieta, która wędrowała przez las i przypadkiem natknęła się na ten głaz z napisem. Jeden z leśnych ludzi odczytał jej, co znaczą owe znaki, i opowiedział całą tę historię tak, jak ją pamiętał — lecz ona milczała, nie odezwała się ani nie poruszyła. Wówczas rzekł ów człek: „Ciężkie jest twe serce, opowieść ta bowiem wszystkich wzrusza do łez". Ona zaś powiedziała: „Tak, smutne jest zaiste me serce, jestem bowiem Mavwina, matka tych dwojga" — a on pojął, że ta długa i smutna opowieść nie dobiegła jeszcze końca. Lecz Mavwina wstała i zagłębiła się w las, płacząc z udręki, i przez długi czas pojawiała się w tym miejscu. A że człek ten i jego rodzina uciekli i już nie wrócili, nikt nie umie powiedzieć, czy prawdziwie nawiedzała to miejsce Mavwina, czy był to jej ciemny cień, który z powodu jej wielkiej niedoli nie chciał wrócić do Mandosu[31].

Lecz jest powiedziane, że za przyczyną magii Melka Úrin widział wszystkie te przerażające wydarzenia i był nieustannie kuszony przez tego Ainura, by poddał się jego woli, lecz nie chciał tego zrobić. Atoli kiedy zły los jego rodziny całkowicie się wypełnił, umyślił Melko wykorzystać Úrina w inny, subtelniejszy sposób. Uwolnił go i pozwolił opuścić owo wysoko położone, przenikliwie zimne miejsce, na którym Úrin siedział wiele lat, cierpiąc katusze serca. Melko przyszedł do niego i mówił mu źle o elfach, a szczególnie oskarżał Tinwelinta[32] o słabość i tchórzostwo. „Nie mogę pojąć", rzekł, „dlaczego tak się dzieje, że wciąż są tacy wielcy i mądrzy ludzie, którzy ufają przyjaźni elfów, a będąc tak głupi, że opierają się mej mocy, powiększają po trzykroć swoje szaleństwo, szukając pomocy wśród gnomów lub wróżków. Tak oto, o Úrinie, gdyby nie mierne serce Tinwelinta z lasu, mogłyby się ziścić me zamiary i może Nienóri by teraz żyła, a żona twa Mavwina by nie płakała, lecz cieszyła się z odzyskania syna. Idź zatem, głupcze, i powróć tam, by jeść gorzki chleb jałmużny w komnatach twoich pięknych przyjaciół".

Úrin nie niepokojony, ale przygnieciony latami i smutkiem, opuścił wówczas królestwa Melka i przybył do szczęśliwszych krain, lecz całą drogę rozważał słowa Melka, a przemyślna sieć spleciona z prawdy i fałszu kładła się cieniem na jego umyśle i zatruwała goryczą jego ducha. Zebrał zatem wokół siebie drużynę dzikich elfów[33], a byli to wojownicy srodzy i samowolni, którzy nie mieszkali ze swymi pobratymcami, wyrzuceni przez nich do krainy wzgórz, by tam żyli lub umierali wedle swych zachcianek. Pewnego razu poprowadził ich Úrin do jaskiń Rodothlimów, skąd orkowie uciekli po śmierci Glorunda i został tam już tylko jeden mieszkaniec, stary kaleki krasnolud, który cały czas siedział na stercie złota i śpiewał sam sobie czarne magiczne pieśni. Lecz do tej pory nikt się do niego nie zbliżył, by go ograbić, groza bowiem smoka żyła dłużej niż on sam i ze strachu przed duchem Glorunda nikt nie ważył się tam udać[34]. Kiedy więc zbliżyli się elfowie, krasnolud stanął przed drzwiami jaskini, w której niegdyś mieszkał Galweg, i zawołał: „Czego ode mnie chcecie, o banici ze wzgórz?". Odparł Úrin: „Przybywamy, by wziąć sobie to, co nie twoje". Odrzekł mu na to krasnolud, który zwał się Mîm: „O Úrinie, nie sądziłem, iż ujrzę cię, władcę ludzi, z taką hołotą. Wysłuchaj teraz tego, co ma ci do powiedzenia Mîm niemający ojca: odejdź i nie tykaj tego złota, jakby to były trujące płomienie. Leżał bowiem na nim długie lata Glorund i przesiąkło ono złem Melkowych smoków. Nie przyniesie ono nic dobrego ni ludziom, ni elfom, lecz mogę go pilnować ja i tylko ja, krasnolud, a związałem je ze sobą niejednym mrocznym zaklęciem". Zawahał się wówczas Úrin, lecz jego towarzysze zapłonęli gniewem, rozkazał im więc zagarnąć wszystko, a Mîm stał i patrzył, miotając straszne, nienawistne przekleństwa. Wymierzył mu za to cios Úrin, mówiąc: „Przyszliśmy tylko zabrać to, co nie twoje — a teraz za twe złe słowa zabierzemy też to, co twoje, nawet życie".

Lecz umierając, rzekł Mîm do Úrina: „Teraz elfowie i ludzie będą żałować tego czynu, z powodu bowiem śmierci krasnoluda Mîma śmierć będzie podążać za tym złotem dopóty, dopóki pozostanie ono na Ziemi, a podobny los podzieli każda jego część". Zadrżał na te słowa Úrin, ale jego towarzysze się roześmiali.

I rozkazał im Úrin zanieść to złoto do komnat Tinwelinta, lecz oni na to szemrali, tak więc im rzekł: „Czy staliście się jak smoki Melka i chcielibyście leżeć i tarzać się w złocie, nie szukając innych radości? Słodsze będziecie wieść życie na dworze tego króla chciwości, jeśli przyniesiecie mu taki skarb, niźli mogłoby wam zapewnić w pustym lesie całe złoto Valinoru".

Z goryczą myślał Úrin o Tinwelincie i — jak widać — pragnął się na nim zemścić. Tak wielki był ten skarb, że chociaż oddział Úrina liczył wielu elfów, ledwie zdołali przenieść złoto do jaskiń Tinwelinta. Powiada się, że trochę złota zostawili, a trochę zgubili po drodze, i że znalazców zawsze już prześladował zły los.

Jednakże w końcu ciężko obładowany zastęp wkroczył na most przed bramą, a zapytany przez strażników Úrin odrzekł: „Powiedzcie królowi, że przybył Úrin Niezłomny z darami" — i tak się stało. Wówczas kazał Úrin przynieść wszystkie te drogocenności przed oblicze króla, lecz były one ukryte w workach lub zamknięte w skrzyniach z surowego drewna. Tinwelint powitał Úrina z radością i zdumieniem, i po trzykroć go pozdrowił, po czym wraz z całym dworem powstał, by uczcić tego władcę ludzi. Lecz z powodu lat katuszy oraz kłamstw Melka serce Úrina było ślepe, rzekł więc do Tinwelinta: „Nie, o królu, nie pragnę słuchać takich słów — lecz powiedz tylko, gdzie jest moja żona Mavwina i czy wiesz, jaką śmiercią zginęła córka moja Nienóri?". A Tinwelint odparł, że nie wie.

Przedstawił mu wówczas Úrin w gwałtownych słowach całą historię, a król i wszyscy, którzy go otaczali, zakryli twarze, zdjęci wielkim współczuciem, lecz Úrin rzekł: „Nie[35], gdybyś miał takie serce, jakie ma najpośledniejszy z ludzi, one nigdy by nie zaginęły. Oto przynoszę ci teraz pełną zapłatę za trudy twego mizernego oddziału, który wyruszył przeciwko smokowi Glorundowi i porzucił swoje zadanie, poddając moich ukochanych jego władzy. Spójrz, o Tinwelincie, przychylnie na me dary, sądzę bowiem, że do twojego serca trafia tylko blask złota".

Na te słowa towarzysze Úrina rzucili skarb królowi pod nogi i odsłonili go, a wszystkich na dworze olśnił i zdumiał jego blask. Teraz jednak pojęli, ku czemu to zmierza, i nie podobało im się to. „Oto skarb Glorunda", ozwał się Úrin, „okupiony śmiercią Nienóri i krwią Túrina, zabójcy smoka. Weź go, tchórzliwy królu, i ciesz się, że są ludzie na tyle odważni, by zdobywać dla ciebie bogactwa".

Tych słów Úrina nie mógł już Tinwelint znieść i tak mu rzekł: „Co masz na myśli, człowiecze dziecię, i dlaczego robisz mi wyrzuty?[36] Długo hołubiłem twego syna i wybaczyłem mu zło jego uczynków, a później przyszedłem w sukurs twej żonie, wbrew rozsądkowi ustępując jej szalonym pragnieniom. To Melko cię nienawidzi, nie ja. Cóż to mnie jednak obchodzi — i dlaczego ty, wywodzący się z nieokrzesanej rasy ludzi, śmiesz robić wyrzuty królowi Eldalië? Oto w Palisorze zaczęło się moje życie nieprzeliczone lata przed przebudzeniem się pierwszych ludzi. Idź precz, o Úrinie, rzucił bowiem na ciebie czar Melko. I zabierz ze sobą swoje bogactwa". Zabronił jednak zabić Úrina czy też omotać go zaklęciami, mając na względzie dawne męstwo jego czynów w sprawie Eldarów.

Wówczas Úrin oddalił się, lecz nie tknął złota. Przygnieciony brzemieniem lat dotarł do Hisilómë i umarł tam wśród współplemieńców. Atoli jego słowa go przeżyły i przyczyniły się do rozbratu między elfami i ludźmi. Powiada się, że po śmierci jego cień podążył do lasu na poszukiwanie Mavwiny, a potem długo oboje nawiedzali okolice wodospadu Srebrzystej Misy, opłakując swoje dzieci. Lecz elfowie z Kôru opowiadają, a oni to wiedzą, że w końcu Úrin i Mavwina udali się do Mandosu, lecz nie było tam Nienóri ani ich syna Túrina. W istocie Turambar podążył za Nienóri czarnymi ścieżkami do wrót Fui, lecz ta nie chciała ich przed nim otworzyć, podobnie jak Vefántur. Lecz teraz modlitwy Úrina i Mavwiny dotarły do samego Manwëgo i bogowie ulitowali się nad ich nieszczęsnym losem, tak że tych dwoje, Túrin i Nienóri, weszło do Fôs'Almir, łaźni ognia, tak jak w minionych wiekach przed pierwszym wschodem Słońca uczyniła Urwendi i jej panny, i wszystkie ich smutki i skazy zostały zmyte, i mieszkali pośród błogosławionych jako świetlani Valarowie, a miłość tych dwojga, brata i siostry, jest bardzo piękna. Lecz zaiste Turambar stanie obok Fionwëgo podczas Wielkiej Zagłady, a Melko i jego smoki przeklną miecz Mormakila.

I na tym Eltas zakończył opowieść, a nikt nie zadawał mu więcej pytań.

Przypisy

1. Ten fragment został odrzucony przed zmianą imienia *Tintoglin* na *Tinwelint*; zob. s. 87.
2. Nad imieniem *Egnor* jest napisane „gnom Damrod"; zob. „Komentarz", s. 168–169.
3. Tu i bezpośrednio poniżej pierwotna wersja imienia brzmiała *Tinthellon*; fragment ten na pewno pochodzi z tego samego okresu, co notka na rękopisie zalecająca zmianę imienia *Tintoglin* na *Ellon* lub *Tinthellon* (s. 87). Zob. przyp. 32.
4. Ze zmianą tą wiąże się notka dopisana na rękopisie: „Jeśli Beren będzie gnomem (jak teraz w opowieści o Tinúviel), to trzeba zmienić wzmianki o Berenie". W odrzuconym fragmencie Egnor ojciec Berena „był krewniakiem Mavwiny", tj. Egnor był człowiekiem. Zob. przyp. 5 i 6 oraz „Komentarz", s. 168.
5. „Túrin, syn Úrina": pierwotna wersja „Beren Ermabwed". Zob. przyp. 4 i 6.
6. Pierwotna wersja „a kiedy król dodatkowo usłyszał o pokrewieństwie Mavwiny i Berena". Zob. przyp. 4 i 5.
7. *Linwë* (*Tinto*) było pierwotnym „elfickim" imieniem króla i należy do tej samej „warstwy" imion, co *Tintoglin* (zob. I.141, I.157). Pozostawienie go tutaj (niezmienionego na *Tinwë*) stanowiło najwyraźniej skutek zwykłego przeoczenia. Zob. przyp. 19 i 20.
8. Pierwotna wersja brzmi: „jako że był człowiekiem wielkiej postury".
9. Z fragmentem tym por. bardzo podobny fragment w *Opowieści o Tinúviel*, s. 18. Tego, że fragment w *Turambarze* jest wcześniejszy (a w każdym razie tak można zakładać), dowodzi fakt, że ten w *Opowieści oTinúviel* ma sens tylko wtedy, jeśli Beren jest gnomem, a nie człowiekiem (zob. przyp. 4).
10. „nawiedzały ich też sny": pierwotna wersja „sny zesłane przez Valarów".

11. „a zwał się Glorund" zostało dodane później, podobnie jak kolejne użycia tego imienia na s. 105, 114, 118; lecz od pierwszego wystąpienia na s. 124 *Glorund* pojawia się w rękopisie jako imię tak zapisane od razu.
12. „z pomocą Flindinga, który nie odniósł większych ran": pierwotna wersja „z pomocą lekko rannego męża". Wszystkie następne wzmianki o Flindingu w tym fragmencie zostały dodane później.
13. Pierwotna wersja „serce Túrina przepełniła gorycz i tak się stało, że z bitwy tej wrócił tylko on i ten drugi mąż".
14. Pierwotna wersja „chociaż wszyscy w owym czasie uważali taki czyn za naganny i tchórzliwy".
15. Pierwotna wersja „ponownego [...] spojrzenia na Nienóri". To zostało poprawione na „ponownego [...] spojrzenia na Nienóri, której nie widział ani razu". Słowa „od pierwszych dni swego życia" zostały dodane jeszcze później.
16. Najwyraźniej w trakcie pisania został wykreślony następujący fragment:

> „Zaiste", rzekli, „jak donoszą wędrowcy i strażnicy ze wzgórz, od wielu, wielu księżyców nawet najdalsze rubieże są od nich wolne i niezwyczajnie bezpieczne, dlatego też wielu ludzi udało się z Hisilómë do Kraju Po Drugiej Stronie". I prawdą było, że kiedy Turambar żył jako wygnaniec z dworu Tintoglina lub ukrywał się wśród Rothwarinów, Melko bardzo rzadko nękał Hisilómë i prowadzące do niej drogi.

(Forma *Rothwarinowie* była w całym tekście wersją pierwotną, zastąpioną później przez *Rodothlimowie*). Zob. s. 112, gdzie sytuacja opisana w odrzuconym fragmencie odnosi się do wcześniejszych czasów (przed zagładą Rodothlimów), kiedy Mavwina i Nienóri opuściły Hisilómë.
17. Pierwotna wersja „dwakroć po siedem". Túrin uciekł z krainy Tinwelinta dokładnie dwanaście lat od opuszczenia matczynego domu (s. 94), a Nienóri urodziła się wcześniej, lecz nie jest powiedziane, na ile wcześniej.
18. Po słowach „wprowadzaniem w życie wielkiego i straszliwego planu", pierwotna wersja brzmiała: „którego opisu opowieść ta nie zawiera". Nie wiem, czy to znaczy, że kiedy ojciec napisał tu pierwszy raz o „planie" Melka, nie miał na myśli zagłady Rodothlimów.

19. „Król": pierwotna wersja „Linwë". Zob. przyp. 7.
20. „Linwë" to przeoczenie. Zob. przyp. 7.
21. „owo wysoko położone miejsce" — pierwotna wersja: „wzgórze".
22. Zdanie: „I w ten oto sposób przechwałka Túrina została subtelnie zwrócona przeciwko niemu, takie bestie bowiem lubią w rozmowie zwodzić przebiegłym słowami", zostało dopisane później ołówkiem. Chodzi o nazwanie się przez Túrina „Turambarem" — „od tej chwili, jeśli żyć będę, nikt nie będzie mnie nazywał Túrinem", s. 106.
23. To zdanie, od słów „ponieważ jego ród..." do mniej więcej tego miejsca, jest bardzo lekko przekreślone. Na przeciwnej stronie rękopisu jest pośpiesznie napisane: „Niech Turambar nigdy nie mówi nowym towarzyszom o swoim pochodzeniu (pogrzebie przeszłość) — to zapobiega szansie (jako pewn.), że ktoś powie Níniel o jego pochodzeniu". Zob. „Komentarz", s. 157–158.
24. Przy tym zdaniu został napisany na marginesie znak zapytania. Zob. przyp. 23 i „Komentarz", s. 157.
25. „Níniel poczęła dziecko" zostało dopisane później ołówkiem. Zob. „Komentarz", s. 162.
26. „a dowódcą tej straży był krasnolud Mîm" zostało dopisane później ołówkiem. Zob. „Komentarz", s. 165.
27. Słowo *tract* „obszar, połać ziemi" można odczytać jako *track* „ścieżka, droga", a słowo *hurt* „uraza, krzywda" (lecz z mniejszym prawdopodobieństwem) jako *burnt* „przypalony, poparzony".
28. W tej postaci zdanie to może znaczyć tylko to, że obserwatorzy myśleli, iż ochotnicy walczą między sobą — dlaczego jednak mieliby tak myśleć? Bardziej prawdopodobne jest, że mój ojciec pominął koniec zdania: „toczonej przez owych siedmiu, Turambara i jego towarzyszy, ze smokiem".
29. Turambar odnosi się do słów Glorunda, kóre smok skierował do niego przed jaskiniami Rodothlimów: „...Túrinie Mormakilu, który nosiłeś niegdyś miano odważnego" (s. 106).
30. Te słowa, od „ten, który wcześniej...", zostały dopisane później ołówkiem. Słowo „Úrina" można także odczytać jako „Húrina".
31. Od tego miejsca do końca opowieści Eltasa pierwotny tekst został przekreślony i w notatniku zawierającym rękopis następują po nim dwa krótkie szkice fabuły, które też zostały odrzucone. Tekst przytoczony tutaj (od słów „Lecz jest powiedziane...") znajduje się na karteczkach

umieszczonych w notatniku. Jeśli chodzi o odrzucony materiał, zob. „Komentarz", s. 163–165.

32. W całej ostatniej części tekstu (tej zapisanej na karteczkach, zob. przyp. 31) imię króla najpierw brzmiało *Tinthellon*, nie *Tintoglin* (zob. przyp. 3).
33. „elfów" — pierwotna wersja: „mężów". Taka sama zmiana została wprowadzona poniżej („Kiedy więc zbliżyli się owi elfowie..."), a nieco dalej „mężowie" zostali usunięci w dwóch miejscach („jego towarzysze się roześmiali", „I rozkazał im Úrin zanieść to złoto", s. 135); lecz w kilku miejscach „mężowie" zostali zachowani, możliwe, że przez przeoczenie, chociaż w *Opowieści o Turambarze* słowo „mężowie" na oznaczenie elfów jest używane bardzo często (np. „Beleg i Flinding, obaj mocarni mężowie", s. 99).
34. To zdanie, od słów „Lecz do tej pory...", zostało dopisane później ołówkiem.
35. To zdanie, od słów „Przedstawił mu wówczas Úrin...", zostało dopisane później, zastępując zdanie „Rzekł wówczas Úrin: »Jednak gdybyś miał takie serce...«".
36. To zdanie, od słów „Co masz na myśli...", zastępuje pierwotną wersję „Idź precz i zabierz ze sobą swą ohydę".

Zmiany imion i nazw własnych w *Opowieści o Turambarze*

Fuithlug < *Fothlug* < *Fothlog*

Nienóri. Za pierwszym razem (s. 90) mój ojciec napisał *Nyenòre (Nienor)*. Później przekreślił *Nyenòre*, usunął nawias wokół *Nienor* i dodał końcówkę *-i*, tworząc *Nienori*. Przy kolejnych okazjach imię to miało pisownię zarówno *Nienor*, jak *Nienóri*, lecz *Nienor* zostało później w całej wcześniejszej części opowieści zmienione na *Nienóri*. Bliżej jej końca i w zamykającym ją tekście zapisanym na karteczkach forma ta brzmi *Nienor*. Ja w całym tekście zastosowałem pisownię *Nienóri*.

Tinwelint < *Tinthellon* (s. 90, dwa razy). Zob. s. 87 i przyp. 3. *Tinwelint* < *Tinthellon* także w końcowej części tekstu, zob. przyp. 32.

Tinwelint < *Tintoglin* w całej opowieści z wyjątkiem właśnie wspomnianych miejsc (gdzie w później dodanych fragmentach *Tinwelint* < *Tinthellon*); zob. s. 87.

Gwedhelinga < *Gwendelinga* za każdym razem (imię *Gwendelinga* niezmienione na s. 95, lecz to jest oczywiste przeoczenie; ja w tekście umieściłem formę *Gwedhelinga*). W słowniku gnomickiego forma *Gwedhelinga* została zmieniona na *Gwedhilinga*; zob. s. 63.

Flinding bo-Dhuilin < *Flinding go-Dhuilin*. Ta zmiana, wprowadzona na s. 97, nie została wprowadzona na s. 101, lecz stało się tak wyraźnie dlatego, że forma ta została przeoczona, a ja w obu wypadkach użyłem pisowni *Flinding bo-Dhuilin*; taka sama zmiana *go-* na *bo-* w *Opowieści o Tinúviel*, zob. s. 64. Imię przybiera formę *Dhuilin*, kiedy patronimik występuje z przedrostkiem (por. *Duilin* s. 98).

Rodothlimowie < *Rothwarinowie* za każdym razem.

Gurtholfin < *Gortholfin* z początku, lecz po s. 110 pierwszą napisaną formą była forma *Gurtholfin*.

Uwagi do *Opowieści o Turambarze*

§ 1. Narracja zasadnicza

Komentując tę długą opowieść, wygodnie jest podzielić ją na krótkie części. W tekście niniejszego komentarza często odwołuję się do długiej (choć nieukończonej) opowieści prozą, *Narn i Hîn Húrin*, przedstawionej w *Niedokończonych opowieściach* na s. 79 i nast., przedkładając ją na ogół nad krótszą wersję z rozdz. XXI *Silmarillionu*. W takich wypadkach określam ją jako *Narn* i podaję numer strony w *Niedokończonych opowieściach*.

(i) Pojmanie Úrina i dzieciństwo Túrina w Hisilómë (s. 88–90)

Na początku opowieści ciekawie byłoby dowiedzieć się czegoś więcej o tym, kto ją snuje, a więc o Eltasie. To zagadkowa postać; wygląda na to, że jest człowiekiem (mówi, że „nasz lud" nazywał Turambara Turumartem, „naśladując gnomów"), który mieszkał w Hisilómë po czasach Turambara, lecz przed upadkiem Gondolinu, i który „wszedł na Olórë Mallë", Ścieżkę Snów. Czy jest zatem dzieckiem, jednym z „dzieci praojców człowieczych", które „ujrzawszy Kôr, na zawsze związały się z Eldarami" (*Dworek Zabawy Utraconej*, I.27–28)?

Początkowy fragment zgadza się niemal we wszystkich zasadniczych kwestiach z ostateczną formą tej opowieści. A zatem z początków „tradycji" (a przynajmniej z jej najwcześniejszej zachowanej postaci) wywodzą się takie epizody, jak wyruszenie Húrina na wezwanie Noldorów do Bitwy Nieprzeliczonych Łez, podczas gdy jego żona (Mavwina = Morwena) i mały syn Túrin zostali w domu; heroiczna walka ludzi Húrina i pojmanie go przez Morgotha; powód torturowania Húrina (Morgoth pragnął odkryć miejsca pobytu Turgona) i rodzaj zadawanych mu tortur oraz klątwa Morgotha; narodziny Nienor wkrótce po wielkiej bitwie.

To, że ludzie zostali zamknięci w Hisilómë (albo w Hithlumie, co jest formą gnomicką, która po raz pierwszy pojawia się tutaj, zrównana z nazwą *Dor Lómin*, s. 90) po Bitwie Nieprzeliczonych Łez, stwierdza się w rozdziale *Przybycie elfów i powstanie Kôru* (I.144–145) oraz w ostatnim szkicu *Opowieści Gilfanona* (I.281); później zostało to przekształcone w zamknięcie zdradzieckich Easterlingów w Hithlumie (*Silmarillion*, s. 279–280), a złe traktowanie przez nich niedobitków rodu Hadora stało się zasadniczym elementem opowieści o dzieciństwie Túrina. Lecz w *Opowieści o Turambarze* istnieje już koncepcja, że „mieszkający w pobliżu obcy nie znali godności pani Mavwiny". Właściwie nie jest jasne, gdzie mieszkał Úrin: mówi się tu, że po bitwie „Mavwina dotarła we łzach do krainy Hithlum czy też Dor Lómin, gdzie z rozkazu Melka musieli teraz mieszkać wszyscy ludzie", co może oznaczać tylko to, iż z rozkazu Melka udała się tam z miejsca, gdzie poprzednio mieszkała z Úrinem. Z drugiej strony, w wyraźnej z tym sprzeczności, nieco później w opowieści (s. 92) Mavwina nie chciała przyjąć zaproszenia Tinwelinta do Artanoru — częściowo dlatego, że (jak się sugeruje) „trzymała się tej sadyby, w której umieścił ją Úrin, *zanim udał się na wielką wojnę*".

W późniejszej opowieści Morwena postanowiła odesłać Túrina ze strachu, że popadnie on w niewolę Easterlingów (*Narn*, s. 94), podczas gdy tutaj jest tylko powiedziane, że „pogrążona w rozpaczy Mavwina nie wiedziała, jak wychować syna i jego siostrę" (co zapewne odnosi się do jej ubóstwa). To z kolei odzwierciedla kolejną różnicę, a mianowicie tutaj Nienóri urodziła się przed odejściem Túrina (lecz zob. s. 158); w późniejszej wersji legendy on i jego towarzysze opuścili Dor-lómin jesienią Roku Lamentu, a Nienor urodziła się na początku następnego roku — a zatem nigdy jej nie widział, nawet gdy była niemowlęciem.

Ważną i zasadniczą różnicą jest brak w tej opowieści wątku pobytu Húrina w Gondolinie, o czym Morgoth wiedział i co było przyczyną wzięcia Húrina żywcem (*Silmarillion*, s. 229, 282). Ten element pojawił się w opowieści znacznie później, kiedy założenie Gondolinu zostało znacznie cofnięte w czasie, na wiele lat przed Bitwą Nieprzeliczonych Łez.

(ii) Túrin w Artanorze (s. 90–95)

Umieszczeni w pierwotnej opowieści o wyprawie Túrina dwaj towarzyszący mu starzy mężczyźni, z których jeden wrócił do Mavwiny, a drugi został z Túrinem, nie zniknęli w wersji późniejszej, a okrzyk Túrina, kiedy wyruszali, pojawia się ponownie w *Narn* (s. 97): „Morweno, matko moja, kiedyż znowu cię ujrzę?".

Beleg istniał od początku, podobnie jak znaczenie jego imienia: „Zwał się Beleg, jako że był wielkiego wzrostu" (zob. I.301, hasło *Haloisi velikë*, oraz dodatek *Cząstki słowotwórcze* w *Silmarillionie*, hasło *beleg*); w starej opowieści odgrywa taką samą rolę, ratując podróżnych głodujących w lesie i prowadząc ich do króla.

W późniejszych wersjach nie ma ani śladu niezwykłej wiadomości, którą Tinwelint wysłał do Mavwiny, a jego dziwnie szczere wyjaśnienie, że trzymał się z dala od Bitwy Nieprzeliczonych Łez, ponieważ w swojej mądrości przewidział, że w razie klęski Artanor może stać się schronieniem, jest niezgodne z jego później wymyślonym charakterem. Istniały oczywiście zupełnie inne przyczyny jego zachowania (zob. *Silmarillion*, s. 272). Z drugiej strony, powody, które powstrzymały Mavwinę przed opuszczeniem Hithlumu, pozostały niezmienione (zob. fragment w *Narn*, s. 94, gdzie jako echo starej opowieści pojawia się słowo „jałmużna"). Zagadkowe jest jednak stwierdzenie, że gdy Nienóri dorosła, Mavwina mogłaby wyzbyć się dumy i przejść przez góry, jeśli nie stałyby się wcześniej niemożliwe do przebycia — co wyraźnie sugeruje, że w ogóle nie opuszczała Hithlumu. Jednak może znaczenie tego stwierdzenia jest takie, że mogłaby przedsięwziąć tę podróż *wcześniej* (póki Túrin wciąż przebywał w Artanorze), niż uczyniła to w rzeczywistości (kiedy na jakiś czas droga stała się łatwiejsza, lecz Túrin już odszedł).

Charakter Túrina jako chłopca zostaje ponownie nakreślony w każdym szczególe opisu w *Narn* (s. 102):

> Wydawało się, że los nie sprzyja mu także w innych sprawach, często bowiem nie osiągał tego, czego pragnął. Nie zdobywał też łatwo przyjaźni, nie był bowiem wesoły i śmiał się rzadko, a nad jego młodością wisiał cień.

(W opowieści został dodany godny uwagi szczegół: „w istocie niewiele zważał na kierowane do niego słowa"). A do zakończenia wszelkich kontaktów Túrina z matką dochodzi z tego samego powodu: wzmożenia obserwacji gór przez sługi Melka (*Narn*, s. 102–103).

Mimo że zasadnicze elementy historii Túrina i Saerosa w postaci przedstawionej w *Silmarillionie* oraz — w o wiele bardziej szczegółowy sposób — w *Narn* wywodzą się z *Opowieści o Turambarze*, istnieją w tych tekstach pewne godne uwagi różnice, a przede wszystkim ta, że w pierwszej wersji prześladowca Túrina zginął od razu, ugodzony ciśniętym weń pucharem. Siłą rzeczy nie ma w niej późniejszych dodatkowych komplikacji, czyli zdradzieckiego ataku Saerosa na Túrina dzień później i pościgu zakończonego śmiercią tego pierwszego, zaocznego sądu nad Túrinem obwinionym za ten czyn oraz świadectwa Nellas (czytamy o nim tylko w *Narn*); nie pojawia się też Mablung — w gruncie rzeczy wydaje się jasne, że Mablung po raz pierwszy zaistniał pod koniec *Opowieści o Tinúviel* (zob. s. 74). Pewne szczegóły ocalały (jak grzebień, który Orgof/Saeros daje w szyderczym geście Túrinowi, *Narn*, s. 105), a inne zostały zmienione lub zaniedbane (jak to, że była to rocznica wyruszenia z domu przez Túrina — chociaż okres dwunastu lat zgadza się z późniejszą opowieścią, a to, że król był obecny w komnacie, kontrastuje z tekstem *Narn*, s. 105). Natomiast drwiny, które wywołały u Túrina morderczą wściekłość, pozostały zasadniczo niezmienione, bo tak samo dotyczyły jego matki; nie uległo również zmianie to, że Túrin wszedł do komnaty rozczochrany i w znoszonym odzieniu oraz że było to powodem szyderstw ze strony jego wroga.

Orgof nie różni się znacznie od Saerosa, chociaż opis tej postaci jest mniej rozwinięty. Tak samo cieszył się względami króla, był dumny i zazdrosny o Túrina. W późniejszej opowieści był Nandorem, podczas gdy tu jest Ilkorinem z pewną domieszką gnomickiej krwi (jeśli chodzi o gnomów w Artanorze, zob. s. 82), lecz niewątpliwie część „tradycji" stanowiła pewna osobliwość jego pochodzenia. W starej opowieści jest elegancikiem i głupcem i nie zostają mu przypisane te motywy nienawiści do Túrina, które otrzymuje w *Narn* (s. 102).

Chociaż o wiele prostszy w przekazie, zasadniczy element — nieświadomości Túrina, że wybaczono mu jego czyn — istniał od samego początku. Opowieść podaje wyjaśnienie, które nie pojawia się później, dlaczego po opuszczeniu Artanoru Túrin nie wrócił do Hithlumu; por. *Narn*, s. 113–114: „do Dor-lóminu nie śmiał ruszać, gdyż kraj ten był oblężony przez wroga i nikt nie potrafiłby przebyć w pojedynkę przełęczy w Górach Cienia".

Męstwo Túrina w starciach z orkami podczas jego pobytu w Artanorze otrzymuje w opowieści większą, a właściwie wyjątkową wagę („przez wiele lat chronił ich przed gniewem Melka"), zwłaszcza że nie wspomina się tu o Belegu, w późniejszych wersjach jego towarzyszu broni (a w tym fragmencie moc królowej pozwalająca opierać się inwazji na królestwo wygląda ponownie [zob. s. 79] na mniejszą, niż to przedstawiono później).

(iii) Túrin i Beleg (s. 95–100)

Ta część sagi o Túrinie, rozgrywająca się po jego pobycie w Artanorze/Doriacie, została później znacznie rozwinięta (*Túrin wśród banitów*), jednak mój ojciec właściwie nie doprowadził jej do ostatecznej postaci. W tej najstarszej wersji intryga rozwija się znacznie gwałtowniej: Beleg dołącza do bandy Túrina, a jej rozbicie i schwytanie Túrina przez orków następuje (w narracji) niemal natychmiast potem. Nie ma wzmianki o „banitach", lecz tylko o „niespokojnych duchach", nie ma długiego poszukiwania Túrina przez Belega, schwytania Belega i maltretowania go przez członków bandy ani ujawnienia jej obozowiska przez zdrajcę (tę rolę ostatecznie otrzymał krasnolud Mîm). Nie mówi się o Belegu (co już odnotowałem), że był wcześniej, jeszcze przed śmiercią Orgofa, towarzyszem Túrina; zaprzyjaźniają się dopiero po wygnaniu tego ostatniego, które w istocie Túrin sam sobie narzucił.

Beleg jest określony jako Noldor (s. 97), jeśli zaś tę jedyną wzmiankę mamy traktować jako rzeczywiście istotną (a wydaje się, że nie ma powodu, by tak nie było: w *Opowieści o Tinúviel* wyraźnie mówi się o obecności Noldolich w Artanorze, a w żyłach Orgofa płynęła gnomicka krew), to należy zauważyć, że pierwotnie Beleg został stworzony jako elf z Kôru. Nie jest tu opisany jako znakomity łucznik (nie zostaje też wprowadzone jego imię Cúthalion, „Mistrz Łuku", ani nie pojawia się jego wielki łuk Belthronding); kiedy zostaje wspomniany po raz pierwszy (s. 91), jest opisany jako „leśny strażnik, myśliwy tajemnych elfów", a nie jako dowódca strażników królestwa.

Natomiast narracja między schwytaniem Túrina a śmiercią Belega w starej opowieści właściwie nie została później zmieniona pod jakimś szczególnie ważnym względem, chociaż pojawiły się liczne drobne poprawki, takie jak w późniejszej wersji epizod z zastrzeleniem przez Belega, po cichu w ciemnościach, stróżujących wilków czy światło błyskawicy, które padło na jego twarz. Jednakże świecące na niebiesko lampy Noldorów pojawiają się znowu w o wiele późniejszych tekstach: jedną z nich nieśli elfowie Gelmir i Arminas, prowadzący Tuora przez Bramę Noldorów podczas jego wędrówki ku morzu (zob. *Niedokończone opowieści*, s. 40, 73, przyp. 2). Na ilustracji wykonanej przez mojego ojca (prawdopodobnie w roku 1927 lub 1928) przedstawiającej spotkanie Belega i Flindinga w Taur-nu-Fuin (zamieszczonej w *Pictures by J. R. R. Tolkien* pod nr. 37) widać obok Flindinga jego lampę. Intryga starej opowieści jest bardzo precyzyjnie przedstawiona za pomocą takich szczegółów, jak powód wyniesienia wciąż śpiącego Túrina z obozu orków i użycie przez Belega miecza, a nie noża, do przecięcia jego więzów, a być może także przygniecenie przez Túrina Belega, który stracił dech i nie zdołał wypowiedzieć swojego imienia, nim Túrin zadał mu śmiertelny cios.

Istnieje tu w zalążku historia szaleństwa Túrina po zabiciu Belega, pomoc Gwindora i łzy wylane przez Túrina przy Eithel Ivrin. O szczególnej naturze miecza Belega nie ma tu żadnej wzmianki.

(iv) Túrin wśród Rodothlimów; Túrin i Glorund (s. 100–107)

We fragmencie tym są opisane (jeśli chodzi o zachowany tekst, należy bowiem pamiętać, że pod rękopisem znajduje się tekst całkowicie wytarty) początki jeszcze nienazwanego tak Nargothrondu. Wśród wielu interesujących koncepcji wyróżnia się może ta, że Felagunda, Władcę Jaskiń, z którym w późniejszej legendzie był identyfikowany Nargothrond, poprzedza tu Orodreth jako jego założyciel i pomysłodawca. (W *Silmarillionie* Orodreth był jednym z braci Finroda Felagunda [synów Finarfina], któremu Felagund powierzył dowództwo Minas Tirith na Tol Sirion po zbudowaniu Nargothrondu [s. 177]; po śmierci Felagunda Orodreth został królem Nargothrondu). W opowieści ta podziemna siedziba wygnanych Noldolich jest prostsza i mniej wygodna i (jak się sugeruje) krócej opiera się przemożnej potędze Melka; jednakże, co zdarza się równie często, wiele koncepcji nie uległo zmianie, mimo że przez kontakt z legendą o Berenie i Lúthien historia Nargothrondu miała zostać pod istotnym względem znacznie zmodyfikowana. Tak więc miejsce to od początku znajdowało się „nad strumieniem" (późniejszym Narogiem), który „spadając w dół, zasilał rzekę Sirion", a jak widać dalej (s. 117), brzeg rzeki po stronie jaskiń był wyższy i zbliżały się do niego wzgórza (por. *Silmarillion*, s. 170: „[jaskinie] pod Wysokim Faroth, w jego stromej zachodniej krawędzi"). Polityka skrytości i unikania otwartej wojny stosowana przez elfów z Nargothrondu zawsze stanowiła zasadniczy element (por. *Silmarillion*, s. 244–245, 246)*, podobnie jak odrzucenie jej przez pewnego siebie i władczego Túrina (chociaż w opowieści nie ma wzmianki o potężnym moście, do budowy którego się przyczynił). Tu jednakże za upadek owej reduty może jeszcze wyraźniej odpowiada Túrin: jego przybycie jest po prostu ukazane jako klątwa, a katastrofa w sposób nieuniknioy wynika z jego braku rozsądku. Przynajmniej we fragmentach tej części *Narn* (s. 193–195) argumenty Túrina w sporze z Gwindorem, który opowiadał się za zachowaniem sekretu, nie wydają się — mimo ostatecznego wyniku — całkiem bezpodstawne. Lecz zasadnicza historia jest taka sama: polityka Túrina ujawniła położenie Nargothrondu Morgothowi, który zaatakował go przeważającymi siłami i zniszczył.

W stosunku do najwcześniejszej wersji role Flindinga (Gwindora), Failivrin (Finduilas)** i Orodretha miały przejść poważne zmiany. W starej opowieści Flinding wywodził się z Rodothlimów, zanim został pojmany i uwięziony w Angbandzie, tak jak w późniejszej Gwindor pochodził z Nargothrondu (lecz przy znacznym rozwinięciu jego historii, zob. *Silmarillion*, s. 272, 275), a kiedy wrócił, był zmieniony prawie nie do poznania

* Sądząc z pierwszego z tych fragmentów, Felagund prowadził politykę skrytości już wtedy, kiedy Beren przybył do Nargothrondu; lecz z drugiego fragmentu wynika, że została ona wcielona w życie po przekonującej przemowie Curufina wygłoszonej już po przybyciu Berena.

** W *Silmarillionie* nosi ona imię *Finduilas*, a imieniem *Faelivrin*, „czyli Odblaskiem Słońca na rozlewiskach Ivrin", nazwał ją Gwindor (s. 301).

(pomijam takie trwałe drobne elementy, jak uwięzienie Túrina i Flindinga/Gwindora po ich przybyciu do jaskiń). Pojawia się już piękna Failivrin oraz jej nieodwzajemniona miłość do Túrina, lecz nie istnieje komplikacja w postaci jej poprzedniego związku z Gwindorem, a ona sama nie jest córką króla Orodretha, lecz niejakiego Galwega (który później miał całkowicie zniknąć). Flinding nie jest pokazany jako przeciwnik polityki Túrina, a w końcowej bitwie pomaga mu wynieść Orodretha z pola walki. Orodreth umiera (po tym, jak przeniesiono go z powrotem do jaskiń), wyrzucając Túrinowi spowodowanie klęski — podobnie jak umierający Gwindor w *Silmarillionie* (s. 305), w którym dochodzi do tego dodatkowa gorycz spowodowana jego związkiem z Finduilas. Ojciec Failivrin, Galweg, ginie w bitwie, tak jak Orodreth, ojciec Finduilas w *Silmarillionie*. Tak więc w toku ewolucji legendy Orodreth przejął rolę Galwega, a Gwindor częściowo przejął rolę Orodretha.

Jak zauważyłem wcześniej, w opowieści nie ma wzmianki o żadnych szczególnych cechach miecza Belega, a mimo że Czarny Miecz już istnieje, to z rozkazu Orodretha został on wykuty dla Túrina od razu z czarną klingą o lśniących jasnych krawędziach (zob. *Silmarillion*, s. 301). Jej dar mowy („powiada się, że czasem przemawiała do niego mrocznymi słowy") objawił się później w straszliwych słowach, które miecz skierował do Túrina przed jego śmiercią (*Narn*, s. 181) — motyw ten pojawia się już w opowieści (s. 133). Imię Túrina wywodzące się od tego miecza (tutaj *Mormagli*, *Mormakil*, później *Mormegil*) już zostało wymyślone. Nie ma jednak żadnej wzmianki, że w Nargothrondzie Túrin ukrywał swoje prawdziwe imię; w gruncie rzeczy jest wyraźnie powiedziane, że wyjawił, kim jest.

Zalążek postaci Gelmira i Arminasa oraz ostrzeżenia, które przynieśli do Nargothrondu od Ulma (*Narn*, s. 198–202), można dostrzec w sformułowaniu „Wieczorami dawały się słyszeć w strumieniu szepty", co niewątpliwie sugeruje wieści od Ulma (zob. s. 96).

Smok Glorund jest wymieniony w „wydłużającym zaklęciu" w *Opowieści o Tinúviel* (s. 27, 58), lecz samo jego imię zostało wprowadzone dopiero podczas pisania *Opowieści o Turambarze* (zob. przyp. 11). Nie sugeruje się, że odegrał wcześniej jakąś rolę w tej historii ani że był pierwszym przedstawicielem swojego gatunku, Ojcem Smoków, z długą listą złych uczynków dokonanych jeszcze przed splądrowaniem Nargothrondu. Niezwykle interesujący jest fragment, w którym określona jest natura smoków Melka: ich nikczemna mądrość, ich umiłowanie kłamstw i złota (którego „nie mogą […] używać ani się [nim] cieszyć"), a także znajomość języków, jaką, według ludzi, zyskuje się po zjedzeniu smoczego serca (co stanowi wyraźne odniesienie do legendy z nordyckiej *Eddy* o zabójcy Fafnira Sigurdzie, który po zjedzeniu upieczonego na rożnie serca smoka zaczął rozumieć mowę ptaków, z wielką dla siebie korzyścią).

Historia splądrowania Nargothrondu jest w starej opowieści ujęta nieco inaczej, chociaż zasadnicze elementy wypędzenia Failivrin/Finduilas razem z innymi jeńcami oraz bezsilności Túrina, unieruchomionego zaklęciem smoka, przez co nie zdołał jej pomóc, miały pozostać nienaruszone. Można tu pominąć drobne różnice (takie jak późniejsze pojawienie się na miejscu akcji Glorunda: w *Silmarillionie* [s. 305] Túrin wrócił do Nargothrondu dopiero po tym, jak Glaurung wtargnął do jaskiń i „wrogowie już kończyli swoje niszczycielskie dzieło") oraz drobne zbieżności (takie jak brak zgody smoka, by orkowie dalej plądrowali gród). Najbardziej interesujący jest opis rozmowy Túrina z Glaurungiem. Zostaje tu wprowadzona kwestia, czy Túrin może uniknąć swego losu, czy nie. Znaczące jest, że obiera on przydomek *Turambar* właśnie wtedy, podczas gdy w późniejszej legendzie czyni to po przyłączeniu się do leśnych ludzi w Brethilu. Tam przykłada się do tego mniejszą wagę. Stara wersja jest przedstawiona nie tak zwięźle i z o wiele mniejszą siłą wyrazu, a wypowiedź smoka nie jest tak subtelna i pomysłowa w przekazywaniu nieprawdy. Tutaj jest także wyraźnie sformułowany wniosek, że Túrin nie powinien był opuścić Failivrin „w niebezpieczeństwie, które […] sam widział" — czyż to nie sugeruje, że chociaż Túrin znalazł się we władzy smoczego zaklęcia, nadal cechowała go słabość („ślepota", zob. s. 102), którą wykorzystał smok? W historii opowiedzianej w *Silmarillionie* taka konkluzja byłaby niepotrzebna, jako że przeciwnik Túrina był zbyt potężny dla jego umysłu i woli.

Jest tu niezwykły fragment, w którym stwierdza się, że odebranie sobie życia jest grzechem pozbawiającym samobójcę całej nadziei, że „zostanie kiedykolwiek uwolniony z mrocznych ciemności Mandosu albo zabłądzi na miłe ścieżki Valinoru". Wyraźnie zgadza się to z zaskakującym fragmentem w opowieści *Przybycie Valarów i budowa Valinoru* dotyczącym przeznaczenia ludzi: zob. s. 75–76.

I na koniec — dziwne jest, że w starej opowieści złoto i wszystkie skarby zostały wyniesione z jaskiń przez orków i tak pozostawione („obok jaskiń nad strumieniem"), a smok w bardzo nietypowy dla siebie sposób spał przed tą stertą pod gołym niebem. W *Silmarillionie* Glaurung „w najgłębszej podziemnej sali zgarnął wszystkie dobra i skarby Felagunda na stos, położył się na nim i czas jakiś odpoczywał".

(v) Powrót Túrina do Hithlumu (s. 107–111)

W tym fragmencie sytuacja w dużej mierze jest taka sama jak w poprzednich częściach opowieści: jej główna struktura nie została później w istotny sposób zmieniona, niemniej między jej wersjami istnieje wiele ważnych różnic.

Z *Opowieści o Turambarze* jasno wynika, że dom Mavwiny nie znajdował się w pobliżu wzgórz czy gór tworzących barierę pomiędzy Hithlumem i Krajami Po Drugiej Stronie: Túrin dowiedział się, że orkowie „nigdy nie zapuszcza[li] się tak daleko w głąb Hisilómë", w przeciwieństwie do *Narn* (s. 92), gdzie „[d]om Húrina znajdował się na południowym wschodzie Dor-lóminu, w bliskim sąsiedztwie gór, a źródła Nen Lalaith ukryte były w cieniu Amon Darthir, którego grzbiet przecinała stroma przełęcz". Przeniesienie Mavwiny w Hithlumie z jednego domu do innego, który z kolei odwiedził szukający jej Túrin, zostało później odrzucone — z korzyścią dla opowieści. Tutaj Túrin wraca do swojego dawnego domu pod koniec lata, podczas gdy w *Silmarillionie* upadek Nargothrondu nastąpił późną jesienią („Dął silny wiatr i liście leciały z drzew, bo już jesień ustępowała przed srogą zimą", s. 305) i Túrin przybył do Dor-lóminu w czasie Srogiej Zimy (s. 309).

Imiona „Brodda" i „Airina" (w późniejszej pisowni „Aerina") pozostały, lecz Brodda jest tu władcą krainy, a rola Airiny w scenie w sali biesiadnej, w której wymierza sprawiedliwość energicznie i mądrze, jest tu ważniejsza niż później. Nie jest powiedziane, że została wydana za mąż siłą, chociaż mówi się, że miała z Broddą bardzo złe życie; lecz naturalnie sytuacja w późniejszych tekstach jest o wiele klarowniejsza — ludzie mieszkający w Hithlumie byli „Easterlingami", „Przybyszami" wrogo nastawionymi do elfów i niedobitków rodu Hadora, podczas gdy w tej wczesnej wersji nie ma mowy o różnicach między nimi, a Brodda jest mężczyzną, „któremu [Mavwina] ufała". Motyw jej złego traktowania przez Broddę już się pojawił, lecz ograniczony do tego, że sprzeniewierzył jej dobytek po tym, jak odeszła. Z tego, co powiedziała Aerina Túrinowi w *Narn* (s. 138), wynika, że Morwena wybrała się w końcu do Doriathu z powodu złego traktowania jej przez Broddę i innych. W krótkim opisie w *Silmarillionie* (s. 311) nie mówi się wyraźnie, że to Brodda szczególnie zasługiwał na nienawiść Túrina.

W opowieści jego zachowanie w sali biesiadnej jest zasadniczo prostsze: przechodzień opowiedział mu prawdziwą historię, Túrin wchodzi do sali, by zemścić się na Broddzie za kradzież dobytku Mavwiny, i robi to bardzo szybko. W *Narn* Túrinowi otwierają się oczy na oszustwo, którego padł ofiarą, dopiero pod wpływem słów znajdującej się w sali Aeriny, a jego wściekłość jest gorętsza, bardziej szaleńcza i gorzka i w gruncie rzeczy bardziej zrozumiała; nie pojawia się też spostrzeżenie, że czyn Túrina „gwałtowny był i bezprawny". Osąd, jaki wydała Airina, by ocalić Túrina, został później usunięty, natomiast opis jego samotnego odejścia został rozszerzony, także o epizod podpalenia przez Aerinę sali Broddy (*Narn*, s. 140).

Pewne szczegóły przetrwały wszystkie zmiany: w *Narn* Túrin nadal chwyta Broddę za włosy i tak jak w opowieści po tym wybuchu przemocy jego wściekłość nagle się wypala („ostygł [...] jego gniew"), w *Narn* „zgasł płomień jego szaleństwa". Można również zauważyć, że podczas gdy w starej opowieści Túrin nie nadaje sobie nowych imion tak często, tutaj ta jego skłonność już się pojawia.

W *Opowieści o Turambarze* nie ma relacji o tym, jak Túrin znalazł się wśród leśnych ludzi i ocalił ich przed orkami, ani żadnej wzmianki o Kopcu Finduilas blisko Przeprawy na Teiglinie czy o jej losie.

(vi) Powrót Gumlina do Hithlumu oraz odejście Mavwiny i Nienóri do Artanoru (s. 111–113)

W późniejszej wersji starszy z opiekunów Túrina (w opowieści imieniem Gumlin, w *Narn* Grithnir) nie odgrywa już żadnej roli po odprowadzeniu go do Doriathu: jest tylko powiedziane, że został tam do śmierci (*Narn*, s. 99). Morwena przed opuszczeniem domu nie dostawała żadnych wiadomości z Doriathu — w gruncie rzeczy o tym, że Túrin opuścił królestwo Thingola, dowiedziała się dopiero, kiedy tam dotarła (*Silmarillion*, s. 303; por. słowa wypowiedziane przez Aerinę w *Narn*, s. 138: „Spodziewała się odnaleźć tam czekającego na nią syna”). Cała ta część opowieści służy jedynie wyjaśnieniu — w sposób, który mój ojciec niewątpliwie uznał za niepotrzebnie skomplikowany, skoro później odrzucił ją niemal w całości — dlaczego Mavwina udała się do Tinwelinta. Sądzę, że jest jednak jasne, iż różnica między tymi wersjami polega na różnym postrzeganiu sytuacji Mavwiny (Morweny) w Hithlumie. W starej opowieści nie cierpi biedy i ucisku; ufa Broddzie do tego stopnia, że powierza mu nie tylko swój dobytek, ale nawet córkę, i w istocie powiada się o niej, że „wśród mieszkańców tamtych okolic znalazła spokój i szacunek”; przywódcy mówią o miłości, jaką ją darzą. Powodem jej odejścia jest przybycie Gumlina z informacją, że Túrin uciekł z krainy Tinwelinta. Natomiast w późniejszej historii zostaje szerzej przedstawiony charakter Broddy jako tyrana i ciemiężyciela, a do odejścia skłaniają Morwenę krzywdy, jakie jej wyrządza. (Wieści, które otrzymał Túrin w Doriacie, że „Morwenie wiedzie się lepiej” [*Narn*, s. 101, por. *Silmarillion*, s. 286], zapewne przetrwały ze starej opowieści — w późniejszych wersjach nie ma wyjaśnienia, jak to się stało). Tak czy owak, powód wyruszenia przez nią w drogę łączy się z informacją o większym bezpieczeństwie krainy, podczas gdy w późniejszej wersji przyczyniło się do tego męstwo Czarnego Miecza z Nargothrondu, w opowieści chodziło o realizowanie przez Melka „wielkiego i straszliwego planu” — ataku na jaskinie Rodothlimów (zob. przyp. 18).

Interesujące jest, że w tym fragmencie Airina i Brodda są wprowadzeni jakby po raz pierwszy. Być może ma znaczenie fakt, że ta część opowieści, następująca po słowach smoka „Posłuchaj mnie, synu Úrina...” na s. 107 aż do słów „padłszy przed Tinwelintem na kolana” na s. 112, została zapisana w oddzielnej części notatnika i możliwe, że zastąpiła wcześniejszy tekst, w którym Brodda i Airina się nie pojawiają. Lecz z najwcześniejszymi rękopisami wiąże się wiele takich kwestii i obecnie tylko nieliczne z nich można rozwikłać.

(vii) Mavwina i Nienóri w Artanorze oraz ich spotkanie z Glorundem (s. 113–119)

Następny ważny etap w rozwoju intrygi — poinformowanie Mavwiny/ Morweny o pobycie Túrina w Nargothrondzie — jest przedstawiony zgrabniej i bardziej naturalnie w *Silmarillionie* (s. 313) i *Narn* (s. 144), gdzie wiadomość przynoszą Thingolowi uciekinierzy ze złupionego miasta, w przeciwieństwie do *Opowieści o Turambarze*, gdzie Mavwina i Nienóri dowiadują się o zagładzie elfów z jaskiń dopiero od grupy Noldolich, których napotkały, błąkając się po lesie. Dziwne, że owi Noldoli nie nazywali Túrina tym imieniem, lecz używali tylko jego przydomka *Mormakil*; wydaje się, że nie wiedzieli, kim jest, ale na tyle znali jego historię, by poinformować Mavwinę o jego tożsamości. Jak zostało powiedziane wcześniej, Túrin wyjawił elfom z jaskiń swoje imię i pochodzenie. Z drugiej strony, w późniejszej wersji zataił te informacje w Nargothrondzie, nazywając siebie Agarwaenem, lecz wszyscy, którzy przynieśli do Doriathu wieści o jego upadku, „twierdzili, że nim nadszedł kres Nargothrondu, wiedziano, że Czarny Miecz to nikt inny jak Túrin, syn Húrina z Dor-lóminu".

Jak to się często zdarzało, niepotrzebne komplikacje wcześniejszej opowieści zostały później usunięte — w *Silmarillionie* i *Narn* nie ma rozbudowanej argumentacji potrzebnej do wyprawienia w drogę wojowników Tinwelinta oraz Mavwiny i Nienóri. W opowieści obie kobiety i elfowie wyruszają razem, a one mają obserwować rozwój wypadków z wysoko położonego miejsca (późniejszego Amon Ethir, Wzgórza Szpiegów). W wersji późniejszej Morwena po prostu odjeżdża konno, a grupa elfów pod wodzą Mablunga, wśród których znajduje się Nienor w przebraniu, podąża za nią.

Szczególnie interesujący w opowieści jest fragment, gdzie Mavwina przedstawia Tinwelintowi wielki złoty skarb Rodothlimów jako przynętę, a on (jako dziki leśny elf) bezwstydnie przyznaje, że do wysłania drużyny skłania go właśnie to, a nie nadzieja udzielenia pomocy Túrinowi. Majestat, władza i duma Thingola rosły wraz z rozwojem koncepcji Elfów Szarych z Beleriandu; jak wspomniałem wcześniej (s. 80), „Początkowo siedziba Tinwelinta nie była pełnym cudów podziemnym miastem, [...] lecz surową pieczarą" i Tinwelint planuje tu wypad mający na celu powiększenie jego skromnego zbioru drogocennych przedmiotów — bynajmniej nieprzypominającego ogromnego skarbu opisanego w *Narn* (s. 100):

> Thingol posiadał w Menegroth zbrojownie pełne wszelkiego oręża: były tu metalowe kolczugi, zrobione jakby z rybich łusek, a lśniące jak woda, w której przegląda się księżyc; miecze i topory; tarcze i hełmy wykute przez samego Telchara lub jego mistrza, starego Gamila Ziraka, jak również przez elfów, kowali jeszcze bie-

glejszych w owej sztuce. Wiele przedmiotów, które Thingol otrzymał w podarunku, pochodziło wszak z Valinoru i wykuł je z całym mistrzostwem Fëanor, którego nie prześcignął kunsztem żaden artysta w dziejach świata.

Mimo że scena spotkania ze smokiem znacznie się różni od tej z późniejszej wersji legendy, pojawiają się tu już cuchnące opary powstałe po zanurzeniu się smoka w rzece, przez co nie powiódł się wcześniejszy plan, a także motyw ucieczki oszalałych koni i urok rzucony na Nienor, który wymazał całą jej pamięć o własnej przeszłości. Może najbardziej uderzająca z licznych różnic jest ta, że przy rozmowie z Glorundem była obecna Mavwina; w *Narn* (s. 151) zachowało się tylko to, że wymieniając imię Túrina jako poszukiwanej przez siebie osoby, Nienor wyjawiła smokowi swoją tożsamość (w *Narn* jest to wyraźnie powiedziane, a w opowieści można się tego z dużą pewnością domyślić). Szczególny ton Glaurunga z późniejszej wersji, szyderczy i oschły, znaczący i opanowany, a przy tym skrajnie złośliwy, można już zauważyć w wypowiedziach Glorunda, lecz w miarę rozwoju jego postaci stały się one, dzięki większej lakoniczności, o wiele bardziej przerażające.

Główną różnicę strukturalną stanowi całkowity brak w opowieści „elementu Mablunga", który nie jest w żaden sposób zapowiedziany. Nie ma nawet sugestii zbadania splądrowanej siedziby pod nieobecność smoka (który, jak się okazuje, nie oddala się od niej ani na krok). Celem wyprawy z Artanoru były wyraźnie działania zbrojne („król wyśle przeciwko Foalókë silny oddział", „przygotowali się do walki"), jako że Tinwelint miał nadzieję na zagarnięcie skarbu, natomiast później wyprawa stała się wypadem o charakterze czysto zwiadowczym, ponieważ Thingol „gorąco pragnął dowiedzieć się czegoś więcej o klęsce Nargothrondu" (*Narn*, s. 144).

Ciekawe, że chociaż Mavwina i Nienóri miały zostać umieszczone na „wysoko położonym miejscu", które później zostało nazwane Wzgórzem Szpiegów i gdzie faktycznie zatrzymały się w *Silmarillionie* i w *Narn*, to jednak wydaje się, że w starej opowieści wcale na wzgórze nie dotarły, lecz zostały omotane przez Glorunda tam, gdzie smok leżał: w rzece lub w jej pobliżu. W ten sposób to „wysoko położone miejsce" nie miało w opowieści prawie żadnego znaczenia.

(viii) Turambar i Níniel (s. 119–123)

W późniejszej wersji legendy Mablung znalazł Nienor po tym, jak zaczarował ją Glaurung, i wraz z trzema towarzyszami zaprowadził ją z powrotem ku granicom Doriathu. Pogoń bandy orków za Nienor (*Narn*, s. 153) istnieje w opowieści, lecz nie ma późniejszej narracyjnej funkcji polegającej na doprowadzeniu do ucieczki Nienor oraz zgubienia jej przez Mablunga i pozostałych elfów (którzy się nie pojawiają), za to prowadzi bezpośrednio do uratowania jej przez Turambara, mieszkającego teraz wśród leśnych ludzi. W *Narn* (s. 154–155) leśni ludzie z Brethilu rzeczywiście przechodzili obok miejsca, w którym znaleźli Nienor w drodze powrotnej z wypadu przeciwko orkom, lecz okoliczności tego są zupełnie inne, zwłaszcza że w opowieści nie wspomina się o Haudh-en-Elleth, Kopcu Finduilas.

Interesujący szczegół wiąże się z reakcją Nienor na nazwanie jej przez Turambara imieniem *Níniel.* W *Silmarillionie* i *Narn* pokręciła głową, lecz powtórzyła to imię, a w niniejszym tekście powiedziała: „Nie Níniel, nie Níniel". Można odnieść wrażenie, że w starej opowieści do jej zaćmionego umysłu dotarło tylko podobieństwo imienia *Níniel* do jej własnego zapomnianego imienia *Nienóri* (oraz *Turambar* do *Túrina*), natomiast w późniejszej wersji jednocześnie odrzuciła i w jakiś sposób zaakceptowała imię *Níniel.*

Pierwotnym elementem w legendzie jest przyprowadzenie Níniel przez leśnych ludzi do miejsca („Srebrzystej Misy"), w którym znajdował się wielki wodospad (późniejszy Dimrost, Deszczowe Schody, gdzie strumień Celebros „kaskadą spada do Teiglinu"), położony blisko siedziby leśnych ludzi — lecz miejsce, gdzie znaleźli Níniel, znajdowało się o wiele głębiej w lesie (w odległości kilku dni marszu) niż Przeprawa na Teiglinie od Dimrostu. Kiedy Níniel się tam znalazła, ogarnęło ją przerażenie, złe przeczucie tego, co miało się tam wydarzyć później; takie jest pochodzenie jej ataku dreszczy w późniejszych tekstach, przez który nazwa tego miejsca została zmieniona na Nen Girith, Drżąca Woda (zob. *Narn*, s. 184, przyp. 24).

Całkowity mrok, w jakim pogrążył się umysł Níniel za sprawą smoczego czaru, jest mniej akcentowany w opowieści i nie ma w niej sugestii, że musiała na nowo nauczyć się używanego wcześniej języka; interesujące jest jednak powtórzenie — w zmienionym kontekście — porównania „jak ktoś, kto szuka zagubionej rzeczy": w *Narn* (s. 156) jest powiedziane, że

Níniel z wielką radością na nowo uczyła się słów „[j]ak ktoś, kto odnajduje zagubione skarby".

Pojawił się już chromy mężczyzna, tutaj nazywany Tamarem, i jego daremna miłość do Níniel; w przeciwieństwie do swojego późniejszego odpowiednika, Brandira, nie był przywódcą leśnych ludzi, lecz synem ich przywódcy. Był także półelfem! Niezwykłe jest stwierdzenie, że żona przywódcy Bethosa i matka Tamara wywodziła się ze szczepu Noldolich. Wspomina się o tym mimochodem, jakby nie istniała jeszcze kwestia wyjątkowości związku elfa i śmiertelnika i wielkiego znaczenia takiego połączenia — lecz w spisie imion związanych z opowieścią *Upadek Gondolinu* mówi się o Eärendelu, że jest „jedyną istotą pochodzącą w połowie od Eldalië, a w połowie od ludzi" (s. 258)*.

W opowieści nie jest wyjaśniona początkowa niechęć Níniel wobec zalotów Turambara; należy się domyślać, że powstrzymywało ją jakieś przeczucie, jakaś nieuchwytna świadomość prawdy. W *Silmarillionie* (s. 316):

> Níniel na razie zwlekała z odpowiedzią, na przekór miłości. Brandira bowiem dręczyły jakieś niejasne złe przeczucia i starał się powstrzymać dziewczynę od tego związku, mając na uwadze raczej jej szczęście niż własne, gdyż nie próbował współzawodniczyć z Turambarem; wyjawił dziewczynie, że jej ukochany jest w rzeczywistości Túrinem, synem Húrina, a chociaż Níniel nie znała tego imienia, cień niepokoju padł na jej myśli.

W ostatecznej wersji, tak jak w najstarszej, leśni ludzie wiedzieli, kim jest Turambar. Pośpiesznie zanotowana przez mojego ojca instrukcja dotycząca zmiany fabuły przytoczona w przyp. 23 („Niech Turambar nigdy nie mówi nowym towarzyszom o swoim pochodzeniu...") jest niezrozumiała: ponieważ Níniel straciła całą pamięć swojej przeszłości, nie rozpoznałaby imion „Túrin" i „Húrin", nawet gdyby jej powiedziano, że Turambar jest Túrinem, synem Húrina. Jest jednak możliwe, że pisząc to, ojciec wyobrażał sobie, iż utracona wiedza Níniel na temat jej samej i jej rodziny znajduje się bliżej po-

* W poprawionym później fragmencie tej opowieści (s. 198 i przyp. 22) mówi się o Tuorze i Idril z Gondolinu: „Tak oto po raz pierwszy, ale nie ostatni, ludzkie dziecię poślubiło córkę Elfinesse".

wierzchni jej świadomości i że dziewczyna może ją odzyskać, usłyszawszy te imiona — w przeciwieństwie do późniejszej historii, w której nie rozpoznała imienia Túrina nawet wtedy, gdy wyjawił je Brandir. Znak zapytania umieszczony przy wzmiance w tekście opowieści o tym, że Turambar mówił Níniel o sprawach dotyczących „ojca, matki i siostry, której nigdy nie widział", oraz o niepokoju, jaki wywoływały u niej jego słowa, wyraźnie wywodzi się z tego samego rozumowania. Stwierdzenie, że Turambar nigdy nie widzial siostry, jest sprzeczne z tym, co zostało powiedziane wcześniej w opowieści, a mianowicie, że opuścił Hithlum dopiero po narodzinach Nienóri (s. 91). Jednakże ojciec mój wahał się w tej kwestii, co wyraźnie wynika z kolejnych poprawek zmieniających te dwie koncepcje, a podanych w przyp. 15.

(ix) Zabicie Glorunda (s. 123–129)

W tej części zajmuję się tekstem do miejsca, w którym Túrin leży omdlały, a umierający smok otwiera oczy i spogląda na niego. Tutaj późniejsza opowieść jest bardzo podobna do starej, lecz zawiera wiele interesujących rozbieżności.

W opowieści mówi się, że Glorundowi podlegały bandy zarówno orków, jak i Noldolich, lecz później zostali już tylko orkowie; por. *Narn*, s. 158:

> Moc i złość Glaurunga szybko rosły, podobnie jak on sam [por. „Foalókë utył i spotężniał"]. Zgromadził wokół siebie orków i rządził jako król-smok, wziąwszy we władanie całe dawne królestwo Nargothrondu.

Umieszczona w opowieści wzmianka o tym, że bandy Glorunda „srodze nękały" lud Tinwelinta, raz jeszcz sugeruje, że magia królowej nie zapewniała istotnej ochrony, natomiast stwierdzenie, że „w końcu [bandy Glorunda] dotarły aż w pobliże owych lasów i polan, które ulubili sobie Turambar i jego ludzie", wydaje się sprzeczne z tym, co Turambar wcześniej powiedział Níniel: „z wielkim bowiem trudem przychodzi nam bronić naszych domów przed tymi złymi stworami" (s. 121). Nie ma tu żadnej wzmianki o obietnicy, którą złożył Níniel Turambar, że pójdzie do bitwy tylko wtedy, gdy zostaną zaatakowane siedziby leśnych ludzi (*Narn*, s. 159); nie ma też postaci odpowiadającej Dorlasowi z późniejszych wersji. Postać Tamara, opisana krótko

(s. 127), zgadza się z tym, co zostało później powiedziane o Brandirze, lecz związek Brandira z Níniel, która nazwała go swoim bratem (*Narn*, s. 156), jeszcze się nie pojawił. Zadowolenie i dobrobyt leśnych ludzi pod rządami Turambara są o wiele mocniej uwydatnione w opowieści (później właściwie nie był przywódcą, a przynajmniej nie był tak nazywany); w gruncie rzeczy to one doprowadzają do ataku powodowanego chciwością Glorunda.

Wskazówki topograficzne umieszczone w tym fragmencie, ważne dla narracji, z łatwością zostają dopasowane do późniejszych wersji — z jednym poważnym wyjątkiem: jest jasne, że w starej opowieści strumień z wodospadem spadającym do Srebrzystej Misy jest tym samym strumieniem, który płynął tym wąwozem, gdzie Turambar zabił Glorunda:

> tutaj bowiem płynął ten sam strumień, który dalej wił się obok smoczego leża w głębokim korycie wyrytym w ziemi (s. 125).

Tak więc Turambar i jego towarzysze wedle jego słów

> zejdą ze mną po skałach do stóp wodospadu i w ten sposób, idąc wzdłuż strumienia, może uda nam się podkraść do smoka tak blisko, jak tylko się da (s. 126).

Z drugiej strony, w ostatecznej wersji spadający strumień (Celebros) był dopływem Teiglinu; por. *Narn*, s. 161:

> Rzeka Teiglin [...] z Ered Wethrin, tak jak Narog, wartkim nurtem toczyła swe wody między niskim brzegami, by za Przeprawą, zasilona strumieniami, wpaść w rozpadlinę u podnóża płaskowyżu, na którym rósł Las Brethil. Od tego miejsca rzeka z hukiem płynęła głębokimi wąwozami wśród skał, a wody uwięzione przez kamienne ściany rwały dnem parowów z wielką siłą i hukiem. Taki właśnie wąwóz znajdował się na drodze Glauurunga, na północ od miejsca, gdzie Celebros wpada do Teiglinu. Nie był to najgłębszy z wąwozów, ale najwęższy.

Przyjemne miejsce („szeroka polana z zieloną trawą usianą i kwiatami") przetrwało; por. *Narn*, s. 156: „Na górze obok wodospadu znajdował się szeroki pas murawy, na którym rosły brzozy". Podobnie przetrwała Srebrzysta Misa, chociaż sama nazwa nie ocalała: „strumień [Celebros] przelewał się poprzez wygładzony przez wodę kamienny próg, kipiąc pianą na skalnych stopniach i spadając kaskadą do kamiennej misy" (*Narn*, s. 155–156; por. opowieść s. 125: „spadał wielką kaskadą tam, gdzie z trawy wystawał wygładzony przez wodę szary głaz"). „Wzgórze" lub „pagórek niczym wyspa otoczona drzewami", z którego Turambar wraz z towarzyszami oglądał okolicę, nie jest tak opisany w *Narn*, lecz obraz wysoko położonego miejsca i punktu obserwacyjnego w pobliżu szczytu wodospadu pozostał, co widać ze stwierdzenia w *Narn* (s. 156), że z Nen Girith „otwierał się szeroki widok [...] na [...] jary Teiglinu"; później (*Narn*, s. 161) jest powiedziane, że Turambar „zamierzał udać się do wodospadu Nen Girith, [...] skąd rozciągał się widok na całą okolicę". Wydaje się zatem pewne, że stary obraz się nie zatarł, tylko został nieco zmieniony.

Podczas gdy zarówno w starym, jak i w późniejszym tekście do wodospadu podąża za Turambarem, wbrew jego rozkazom, wielki tłum ludzi, to w późniejszej wersji zakazuje on im tam przyjść z wyraźnego powodu: mają zostać w domach i przygotować się do walki. Jednakże tutaj Níniel jedzie konno z Turambarem do wodospadu Srebrzystej Misy i tam się z nim żegna. Przetrwał jednak jeden szczegół ze starej opowieści: słowa, które wypowiedział Turambar do Níniel: „ani ciebie, ani mnie nie zabije dziś ani też jutro złość smoka czy miecze wrogów", znajduje odpowiednik w *Narn* s. 163: „ani ty, ani ja nie zginiemy zabici przez tego Smoka ani przez jakiegokolwiek wroga z Północy". W pierwszej wersji Níniel „powstrzymała [...] łzy i bardzo się uspokoiła", a w drugiej „przestała szlochać i zamilkła". W opowieści sytuacja jest ogólnie prostsza, jako że leśni ludzie prawie w ogóle nie są opisani; Tamar nie jest, tak jak Brandir, nominalnym przywódcą tego ludu i nie istnieje powód goryczy, jaką mógłby czuć wobec Turambara, podobnie jak nie ma Dorlasa, który mógłby go obrażać, ani Hunthora, który mógłby karcić Dorlasa. Tamar jednak towarzyszy Níniel w tym samym miejscu historii, przypasawszy miecz, „co ściągnęło na niego wiele szyderstw", tak jak później jest powiedziane o Brandirze, że rzadko to czynił (*Narn*, s. 166).

Turambar wyruszył tu znad wodospadu z sześcioma towarzyszami, z których wszyscy okazali się w końcu ludźmi małego ducha, podczas gdy w późniejszej wersji miał ich tylko dwóch, Dorlasa i Hunthora; wierny mu pozostał ten drugi, choć zginął w wąwozie, uderzony spadającym kamieniem. Efekt jest jednak taki sam, ponieważ Turambar musiał wspiąć się na przeciwległe urwisko wąwozu samotnie. Tutaj smok leżał nad krawędzią urwiska całą noc i ruszył dalej o świcie, tak że jego śmierć i następujące zaraz po niej wydarzenia rozegrały się za dnia. Lecz pod innymi względami zabicie smoka pozostało, nawet w wielu szczegółach, bardzo podobne do tego, co zostało opisane w wersji pierwotnej, zwłaszcza w porównaniu z *Narn* (s. 168–169), gdzie Turambar i jego towarzysz(e) ponownie muszą przemieścić się z wcześniej zajmowanego miejsca, by znaleźć się bezpośrednio pod brzuchem potwora (w *Silmarillionie* jest to pominięte).

Należy jeszcze wspomnieć o zawartych w tym fragmencie dwóch godnych uwagi kwestiach; znalazły one wyraz w dwóch notkach dopisanych później w rękopisie ołówkiem. Dzięki jednej poznajemy krasnoluda Mîma jako dowódcę straży Glorunda, strzegącej pod jego nieobecność skarbu — można by pomyśleć, że dziwny to wybór na takie stanowisko (w tej sprawie zob. s. 165). Druga notka mówi, że Níniel poczęła dziecko Turambara, o czym, co dziwne, nie wspomina pierwotna wersja tekstu (w tej kwestii zob. s. 162).

(x) Śmierć Túrina i Nienóri (s. 129–133)

Od starej opowieści aż do *Narn* podstawowe elementy zakończenia tej historii pozostają takie same: blask księżyca, opatrzenie oparzonej dłoni Turambara, okrzyk Níniel, który pobudził Glorunda do ostatniej złośliwości, zarzut smoka, że Turambar zadaje ciosy wrogom, choć sam jest dla nich niewidzialny, przezwanie Tamara/Brandira przez Turambara „szpotawą stopą" i wysłanie go, by towarzyszył smokowi w śmierci, nagłe zwiędnięcie liści w miejscu, w którym Nienor rzuciła się do wody, jakby to był koniec jesieni, przemowa Nienor skierowana do wody, a Turambara do miecza, wzniesienie kopca Túrina i napis na nim wykonany „dziwnymi znakami". Można by tu dodać wiele innych szczegółów. Jest też jednakże wiele różnic; dalej wymieniam tylko niektóre spośród najważniejszych.

Ponieważ w starej opowieści nie ma Mablunga, jedynie przeczucie mówi Túrinowi (będącemu już wolnym od ślepoty — ślepoty, którą Melko „utkał dla niego dawno temu", s. 102)*, że Tamar powiedział prawdę. Zabicie

* Por. jego słowa skierowane do Mablunga w *Narn*, s. 180: „Bo jestem ślepy! Nie wiedziałeś o tym? Ślepy, ślepy! Od dzieciństwa poruszam się po omacku w mrocznej mgle Morgotha!".

Glorunda i wszystkie tego następstwa rozgrywają się w późniejszej historii w nocy i o poranku następnego dnia, podczas gdy w opowieści rozciągają się na dwie noce, dzielący je dzień i poranek drugiego dnia. Turambara do jego ludzi zgromadzonych na szczycie wzgórza niosą trzej dezerterzy, którzy opuścili go w wąwozie, podczas gdy w późniejszej historii przychodzi tam o własnych siłach. (O zabicu Dorlasa przez Brandira nie ma w opowieści ani słowa, a wzięcie miecza przez Tamara nie miało żadnych skutków).

Szczególnie interesująca jest zmiana miejsca śmierci Túrina i Nienóri. W opowieści jest tylko jedna rzeka; Níniel idzie wzdłuż jej biegu przez las i rzuca się do wodospadu Srebrzystej Misy (w miejscu nazwanym później Nen Girith). Również tutaj, na polanie powyżej wodospadu, zadaje sobie śmierć Túrin. W rozwiniętej opowieści Níniel rzuciła się do wąwozu Teiglinu przy Cabed-en-Aras, Jelenim Skoku, blisko miejsca, gdzie Turambar leżał obok Glaurunga i gdzie też zadał sobie śmierć. W ten sposób przerażenie Níniel, kiedy pierwszy raz przybyła do Srebrzystej Misy z leśnymi ludźmi, którzy ją uratowali (s. 121), zapowiadało jej śmierć w tym miejscu, lecz w zmienionej opowieści przeczucie złego losu, który ma tu spotkać Níniel, ma mniejsze uzasadnienie. Jednak mimo zmiany scenerii więdnięcie liści zostało zachowane, podobnie jak groza, jaką budziło miejsce śmierci tych dwojga i z powodu której nikt później nie chciał odwiedzać Cabed-en-Aras, tak jak nikt nie chciał chodzić po murawie rosnącej powyżej Srebrzystej Misy.

Najbardziej godną uwagi cechą najwcześniejszej wersji opowieści o Turambarze i Níniel jest z pewnością to, że mój ojciec na samym początku nie napisał, że Níniel poczęła dziecko (przyp. 25); zatem w starej opowieści nie ma żadnego odpowiednika tego, co powiedział jej Glaurung: „Ale najgorszy z jego uczynków we własnym poczujesz ciele" (*Narn*, s. 172). Ten fakt, który budzi największą grozę i rozpacz Nienor, został dodany do opowieści później.

Na zakończenie tej długiej analizy *Opowieści o Turambarze* można zauważyć, że w jej ostatniej części nie pojawiają się nazwy miejscowe. Nie została nazwana siedziba Rodothlimów ani przepływająca obok niej rzeka; nie otrzymał nazwy las, w którym mieszkają leśni ludzie, ani ich wioska, ani nawet strumień, mający pod koniec opowieści tak zasadnicze znaczenie (por. Nargothrond, Narog, Tumhalad, Amon Ethir, Brethil, Amon Obel, Ephel Brandir, Teiglin, Celebros z późniejszych wersji).

§ 2. Dalsza opowieść Eltasa (po śmierci Túrina)

Ojciec mój przekreślił większą część tej kontynuującej wybrane wątki narracji, pozostawiając tekst jedynie do słów „nie chciał wrócić do Mandosu" na s. 134 (zob. przyp. 31). Z tego krótkiego zachowanego fragmentu widać, że Morwena od samego początku miała przybyć do głazu na kurhanie Túrina, chociaż dopiero w późniejszej opowieści spotkała tam Húrina (*Silmarillion*, s. 327–328).

Odrzucona część brzmi następująco:

> A jednak powiada się też, że gdy los jego rodziny dopełnił się całkowicie, uwolnił Melko Úrina, który, zgięty wiekiem, wrócił do szczęśliwszych krain. Zebrał tam wokół siebie kilku mężów i razem z nimi udał się do jaskiń Rothwarinów [wcześniejsza forma *Rodothlimów*; zob. s. 142], lecz zastał je puste. Nikt ich nie strzegł, a wciąż leżał tam wielki skarb, przez nikogo nieodnaleziony, jako że groza roztaczana przez smoka przeżyła go i nie było śmiałka, który chciałby się tam zapuścić. Lecz Úrin kazał zanieść złoto przed oblicze Linwëgo [tj. Tinwelinta] i rzuciwszy mu je pod nogi, z goryczą w głosie rzekł, by wziął tę plugawą nagrodę, nazywając go tchórzem i mówiąc, że przez jego bojaźń spadło na ród Úrina wiele zła, które w innym wypadku mogłoby się nie wydarzyć. I tak powstał nowy rozbrat elfów i ludzi, rozgniewał się bowiem Linwë na słowa Úrina i rozkazał mu iść precz, mówiąc: „Długo hołubiłem twego syna Túrina i wybaczyłem mu zło jego uczynków, a później przyszedłem w sukurs twej żonie, wbrew rozsądkowi ustępując jej szalonym pragnieniom. Cóż to mnie jednak obchodzi — i dlaczego ty, o synu nieokrzesanej rasy ludzi, śmiesz robić wyrzuty królowi Eldalië, którego życie zaczęło się w Palisorze nieprzeliczone wieki przed narodzeniem ludzi?". Chciał wówczas Úrin odejść, lecz jego towarzysze niechętni byli pozostawieniu tam złota i doszło do niesnasek między nimi oraz elfami. Zadano wówczas bolesne ciosy, a Tintoglin [tj. Tinwelint] nie zdołał ich powstrzymać.
>
> Wtedy to w jego siedzibie zostali zabici towarzysze Úrina, a ich krew splamiła smoczy skarb. Jednakże Úrin uciekł i rzu-

cił na złoto straszliwą klątwę, by nikt nie mógł się nim cieszyć, a temu, kto zatrzymałby jakąkolwiek jego część, miało ono przynieść tylko zło i śmierć. Lecz Linwë, słysząc to, rozkazał wrzucić złoto do głębokiego rozlewiska rzeki przed wrotami swej siedziby i bardzo długo nikt nie oglądał owych skarbów z wyjątkiem Pierścienia Zagłady [*poprawione na*: Naszyjnika Krasnoludów], lecz nie miejsce tu na tę opowieść, chociaż to w przedstawionych tam wypadkach złość gada Glorunda znalazła swe spełnienie.

(To ostatnie zdanie zostało dodane do tekstu). Pozostała część tego odrzuconego fragmentu, dotycząca ostatecznych losów Úrina, Mavwiny oraz ich dzieci, jest zasadniczo taka sama, jak zastępujący ją tekst podany na s. 137 („Wówczas Úrin oddalił się…"), i nie trzeba jej tu przytaczać.

Tuż za odrzuconym fragmentem znajduje się krótki szkic zatytułowany „Historia Nauglafringa, czyli Naszyjnika Krasnoludów", który także został przekreślony. W nim w ogóle nie wspomina się o Úrinie, lecz mówi się o orkach (poprawionych z *gongów*, zob. I.287, przyp. 10), którzy strzegli skarbu Glorunga. Kiedy smok nie wrócił do jaskini, udali się na poszukiwania, a pod ich nieobecność Tintoglin (tj. Tinwelint), dowiedziawszy się o śmierci Glorunda, wysłał elfów, by ukradli skarb Rothwarinów (tj. Rodothlimów). Orkowie po powrocie przeklęli złodziei, a także zrabowane złoto.

Linwë (tj. Tinwelint) strzegł skarbu, a miał też wspaniały naszyjnik wykonany przez pewnych Úvanimorów (Nautarów lub Nauglathów). (*Úvanimorowie* zostali określeni w jednej z wcześniejszych opowieści jako „potwory, olbrzymy i ogry", zob. I.94, I.276; *Nauglathowie* to krasnoludowie, zob. I.276). W naszyjniku tym został osadzony Silmaril, lecz na Linwëm ciążyło przekleństwo złota, dlatego ograbił wykonawców z części ich wynagrodzenia. Nauglathowie uknuli intrygę i zdobyli pomoc ludzi; Linwë zginął w ataku, a skarb został zabrany.

Potem następuje kolejny odrzucony szkic, zatytułowany „Naszyjnik Krasnoludów", który łączy w sobie elementy poprzedniego szkicu z elementami odrzuconego zakończenia opowieści Eltasa (s. 163–164). Tutaj Úrin zbiera bandę dzikich i groźnych elfów oraz ludzi i udaje się z nią do jaskiń, które są słabo strzeżone, ponieważ „orqui" (tj. orkowie) szukają Glorunda. Banda zabiera skarb, a wracający orkowie go przeklinają. Úrin rzuca złoto królowi pod nogi i robi mu wyrzuty (mówiąc, że mógł był wysłać do jaskiń większy oddział, by zdobyć skarb, jeśli nie przyjść z pomocą zrozpaczonej Mavwinie); „Tintoglin nie chciał go [tj. skarbu] tknąć i kazał Úrinowi zatrzymać, co zdobył, lecz Úrin chciał odejść, wypowiadając pełne goryczy słowa". Jego podwładni nie chcieli zostawić skarbu i ukradkiem powrócili; w siedzibie króla wywiązała się walka i na złoto wylało się wiele krwi. Szkic kończy się następująco:

> Gongowie rabują komnaty Linwëgo, Linwë ginie, a złoto zostaje zabrane w odległe miejsce. U brodu na Sirionie napada na nich Beren Ermabwed i skarb zostaje wrzucony do wody, a razem z nim Silmaril Fëanora. Nurkują po niego mieszkający w pobliżu Nauglathowie, lecz znajdują tylko jeden wspaniały złoty naszyjnik (a znajduje się w nim ten Silmaril). Staje się on oznaką ich króla.

Te dwa szkice wiążą się częściowo z opowieścią o Nauglafringu i dowodzą, że mój ojciec zastanawiał się nad nią, zanim ją napisał. Nie ma potrzeby snucia tu rozważań nad tymi elementami. Wyraźnie widać, że ojciec miał duże wątpliwości co do dalszego rozwoju opowieści po uwolnieniu Úrina. Co się stało ze smoczym skarbem? Czy był strzeżony, czy niestrzeżony, a jeśli strzeżony, to przez kogo? Jak się w końcu znalazł w rękach Tinwelinta? Kto go przeklął i w którym miejscu opowieści? Jeśli zagarnął go Úrin ze swoją bandą, to czy należeli do niej ludzie, czy elfowie, czy jedni i drudzy?

W tekście ostatecznym, zapisanym na karteczkach umieszczonych później w notatniku i przytoczonym powyżej na s. 134–137, kwestie te zostały rozwiązane następująco: banda Úrina najpierw składała się z ludzi, a potem z elfów (zob. przyp. 33); skarbu strzegł krasnolud Mîm, którego zabił Úrin, i to Mîm, umierając, przeklął złoto; banda Úrina zmieniła się w tragarzy, którzy w workach i drewnianych skrzyniach przenieśli skarb do Tinwelinta (i dostarczyli go na most przed wrotami siedziby króla w sercu puszczy najwyraźniej bez najmniejszych trudności). W tekście nie ma żadnej wzmianki o tym, co się stało ze skarbem po odejściu Úrina (ponieważ w tym miejscu zaczyna się *Opowieść o Nauglafringu*).

Po napisaniu właściwej *Opowieści o Turambarze* ojciec mój umieścił Mîma w tekście we wcześniejszym miejscu opowieści (zob. s. 124, 140, przyp. 26), czyniąc go dowódcą straży wyznaczonej przez Glorunda do pilnowania skarbu pod jego nieobecność; nie potrafię jednak powiedzieć, czy zostało to wpisane do tekstu przed pojawieniem się Mîma na końcu (s. 134–135), czy później — czy odzwierciedla to inną koncepcję, czy stanowi wyjaśnienie, w jaki sposób pojawił się Mîm.

W *Silmarillionie* (s. 328–330) historia ta jest całkowicie zmieniona: skarb pozostał w Nargothrondzie, a Húrin po zabiciu Mîma (z powodu o wiele bardziej uzasadnionego niż we wczesnej opowieści) przyniósł do Doriathu jedynie Naszyjnik Krasnoludów.

Co do zdumiewającej koncepcji pojawiającej się pod koniec opowieści Eltasa (s. 137), a mianowicie „ubóstwienia" Túrina Turambara i Nienóri (oraz tego, że Bogowie Śmierci odmówili otworzenia im swoich wrót), trzeba powiedzieć, że nigdzie nie istnieje żadne jej wyjaśnienie — chociaż w o wiele późniejszych wersjach mitologii Túrin Turambar bierze udział w Ostatniej Bitwie i zadaje Morgothowi cios swoim czarnym mieczem. Oczyszczająca łaźnia, do której weszli Túrin Turambar i Nienóri i która w ostatecznym tekście otrzymała nazwę *Fôs'Almir*, w odrzuconej wersji nazywała się *Fauri*; została opisana w *Opowieści o Słońcu i Księżycu* (I.220), lecz otrzymała tam inne nazwy: *Tanyasalpë*, *Faskala-númen* oraz *Faskalan*.

Pozostaje jeszcze jeden fragment tekstu, nad którym należy się zastanowić. Drugi z odrzuconych szkiców przytoczonych na s. 164–165 został napisany atramentem na niewytartym szkicu ołówkiem. Udało mi się odczytać sporą część tekstu, na którym nadpisano późniejszą wersję. Te dwa fragmenty nie mają ze sobą nic wspólnego; w tym wypadku mój ojciec z jakiegoś powodu nie zadał sobie trudu wytarcia wcześniejszej wersji. O ile zdołałem ją odczytać, brzmi ona następująco:

> Tirannë i Vainóni zadają się ze złym magiem Kurúkim, który podaje im zgubny napój. Zapominają swoich imion i wędrują zrozpaczeni po lesie. Vainóni się gubi. Spotyka Turambara, który ocala ją przed orkami i pomaga jej szukać matki. Pobierają się i żyją w szczęściu. Turambar zostaje władcą leśnych strażników i zawzięcie nęka orków. Wybiera się na poszukiwanie Foalókë, który pustoszy jego krainę. Sterta złota — i ucieczka jego oddzia-

łu. Zabija Foalókë i zostaje ranny. Przychodzi mu z pomocą Vainóni, lecz umierający smok wszystko jej mówi, podnosząc zasłonę, którą spuścił na nich Kurúki. Cierpienie Turambara i Vainóni. Ucieka do lasu i rzuca się do wodospadu. Szaleństwo mieszkającego samotnie Turambara ...... Úrin ucieka z Angamandi i szuka Tirannë. Turambar umyka przed nim i rzuca się na swój miecz ...... Úrin wznosi kurhan i ...... wyrok Melka. Tirannë umiera z żalu, a Úrin dociera do Hisilómë ...... Oczyszczenie Turambara i Vainóni, którzy, świetliści, wędrują po świecie i wraz z zastępami Tulkasa ruszają na Melka.

Dalej następują luźne notatki, niewątpliwie sporządzone w tym samym czasie:

Úrin ucieka. Tirannë dowiaduje się o Túrinie. Oboje wędrują zrozpaczeni ...... po lesie.

Túrin opuszcza Linwëgo, ponieważ zabił podczas kłótni jednego z jego krewnych (przypadkiem).

Wprowadzić do opowieści element Failivrin?

Turambar niezdolny do walki ze względu na oczy Foalókë. Widzi odchodzącą Failivrin.

To może jedynie odzwierciedlać niektóre z bardzo wczesnych rozważań mojego ojca na temat historii Túrina Turambara. (To, że zapiski te pojawiają się w notatniku przy końcu w pełni napisanej opowieści, może wydawać się zaskakujące, lecz ojciec używał notatników w dość niestandardowy sposób). Nienóri nosi tu imię *Vainóni*, a Mavwina *Tirannë*; zaklęcie zapomnienia zostaje tu rzucone przez czarnoksiężnika imieniem *Kurúki*, chociaż to smok podnosi spuszczoną na nich zasłonę niepamięci. Wygląda na to, że dwa spotkania Túrina ze smokiem wyewoluowały z pierwotnego pojedynczego takiego epizodu.

Jak już wspomniałem, *Opowieść o Turambarze*, podobnie jak inne zaginione opowieści, jest napisana atramentem na całkowicie wytartym tekście ołówkowym, a zachowana jej postać świadczy o tym, że mogła się tylko wywodzić z poprzedzającego ją jeszcze bardziej pobieżnego szkicu. Tekst napisany ołówkiem został jednak tak dokładnie wytarty, że nie ma żadnych wskazówek co do tego, jakie stadium rozwoju legendy osiągnął. Równie dobrze — a sądzę, że jest to nadzwyczaj prawdopodobne — może być tak, że przez ten szkic opowiadający o Vainóni, Tirannë i Kurúkim przebłyskują „warstwy" sagi o Túrinie starsze nawet od wytartego tekstu, który istniał pod tą zachowaną wersją.

§ 3. Sprawy różne

(i) Beren

Odrzucony fragment przytoczony na s. 90 wraz z notką zapisaną na marginesie „Jeśli Beren będzie gnomem (jak teraz w opowieści o Tinúviel), to trzeba zmienić wzmianki o Berenie" (przyp. 4) stanowi podstawę mojego twierdzenia (s. 65), że w najwcześniejszej, teraz zaginionej wersji *Opowieści o Tinúviel* Beren był człowiekiem. Mam nadzieję, że wykazałem, iż zachowana *Opowieść o Turambarze* jest wcześniejsza od zachowanej *Opowieści o Tinúviel* (s. 87). Kiedy powstawała zachowana wersja *Turambara*, Beren był człowiekiem — *i to spokrewnionym z Mavwiną*; stał się on gnomem w zachowanej wersji *Tinúviel* i zmiana ta została później wprowadzona do *Turambara*. Wstawka na s. 90 zmienia relację Egnora i Berena — z pokrewieństwa z żoną Úrina na przyjaźń z Úrinem. (Poprawka w maszynopisie *Tinúviel*, s. 55, jest późniejsza: dotyczy braterstwa Úrina z Berenem, a nie z Egnorem). Dwie dalsze zmiany tekstu *Turambara*, wynikające ze zmiany pochodzenia Berena z ludzkiego na elfickie, są przytoczone w przypisach 5 i 6. Interesująca jest rozwinięta genealogia zamieszczona w *Silmarillionie*, gdzie Beren oczywiście znowu jest człowiekiem, i znowu spokrewnionym z Morweną jako brat stryjeczny ojca Morweny, Baragunda.

W odrzuconym fragmencie przytoczonym na s. 90 ojciec mój przy imieniu Egnora zrobił dopisek „gnom Damrod" (przyp. 2), a w poprawionym tekście napisał, że Úrin znał Berena i „wyświadczył mu kiedyś przysługę w sprawie jego syna, Damroda". Nigdzie nie ma żadnej wskazówki co do tego, jaka to mogła być przysługa; lecz w drugim „projekcie" *Księgi zaginionych opowieści* (zob. I.272–273) w szkicu *Opowieści o Nauglafringu* jest mowa o synu Berena i Tinúviel, ojcu Elwingi imieniem *Daimord*, chociaż w tekście samej opowieści ów syn nosi imię *Dior* — i tak już miało zostać. Prawdopodobnie imię *Daimord* należy utożsamić z imieniem *Damrod*.

Nie umiem wyjaśnić dopisania słów „gnom Damrod" przy imieniu Egnora w odrzuconym fragmencie — możliwe, że nadanie ojcu Berena imienia *Damrod* było tylko przelotnym pomysłem.

Można tu zauważyć, że zarówno odrzucony, jak i poprawiony fragment stanowią bardzo wyraźny dowód na to, że wydarzenia składające się na historię Berena i Tinúviel rozegrały się *przed* Bitwą Nieprzeliczonych Łez; zob. s. 83–84.

(ii) Bitwa w Tasarinanie

Na początku niniejszej opowieści jest powiedziane (s. 88), że mówi ona „o bardzo dawnych czasach tego plemienia [ludzi] sprzed Bitwy w Tasarinanie, kiedy pierwsi ludzie wkroczyli do ciemnych dolin Hisilómë".

Z pozoru jest w tym wyraźna sprzeczność, ponieważ mówi się wiele razy, że w czasie Bitwy Nieprzeliczonych Łez ludzie byli zamknięci w Hisilómë, a *Opowieść o Turambarze* rozgrywa się — musi się rozgrywać — po tej bitwie. Rozwiązanie kryje się jednak w niejednoznaczności przytoczonego zdania. Ojciec mój nie miał na myśli tego, że jest to opowieść o ludziach z dawnych czasów sprzed ich wkroczenia do Hisilómë, lecz to, że jest to opowieść o dawnych czasach, *kiedy* ludzie wkroczyli do Hisilómë — na długo przed Bitwą w Tasarinanie.

Tasarinan to Kraina Wierzb, w *Silmarillionie* nazwana *Nan-tathren*. Wczesne listy nazw czy słowniczki podają „elficką" formę *tasarin* „wierzba" i gnomicką *tathrin**. Bitwa w Tasarinanie rozegrała się dużo później, w trakcie wielkiej ekspedycji z Valinoru mającej na celu uwolnienie Noldolich zniewolonych w Wielkich Krainach. Zob. s. 264.

(iii) Geografia *Opowieści o Turambarze*

Wydaje się, że opis trasy orków, którzy pojmali Túrina (s. 95–96), wzmacnia koncepcję, że „góry oddzielające Hisilómë od Kraju Po Drugiej Stronie tworzyły jedno pasmo z tymi wznoszącymi się nad Angbandem" (s. 78), jest tu bowiem powiedzine, że orkowie „szli [...] wzdłuż linii ciem-

* Nazwa *Tasarinan* przetrwała jako quenejska nazwa bez zmian: por. „gaje wierzbowe [...] Tasarinan" w pieśni Drzewacza [Drzewca] w WP II, s. 81.

nych wzgórz ku tym okolicom, gdzie wznoszą się one wysoko, a ich ponure szczyty spowijają czarne wyziewy", a także „*Tam* noszą nazwę Angorodin lub Góry Żelazne, a to z tego względu, że pod ich najbardziej na północ wysuniętymi twierdzami leży Angband".

Kwestia położenia jaskiń Rodothlimów, dobrze korespondującego z tym, co zostało później powiedziane o Nargothrondzie, została już omówiona (s. 148) — podobnie jak topografia Srebrzystej Misy i wąwozu, w którym Turambar zadał śmierć Glorundowi — w odniesieniu do później wprowadzonych: Teiglinu, Celebrosa i Nen Girith (s. 159–160). Są też w opowieści wzmianki o położeniu jaskiń Rodothlimów i królestwa Tinwelinta względem siebie oraz w odniesieniu do krainy, w której mieszkali leśni ludzie. Jest powiedziane (s. 115), że „siedziba Rodothlimów nie leżała bardzo daleko od królestwa Tinwelinta, choć znajdowała się od niej w sporej odległości", podczas gdy leśni ludzie mieszkali „na ziemiach niezbyt odległych od Sirionu czy też trawiastych wzgórz środkowego biegu owej rzeki" (s. 111), co można uznać za mniej więcej zgodne z położeniem lasu Brethil. W tym samym fragmencie jest powiedziane, że rejon, w którym mieszkali, znajdował się „w miejscach bardzo dalekich, leżących w odległości wielu dni drogi za rzeką Rodothlimów", a Glorund zapłonął wielkim gniewem, kiedy usłyszał „o dzielnej grupie ludzi, mieszkających daleko za rzeką" (s. 124); to także można dość dobrze dostosować do późniejszej rozwiniętej koncepcji geograficznej — dla kogoś wyruszającego z Nargothrondu Brethil rzeczywiście leżał dość daleko za rzeką (Narogiem).

Mam przemożne wrażenie, że chociaż geografia zachodniej części Wielkich Krain mogła być jeszcze dość niesprecyzowana, to pod wieloma ważnymi względami miała już tę samą zasadniczą strukturę, co tereny przedstawione na mapie dołączonej do *Silmarillionu*.

(iv) Wpływ Valarów

Podobnie jak w *Opowieści o Tinúviel* (zob. s. 86), w *Opowieści o Turambarze* także znajduje się kilka wzmianek o ingerencji Valarów w sprawy ludzi i elfów w Wielkich Krainach — oraz o kierowanych do nich modlitwach, zarówno dziękczynnych, jak i błagalnych. Tak więc po dotarciu do Artanoru opiekunowie Túrina „dziękowali za to Valarom" (s. 91). Bardziej godne uwagi jest to, że Úrin „zwrócił się do Valarów z Zachodu — wiele go o nich nauczyli Eldarowie z Kôru, gnomowie, z którymi niegdyś się zetknął — i jego słowa dotarły, kto wie jakimi drogami, do Manwëgo Súlimo na szczytach Taniquetilu" (s. 95). (Úrin był już „przyjacielem elfów", uczonym przez Noldolich; por. poprawiony fragment na s. 90). Czy jego modlitwa została „wysłuchana"? Możliwe, że takie właśnie jest znaczenie bardzo dziwnego wyrażenia „Szczęśliwy traf Valarów sprawił" (s. 99), kiedy Flinding i Beleg znaleźli Túrina leżącego blisko miejsca, w którym zakradli się do obozowiska orków*.

Valarowie zsyłali sny przywódcom Rodothlimów, chociaż później zostało to zmienione, a wzmianka o Valarach usunięta (s. 102 i przyp. 10); Túrin „wykrzyczał gorzkie słowa przeciwko Valarom i swojemu losowi pełnemu udręki" (s. 132).

Interesujące odniesienie do Valarów (oraz ich potęgi) znajduje się w odpowiedzi Tinwelinta (s. 115) na słowa Mavwiny „daj mi tylko leśną chatkę i mojego syna". Król odparł: „Tego uczynić nie mogę, jestem bowiem jedynie królem dzikich elfów, *a nie Valarem z zachodnich wysp*". W tej niewielkiej części *Opowieści Gilfanona*, która została napisana, mówi się (I.270) o Ciemnych Elfach, którzy pozostali w Palisorze, że „ich bracia odeszli na zachód, na Wyspy Jaśniejące, i że tam, na oświetlonych ogniem wyspach, mieszkają bogowie zwani Wielkim Ludem Zachodu".

(v) Wiek Túrina

Kiedy Túrin opuścił Mavwinę, zgodnie z *Opowieścią o Turambarze* miał siedem lat, a po siedmiu latach przebywania wśród leśnych elfów przestały do niego docierać jakiekolwiek wieści z domu (s. 93); w *Narn* liczby te to osiem i dziewięć, a kiedy „powróciło cierpienie" Túrina, miał on siedemnaście, a nie czternaście lat (s. 92, 101, 102). Zabił Orgofa i uciekł z Artanoru dokładnie dwanaście lat — co do dnia — od opuszczenia Mavwiny (s. 94), mając dziewiętnaście lat; w *Narn* (s. 105) podobnie: po dwunastu latach od opuszczenia Hithlumu Túrin doprowadził do śmierci Saerosa, lecz miał wtedy dwadzieścia lat.

* W słowniku gnomickiego jest hasło *gwalt* „szczęśliwy traf — każde opatrznościowe zdarzenie lub myśl: »szczęśliwy traf Valarów«, *i·walt ne Vanion*" (I.324).

„Opowieść nie podaje, ile dni Turambar spędził u Rodothlimów, lecz było ich bardzo wiele. Przez ten czas Nienóri znalazła się u progu kobiecości" (s. 111–112). Nienóri była młodsza od Túrina o siedem lat; kiedy uciekł z Artanoru, miała ich dwanaście (s. 111). Nie mógł później mieszkać wśród Rodothlimów dłużej niż (powiedzmy) pięć czy sześć lat; jest powiedziane, że kiedy został wybrany na przywódcę leśnych ludzi, był „mądrym ponad swój wiek".

Bethos, przywódca leśnych ludzi przed Túrinem, „który, *choć wówczas był jeszcze chłopcem*, walczył w Bitwie Nieprzeliczonych Łez" (s. 122), lecz zginął w zbrojnej potyczce, ponieważ „*mimo* [...] *swoich lat* nadal stawiał się konno do walki". Nie można jednak odnieść rozpiętości wieku Bethosa (od „chłopca" w Bitwie Nieprzeliczonych Łez do śmierci podczas zbrojnej wyprawy w wieku na tyle zaawansowanym, by czynić na jego temat uwagi) do rozpiętości wieku Túrina; wydarzenia rozgrywające się po zagładzie Rodothlimów, znajdujące kulminację w ocaleniu Níniel przez Túrina po jej pierwszym spotkaniu z Glorundem, nie mogą obejmować długiego czasu. Jasne i pewne jest to, że w starej opowieści Túrin zginął w bardzo młodym wieku. Według precyzyjnego datowania przedstawionego w znacznie późniejszych materiałach, w chwili śmierci miał trzydzieści pięć lat.

(vi) Postura elfów i ludzi

Elfowie zostali wymyśleni jako istoty drobniejszej budowy i mniejszej postury niż ludzie: tak więc Beleg „był wielkiego wzrostu i słusznej postury, *jak to u tego ludu*" (s. 91), a Túrin „był człowiekiem roślejszym od nich", tj. od Belega i Flindinga (s. 99) — a zdanie to poprzednio brzmiało „jako że był człowiekiem wielkiej postury" (przyp. 8). W tej kwestii zob. I.44, I.274–275.

(vii) Skrzydlate smoki

Pod koniec *Silmarillionu* (s. 357–358) Morgoth „[p]chnął [...] do ostatniego rozpaczliwego ataku na przeciwnika z dawna przygotowane potwory i nagle z czeluści Angbandu ukazały się skrzydlate smoki, jakich nikt przedtem nie widział". Jest w tym zawarta sugestia, że skrzydlate smoki stanowiły udoskonalenie pierwotnego projektu Morgotha (ucieleśnionego w Glaurungu, Ojcu Smoków, który pełzał na brzuchu). Z drugiej strony, zgodnie z *Opowieścią o Turambarze* (s. 117) wśród licznych smoków Melka jedne były mniejsze, zimne jak węże, i wiele z nich umiało latać; inne zaś, te potężniejsze, były gorące, ciężkie i bezskrzydłe — to były smoki ogniste. Jak już wspomniałem (s. 149), w opowieści nie sugeruje się, że Glorund był pierwszym przedstawicielem swojego gatunku.

III

Upadek Gondolinu

Rękopis w formie luźnych kartek nie urywa się wraz z końcem przedstawionego przez Eltasa opisu wizyty Úrina u Tinwelinta oraz dziwnych losów Úrina i Mavwiny, a także Túrina i Nienóri (s. 137), lecz zawiera w dalszej części krótki przerywnik, w którym w Mar Vanwa Tyaliéva omawia się plany snucia kolejnych opowieści.

I NA TYM ELTAS ZAKOŃCZYŁ OPOWIEŚĆ, a nikt nie zadawał mu więcej pytań. Lecz Lindo poprosił, by wszyscy mu za nią podziękowali, po czym rzekł:

— Nie, jeśli pozwolicie, wiele jest jeszcze do opowiedzenia o złocie Glorunda oraz o tym, jak zło owego smoka wypełniło się do końca — lecz jest to historia Nauglafringa, czyli Naszyjnika Krasnoludów, i musi ona chwilę zaczekać — a mam też do opowiedzenia inne historie o mniej ważnych i radośniejszych sprawach, jeśli wolelibyście ich posłuchać.

Podniosło się wówczas wiele głosów proszących, by Eltas opowiedział o Nauglafringu nazajutrz, lecz on rzekł:

— Nie! Kto tu bowiem zna całą opowieść o Tuorze i przybyciu Eärendela albo kto wie, kim był Beren Ermabwed i jakich dokonał czynów — bo najpierw lepiej jest rozeznawać się w takich sprawach.

A wszyscy odpowiedzieli, że historię Berena Ermabweda znają dobrze, lecz o przybyciu Eärendela nigdy nie opowiadano wiele.

— I to wielka szkoda — rzekł Lindo. — Jest to bowiem najwspanialsza z opowieści gnomów, a w domu tym przebywa Ilfiniol, syn Bronwega, który zdarzenia te zna dogłębniej niż ktokolwiek z przebywających teraz na Ziemi.

Wówczas zaiste wszedł tam Ilfiniol, strażnik Gongu, a Lindo ozwał się do niego w te słowa:

— Serduszko, synu Bronwega, oto wszyscy tu pragną, byś czym prędzej opowiedział nam o Tuorze i Eärendelu.

A Ilfiniol chętnie by na to przystał, rzekł jednak:

— To wielka opowieść i siedem razy podążą słuchający do Ognia Snucia Opowieści, zanim zostanie właściwie opowiedziana; a tak jest spleciona z opowieściami o Nauglafringu i o Marszu Elfów[1], że chętnie przyjąłbym pomoc w jej snuciu od obecnego tu Ailiosa oraz Meril, Pani Wyspy, która dawno nie odwiedzała tego domu.

Wysłano zatem nazajutrz do *korinu*[2] wysokich wiązów posłańców, którzy powiedzieli, że Lindo i Vairë chętnie ujrzeliby u siebie oblicze ich pani, zamierzali bowiem świętować i urządzić wielkie opowiadanie elfickich historii, zanim Eriol, ich gość, uda się na jakiś czas do Tavrobelu. Stało się zatem, że w sali tej nie rozbrzmiewały opowieści przez dni trzy, a mieszkańcy Vanwa Tyaliéva czynili wielkie przygotowania. Czwartego wieczoru przybyła Meril w orszaku swoich panien i miejsce to pełne było światła i wesela. Lecz po wieczornym posiłku zasiadł przed Tôn a Gwedrin[3] wielki tłum, a panny Meril śpiewały najpiękniejsze pieśni, jakie znała ta wyspa[4].

Jedną z nich przełożył później Heorrenda na język swego ludu, a brzmi ona tak[5].

Lecz kiedy po tych pieśniach zapadła cisza, rzekła Meril, która zajmowała krzesło Linda:

— Dalejże, o Ilfiniolu, zacznij ową opowieść nad opowieściami i opowiedz ją tak szczegółowo, jak nigdy dotąd.

Rzekł wówczas Serduszko, syn Bronwega... (Opowieść o Gondolinie). [*sic!*]

To zatem jest łącznik między *Opowieścią o Turambarze* a *Upadkiem Gondolinu* (wcześniejszy „wstęp" do opowieści jest przytoczony poniżej). Wydaje się, że ojciec mój wahał się co do tego, która opowieść ma następować po *Turambarze* (zob. przyp. 4), lecz uznał, że to odpowiednia chwila na wprowadzenie opowieści *Upadek Gondolinu*, która istniała już od pewnego czasu.

W łączniku Ailios (później Gilfanon) jest obecny („chętnie przyjąłbym pomoc [...] od obecnego tu Ailiosa") pod koniec opowieści Eltasa o Turambarze, lecz tego wieczoru, kiedy Eltas ją zaczynał (s. 88), jest wyraźnie powiedziane, że Ailiosa nie było. Jeśli chodzi o propozycję, żeby Eriol udał się „na jakiś czas" do Tavrobelu (jako gość Gilfanona), zob. I.208.

To, że Eltas wspomina opowieść o Berenie Ermabwedzie, jakby nie wiedział, że bardzo niedawno została przedstawiona w Mar Vanwa Tyaliéva, można niewątpliwie wyjaśnić faktem, że nigdy wcześniej nie opowiadano jej przed Ogniem Snucia Opowieści (zob. s. 10–14).

Serduszko, strażnik Gongu z Mar Vanwa Tyaliéva, który opowiada o upadku Gondolinu, w *Zaginionych opowieściach* pojawia się kilka razy, a jego elfickie imię/imiona ma/mają wiele form (zob. *Zmiany imion i nazw własnych* pod koniec tekstu opowieści). W *Dworku Zabawy Utraconej* mówi się o nim (I.23), że „wiekowy jest nad wszelką miarę", że „pożeglował z Eärendelem na „Wingilocie" w tę ostatnią podróż na poszukiwanie Kôru", a w „łączniku do *Muzyki Ainurów*" „miał twarz ogorzałą od wiatru i słońca, a oczy niebieskie i pełne wesołych błysków, i nie dałoby się zgadnąć, czy ma lat pięćdziesiąt, czy dziesięć tysięcy". Jest gnomem, synem Bronwega/Voronwëgo (Voronwëgo z *Silmarillionu*) (I.64).

Teksty *Upadku Gondolinu*

Rozważana szczegółowo historia tekstów opowieści o *Upadku Gondolinu* okazuje się nadzwyczaj złożona, lecz chociaż ją tu wyłożę — tak jak ją rozumiem — nie musi ona w gruncie rzeczy komplikować lektury samej opowieści.

Po pierwsze, istnieje bardzo trudny do odczytania rękopis zawarty w dwóch szkolnych zeszytach, którego tytuł brzmi *Tuor i wygnańcy z Gondolinu (czyli wstęp do wielkiej opowieści o Eärendelu)*. (To właściwie jedyny tytuł funkcjonujący we wczesnych tekstach, lecz mój ojciec później zawsze nazywał tę opowieść *Upadkiem Gondolinu*). Ten rękopis, który jest (lub raczej był) pierwotnym tekstem opowieści, pochodził z lat 1916–1917 (zob. I.237 i *Niedokończone opowieści*, s. 18); będę go tu dla wygody nazywał *Tuor A* . Ojciec później traktował go inaczej niż *Tinúviel* i *Turambara* (w wypadku których pierwotny tekst został wytarty, a na jego miejscu została zapisana nowa wersja). W tej opowieści nie przedstawił pełnego nowego tekstu, lecz pozostawił sporą część starego, przynajmniej z początku: w miarę postępu pracy nad poprawkami tekst pisany atramentem na tym zapisanym ołówkiem staje się niemal ciągły — i mimo że ołówek nie został wytarty, atrament właściwie go przesłania. Lecz nawet kiedy ta druga wersja staje się ciągła, jest kilka miejsc, w których stary tekst nie został przesłonięty, a jedynie przekreślony i pozostaje czytelny. W ten sposób, podczas gdy *Tuor A* ma taki sam status jak *Opowieść o Tinúviel* i *Opowieść o Turambarze* (oraz inne „zaginione opowieści"), stanowiąc późniejszą przeróbkę, czyli drugą wersję, to metoda, jaką ojciec zastosował przy *Upadku Gondolinu*, pozwala stwierdzić, że przynajmniej tutaj poprawki żadną miarą nie złożyły się na taką pełną przeróbkę (a tym bardziej nie spowodowały zmiany koncepcji). Jeśli bowiem te fragmenty późniejszych części opowieści, których obie wersje wciąż można porównać, pokazują, że ojciec trzymał się starej wersji, to jest całkiem prawdopodobne, że to samo dotyczy tych miejsc, gdzie takie porównanie nie jest możliwe.

Z tekstu *Tuor A* w *wersji po wprowadzeniu wszystkich poprawek* (tj. kiedy otrzymał on postać, w której znajduje się obecnie) moja matka sporządziła czystopis (*Tuor B*), który, zważywszy na trudności, jakie sprawia oryginał, jest nadzwyczaj dokładny i zawiera jedynie sporadyczne błędy w transkrypcji. Napisałem w *Niedokończonych opowieściach* (s. 18), że kopia ta powstała „najprawdopodobniej w 1917 roku", lecz teraz wydaje mi się to niemożliwe*.Takie koncepcje, jak Muzyka Ainurów, której dotyczy późniejsza wstawka w *Tuor A* (s. 197), mogły oczywiście powstać w wyobraźni mojego ojca dużo wcześniej, niż je umieszczono w tej opowieści, napisanej w Oksfordzie podczas pracy nad *Oxford Dictionary* (I.61), lecz wydaje się bardziej prawdopodobne, że korekta *Tuor A* (a zatem także *Tuor B*, skopiowany z niego po owej korekcie) również należy do tego okresu.

Ojciec następnie usiadł z ołówkiem nad *Tuor B*, w znacznym stopniu go poprawiając, choć głównie we wcześniejszej jego części, a poprawki dotyczą niemal wyłącznie kwestii stylistycznych, a nie narracyjnych; jednak, jak się okaże, poprawki te nie zostały naniesione w tym samym czasie. Niektóre z nich są zapisane na oddzielnych karteczkach; na odwrocie kilku z nich znajdują się fragmenty etymologicznego omówienia pewnych niemieckich słów oznaczających dzierzbę [ptak z rodziny *Lanidae*]; omówienie to stanowi materiał figurujący w *Oxford Dictionary* pod hasłem *wariangle* [dzierzba gąsiorek]. Zważywszy, że jedna z karteczek z tym słownikowym materiałem na odwrocie zawiera wyraźną wskazówkę, żeby w razie prezentacji ustnej opowieść tę skrócić (zob. przyp. 21), jest właściwie pewne, że spora część

* Humphrey Carpenter w swojej *Biografii* (s. 141) powiada, że opowieść ta została napisana „podczas rekonwalescencji Tolkiena w Great Haywood na początku 1917 roku", lecz niewątpliwie ma on na myśli pierwotny ołówkowy tekst *Tuor A*.

korekty *Tuor B* została dokonana, zanim mój ojciec odczytał tę opowieść na spotkaniu Klubu Eseistycznego kolegium Exeter wiosną 1920 roku (zob. *Niedokończone opowieści*, s. 18).

Tego, że nie wszystkie poprawki w *Tuor B* zostały naniesione w tym samym czasie, dowodzi istnienie niezatytułowanego maszynopisu (*Tuor C*) doprowadzonego do słów „o twoim wzgórzu czujności skierowanej przeciwko złu Melka" (s. 194). Został on sporządzony na podstawie tekstu *Tuor B* już po wprowadzeniu doń pewnych zmian, lecz nie tych, które, moim zdaniem, zostały poczynione przed odczytaniem go na głos. Dziwną cechą tego tekstu jest pozostawienie pustych miejsc dla wielu nazw własnych, z których tylko nieliczne zostały później wstawione. Pod koniec tego tekstu pojawia się w nim sporo zmian niezależnych w stosunku do *Tuor B*, lecz wszystkie one są drobne i nie mają narracyjnego znaczenia. Moim zdaniem była to boczna linia, która się urwała.

Historię tego tekstu można zatem przedstawić następująco:

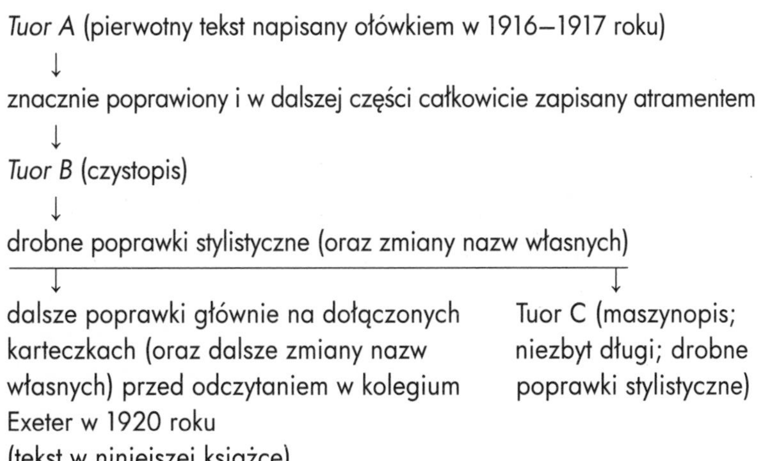

Tuor A (pierwotny tekst napisany ołówkiem w 1916–1917 roku)
↓
znacznie poprawiony i w dalszej części całkowicie zapisany atramentem
↓
Tuor B (czystopis)
↓
drobne poprawki stylistyczne (oraz zmiany nazw własnych)
↓
dalsze poprawki głównie na dołączonych karteczkach (oraz dalsze zmiany nazw własnych) przed odczytaniem w kolegium Exeter w 1920 roku (tekst w niniejszej książce)
↓
Tuor C (maszynopis; niezbyt długi; drobne poprawki stylistyczne)

Ponieważ w toku rozwoju tej historii sama narracja została poddana bardzo niewielkim i drobnym zmianom (trzeba jednak pamiętać, że spore fragmenty pierwotnego tekstu *Tuor A* są niemal całkowicie nieczytelne), przytoczony tutaj tekst jest tekstem *Tuor B* w jego ostatecznej postaci; w „Przypisach" podane są interesujące wcześniejsze wersje niektórych fragmentów. Wydaje się, że mój ojciec nie skolacjonował czystopisu *Tuor B* z oryginałem i nie w każdym wypadku wychwycił zawarte w nim błędy w transkrypcji. Kiedy jednak je zauważał, nanosił poprawki na nowo zgodnie ze swoim wyczuciem, nie wracając do *Tuor A*. Ja w bardzo nielicznych przypadkach wracałem do *Tuor A*, tam gdzie ta wersja jest najwyraźniej prawidłowa (np. „ściana wody wznosiła się prawie pod szczyt urwiska", s. 183, podczas gdy w *Tuor B* i w maszynopisie *Tuor C* jest „wysoko pod szczyt urwiska").

W całym maszynopisie Tuor nosi imię *Tûr*. W *Tuor B* jest ono czasem zmienione z formy *Tuor* na *Tûr* we wcześniejszej części opowieści (pojawia się jako *Tûr* w późniejszych korektach), lecz nie przy każdej okazji. Ojciec mój najwyraźniej postanowił zmienić to imię, lecz w końcu się rozmyślił; ja wszędzie stosuję formę *Tuor*.

Opowieści towarzyszy interesujący dokument: obszerna, choć niekompletna lista występujących w niej nazw własnych (z objaśnieniami), teraz już w niektórych miejscach trudnych lub niemożliwych do odczytania. Nazwy te są podane w porządku alfabetycznym, lecz kończą się na literze L. Informacje lingwistyczne zaczerpnięte z tej listy są włączone do „Dodatku" dotyczącego nazw własnych; krótki wstęp do niej można tu przytoczyć:

> Oto są tutaj wyłożone przez Eriola, pouczonego przez syna Bronwega, Elfritha [pierwotnie *Elfriniela*] czy też Serduszka (a został tak nazwany ze względu na swą młodość i zachwyt jego serca), miana i słowa używane w tych opowieściach, a pochodzące albo z języka elfów z Kôru, jakim posługiwano się wówczas na Samotnej Wyspie, albo ze spokrewnionego z nim języka Noldolich, ich krewniaków, których wyzwolili spod władztwa Melka.
>
> Najpierw wyłożone są tutaj te [nazwy], które występują w *Opowieści o Tuorze i wygnańcach z Gondolinu*, a wśród nich pierwsze pochodzą z języka gnomów.

W *Tuor A* są dwie wersje (jedna przekreślona) krótkiego „wstępu" do opowieści Serduszka, który nie pojawia się w *Tuor B*. Ta druga wersja brzmi:

> Rzekł wówczas Serduszko, syn Bronwega:
>
> — Otóż opowieść moja jest opowieścią Noldolich, z których wywodził się mój ojciec, i zapewne miana ich będą w waszych uszach brzmieć obco, a znane wam osoby nosić będą imiona wcześniej przez was niesłyszane, Noldoli bowiem mówią dziwnym językiem, wciąż miłym mym uszom, choć może nie tak

miłym uszom wszystkich Eldarów. Mędrcy uważają go za blisko spokrewniony z językiem eldarissa, lecz brzmi on inaczej, a ja nie mam na ten temat wiedzy. Dlatego też będę wypowiadał właściwe imiona eldarskie, jeśli takie się pojawią, lecz w wielu wypadkach ich nie będzie.

Wiedzcie tedy, iż

Wcześniejsza wersja (opatrzona nagłówkiem „łącznik między *Tuorem* i poprzednią opowieścią") zaczyna się tak samo, lecz potem odbiega od pierwowzoru:

> ...wciąż miły moim uszom, choć może nie jest on taki dla wszystkich innych zgromadzonych tu Eldarów i ludzi, dlatego też nie będę się nim posługiwał częściej, niż to konieczne, to jest gdy chodzi o miana tych osób i rzeczy, o których mówi opowieść, lecz dla których, jako że przeminęły, zanim jeszcze pozostali Eldarowie przybyli z Kôru, elfowie nie mają prawdziwych imion. Wiedzcie tedy, iż Tuor

„Wstęp" ten łączy się w ten sposób z początkiem opowieści. W drugiej jego wersji pojawia się nazwa *eldarissa* na oznaczenie języka Eldarów lub elfów w przeciwieństwie do *noldorissa* (terminu znajdującego się na liście nazw własnych); jeśli chodzi o rozróżnienie między nimi, zob. I.67–69). Z przytoczonymi tu słowami Serduszka można porównać to, co powiedział o nim Eriolowi Rúmil (I.64):

> „»Języki i mowy?«, żachnie się jeden czy drugi, »nie trzeba mi więcej nad własne«. A Serduszko, strażnik Gongu, tak mi rzekł kiedyś: »Wystarcza mi język gnomów. Czyż Eärendel, Tuor i mój ojciec Bronweg (którego czule zwiecie Voronwë) nie mówili li tylko po gnomicku?«. W końcu jednak musiał się nauczyć elfickiej mowy, inaczej skazany byłby albo na milczenie, albo na opuszczenie Mar Vanwa Tyaliéva..."

Po tych dość długich uwagach wstępnych przytaczam tekst opowieści.

Opowieść o Tuorze i wygnańcach z Gondolinu (czyli wstęp do wielkiej opowieści o Eärendelu)

Rzekł wówczas Serduszko, syn Bronwega:

— Wiedzcie tedy, iż Tuor był człowiekiem, który w zamierzchłych czasach w północnej mieszkał krainie zwanej Dor Lóminem lub Krainą Cieni, a spośród Eldarów najlepiej znają ją Noldorowie.

Otóż lud, z którego wywodził się Tuor, wędrował po leśnych ostępach i wzgórzach, a morza nie znał ni o nim nie śpiewał; lecz Tuor nie mieszkał z pobratymcami, a pędził samotne życie w okolicy jeziora zwanego Mithrim, już to polując w okolicznych lasach, już to grając nad wodą na swej prostej harfie z drewna i ścięgien niedźwiedzich. Usłyszawszy o mocy jego szorstkich pieśni, wielu przychodziło z bliska i z daleka, by słuchać jego grania, lecz Tuor porzucił śpiew i odszedł na odludzie. Tam nauczył się licznych dziwnych umiejętności i zdobył wiedzę od wędrownych Noldolich, którzy przekazali mu wiele ze swego języka i mądrości. Nie było mu jednak przeznaczone zamieszkać w tych lasach na zawsze.

Powiada się, że później magia i przeznaczenie zawiodły go pewnego dnia do przepaścistej jamy, do której wpadała ukryta rzeka wypływająca z jeziora Mithrim. Chcąc odkryć jej sekret, wszedł Tuor do owej jaskini, lecz wody popchnęły go w głąb, między skały, i nie zdołał już wydostać się na światło dnia. Taka, jak powiadają, była wola Ulma, Władcy Wód, który niegdyś zachęcił Noldolich do wykucia tego ukrytego przejścia.

Wówczas zjawili się przy Tuorze Noldoli i prowadzili go ciemnymi korytarzami pośród gór, aż wreszcie ponownie wyszedł na światło dnia i spostrzegł, że wody rzeki toczą się wartko głębokim wąwozem o ścianach, na które niepodobna się wspiąć. Teraz Tuor już nie pragnął zawrócić, lecz szedł przed siebie, a rzeka prowadziła go niezmiennie ku zachodowi[6].

Słońce wstawało za jego plecami i zapadało przed oczyma, a kiedy woda pieniła się między licznymi głazami lub opadała w dół nagłymi kaskadami, brzegi wąwozu spinała czasem tęcza, lecz o zachodzie słońca gładkie ściany płonęły złotem i dlatego Tuor nazwał ów wąwóz Złocistą Rozpadliną oraz Żlebem o Tęczowym Dachu, co w mowie gnomów brzmi *Glorfalc* lub *Cris Ilbranteloth*.

Szedł tak Tuor trzy dni[7], pijąc wodę z tajemnej rzeki i żywiąc się złowionymi w niej rybami; mieniły się one złotem, błękitem i srebrem i miały niezwykłe kształty. W końcu rozpadlina się poszerzyła i w miarę jak się otwierała, jej ściany stawały się coraz niższe i mniej gładkie, a dno rzeki coraz gęściej usiane było głazami, o które rozbijała się spieniona woda. Tuor długo przesiadywał na brzegu, wpatrując się we wzburzoną rzekę i słuchając jej głosu, a potem wstawał i ruszał dalej, ze śpiewem skacząc z kamienia na kamień, a kiedy na wąskim pasku nieba nad żlebem pojawiały się gwiazdy, budził echa, gwałtownie szarpiąc struny swojej harfy.

Kiedyś o zmierzchu po długim, męczącym dniu usłyszał Tuor wołanie, lecz nie umiał określić, jaka istota wydaje taki głos. „To ktoś z plemienia duszków", rzekł do siebie. „Nie, to tylko skowyt jakiegoś zwierzęcia wśród skał". Kiedy indziej wydało mu się, że to dziwnie żałosny gwizd jakiegoś nieznanego mu ptaka — a ponieważ podczas całej wędrówki Złocistą Rozpadliną nie słyszał żadnych ptasich głosów, cieszył go nawet ten przepełniony smutkiem śpiew. Rankiem następnego dnia usłyszał nad głową to samo wołanie i kiedy podniósł wzrok, ujrzał trzy wielkie białe ptaki. Machając mocnymi skrzydłami, leciały w górę rzeki i wydawały takie same dźwięki jak te, które słyszał o zmierzchu. Były to mewy, ptaki Ossëgo[8].

W tej części biegu rzeki jej nurt był usiany kamienistymi wysepkami, a pod ścianami wąwozu leżały oderwane od nich, otoczone białym piaskiem głazy, droga była więc trudna. Po pewnym czasie Tuor znalazł wreszcie miejsce, gdzie z dużym wysiłkiem mógł wspiąć się na skaliste zbocze. Tam poczuł na twarzy podmuch rześkiego wiatru i rzekł do siebie: „To bardzo przyjemne, jak łyk wina". Nie wiedział, że znajduje się blisko Wielkiego Morza.

Gdy tak wędrował dalej powyżej nurtu rzeki, rozpadlina ponownie zwęziła się i pogłębiła, a on znalazł się na szczycie wysokiego urwiska i niebawem dotarł do przewężenia, z którego dobiegał dziwny hałas. Spojrzawszy w dół, ujrzał Tuor niezwykłe dziwo, zdało mu się bowiem, że do przesmyku wdziera się fala wody i kieruje się pod prąd ku źródłom rzeki, lecz ta nie przerywała swej podróży od odległego jeziora Mithrim i nie ustępowała, co sprawiało, że ściana wody wznosiła się prawie pod szczyt urwiska, a wieńczyła ją piana i szarpał nią wiatr. W pewnej chwili wody Mithrimu uległy i napływająca fala z rykiem podążyła w górę wąwozu, zatapiając kamieniste wysepki i porywając ze sobą biały piasek. Tuor, przerażony, uciekł, nie znał bowiem morza. To Ainurowie zapalili wtedy w jego sercu chęć wspięcia się po ścianie żlebu, bo inaczej pochłonęłaby go potężna fala, gnana zachodnim wiatrem.

Znalazł się wówczas Tuor w górzystej, pozbawionej drzew krainie, smaganej podmuchami wiatru dmącego z kierunku, gdzie zachodziło słońce, a ze względu na przewagę tego wiatru wszystkie krzaki skłaniały się w stronę świtu. Wędrował czas jakiś, aż dotarł do czarnych urwisk wznoszących się nad morzem i wtedy pierwszy raz w życiu ujrzał fale oceanu. W tej godzinie słońce zapadło za krawędź Ziemi daleko na wodnej połaci i stanął Tuor na szczycie skały z rozpostartymi rękami, a serce przepełniła mu niezmierzona tęsknota. Niektórzy powiadają, że jako pierwszy z ludzi dotarł nad Morze, ujrzał jego fale i doświadczył tęsknoty, jaką budzi ten widok, lecz nie wiem, czy mówią prawdę.

W tej okolicy zamieszkał, wybrawszy sobie dom w chronionej przez wysokie czarne skały zatoczce, której dno pokrywał biały piasek, częściowo zalewany niebieską wodą podczas przypływu; spienione grzywacze docierały tam jedynie podczas największych sztormów. Długo przebywał tam samotnie; podczas odpływu wędrował brzegiem albo chodził po skałach, dziwując się wypełnianym przez morze zalewiskom i wielkim wodorostom, jaskiniom o ścianach ociekających wilgocią i dziwnym morskim ptakom, które nauczył się rozpoznawać. Największe jednak zdumienie budziło w nim wznoszenie się i opadanie wód morza, a także szum fal; za każdym razem wydawało mu się to czymś nowym i zaskakującym.

Tuor często pływał niewielką łódką, tak zbudowaną, że jej dziób przypominał szyję łabędzia, po spokojnych wodach Mithrimu, gdzie daleko niósł się głos kaczek i wodnych kurek. Jednak stracił łódź w dniu, w którym znalazł ukrytą rzekę. Na morze jeszcze się nie wypuszczał, chociaż przynaglało go do tego trawione dziwną tęsknotą serce, a w spokojne wieczory, kiedy słońce zapadało za krawędź morza, owa tęsknota narastała, zmieniając się w palące pragnienie.

Miał drewno, które spłynęło ukrytą rzeką. Było to dobre drewno, Noldoli celowo bowiem powalali drzewa w lasach Dor Lóminu i spławiali je do Tuora. On jednakże nie zbudował na razie niczego poza domem w osłoniętym miejscu swojej zatoczki, którą od owego czasu Eldarowie w swoich opowieściach nazywają Falasquil. Powoli pracując, przyozdobił go pięknymi rzeźbami zwierząt, drzew, kwiatów i ptaków, które znał z okolic jeziora Mithrim, a wśród nich zawsze wyróżniał się łabędź. Tuor polubił ten symboliczny wizerunek, który później stał się godłem jego samego, jego krewnych i domowników. Spędził tam bardzo długi czas, aż samotność pustego morza zaciążyła mu na sercu i Tuor, choć samotnik, zatęsknił za ludzkimi głosami. Mieli z tym coś wspólnego Ainurowie[9], jako że Ulmo miłował Tuora.

Kiedy pewnego ranka Tuor patrzył wzdłuż brzegu — a były to wówczas ostatnie dni lata — ujrzał wysoko na niebie lecące od północy trzy łabędzie. Nie widywał tych ptaków wcześniej w tych okolicach, uznał więc, że stanowią znak i rzekł: „Od dawna serce nagli mnie do dalekiej podróży; oto w końcu podążę za tymi łabędziami". A one usiadły na wodzie jego zatoczki, trzykrotnie zatoczyły koło, wzbiły się ponownie w powietrze i odleciały powoli wzdłuż brzegu na południe. Tuor wziął swoją harfę i włócznię i udał się za nimi.

Szedł przez cały dzień, a przed wieczorem przybył w okolice, gdzie znów pojawiły się drzewa. Teren, po którym teraz wędrował, bardzo się różnił od brzegów Falasquil. Tam Tuor oglądał potężne klify podziurawione jaskiniami i kawernami, z których tryskała morska woda, i otoczone wysokimi skałami zatoczki, a od szczytu klifu nierówny, płaski i ponury teren ciągnął się aż do błękitnej krawędzi na wschodzie, zapowiadającej odległe wzgórza. Teraz natomiast widział długi, pochyły brzeg i całe połacie piasku, a wzgórza coraz bardziej zbliżały się do morza. Ich ciemne zbocza okrywały sosny i jodły, a u podnóża rosły strzeliste brzozy i potężne dęby. Wąskimi szczelinami wypływały też stamtąd wartkie strumienie, biegnące na spotkanie brzegu i słonych fal. Nie wszystkie z tych rozpadlin mógł Tuor przeskoczyć i często w takich miejscach droga była trudna, lecz mimo to parł naprzód. Cały czas bowiem leciały przed nim łabędzie, już to nagle kołując, już to śpiesząc przed siebie, lecz nigdy nie siadając, a szum ich potężnych skrzydeł dodawał mu otuchy.

Powiadają, że Tuor wędrował niestrudzenie wiele dni, jednakże zima nadchodziła z północy szybciej od niego. Nie ucierpiawszy ani od zwierząt, ani od złej pogody, wraz z pierwszymi oznakami wiosny dotarł do ujścia jakiejś rzeki. Teren nie miał tu już północnej surowości i wyglądał przyjaźniej niż okolica, do której prowadziła Złocista Rozpadlina; co więcej, brzeg układał się teraz tak, że morze znajdowało się raczej na południe niż na zachód od wędrowca, co poznawał po słońcu i gwiazdach. Jednak zawsze rozciągało się na prawo od niego.

Rzeka płynęła szerokim korytem, a po obu jej stronach rozpościerały się żyzne ziemie: trawy i wilgotne łąki pokrywały jeden brzeg, a porośnięte drzewami zbocza wznosiły się na drugim. Nurt rzeczny łagodnie łączył się z morzem, nie ścierał się z nim tak jak wody Mithrimu na północy. Rzeka opływała wyspy — długie i wąskie jęzory lądu porośnięte trzciną i krzaczastymi zaroślami — a bliżej morza pojawiały się piaszczyste łachy; miejsca te ukochała taka mnogość ptaków, jakiej Tuor nie widział nigdzie indziej. Powietrze przepełniał świergot, zawodzenie i gwizdy, a wśród bieli ich skrzydeł Tuorowi zniknęły z oczu trzy łabędzie i więcej ich już nie ujrzał.

Wówczas przez jakiś czas odczuwał znużenie morzem, podczas wędrówki bowiem srodze szarpał go wiatr. Nie było to niezgodne z zamysłem Ulma. Tej nocy przybyli do Tuora Noldoli i obudzili go ze snu. Prowadzony przez światło ich błękitnych latarni, znalazł drogę wzdłuż brzegu rzeki i zaszedł tak daleko w głąb lądu, że kiedy niebo po jego prawej ręce rozjaśnił świt, morze i jego szum miał daleko za plecami, a wiatr wiał mu prosto w twarz, tak że w powietrzu nie czuć było nawet morskiego zapachu. W ten sposób znalazł się niebawem w regionie zwanym Arlisgionem, „miejscem trzcin". Leży on na południe od Dor Lóminu, w krainie oddzielonej od niego Górami Żelaznymi, których boczne pasma ciągną się aż do samego morza. Właśnie z tych gór wypływała rzeka, której wody miały w miejscu tym wielką przejrzystość i były cudownie chłodne. Jest to sławna rzeka, pojawiająca się w opowieściach Eldarów i Noldolich; we wszystkich językach nazywa się ją Sirionem. Tutaj Tuor odpoczywał czas jakiś, aż pod wpływem dawnego pragnienia zebrał jeszcze raz siły, by przez wiele dni maszerować coraz dalej wzdłuż jej brzegów. W pełni już rozkwitła wiosna nie zmieniła się jeszcze w lato, gdy przybył do jeszcze piękniejszej krainy. Tutaj czarowną muzyką otaczał go przenikliwy śpiew małych ptaszków, nie ma bowiem ptaków, które śpiewają równie pięknie jak te z Krainy Wierzb, a do tego właśnie zachwycającego kraju przybył teraz Tuor. Rzeka wiła się przez wielką równinę porośniętą słodko pachnącą, bardzo długą i soczyście zieloną trawą, płynąc tutaj szerokimi zakolami o niskich brzegach. Po obu jej stronach stały, niby strażnicy, wiekowe wierzby, a szeroko rozlany nurt był usiany liśćmi lilii wodnych. Te ostatnie tak wcześnie jeszcze nie kwitły, lecz pod wierzbami kosaćce już dobyły swoich zielonych mieczy, a turzyce i trzciny stały w bojowym szyku. W cienistych miejscach zamieszkał duch szeptów, który o zmierzchu naszeptywał coś do ucha Tuorowi, pod wpływem czego czuł on niechęć, by porzucić to miejsce, a rano na widok piękna niezliczonych jaskrów owa niechęć jeszcze się pogłębiała, zwlekał więc z wyruszeniem w dalszą drogę.

Tu po raz pierwszy w życiu ujrzał motyle i bardzo mu się one spodobały; powiada się, że wszystkie motyle i podobne im stworzenia urodziły się w dolinie Krainy Wierzb. Potem nadeszło lato, a wraz z nim pora ciem i ciepłych wieczorów. Dziwił się Tuor mnogości much, ich bzyczeniu, buczeniu żuków i brzęczeniu pszczół. Wszystkim im nadawał własne nazwy i wplatał je w nowe pieśni, do których akompaniował sobie na swej starej harfie, a wszystkie te pieśni były łagodniejsze od tych śpiewanych przez niego wcześniej.

Wówczas to Ulmo zaczął się obawiać, że Tuor już na zawsze zamieszka w tej krainie, przez co nie wypełnią się jego wielkie zamierzenia. Dlatego nie chciał już dłużej powierzać kierowania krokami Tuora samym tylko Noldolim, którzy służyli mu w tajemnicy, a ze strachu przed Melkiem często się wahali. Nie mieli też sił do walki z magią tej wierzbowej krainy, wielki bowiem rzucała czar. Czyż nawet po czasach Tuora nie pojawili się tu Noldorin i jego Eldarowie, szukający Dor Lóminu, ukrytej rzeki oraz jaskiń, w których byli więzieni gnomowie; a jednak, znalazłszy się tak blisko celu wyprawy, mieliby go porzucić? W istocie, kiedy tak tu spali i tańczyli, i układali piękną muzykę z szumu rzeki i szelestu traw oraz tkali przebogate materie z pajęczyn i owadzich skrzydełek, otoczyły ich gobliny pośpiesznie wysłane przez Melka ze Wzgórz z Żelaza i Noldorinowi ledwie udało się stamtąd umknąć. Lecz to się jeszcze wtedy nie wydarzyło.

I oto wskoczył Ulmo do swego rydwanu unoszącego się przed bramą jego pałacu pod spokojnymi wodami Morza Zewnętrznego; a rydwan ów, przypominający kształtem wieloryba, ciągnęły narwal i lew morski. Wśród grania wielkich konch ruszył z impetem spod Ulmonanu, a z tak wielką mknął prędkością, że do rzecznego ujścia dotarł nie po wielu latach, jak można by sądzić, lecz w przeciągu kilku dni. Jego rydwan nie mógł posuwać się pod prąd korytem rzeki bez szkody dla jej wód i brzegów, zatem Ulmo, który kochał wszystkie, mniejsze czy większe, strugi, a tę bardziej niż inne, podążył dalej pieszo. Ubrany był w kolczugę wyglądającą jak zrobiona z łusek niebieskich i srebrzystych ryb, włosy miał srebrzyste o błękitnawym odcieniu, tej samej barwy brodę sięgającą stóp. Na głowie nie nosił ni hełmu, ni korony. Spod kolczugi spływały poły mieniącej się odcieniami zieleni szaty, nie wiadomo jednak, z jakiego materiału została utkana, a ktokolwiek zanurzył wzrok w głębię jej delikatnych barw, dostrzegał jakby drobne poruszenia przepastnych wód rozjaśnionych ukradkowymi błyskami fosforyzujących ryb, żyjących w otchłani. Przepasany był sznurem wielkich pereł, na nogach miał wielkie buty z kamienia.

Ulmo wziął ze sobą swój instrument, dziwnie wyglądający, składały się nań bowiem liczne długie, poskręcane muszle z przewierconymi otworami. Dmąc w nie i przebierając po nich długimi palcami, Valar dobywał melodie o niskim brzmieniu i magii większej niż utwory jakichkolwiek innych muzyków, na harfę czy lutnię, lirę czy flet albo jakiś instrument, na którym gra się smyczkiem. Wyruszywszy w górę rzeki, o zmierzchu Ulmo usiadł wśród trzcin i zagrał na swym instrumencie, a było to w pobliżu miejsc, gdzie zatrzymał się na dłużej Tuor. Tuor usłyszał muzykę Ulma i oniemiał z zachwytu. Stał zanurzony po kolana w trawie i nie słyszał już brzęczenia owadów ni szemrania wody przy brzegu rzeki, a do jego nozdrzy nie docierała woń kwiatów; za to dobiegał jego uszu huk fal i zawodzenie morskich ptaków. Serce Tuora zaczęło się wyrywać ku skalistym urwiskom i półkom skalnym, nad którymi unosił się zapach ryb, ku nurkującym w wodzie kormoranom i tym miejscom, gdzie morze z hukiem wgryza się w czarne klify.

Powstał wówczas Ulmo i przemówił do niego, a Tuor niemal wyzionął ducha ze strachu, głos Ulma bowiem jest najgłębszy ze wszystkich, podobnie jak głębia jego spojrzenia. Rzekł Ulmo: „O, Tuorze samotnego serca, nie jest mą wolą, byś na zawsze zamieszkał w pięknych miejscach pełnych ptaków i kwiatów, nie zamierzałbym też prowadzić cię przez tę miłą krainę[10], gdyby nie musiało tak się stać. Wybierz się teraz w przeznaczoną ci podróż i już nie zwlekaj, daleko stąd bowiem czeka na ciebie twoje przeznaczenie. Musisz odnaleźć miasto ludu zwanego Gondothlimami, czyli mieszkającymi w kamieniu, a zaprowadzą cię tam Noldoli, w tajemnicy z obawy przed szpiegami Melka. Włożę tam w twoje usta odpowiednie słowa, a ty zabawisz tam czas jakiś. A jednak być może twoje życie znów zawiedzie cię ku potężnym wodom, a z całą pewnością spłodzisz potomka, który najlepiej spośród wszystkich ludzi pozna największe głębie czy to morza, czy firmamentu niebios". Zdradził także Ulmo Tuorowi część swoich zamierzeń i pragnień, lecz Tuor, zdjęty wielką trwogą, niewiele z nich wówczas zrozumiał.

Wtedy Ulmo spowił się mgłą jakby zrodzoną z morskiego powietrza, choć był daleko na lądzie. Tuor, mając w uszach muzykę Ulma, zapragnął wrócić na brzeg Wielkiego Morza, jednak pamiętając o wyznaczonym mu zadaniu, odwrócił się i ruszył wzdłuż rzeki w głąb lądu i szedł tak aż do świtania. Ten, kto usłyszał raz dźwięk konchy Ulma, słyszy to wezwanie aż do śmierci, o czym przekonał się także Tuor.

Kiedy wstał dzień, znużony wędrowiec zapadł w sen i spał prawie do zmierzchu. Wtedy przybyli do niego Noldoli i poprowadzili go dalej. I tak przez wiele dni szedł o zmierzchu i po zapadnięciu ciemności, a spał w dzień, dlatego też później niezbyt dobrze pamiętał ścieżki, które wówczas przemierzył. Wraz ze swoimi przewodnikami parł niestrudzenie naprzód. Teren stał się pofałdowany i rzeka zaczęła się wić wśród wzgórz; po drodze napotykali też liczne doliny nadzwyczajnej piękności, jednakże Noldoli zaczęli się niepokoić. „Są to okolice, w których roi się od przysyłanych przez Melka goblinów, ludu nienawiści", powiedzieli. „Daleko na północy — ale niestety nie dość daleko, nawet gdyby to było dziesięć tysięcy staj — leżą Góry z Żelaza, gdzie ma swoją siedzibę potęga i groza Melka, który nas zniewolił. W istocie prowadzimy cię w tajemnicy przed nim, a gdyby znał wszystkie nasze zamiary, zostalibyśmy wydani Balrogom na tortury".

Noldoli popadli w takie przerażenie, że rychło opuścili Tuora. Znalazł się sam pośród wzgórz. Jak później się okazało, odejście Noldolich obróciło się dla niego na złe, Melko bowiem, jak powiadają, „wiele ma oczu". Gdy Tuor wędrował z gnomami, ci kryli się, wyruszając w drogę po zapadnięciu zmierzchu i schodząc do licznych tajemnych tuneli prowadzących przez wzgórza, teraz jednak, idąc sam, zabłądził i często wchodził na szczyty pagórków i wzgórz, by rozejrzeć się po okolicy. Nie dostrzegł żadnych śladów ludzkich siedzib — miasta Gondothlimów bowiem nie dało się łatwo znaleźć, dlatego Melko i jego szpiedzy jeszcze go nie odkryli. Powiada się niemniej, że wówczas jednak owi szpiedzy dowiedzieli się, iż w tej krainie pojawił się jakiś obcy człowiek i że z tego powodu Melko podwoił czujność i wzmógł swą przebiegłość.

I stało się, że po tym, gdy powodowani strachem gnomowie porzucili Tuora, jeden z nich, Voronwë, zwany też Bronwegiem, którego połajanki nie dodały pozostałym otuchy, zaczął podążać za Tuorem w pewnej odległości, choć dręczył go lęk. Tuora zaś ogarnęło wielkie znużenie; zatrzymał się więc nad brzegiem wartkiego strumienia, a w sercu czuł tęsknotę za morzem i ponownie naszło go pragnienie, by powrócić z biegiem rzeki do rozległych wód i ryczących fal. Lecz wierny Voronwë zbliżył się do niego i stanąwszy obok, powiedział: „Nie snuj marzeń, Tuorze, że pewnego dnia znowu ujrzysz przedmiot swoich pragnień; zatem powstań i rusz dalej, a ja cię nie opuszczę. Nie należę wprawdzie do Noldolich — biegłych przewodników; jestem rzemieślnikiem i wytwarzam ręcznie przedmioty z drewna i metalu, a dopiero w ostatnich dniach dołączyłem do towarzyszącej ci eskorty. Od dawna jednak słyszałem szeptane w tajemnicy wśród zniewolonych do znojnej pracy opowieści o mieście, w którym Noldoli mogliby żyć wolni, gdyby tylko znaleźli prowadzącą do niego ukrytą drogę. Nie wątpię, że[11] my dwaj możemy odnaleźć ową drogę do Kamiennego Miasta, miasta wolnych Gondothlimów".

Wiedzcie zatem, że Gondothlimowie byli tymi krewniakami Noldolich, którzy jako jedyni umknęli przed potęgą Melka, kiedy w Bitwie Nieprzeliczonych Łez zabił on lub zniewolił ich pobratymców[12], osnuwając nieszczęśliwych zaklęciami, i zmusił do zamieszkania w czeluściach Piekieł Żelaza, skąd wypuszczali się jedynie z jego woli i rozkazu.

Długo szukali Tuor i Bronweg[13] miasta owego ludu, aż po wielu dniach natrafili na głęboką dolinę wśród wzgórz. Płynęła nią rzeka o kamienistym dnie i wartkim, hałaśliwym nurcie, osłonięta gęsto rosnącymi olchami. Zbocza doliny były urwiste, znajdowali się bowiem niedaleko jakichś nieznanych Voronwëmu gór. Tam znalazł on otwór w zielonej ścianie podobny do wielkich wrót o skośnych bokach. Przejście było przesłonięte gąszczem krzaków i splątanej roślinności, lecz przenikliwego spojrzenia Voronwëgo nie mogło to omamić. Jednakże powiada się, że budowniczowie tych wrót otoczyli je taką magią (dzięki pomocy Ulma, którego moc płynęła w wodach rzeki, choć na jej brzegach panowała groza Melka), że mógł na nie natrafić przypadkiem tylko ktoś z krwi Noldolich. Gdyby nie niezłomna postawa gnoma Voronwëgo, Tuor nigdy by ich nie znalazł[14]. Mimo że Gondothlimowie ze strachu przed Melkiem otoczyli swoją siedzibę takim sekretem, wielu co odważniejszych Noldolich przybywających od gór przemknęło się wzdłuż Sirionu ową drogą. Choć wielu z nich zostało uśmierconych przez zło Melka, liczni odnaleźli magiczne przejście i dotarli do Kamiennego Miasta, powiększając liczbę jego mieszkańców.

Tuor i Voronwë ucieszyli się ogromnie, gdy znaleźli tę bramę, lecz kiedy ją przekroczyli, droga okazała się ciemna, nierówna i kręta; długo nią szli, tracąc ducha w jej tunelach. Rozbrzmiewało w nich przerażające echo, a za nimi rozlegał się odgłos stąpania niezliczonych stóp, aż Voronwë przeraził się i powiedział: „To gobliny Melka, orkowie ze wzgórz". Ruszyli wówczas biegiem, potykając się w ciemności o kamienie, wreszcie zrozumieli, że to tylko omam. W ten sposób dotarli, jak im się wydawało po niekończącej się wędrówce po omacku i w strachu, do miejsca, w którym ujrzeli daleki blask światła, a idąc w jego stronę, przybyli do bramy podobnej do tej, przez którą tam weszli, która jednak nie była niczym zarośnięta. Gdy wyszli na słoneczny blask, przez chwilę nic nie widzieli, lecz zaraz rozległ się dźwięk ogromnego gongu i szczęk oręża i otoczyli ich odziani w stal wojownicy.

Podnieśli wówczas wzrok i ujrzeli, że znajdują się u podnóża stromych wzgórz tworzących wielki okrąg, wewnątrz którego rozciągała się rozległa równina. Nie w samym jej środku, lecz bliżej tego miejsca, gdzie stali, znajdował się wielki pagór o płaskim szczycie, a na nim wznosiło się widoczne w świetle poranka miasto.

Wówczas przemówił Voronwë do Straży Gondothlimów. Rozumieli jego mowę, posługiwał się bowiem pięknym językiem gnomów[15]. Odezwał się też Tuor i zapytał, gdzie się znajdują i kim są otaczający ich uzbrojeni mężowie, był bowiem zdumiony i zachwycony doskonałym wyglądem ich broni. Odpowiedział mu jeden z wojowników: „Jesteśmy strażnikami wylotu Drogi Ucieczki. Bądźcie radzi, że ją znaleźliście, widzicie bowiem przed sobą Miasto Siedmiu Imion, gdzie mogą znaleźć nadzieję wszyscy ci, którzy toczą wojnę z Melkiem".

Zapytał wówczas Tuor: „Jakież są te imiona?". Tak mu odpowiedział dowódca Straży: „Opowiada się i śpiewa: »Gondobarem jestem zwane i Gondothlimbarem, Kamiennym Miastem i Miastem Mieszkańców w Kamieniu; Gondolinem Kamieniem Pieśni i Gwarestrinem mnie nazywają, Wieżą Straży, Gar Thurionem, czyli Tajemnym Miejscem, ukryte jestem bowiem przed wzrokiem Melka; lecz ci, co kochają mnie najbardziej, nazywają mnie Lothem, jestem bowiem jak kwiat, jak lothengriol, który kwitnie na równinie«. Jednak w codziennej mowie nazywamy je najczęściej Gondolinem". Powiedział na to Voronwë: „Zaprowadźcie nas do miasta, bo z chęcią byśmy tam weszli". A Tuor dodał, że w jego sercu kryje się ogromne pragnienie, by przejść się ulicami tego pięknego grodu.

Dowódca Straży odrzekł, że on i jego towarzysze muszą tu pozostać, bo mają przed sobą jeszcze wiele dni służby, lecz Voronwë i Tuor mogą się udać do Gondolinu. Co więcej, nie będą potrzebować przewodnika: „Oto widać go w całej krasie i bardzo wyraźnie, a jego wieże kłują niebo nad Wzgórzem Czat pośrodku równiny". Wówczas Tuor wraz ze swoim towarzyszem ruszyli przez równinę, która była przedziwnie płaska i jedynie gdzieniegdzie urozmaicona okrągłymi, gładkimi głazami leżącymi wśród krótkiej trawy, a także oczkami wodnymi w skalnych nieckach. Dolinę przecinały liczne urocze ścieżki, tak że po całodziennym niewyczerpującym marszu dotarli do podnóża Wzgórza Czat (czyli Amon Gwareth w języku Noldolich). Zaczęli się wspinać krętymi schodami prowadzącymi do bramy miasta; można było tam dotrzeć tylko pieszo, pod okiem straży czuwających na murach. Osiągnęli szczyt długich schodów akurat wtedy, kiedy ostatnie promienie słońca ozłociły zachodnią bramę. Z murów i wież obserwowało ich wiele oczu[16].

Lecz Tuor patrzył na kamienne mury, na wysoko wznoszące się wieże, na lśniące wieżyczki miasta, patrzył na schody z kamienia i marmuru, chronione smukłymi balustradami i chłodzone cienkimi strumyczkami spadającymi z fontann Amon Gwareth na równinę, i szedł jak ktoś pogrążony we śnie bogów, nie sądził bowiem, by nawet w snach ludzie oglądali podobne widoki. Takim zdumieniem przepełniała go chwała Gondolinu.

Tak oto podeszli do bramy: Tuor w zachwycie, a Voronwë z wielką radością, że ważąc się na wiele, przywiódł tutaj Tuora wedle woli Ulma i że sam na zawsze zrzucił jarzmo Melka. Mimo że wciąż go nienawidził, już nie paraliżował go strach przed Złym[17] (bo w istocie urok, który Melko rzucił na Noldolich, był to czar bezdennego przerażenia: wydawało im się, że zawsze jest on koło nich, nawet jeśli przebywali z dala od Piekieł Żelaza; serca im drżały i Noldoli nie uciekali nawet wtedy, kiedy mogli, a Melko to wykorzystywał).

I oto wychodzi przez bramę Gondolinu tłum i w zdumieniu otacza tych dwóch wędrowców, radując się, że jeszcze jeden z Noldolich uciekł od Melka do ich miasta, a także podziwiając sylwetkę i wychudłe członki Tuora, jego ciężką włócznię z zadziorami z rybich ości i wspaniałą harfę. On sam miał surowy wygląd i włosy rozczochrane, a odziany był w niedźwiedzie skóry. Jest napisane, że w owych czasach ojcowie ojców ludzi mieli mniejszą posturę niż dzisiejsi, a dzieci Elfinesse były wyższe, lecz Tuor przerastał wszystkich, którzy tam stanęli. W istocie Gondothlimowie nie mieli zgiętych grzbietów, jak niektórzy z ich nieszczęsnych współplemieńców, co bez wytchnienia mozolili się dla Melka, kopiąc w ziemi i pracując młotami, lecz byli drobni, szczupli i bardzo gibcy[18]. Szybko biegali i byli niezrównanej urody; usta mieli słodkie i smutne, a w oczach radość łatwo przechodzącą w łzy; w owych bowiem czasach gnomowie czuli się w głębi serca wygnańcami i dręczyło ich nigdy niesłabnące pragnienie powrotu do pradawnych siedzib. Lecz los i niepokonana żądza wiedzy zagnały ich w dalekie strony i teraz, osaczeni przez Melka, dążyli do tego, by pracą i miłością uczynić swoje miasto jak najpiękniejszym.

Jak to się stało, że ludzie kiedykolwiek mogli mylić Noldolich z orkami, czyli goblinami Melka — nie wiem, chyba że niektórzy Noldoli zostali skażeni złem Melka, a ich rasa zmieszana z rasą orków, całe bowiem to plemię sporządził Melko z podziemnego żaru i błota. Orkowie serca mieli z granitu, a ciała zdeformowane; ohydne twarze bez uśmiechu, a ich śmiech był jak szczęk metalu; niczego nie pragnęli bardziej, niż pomagać Melkowi w jego najnikczemniejszych zamierzeniach. Największa nienawiść panowała między nimi i Noldolimi, którzy nazywali ich *Glamhoth*, czyli plemieniem przerażającej nienawiści.

I oto tłum zgromadzony wokół wędrowców odsunęli do tyłu uzbrojeni strażnicy bramy, a jeden z nich odezwał się w te słowa: „To jest miasto straży i warty, Gondolin na Amon Gwareth, gdzie mogą przebywać wolno wszyscy szczerego serca, lecz nie może do niego wejść nikt nieznany. Wyjawcie mi więc swoje imiona". Voronwë przedstawił się jako gnom Bronweg, który przybył do miasta[19] z woli Ulma jako przewodnik syna ludzi, Tuor zaś rzekł: „Jestem Tuor, syn Pelega, syna Indora z rodu Łabędzia z synów ludzi z północy, którzy mieszkają daleko stąd. Przybywam tu z woli Ulma z Oceanów Zewnętrznych".

Wówczas wszyscy go słuchający zamilkli; jego głęboki, dudniący głos napełnił ich zdumieniem, jako że ich własne były delikatne jak plusk fontann. Podniosły się wśród nich głosy: „Zaprowadźcie go przed oblicze króla".

Wtedy tłum ponownie przeszedł przez bramę, a z nim wędrowcy. Tuor spostrzegł, że brama jest żelazna, bardzo wysoka i mocna. Ulice Gondolinu były szerokie i wybrukowane kamieniami, a krawężniki miały z marmuru. Przy ulicach stały piękne domy i gmachy otoczone ogrodami pełnymi kolorowych kwiatów, a ku niebu wznosiły się wysmukłe, kształtne wieże z białego marmuru, pokryte wspaniałymi rzeźbami. Miejskie dziedzińce, zraszane fontannami, zamieszkiwały niezliczone ptaki, które śpiewały w gałęziach rosnących tam wiekowych drzew. Najświetniejszy był dziedziniec pałacu królewskiego. Wznosiła się tam najwyższa w mieście wieża, a woda w fontannach przed jego wrotami tryskała w powietrze na dwadzieścia siedem sążni i spadała śpiewającym kryształowym deszczem, na którego kroplach za dnia skrzyło się światło słońca, a nocą magiczny blask księżyca. Mieszkały tam śnieżnobiałe ptaki o głosach słodkich niczym matczyna kołysanka.

Po obu stronach pałacowych wrót rosły dwa drzewa: jedno rodziło kwiaty złote, a drugie srebrne. Ich blask nigdy nie gasł, dawno temu bowiem odcięto je jako młode pędy od cudownych drzew oświetlających Valinor, zanim zatruli je Melko i Tkaczka Mroku. Gondothlimowie nazywali swoje drzewa Glingolem i Bansilem.

Wyszedł wówczas przed wrota swego pałacu Turgon, król Gondolinu. Odziany był w białą szatę przepasaną złotem, a na głowie miał małą koronę z granatów. Stanął u szczytu prowadzących do wrót białych schodów i odezwał się w te słowa: „Witaj, człowieku z Kraju Cieni. Twoje przybycie zapowiadają nasze księgi wiedzy, w których zostało zapisane, że gdy zawitasz do miasta, w sadybach Gondothlimów zajdzie wiele wspaniałych wydarzeń".

Odezwał się wówczas Tuor, a Ulmo natchnął jego serce mocą i przydał majestatu jego głosowi. „Wiedz, ojcze Kamiennego Miasta, że ten, który dobywa głębokie dźwięki w Otchłani i który zna zamysły elfów i ludzi, nakazuje mi powiedzieć ci, że zbliża się czas Uwolnienia. Doszły do uszu Ulma pogłoski o twojej siedzibie i o twoim wzgórzu czujności skierowanej przeciwko złu Melka, i Ulma to cieszy, lecz jego serce przepełnia gniew i pełne gniewu są serca Valarów, którzy zasiadają w górach Valinoru i patrzą na świat ze szczytu Taniquetilu. Widzą bowiem stamtąd żałość zniewolenia Noldolich i wędrówek ludzi, jako że Melko otoczył ich w Krainie Cieni wzgórzami z żelaza. Dlatego przyprowadzono mnie tajemną drogą, bym ci polecił, abyś zliczył swoje hufce i przygotował się do walki, nadeszła bowiem ta godzina".

Rzekł na to Turgon: „Tego nie uczynię, choćby taki był nakaz Ulma i wszystkich Valarów. Nie wystawię mojego ludu na grozę zetknięcia z orkami ani nie narażę mojego miasta na ogień Melka".

Tak mu odrzekł Tuor: „Jeśli teraz nie poważysz się na to wielkie ryzyko, to orkowie na zawsze już zamieszkają w większości gór Ziemi, a w końcu je posiądą i nie przestaną nękać i elfów, i ludzi, nawet jeśli Valarom uda się później w jakiś inny sposób uwolnić Noldolich. Lecz jeśli zawierzysz teraz Valarom, to chociaż starcie będzie straszne, orkowie upadną, a moc Melka bardzo się umniejszy".

Lecz Turgon odparł, że jest królem Gondolinu i jeśli on sam tego nie zechce, niczyja wola nie zmusi go do narażenia na niebezpieczeństwo drogich jego sercu owoców pracy długich stuleci. Na to odrzekł Tuor, bo tak nakazał mu Ulmo, który już wcześniej obawiał się niechęci Turgona: „A zatem mam ci powiedzieć, by mężowie Gondothlimów szybko i potajemnie udali się rzeką Sirion do morza, zbudowali tam statki i popłynęli na poszukiwanie Valinoru. Wiodące tam ścieżki zostały zapomniane, prowadzące do Valinoru drogi zniknęły ze świata i krainę tę otaczają morza i góry, lecz na wzgórzu Kôr wciąż mieszkają elfowie, a w Valinorze przebywają bogowie, chociaż ich radość umniejszają smutek i strach przed Melkiem. Ukrywają więc swój kraj i oplatają go nieprzeniknioną magią, by do jego brzegów nie dotarło żadne zło. Lecz mimo to twoi posłańcy mogliby tam dotrzeć i odmienić serca bogów, tak by powstali w gniewie i powalili Melka, i zniszczyli Piekła Żelaza, które zbudował pod Górami Ciemności".

Wtedy powiedział Turgon: „Co roku, gdy ustępowała zima, posłańcy udawali się szybko i ukradkiem rzeką, która zwie się Sirion, na brzeg Wielkiego Morza i tam budowali sobie statki i zaprzęgali do nich łabędzie i mewy albo siodłali silne skrzydła wiatru, i szukali drogi wiodącej poza Księżyc i Słońce do Valinoru. Jednakże prowadzące doń ścieżki zostały zapomniane, a drogi zniknęły ze świata, i otaczają go morza i góry. Ci, co upojeni radością siedzą pośrodku nich, lekce sobie ważą strach budzony przez Melka czy też smutek świata, lecz ukrywają swój kraj i oplatają go nieprzeniknioną magią, by do ich uszu nie docierały żadne wieści o złu. Nie, dość moich pobratymców przez niezliczone lata wyprawiało się na szerokie wody, by nigdy nie powrócić, zginęli bowiem w głębinach morza lub błąkają się teraz zagubieni w krainie cieni, gdzie nie ma ścieżek. Kiedy nastanie następny rok, nikt już się nie wyprawi na morze; żeby zaś ustrzec się przed Melkiem, zawierzymy sobie i naszemu miastu, któremu Valarowie jak dotąd niewielką służyli pomocą".

Słuchał tego Tuor z ciężkim sercem, a Voronwë zaszlochał. Usiadł Tuor przy wielkiej fontannie króla, której plusk przywoływał mu na myśl muzykę fal. W jego duszy odezwało się wspomnienie konch Ulma i zapragnął wrócić z biegiem wód Sirionu do morza. Lecz Turgon, wiedząc, że Tuor, chociaż śmiertelny, jest w łaskach u Valarów, a także widząc jego nieugięte spojrzenie i słysząc potęgę głosu, wysłał do niego posłańców i zaprosił, by pozostał w Gondolinie i cieszył się jego łaskami, a gdyby zechciał, żeby zamieszkał nawet w królewskich komnatach.

Wówczas Tuor, ponieważ był znużony, a miejsce było piękne, zgodził się — i tak zaczął się pobyt Tuora w Gondolinie. Opowieści nie mówią o wszystkich jego dziełach wśród Gondothlimów, lecz powiada się, że nieraz wymknąłby się stamtąd, zmęczony tłumem, marząc o samotności w lasach i górach albo słysząc z dala morską muzykę Ulma, gdyby jego serca nie przepełniała miłość do jednej z kobiet Gondothlimów, a była to królewska córa.

Dowiedział się wielu rzeczy w tych królestwach Tuor od Voronwëgo, którego kochał i który wzajem kochał go ogromnie, uczyli go też obdarzeni rozmaitymi umiejętnościami mieszkańcy miasta i królewscy mędrcy. Dlatego też stał się człowiekiem o wiele potężniejszym, niż był dotąd, a w jego radach zamieszkała mądrość; jasnymi stało się dla niego wiele spraw dotąd niejasnych i poznał wiele z tego, co wciąż jest nieznane śmiertelnikom. Tam usłyszał o Gondolinie i o tym, jak nieprzerwana praca, ciągnąca się przez całe stulecia, nie wystarczyła, by zbudować i przyozdobić miasto, i że elfowie[20] wciąż kontynuują to dzieło. Dowiedział się o drążeniu owego ukrytego tunelu, o którym przedtem usłyszał, a który nazywano Drogą Ucieczki, i o sporach na jego temat, w których ostatecznie na rzecz jego budowy przeważyła litość dla zniewolonych Noldolich. Powiedziano mu o nieustannej straży trzymanej pod bronią przy samym tunelu oraz w niektórych niżej położonych miejscach okrężnych gór i o tym, że na ich najwyższych szczytach cały czas czuwają obserwatorzy gotowi do rozpalenia sygnałowych ognisk — nigdy bowiem lud ten nie przestawał wypatrywać ataku orków, na wypadek gdyby zostało ujawnione położenie tej warowni.

Teraz jednakże straże wśród wzgórz utrzymywano raczej siłą przyzwyczajenia niż z konieczności, Gondothlimowie bowiem dawno temu dzięki niewyobrażalnej pracy wyrównali i oczyścili całą równinę otaczającą Amon Gwareth, tak że mało który gnom czy ptak, zwierz lub wąż mógł się zbliżyć do miasta niezauważony. Dostrzeżono by go już z odległości wielu staj, wśród Gondothlimów znajdowało się bowiem wielu o wzroku ostrzejszym od wzroku sokołów Manwëgo Súlimo, władcy bogów i elfów, który mieszka na Taniquetilu. Z tego też powodu dolina ta nosiła miano Tumladin, czyli doliny gładkości. Teraz ta wielka praca została ukończona zgodnie z zamierzeniami Gondothlimów, którzy zajęli się wydobywaniem metali i wykuwaniem wszelakich mieczy i toporów, włóczni i haków, a także wytwarzaniem krótszych i dłuższych kolczug, nagolenic i zarękawi, hełmów i tarcz. Dowiedział się też Tuor, że gdyby wszyscy mieszkańcy Gondolinu strzelali z łuków bez przerwy w dzień czy w nocy, nie zdołaliby przez wiele lat wyczerpać zgromadzonego zapasu strzał i że z tego powodu z każdym rokiem coraz mniej bali się orków.

Nauczył się Tuor murarstwa, budowania z kamienia i obróbki marmuru; zgłębił sztuki tkania i przędzenia, haftowania i malarstwa; nabrał też zręczności w obróbce metali. Wysłuchał wielu kunsztownych melodii, a najbieglejsi w ich układaniu byli ci, którzy mieszkali w południowej części miasta, gdzie nie brakło szemrzących fontann i źródełek. Wiele z ich umiejętności Tuor opanował i nauczył się wplatać owe melodie w swoje pieśni — ku zachwytowi i najszczerszej radości wszystkich, którzy go słuchali. Opowiadano mu dziwy o Słońcu i Księżycu, o gwiazdach, o urządzeniu Ziemi i o jej żywiołach, o głębiach niebios. Poznał Tuor tajemne znaki pisma elfów, ich przemowy i dawne języki, usłyszał też opowieści o Ilúvatarze, Panu na Zawsze, który mieszka poza światem, o wspaniałej muzyce Ainurów, którą stworzyli u stóp Ilúvatara w najgłębszej otchłani czasu, a z której powstał i został urządzony świat i wszystko, co się w nim znajduje, a także o rządach bogów[21].

Dzięki swym umiejętnościom i wielkiej biegłości we wszelakiej wiedzy oraz rzemiosłach, a także wielkiej odwadze serca i ciała stał się Tuor pocieszycielem i oparciem dla króla, który nie miał syna; miłowali go także mieszkańcy Gondolinu. Pewnego razu król polecił swym najbieglejszym rzemieślnikom, by sporządzili dla Tuora wspaniałą zbroję, i dał mu ją w prezencie; była zrobiona z gnomickiej stali powleczonej srebrem, a jego hełm zdobiły godła z różnych rodzajów metali i kamieni szlachetnych uczynione na podobieństwo dwóch łabędzich skrzydeł, po jednym z każdej strony, i łabędzie skrzydło było także przedstawione na jego tarczy. Wolał jednak Tuor posługiwać się toporem niż mieczem, a w mowie Gondothlimów nazwał swój topór Dramborlegiem, jego cios bowiem ogłuszał, a ostrze przecinało każdą zbroję.

Na południowym murze wybudowano dla Tuora dom, kochał bowiem swobodne wiatry i nie lubił bliskiego sąsiedztwa innych siedzib. Tam często rozkoszował się świtem, wychodząc na mur, a mieszkańcy miasta radowali się na widok pierwszych błysków światła odbitego od jego skrzydlatego hełmu. Słychać było też wśród nich szepty, że chętnie by go poparli, gdyby chciał ruszyć do walki z orkami, jako że wielu Gondothlimów słyszało przemowy tych dwóch, Tuora i Turgona, wygłoszone przed pałacem. Jednak tej sprawy nie drążono ze względu na szacunek dla Turgona, a w owym czasie pamięć o słowach Ulma jakby zblakła i zatarła się w sercu Tuora.

Tak więc mieszkał Tuor wśród Gondothlimów wiele lat. Długo żywił i pielęgnował miłość do królewskiej córy, a teraz to uczucie przepełniało mu serce. Wielką miłością pałała też do Tuora Idril, nici zaś jej losu splotły się z jego przeznaczeniem już owego dnia, w którym po raz pierwszy ujrzała go z wysoko położonego okna, kiedy stał przed pałacem króla jako znużony wędrowiec. Turgon nie miał powodu, by sprzeciwiać się ich miłości, widział bowiem w Tuorze krewniaka dającego mu pociechę i wielką nadzieję. Tak oto po raz pierwszy, ale nie ostatni, ludzkie dziecię poślubiło córkę Elfinesse. Wiele par zaznało mniej szczęścia małżeńskiego od nich, lecz na koniec mieli też zaznać wielkiego smutku. Ogromna jednak panowała radość w owych dniach, kiedy Idril i Tuor zostali sobie zaślubieni w przytomności mieszkańców Gondolinu w Gar Ainion, Miejscu Bogów, znajdującym się w pobliżu siedziby króla. Zaślubiny te były dla Gondolinu czasem wesela, a dla[22] Idril i Tuora — wielkiego szczęścia. Odtąd mieszkali, dzieląc się radością, w owym domu na murach, który miał widok na południe, na Tumladin. Radowały się serca wszystkich w mieście prócz jednego tylko Meglina. Gnom ten wywodził się ze starodawnego rodu, chociaż w owych czasach mniej licznego niż inne, lecz on sam, poprzez matkę, królewską siostrę Isfin, był siostrzeńcem króla, ale opowieść o Isfin i Eölu nie może być tu przedstawiona[23].

Otóż za godło miał Meglin czarnego kreta, a wyróżniał się wśród skalników i przewodził poszukiwaczom rud; wielu z nich należało do jego klanu. Nie tak urodziwy jak większość tego licznego bractwa, był śniady i niezbyt życzliwego usposobienia, nie zaskarbił sobie tedy wiele sympatii, a szeptano, że w jego żyłach płynie krew orka, ale nie wiem, jak mogłoby to być prawdą. Często prosił króla o rękę Idril, lecz widząc, że jest córce niemiły, Turgon równie często mu tej ręki odmawiał; zdawało mu się także, iż Meglinem powoduje w równym stopniu miłość do tej pięknej panny, co pragnienie znalezienia się u władzy, wysoko przy królewskim tronie. A panna zaiste była piękna i do tego odważna; elfowie nazywali ją Idril o Srebrnych Stopach*, choć bowiem była królewską córą, wszędzie cho-

* W *Tuor B* nad tymi słowami słabo widoczny ołówkowy dopisek: *Idril Talceleb*.

działa boso i z odkrytą głową, z wyjątkiem jedynie uroczystości poświęconych Ainurom. Widząc, że Tuor zajął jego miejsce, Meglin przeżuwał swój gniew.

W owym czasie doszło do spełnienia pragnień Valarów oraz nadziei Eldalië, z wielkiej bowiem miłości Idril urodziła Tuorowi syna, którego nazwano Eärendelem. Istnieje wiele interpretacji tego imienia, zarówno wśród elfów, jak i ludzi, lecz zapewne ułożono je w jednym z tajemnych języku Gondothlimów[24], który wraz z nimi zginął z zamieszkanych miejsc na Ziemi.

Niemowlę było niezwykłej urody; jego skóra lśniła bielą, a błękit jego oczu przyćmiewał błękit nieba w południowych krajach, bo oczy były bardziej niebieskie od szafirów zdobiących szaty Manwëgo[25]. Zazdrość Meglina po narodzinach Eärendela stała się jeszcze większa, lecz wielka była radość Turgona i całego jego ludu.

Trzeba pamiętać, iż wiele lat upłynęło od czasu, gdy Tuor zgubił się wśród wzgórz, opuszczony przez tamtych Noldolich; wiele też lat minęło od czasu, gdy do uszu Melka po raz pierwszy dotarły owe dziwne wieści — były one niejasne i przybierały rozmaite formy — o człowieku wędrującym wśród dolin wyżłobionych przez wody Sirionu. Otóż w owych czasach swej wielkiej potęgi Melko niezbyt się obawiał rasy ludzi i z tego powodu Ulmo działał poprzez jednego z nich, by tym lepiej zwieść Melka, jako że nie budząc jego czujności, nie mógł wykonać najmniejszego ruchu żaden Valar i prawie nikt spośród Eldarów czy Noldolich. Jednakże wieści te sprawiły, że w nikczemnym sercu Melka pojawiły się złe przeczucia. Zebrał potężną armię szpiegów: znajdowali się w niej synowie orków o oczach żółtozielonych jak u kotów, którzy potrafili przebić wzrokiem wszelkie ciemności i widzieć w oparach lub we mgle albo w nocy; były tam też węże, które potrafiły dotrzeć wszędzie i przeszukać wszelkie zakamarki, najgłębsze jamy i najwyższe szczyty, usłyszeć każdy szept w trawie lub rozbrzmiewający echem wśród wzgórz. Znajdowały się tam również wilki i wściekłe psy, i wielkie krwiożercze łasice, których nozdrza potrafiły wywęszyć trop po kilku miesiącach nawet w płynącej wodzie i których oczy były w stanie wyśledzić na kamienistym podłożu ślady stóp, które tamtędy przeszły całe wieki wcześniej. Do tej armii dołączyły też sowy i sokoły, których bystry wzrok pozwalał wypatrzyć za dnia czy w nocy polatywanie drobnych ptaszków we wszystkich lasach świata i poruszenia wszystkich myszy, kretów czy szczurów zamieszkających Ziemię. Wszystkie te istoty wezwał Melko do swojej Żelaznej Sali, a one tłumnie przybyły. Stamtąd wysłał je na poszukiwania człowieka, który zbiegł z Krainy Cieni, lecz kazał im z jeszcze większą ciekawością i gorliwością szukać siedziby Noldolich, którzy uciekli spod jego jarzma, ponieważ jego serce płonęło żądzą zabicia ich lub zniewolenia.

I kiedy Tuor żył w Gondolinie w szczęściu, zdobywając coraz większą wiedzę i potęgę, stworzenia te całymi latami niestrudzenie węszyły wśród kamieni i skał, przeszukiwały lasy i wrzosowiska, obserwowały niebo i miejsca na wyżynach, śledziły wszystkie ścieżki w dolinach i na równinach, nieprzerwanie i uparcie. Z tych poszukiwań przynosiły Melkowi liczne wieści — w istocie wśród wielu tajemnic, które wydobyły na światło dzienne, była też owa Droga Ucieczki, którą niegdyś przebyli Tuor i Voronwë. Udało się to szpiegom osiągnąć tylko dlatego, że pod groźbą srogich tortur zmusili niektórych z mniej niezłomnych Noldolich, by przyłączyli się do tych poszukiwań, ze względu bowiem na magię otaczającą wejście bez pomocy gnomów nie mógł się do niego zbliżyć żaden poplecznik Melka. W owym czasie jednak orkowie zapuścili się głęboko w tunele i schwytali wielu Noldolich, którzy starali się tamtędy uciec z niewoli. Wspięli się także w kilku miejscach na Wzgórza Okrężne* i oglądali z dala piękno Gondolinu oraz potęgę Amon Gwareth, lecz nie mogli się przedostać na równinę ze względu na czujność strażników i trudy wspinaczki. W istocie Gondothlimowie byli wybornymi łucznikami i wytwarzali łuki o niezwykłej mocy. Potrafili z nich wystrzelić w niebo strzałę na odległość siedmiokroć większą niż najlepszy łucznik wśród ludzi, który strzelał do celu na ziemi. Nie pozwalali też, aby jakikolwiek sokół krążył zbyt długo nad ich równiną albo wpełzł na nią jakiś wąż, nie lubili bowiem wyhodowanych przez Melka stworzeń żywiących się krwią.

Kiedy Eärendel kończył pierwszy rok życia, do miasta dotarły te groźne wieści o szpiegach Melka i o tym, jak okrążyli oni całą dolinę Tumladin. Smutek zagościł wówczas w sercu Turgona, który wspomniał na słowa Tuora wygłoszone przed laty u drzwi pałacu. Rozkazał Turgon wszędzie potroić straże i warty, a także polecił, by jego rzemieślnicy zbudowali machiny wojenne i ustawili je na wzgórzu. Każdego, kto chciałby zaatakować

---

* W *Tuor B* nad tymi słowami ołówkowy dopisek: *Heborodin*.

lśniące mury miasta, mógł w ten sposób zalać trującym ogniem i wrzątkiem, zasypać strzałami i wielkimi głazami. Wydawszy te rozkazy, Turgon, zadowolony, dalej mieszkał w swoim pałacu. Za to Tuor czuł większy ciężar na sercu niż król, bo wciąż miał w pamięci słowa Ulma, a ich sens i wagę rozumiał lepiej niż dawniej. Nie znajdował też wielkiej pociechy u Idril, jej przeczucia bowiem były mroczniejsze nawet od jego przewidywań.

Wiedzcie zatem, że Idril miała wielką moc przenikania myślą mroku serc elfich i ludzkich, a także odgadywania przyszłości — sięgała w nią nawet dalej, niż potrafią to zwykle robić Eldalië. Tak zatem przemówiła pewnego dnia do Tuora: „Wiedz, mężu mój, że serce me złe ma przeczucia co do Meglina i w niego wątpi. Obawiam się, że sprowadzi on zło na to piękne królestwo, chociaż w żaden sposób nie potrafię dostrzec jak albo kiedy. Boję się jednak, że Wróg jakimś sposobem pozna wszystko, co Meglin wie o naszych poczynaniach i przygotowaniach, i będzie mógł obmyślić nową metodę sprowadzenia na nas zguby, przeciwko której nie przygotowaliśmy obrony. Słuchaj! Pewnej nocy przyśniło mi się, że Meglin wybudował piec, zaatakował nas znienacka i wrzucił do tego pieca nasze maleństwo, Eärendela, a potem chciał tam wrzucić ciebie i mnie, a ja, ogarnięta smutkiem po śmierci naszego pięknego dziecka, nie stawiałam oporu".

Tak odpowiedział jej Tuor: „Twój strach nie jest bezpodstawny, bo i moje serce nie skłania się ku Meglinowi; jest on jednak siostrzeńcem króla i twoim kuzynem, nie ciążą też na nim żadne oskarżenia, nie widzę tedy innego wyjścia, jak czekać i obserwować".

Lecz Idril rzekła: „Taką mam na to radę: zbierz wokół siebie w wielkiej tajemnicy tych kopaczy i skalników, o których dzięki starannym próbom wiadomo, że najmniej kochają Meglina ze względu na dumę i arogancję jego poczynań. Spośród tak zgromadzonych musisz wybrać mężów godnych zaufania, by śledzili Meglina, kiedy będzie się wyprawiać w zewnętrzne góry. Radzę ci też, byś większą część tych, którym możesz ufać, że dochowają tajemnicy, zatrudnił do kopania sekretnego tunelu i z ich pomocą — jakkolwiek ostrożna i powolna może się okazać to praca — stworzył tajemną drogę ucieczki pod skałami tego wzgórza, na którym stoi twój dom, do leżącej poniżej doliny. Tunel ten nie może prowadzić do Drogi Ucieczki — serce bowiem przestrzega mnie, bym nie pokładała w niej ufności — lecz ku odległej przełęczy, zwanej Żlebem Orłów, w południowych górach. Im dalej korytarz pod powierzchnią równiny sięgnie w tamtą stronę, tym wyżej będę go ceniła. Całą tę ciężką pracę ukrywaj jednak przed wszystkimi z wyjątkiem bardzo nielicznych".

Otóż nie ma lepszych kopaczy w ziemi czy skałach jak Noldoli (Melko o tym wiedział), lecz w owych miejscach ziemia była bardzo twarda, więc Tuor powiedział: „Skały wzgórza Amon Gwareth są niczym żelazo i da się je rozłupać tylko wielkim nakładem sił, a jeśli ma się to odbywać w tajemnicy, trzeba na to mnóstwo czasu i wielkiej cierpliwości, skalne zaś podłoże Doliny Tumladin jest jako kuta stal i nie da się go ciosać bez wiedzy Gondothlimów, chyba że miałoby to trwać całe miesiące i lata".

Odrzekła na to Idril: „Może tak być w istocie, ale taką ci daję radę, a jest jeszcze trochę czasu". Tuor odparł, że możliwe, iż nie dostrzega pełnego sensu tej rady, ale ponieważ „lepszy jakikolwiek plan od braku rady", zatem uczyni tak, jak mówi Idril.

Tak się złożyło, że niedługo potem Meglin wybrał się samotnie w góry po rudę i zabłądziwszy, został pojmany przez grasujących w tej okolicy orków. Wiedząc, że jest on Gondothlimem, chcieli wyrządzić mu krzywdę i zadać straszliwe rany. Zwiadowcy Tuora nie dowiedzieli się o tym wydarzeniu. A w sercu Meglina obudziło się zło i gnom tak przemówił do tych, którzy go schwytali: „Wiedzcie, że jestem Meglin, syn Eöla, który pojął za żonę Isfin, siostrę Turgona, króla Gondothlimów". Oni zaś odparli: „A co nas to obchodzi?". Meglin odpowiedział: „Bardzo dużo, jeśli bowiem mnie zabijecie, czy stanie się to szybko, czy powoli, nie poznacie ważnych wieści o Gondolinie, które sprawiłyby waszemu panu wielką radość". Wówczas orkowie opuścili ręce i powiedzieli, że darują mu życie, jeśli sprawy, które im wyjawi, będą tego warte, Meglin zaś opowiedział im wszystko o równinie i mieście, o jego murach, ich wysokości i grubości, o wytrzymałości jego bram. Powiedział też o hufcu zbrojnych mężów, którzy podlegali Turgonowi, i o nieskończonych zapasach broni zgromadzonej do ich wyposażenia, o machinach wojennych i o jadowitych ogniach.

Wówczas orków ogarnął gniew — usłyszawszy o tych sprawach, chcieli na miejscu zabić Meglina jako tego, który miał czelność wzmóc siły swego nędznego ludu na drwinę z wielkiej potęgi i siły Melka, lecz Meglin, nie widząc innego wyjścia, powiedział: „Czy nie sądzicie, że bardziej dogodzilibyście swemu panu, rzucając mu pod nogi tak szlachetnego jeńca, żeby sam mógł usłyszeć te wieści i ocenić ich prawdziwość?".

To wydało się orkom słuszne, powrócili więc z gór otaczających Gondolin do Wzgórz z Żelaza i mrocznych sal Melka, przywodząc ze sobą Meglina, którego ogarnął teraz wielki strach. Kiedy ukląkł przed czarnym tronem Melka, przerażony otaczającymi go posępnymi postaciami — wilkami, co zebrały się poniżej tego siedziska, i żmijami, które oplatały jego nogi — Melko kazał mu przemówić. Przekazał wówczas Meglin swoje wieści, a wysłuchawszy ich, zwrócił się do niego Melko pięknymi słowy, pod wpływem których powróciła niemal cała zuchwałość Meglina.

Skończyło się to tak, że wspomagany przebiegłością Meglina, Melko ułożył plan zniszczenia Gondolinu. Nagrodą za to dla Meglina miało być dowództwo nad orkami, chociaż w głębi serca nie zamierzał Melko spełnić takiej obietnicy, lecz chciał spalić Tuora i Eärendela, a Idril oddać Meglinowi — i te obietnice nikczemnik ten miał zamiar wypełnić. Lecz gdyby Meglin zdradził, zagroził Melko, to odpłatą byłoby wydanie go Balrogom na tortury. A były to demony z ognistymi biczami i stalowymi szponami, którymi zadawali katusze tym Noldolim, którzy ośmielali się w czymkolwiek przeciwstawić Melkowi. Eldarowie nadali im miano Malkaraukich. Wśród porad, jakich udzielił Meglin, znalazła się też przestroga, że nawet wszystkie zastępy orków ani Balrogowie w całej swojej zażartości nie mogą liczyć na to, że zniszczą mury i bramy Gondolinu czy to przez atak, czy to przez oblężenie, nawet jeśliby udało im się przedostać na równinę otaczającą miasto. Doradził zatem Melkowi, aby swoich wojowników w ich przedsięwzięciu wspomógł czarnoksięstwem i by korzystając z zapasów metali i władzy, jaką miał nad ogniem, stworzył bestie na kształt wężów i smoków o przemożnej sile, które przepełzłyby przez Wzgórza Okrężne i skąpały równinę i wznoszące się na niej piękne miasto w niosącym śmierć ogniu.

Wówczas Meglin otrzymał polecenie, by powrócił do domu, żeby jego nieobecność nie wzbudziła podejrzeń, atoli Melko rzucił na niego czar bezdennego przerażenia i odtąd w sercu Meglina już nie zagościły ni radość, ni spokój. Jednakże przybrał on maskę dobrego humoru i wesołości, tak że mieszkańcy miasta mówili, że Meglin złagodniał, i patrzyli na niego z mniejszą niechęcią. W Idril zaś budził tym większą obawę. Meglin zaś rzekł: „Dużo pracowałem i mam ochotę odpocząć; pragnę wraz ze wszystkimi tańczyć, śpiewać i się weselić". Nie chodził już w góry, by wydobywać kamień i rudę, lecz pozostając w mieście, pragnął uśmierzyć swój niepokój. Owładnęło nim przerażenie, że Melko zawsze znajduje się w pobliżu, co było skutkiem rzuconego nań czaru. Meglin nie ważył się już odwiedzać kopalń — ze strachu, że znowu natknie się na orków i ponownie zostanie przymuszony do przeżywania grozy tamtych sal ciemności.

Przemijają lata. Przynaglany przez Idril, Tuor nie przerywa drążenia tajemnego tunelu. Widząc, że obręcz otaczających miasto szpiegów stała się cieńsza, Turgon jest spokojniejszy i powściąga swe obawy. Jednakże przez te lata Melko prowadzi wytężone prace: wszyscy niewolni Noldoli muszą nieustannie wydobywać metale, Melko zaś obmyśla wykorzystujący ogień oręż i przyzywa z dolnych poziomów płomienie oraz dymy. Nie pozwala też, by któryś ze zniewolonych Noldolich oddalił się choćby na krok z wyznaczonego mu miejsca. I stało się, że pewnego razu zgromadził Melko wszystkich swoich najzmyślniejszych kowali i czarnoksiężników, a ci z żelaza i ognia stworzyli zastęp monstrów, które widziano tylko wówczas i które zostaną ponownie ujrzane dopiero podczas Wielkiego Końca. Jedne były całe zrobione z kawałków żelaza tak przemyślnie połączonych, że potrafiły płynąć niczym powolne rzeki metalu albo owijać się dookoła wszelkich wyrastających przed nimi przeszkód i przepełzać nad nimi, a potwory te niosły w swoim wnętrzu najgroźniejszych orków uzbrojonych w zakrzywione szerokie szable i włócznie. Inne monstra były z brązu i miedzi, te otrzymały serca z buchającego ognia i straszliwym parskaniem zmiatały z powierzchni ziemi wszystko, co stało im na drodze, tratując to, co umknęło przed ich płomienistym oddechem. Jeszcze inne stwory uczyniono z czystego płomienia, te wiły się niczym wstęgi stopionego metalu i niszczyły każdy materiał, do którego się zbliżyły, a żelazo i kamień rozpływały się wówczas jak woda. Na monstrach całymi setkami jechali Balrogowie — były to najgroźniejsze ze wszystkich potworów, jakie Melko obmyślił na wojnę przeciwko Gondolinowi.

Kiedy minęło siódme lato od zdrady Meglina, a Eärendel był jeszcze bardzo małym, choć dzielnym dzieckiem, Melko wycofał wszystkich swoich szpiegów, poznał już bowiem wszystkie ścieżki i zakątki gór, lecz Gondothlimowie uznali w swej nieświadomości, że zdał sobie sprawę z ich potęgi oraz niemożliwej do pokonania siły broniącej ich siedziby i że już przeciwko nim nie wystąpi.

Lecz Idril ogarnął mroczny nastrój, a jej promienna twarz straciła blask, co dziwiło wielu mieszkańców miasta. Mimo to Turgon ograniczył straże i warty do ich dawnej liczebności, a nawet nieco je zmniejszył. Kiedy zaś nastała jesień i zakończył się zbiór owoców, mieszkańcy miasta z radością przygotowywali się na zimowe gody, jednakże Tuor wciąż stawał na murach i patrzył na Wzgórza Okrężne.

Obok niego pojawiła się Idril, a wiatr bawił się jej włosami. Tuor pomyślał, że jest nadzwyczaj piękna, i pochylił się, by ją ucałować, lecz ona miała smutną twarz i powiedziała: „Zbliża się czas, kiedy będziesz musiał dokonać wyboru". Tuor nie wiedział, o czym ona mówi. Wtedy powiodła go do domu i opowiedziała mu, jak na jej sercu cieniem kładzie się strach o Eärendela i przeczucie, że nadchodzi wielkie zło i że za tym wszystkim kryje się Melko. Tuor chciał ją pocieszyć, lecz mu się to nie udało, a Idril wypytywała go o sekretny tunel. Powiedział, że teraz ciągnie się pod równiną na jedno staje, a jego słowa przyniosły Idril niejaką ulgę. Nadal jednak radziła, by kontynuować kopanie i żeby od tej pory szybkość miała większe znaczenie od utrzymania tajemnicy, ponieważ, jak rzekła, „zbliża się czas". I jeszcze jedno pouczenie przekazała Tuorowi: żeby bardzo starannie wybrał najdzielniejszych i najwierniejszych spośród panów i wojowników Gondolinu i wyjawił im sekret tej drogi, on zaś przyjął tę radę. Radziła Idril, by utworzył z nich niezłomną straż, a także dał im swoje godło, które by świadczyło, że podlegają tylko jemu, a wszystko to pod pretekstem, że takie są prawa i godności wielkiego pana, królewskiego krewniaka. „Co więcej", powiedziała Idril, „zyskam dla tych działań przychylność ojca". W tajemnicy rozpowszechniała też szeptane wieści wśród mieszkańców Gondolinu, że gdyby miastu zagrażała zagłada albo jeśli Turgon zostałby zabity, mają stanąć w obronie Tuora i jej syna. Przyjmowali te polecenia, ale czynili to ze śmiechem, przekonując ją, iż Gondolin będzie stał tak długo, jak Taniquetil albo góry Valinoru.

Z Turgonem nie rozmawiała jednak otwarcie ani nie pozwoliła na to — wbrew jego pragnieniom — Tuorowi. Choć bowiem oboje bardzo kochali i szanowali króla, władcę wielkiego, szlachetnego i wspaniałego, to jednak widzieli, że ufa on Meglinowi i ze ślepym uporem wierzy w niezłomną potęgę miasta oraz w to, że Melko, nie widząc nadziei na zdobycie go, już nie zamierza na nie uderzyć. W tym przekonaniu stale utwierdzał go swymi podszeptami Meglin. A przebiegłość tego gnoma była ogromna, wiele bowiem działań prowadził pod osłoną ciemności, aż niektórzy mówili, że słusznie nosi godło czarnego kreta. Przez głupotę pewnych skalników, a bardziej jeszcze w rezultacie nieopatrznych słów kilku krewnych, z którymi nieroztropnie rozmawiał Tuor, Meglin zdobył wiedzę o prowadzonych w sekrecie pracach i ułożył własny plan, mający na celu ich zniweczenie.

Tak więc gdy zima nastała na dobre i zrobiło się bardzo zimno, mróz zagościł na równinie Tumladin, a na jej stawach pojawił się lód, lecz na Amon Gwareth zawsze szumiały fontanny i kwitły dwa drzewa, a mieszkańcy miasta bawili się, aż przyszedł dzień grozy, o którym wiedzę skrywał w sercu Melko.

W ten sposób mijała tamta ostra zima, a na Wzgórzach Okrężnych leżało więcej śniegu niż kiedykolwiek przedtem, lecz wiosna, która przyszła we właściwym czasie i w całym swym uroku, stopiła połacie białych płaszczy śniegu, a dolina spiła wody i wybuchła kwiatami. Przyszły i minęły wypełnione przez dziecięce zabawy gody Nost-na-Lothion, czyli święto Narodzin Kwiatów, a zapowiedź dobrego roku napełniła serca Gondothlimów otuchą. Nadchodziło wreszcie wielkie święto Tarnin Austa, czyli święto Bram Lata. Wiedzcie bowiem, że mieszkańcy Gondolinu mieli w zwyczaju rozpoczynać o północy uroczyste obchody Tarnin Austa i kontynuować je aż do świtu. W całym mieście od północy do brzasku nie padało ani jedno słowo, lecz świt jego mieszkańcy witali starodawnymi pieśniami. Od pradawnych czasów witał tak nadejście lata śpiew chórów ustawionych na lśniących wschodnich murach. I oto nadchodzi noc czuwania i miasto rozświetlają srebrzyste lampy, w gajach na okrytych świeżym listowiem drzewach kołyszą się wielobarwne klejnoty lampionów, a wzdłuż ścieżek rozbrzmiewa cicha muzyka, lecz żaden głos aż do świtu nie podejmuje pieśni.

Słońce zapadło za góry i mieszkańcy miasta ochoczo i z radością gromadzą się w oczekiwaniu na rozpoczęcie święta, wpatrując się z wyczekiwaniem w horyzont na wschodzie. I oto kiedy słońce zniknęło i zapanowała ciemność, nagle pojawiło się nowe światło, a wraz z nim łuna, lecz rozlewała się ona za górami na północy[26]. Zdumieni tym mieszkańcy miasta tłumnie wchodzili na mury. Po chwili zdumienie przerodziło się w niepokój, bo światło się nasiliło i stało się jeszcze bardziej czerwone, niepokój zaś zmienił się w przerażenie, gdy poczerwieniał jak krew śnieg na stokach gór. Tak to ogniste węże Melka rozpoczęły atak na Gondolin.

Przez równinę przygalopowali wówczas do miasta zadyszani jeźdźcy z wieściami od tych, którzy trzymali straż na szczytach, i opowiedzieli o ognistych zastępach i stworach przypominających smoki, mówiąc: „Zaatakował nas Melko". Wielki zapanował strach i przerażenie; ulice i zaułki pięknego miasta wypełniły się szlochem kobiet i płaczem dzieci, a na placach zwoływano żołnierzy i słychać było szczęk broni. Pokazały się lśniące sztandary wszystkich wielkich klanów i rodów Gondothlimów. Wspaniale prezentował się oddział króla; jego barwami były biel, złoto i czerwień, a emblematami księżyc, słońce i szkarłatne serce[27]. Wśród wojowników stał przerastający wszystkich o głowę Tuor w lśniącej srebrzystej kolczudze, a wokół niego zwarli szeregi najroślejsi mężowie. Wszyscy mieli na hełmach znak skrzydeł łabędzi czy też mew, a na tarczach godło Białego Skrzydła. W pobliżu ustawili się też mężowie z klanu Meglina; mieli czarny rynsztunek bez żadnego znaku czy emblematu, lecz ich okrągłe stalowe hełmy pokrywały krecie skórki, a walczyli podobnymi do motyk toporami o dwóch brzeszczotach. Meglin, książę Gondobaru, zebrał wokół siebie licznych wojowników o mrocznych obliczach i groźnych spojrzeniach, a twarze ich oświetlał czerwonawy poblask, rozpalający też błyski na wypolerowanych powierzchniach ich rynsztunku. I stało się, jakby zapłonęły wszystkie góry na północy, a z ich zboczy opadających na równinę Tumladin popłynęły rzeki ognia. Mieszkańcy miasta poczuli ich żar.

Było tam też wiele innych klanów, hufce Jaskółki i Sklepienia Niebieskiego, spośród których wywodziło się najwięcej doborowych łuczników, rozstawionych teraz na szerokich zwieńczeniach murów. Wojownicy Jaskółki mieli na hełmach ułożone w wachlarz pióra, byli odziani w biel, granat, fiolet i czerń, a na ich tarczach widniały groty strzał. Przewodził im Duilin, najszybszy w biegach i skokach i najcelniejszy łucznik. Ci zaś ze Sklepienia Niebieskiego, jako że byli najbogatsi, nosili stroje w najróżniejszych kolorach, a ich broń wysadzana była klejnotami, które płonęły blaskiem w świetle padającym z nieba. Każda tarcza w tym oddziale była błękitna jak niebo, jej umbo stanowił klejnot zrobiony z siedmiu kamieni szlachetnych: rubinów, ametystów i szafirów, szmaragdów, chryzoprazów, topazów i bursztynów, a w każdym hełmie osadzony był ogromny opal. Dowodził nimi Egalmoth; jego błękitny płaszcz był haftowany w kryształowe gwiazdy, a szabla miała zakrzywioną głownię — takiej szabli nie nosił nikt inny spośród Noldolich. On jednak bardziej ufał łukowi i posyłał z niego strzały dalej niż ktokolwiek z tego hufca.

Byli tam też wojownicy z hufców Filaru i Śnieżnej Wieży; obu tym klanom przewodził Penlod, najwyższy z gnomów. Stanęli też odziani w zieleń wojownicy Drzewa, a był to wielki klan. Jego członkowie walczyli nabijanymi żelazem pałkami lub procami; ich dowódca Galdor był uważany za najdzielniejszego ze wszystkich Gondothlimów z wyjątkiem jedynie Turgona.

Stawił się też klan Złotego Kwiatu ze słońcem otoczonym promieniami na tarczach. Jego przywódca, Glorfindel, miał płaszcz wyszywany złotą nicią w układające się w romby kwiaty jaskółczego ziela, co wyglądało jak wiosenne pole, a oręż miał przemyślnie inkrustowany złotem.

Następnie przybyli z południowej części miasta mężowie klanu Fontanny, prowadzeni przez Ectheliona, którzy lubowali się w srebrze i diamentach. Dzierżyli bardzo długie, błyszczące jasne miecze, a do bitwy szli przy muzyce fletów. Za nimi nadszedł hufiec Harfy, oddział odważnych wojowników, lecz ich przywódca Salgant był tchórzem i stronnikiem Meglina. Ich ubiór zdobiły srebrzyste i złociste chwosty, a na tarczach lśniła na czarnym polu srebrna harfa. Harfa Salganta była ze złota, a on sam jako jedyny spośród synów Gondothlimów jechał do bitwy konno, jako że był ciężki i krępej postury.

Ostatni z oddziałów wystawił klan Młota Gniewu, a należało do niego wielu najlepszych kowali i rzemieślników, którzy najbardziej ze wszystkich Ainurów darzyli szacunkiem kowala Aulëgo. Walczyli wielkimi maczugami jak młotami i osłaniali się ciężkimi tarczami, ponieważ mieli bardzo silne ręce. W dawniejszych czasach często werbowali ich do swoich szeregów Noldoli, którzy uciekli z kopalń Melka, a nienawiść tego klanu do jego dzieł i jego demonów, Balrogów, zaiste była wielka. Temu oddziałowi przewodził Rog, najsilniejszy z gnomów, ustępujący w męstwie tylko Galdorowi z klanu Drzewa. Ich godłem było Uderzone Kowadło, dlatego na swoich tarczach umieścili młot krzeszący skry, a lubowali się w czerwonym złocie i czarnym żelazie. Oddział ten był bardzo liczny i żaden z jego wojowników nie znał strachu, toteż zdobyli w tych śmiertelnych zmaganiach największą chwałę spośród wszystkich klanów, lecz szczęście im nie sprzyjało i żaden z nich nie powrócił z pola bitwy. Wszyscy padli wokół swego dowódcy i zniknęli z powierzchni ziemi, a wraz z nimi na zawsze przepadło wiele rzemieślniczych kunsztów i umiejętności[28].

Tak wyglądało jedenaście klanów Gondothlimów z ich znakami i emblematami. Za dwunasty klan uznawano wojowników Skrzydła, osobistą straż Tuora. On sam ma twarz ponurą i nie sprawia wrażenia, jakby miał długo żyć. W jego domu na murach Idril przywdziewa kolczugę i szuka Eärendela. Dziecko płakało z powodu dziwnej czerwonej poświaty falującej na ścianach komnaty, w której spało, przypomniały mu się też niepokojące opowieści jego niani Melethy o ognistym Melku, które dla niego układała, kiedy był niesforny. Matka przyszła do niego i ubrała go w maleńką kolczugę, którą w tajemnicy kazała wykonać. To go pocieszyło i napełniło wielką dumą, zaczął więc krzyczeć z radości. Idril atoli szlochała, bardzo bowiem miłowała to piękne miasto i swój wspaniały dom, podobnie jak dzieloną z Tuorem miłość, która tam mieszkała. Teraz widziała zbliżającą się zagładę i obawiała się, że jej pomysłowość na nic się nie zda wobec straszliwej potęgi i grozy owych wężów.

Brakowało jeszcze czterech godzin do środka nocy. Niebo było czerwone na północy, wschodzie i zachodzie. Żelazne węże zeszły na poziom Tumladinu, a ogniste monstra dotarły do najniższych zboczy gór, tak że Balrogowie, którzy przeczesywali cały teren oprócz położonego najdalej na południe Żlebu Orłów, zwanego Cristhorn, schwytali strażników i poddali ich torturom.

Wówczas król Turgon zwołał naradę, na którą udali się jako książęta królewskiej krwi Tuor i Meglin, przybył na nią także Duilin z Egalmothem i wysokim Penlodem, pojawił się Rog z Galdorem z hufca Drzewa i złocisty Glorfindel oraz Ecthelion o głosie brzmiącym jak muzyka. Na naradę udał się także Salgant, który po usłyszeniu wieści trząsł się ze strachu, oraz inni szlachetni panowie nie tak wysoko urodzeni, lecz mężniejszego serca.

Przemówił wtedy Tuor, a rada jego była taka, by niezwłocznie wyjść z miasta i uderzyć na nieprzyjaciela, zanim na równinie zrobi się za jasno i za gorąco. Wielu go wsparło, lecz nie mogli się zgodzić, czy mają ruszyć wszyscy mieszkańcy, wziąwszy panny, żony i dzieci w środek, czy też różne grupy powinny zmierzać w różnych kierunkach. Ku temu ostatniemu rozwiązaniu skłaniał się właśnie Tuor.

Lecz Meglin i Salgant jako jedyni uważali inaczej i opowiedzieli się za trwaniem w mieście i strzeżeniem zgromadzonych w nim skarbów. Przez Meglina przemawiała przebiegłość, bał się bowiem, by jacyś Noldoli nie uniknęli zagłady, którą na nich sprowadził, ratując własną skórę, obawiał się też, że jego zdrada mogłaby wyjść na jaw i w późniejszym czasie jakimś sposobem dosięgłaby go zemsta. Salgant popierał Meglina, także dlatego, że bardzo się bał opuścić miasto, wolał bowiem walczyć w niezdobytej fortecy niż ryzykować życie na otwartym polu.

Meglin, przywódca klanu Kreta, zagrał wówczas na jedynej słabości Turgona i rzekł: „Posłuchaj, królu! Miasto Gondolin kryje w sobie bogactwo klejnotów, metali i innych materiałów, a także różne przedmioty niezwykłej urody wykonane rękami gnomów. Wszystko to twoi wodzowie — bardziej odważni, jak mi się zdaje, niż mądrzy — chcieliby porzucić na pastwę Wroga. Nawet gdybyś odniósł zwycięstwo na równinie, miasto zostanie splądrowane, a Balrogowie odejdą stąd z niezmierzonymi łupami". W tym momencie Turgon jęknął; Meglin wiedział, jak wielką miłością darzy król bogactwo i urodę swego grodu ufortyfikowanego na Amon Gwareth. Mówił więc dalej, przydając swoim słowom żaru: „Czyś nadaremnie pracował przez niepoliczone lata przy wznoszeniu murów tak grubych, że nie da się ich zdobyć, i budowie bram, które wytrzymają każdy atak? Czy wyniosłe wzgórze Amon Gwareth stało się pod względem siły obronnej podobne głębokiej dolinie i czy nagromadzony tu oręż, a także niezliczona liczba strzał mają tak małą wartość, że w chwili zagrożenia chcesz to wszystko odrzucić i wyjść nieuzbrojony na otwarte pole, by walczyć przeciwko wrogom z ognia i stali, od których kroków trzęsie się ziemia, a Góry Okrężne rozbrzmiewają ich dudnieniem?".

Salgant struchlał na samą myśl o tym i głośno odezwał się w te słowa: „Meglin dobrze mówi, królu, posłuchaj go". Wówczas przyjął król radę tych dwóch, chociaż wszyscy inni wodzowie byli odmiennego zdania, a raczej właśnie dlatego. Na królewski rozkaz wszyscy mieszkańcy miasta oczekują teraz ataku na jego murach. Lecz Tuor załkał i wyszedł z sali, a zebrawszy oddział Skrzydła, udał się ulicami grodu ku swemu domowi. O tej porze poświata była już wielka i krwawa, panował duszący żar, a nad drogami prowadzącymi do miasta unosił się czarny dym i swąd.

I nadciągnęły doliną potwory, a białe wieże Gondolinu zalśniły czerwonym blaskiem. Nawet najdzielniejsi przerazili się na widok tych ognistych smoków i węży z brązu i żelaza, które już krążyły wokół miejskiego wzgórza. Na próżno obrońcy wypuszczali na nie strzały. W pewnym momencie rozlega się okrzyk nadziei, bo oto ogniste węże nie mogą się wspiąć na strome i śliskie zbocza i spadły na nie strumienie wody gaszącej ogień. Monstra leżą u podnóży wzgórza, a tam, gdzie strumienie Amon Gwareth napotkają płomienie węży, wznoszą się kłęby pary. Zrobiło się tak gorąco, że kobiety mdlały, a mężowie pod kolczugami zlewali się potem, tracąc siły. Wszystkie krynice miasta z wyjątkiem jedynie królewskiej fontanny zaczęły wrzeć i zasnuły się parą.

Lecz Gothmog, władca Balrogów, dowódca zastępów Melka, rozważył sytuację i zebrał wszystkie stwory z żelaza, które potrafiły owijać się dookoła wszelkich wyrastających przed nimi przeszkód i przepełzać nad nimi. Rozkazał im ułożyć się w stertę przed północną bramą, a ich wielkie strzeliste cielska sięgnęły aż pod jej próg. Monstra wpiły się w otaczające bramę wieże i bastiony, pod ich wielkim ciężarem brama upadła z rozgłośnym hukiem, lecz mimo to większość murów po obu jej stronach nadal stała pewnie. Wówczas z królewskich machin wojennych i katapult posypały się na bezlitosne bestie głazy i strzały, polał się też roztopiony metal. Wydrążone brzuchy wężów dzwoniły pod tą nawałą, lecz na nic się ona nie zdała, jako że nie można było ich rozbić, a ogień po nich spływał. Wtedy cielska tych znajdujących się najwyżej rozwarły się w połowie ich długości i wylały się z nich niezliczone zastępy orków, goblinów nienawiści. Któż zdoła opowiedzieć o lśnieniu ich zakrzywionych szabel albo o blasku szerokich ostrzy włóczni, którymi siekli i dźgali?

Zakrzyknął wówczas Rog potężnym głosem i wszyscy mężowie z klanów Młota Gniewu i Drzewa dowodzonego przez mężnego Galdora rzucili się na wroga. Uderzenia ich wielkich młotów i ciosy maczug rozbrzmiewały aż w Górach Okrężnych, a orkowie padali jak liście. Ci z hufców Jaskółki i Sklepienia Niebieskiego zasypali ich strzałami niczym czarną jesienną ulewą. Wśród dymu i bitewnego zamętu ginęli zarówno orkowie, jak i Gondothlimowie. Wielka była to bitwa, lecz mimo całego męstwa obrońcy miasta byli powoli spychani przez coraz to liczebniejsze oddziały goblinów, które w końcu opanowały najbardziej wysuniętą na północ część Gondolinu.

W tym czasie Tuor znajduje się na czele oddziału Skrzydła, walczącego wśród zamętu, jaki zapanował na ulicach. Udaje mu się przedrzeć do swego domu, lecz przekonuje się, że Meglin dotarł tam przed nim. Licząc na to, że bitwa właśnie rozpoczęta u północnej bramy i zamęt, jaki ogarnął miasto, umożliwią mu spełnienie jego zamiarów, Meglin wyczekiwał tej godziny. Dowiedział się wiele o tajemnym tunelu Tuora (zdobył tę wiedzę jednak w ostatniej chwili i nie odkrył wszystkiego), ale nic nie powiedział królowi ani nikomu innemu, był bowiem pewien, że tunel ów prowadzi ostatecznie do Drogi Ucieczki, jako że znajdowała się ona najbliżej miasta. Zamierzał to wykorzystać dla swojego dobra, a na zgubę Noldolich. W tajemnicy wysłał do Melka posłańców z wiadomością, by w chwili rozpoczęcia ataku postawił straż u zewnętrznego wylotu Drogi; natomiast sam postanowił porwać Eärendela i cisnąć go w płomienie pod murami, a po schwytaniu Idril chciał ją zmusić do pokazania mu tego sekretnego przejścia, by mógł uciec od grozy pożarów i rzezi, a ją zawlec ze sobą do krain znajdujących się pod władzą Melka. Jednak obawiał się, że nawet tajemny znak zapewniający bezpieczeństwo, który przekazał mu Melko, nic mu nie pomoże podczas rzezi, i chciał w ten sposób skłonić tego Ainura do spełnienia obietnicy. Nie wątpił, że Tuor poniesie śmierć w tej pożodze, nakazał bowiem Salgantowi, by zatrzymał Tuora w królewskich komnatach i by namówił go do rzucenia się w największy wir walki. Jednakże Salgant wpadł w śmiertelne przerażenie, pojechał konno do domu i tam legł, dygocąc, w łóżku, Tuor zaś z hufcem Skrzydła udał się do swego domu.

A uczynił to, chociaż mężne serce ciągnęło go w stronę wojennej wrzawy, żeby nim wróci do tłumu walczących i zginie, jeśli tak będzie trzeba, mógł pożegnać się z Idril i Eärendelem, a później pośpiesznie wyprawić ich ze strażnikiem tajemną drogą. Zastał jednak pod swymi drzwiami ciżbę Noldolich z klanu Kreta, a byli to najposępniejsi i najmniej życzliwi mężowie, jakich Meglin zdołał znaleźć w tym mieście. Mimo to jako wolni Noldoli nie ulegli czarowi Melka, w przeciwieństwie do ich przywódcy, dlatego też mimo że ze względu na jego zwierzchnictwo nie pomogli Idril, to — choć miotał na nich przekleństwa — nie chcieli mieć nic wspólnego z jego planami.

Meglin trzymał Idril za włosy i — powodowany okrucieństwem — chciał zaciągnąć ją na mury, żeby patrzyła, jak Eärendel spada w płomienie. Jednak dziecko stawiało mu opór, a chociaż Idril była sama, to mimo drobnej postury walczyła jak tygrysica. Kiedy Meglin szarpie się i klnie, zbliżają się do nich wojownicy Skrzydła, a Tuor wydaje okrzyk tak głośny, że słyszący go z daleka orkowie tracą animusz. Jak uderzenie burzy wojownicy Skrzydła wpadają i roztrącają mężów klanu Kreta. Kiedy ujrzał to Meglin, chciał przebić Eärendela swym krótkim nożem, lecz chłopiec zatopił zęby w jego lewej dłoni, Meglin się zachwiał i osłabił uderzenie, a nóż odbił się od dziecięcej kolczugi. W tym momencie na Meglina rzucił się Tuor, a jego gniew był straszny. Złapał nikczemnika za dłoń, w której ten trzymał nóż, i szarpnięciem złamał mu rękę, a potem, chwyciwszy go wpół, skoczył na mur i cisnął go daleko od siebie. Długo spadało ciało Meglina i po trzykroć uderzyło o zbocza Amon Gwareth, zanim wpadło w sam środek płomieni, a jego okryte hańbą imię zostało wymazane z pamięci Eldarów i Noldolich.

Wówczas wojownicy Kreta, wciąż lojalni wobec swego przywódcy, a liczniejsi od tych z klanu Skrzydła, zaatakowali Tuora. Z obu stron padły mocne ciosy, lecz nikt nie mógł się oprzeć gniewowi Tuora i wszyscy napastnicy zostali powaleni, zmuszeni do ucieczki do znalezionych naprędce ciemnych kryjówek albo zrzuceni z murów. Tuor wciąż wierzył w głębi serca, że miasto może odeprzeć atak, i jego oddział pragnął włączyć się do walki o bramę, ponieważ towarzyszyła jej coraz większa wrzawa. Jednak zostawił z Idril Voronwëgo — wbrew jego woli — i kilku innych wojowników władających mieczami, by jej strzegli do jego powrotu albo do otrzymania od niego wieści o przebiegu bitwy.

Walka przy bramie była bardzo zacięta. Duilin z klanu Jaskółki, który strzelał z murów, został trafiony ognistą strzałą miotających się u podnóża Amon Gwareth Balrogów, spadł z blanków i zginął. Balrogowie wciąż wypuszczali w niebo pociski z płomieni i podobne małym wężom płonące strzały, które spadały na dachy i ogrody Gondolinu, aż zostały osmalone wszystkie drzewa, spalone kwiaty i trawa, a biel ścian i kolumnad poczerniała od dymu i ognia. Gorszą sprawą było jednak to, że oddział tych demonów wspiął się na sploty wężów z metalu i stamtąd nieustannie strzelał z łuków i miotał pociski z proc, aż na tyłach głównej armii obrońców miasta wybuchł pożar.

Wówczas wykrzyknął Rog wielkim głosem: „Któż teraz będzie się bał Balrogów mimo całej grozy, jaką sieją? Oto widzimy przed sobą przeklętników, którzy przez całe wieki dręczyli dzieci Noldolich i którzy teraz swoimi pociskami rozpalili za naszymi plecami ogień. Dalej, mężowie Młota Gniewu, ukarzmy ich za wyrządzone zło". Z tymi słowy uniósł swą długą maczugę i wściekłym atakiem utorował sobie drogę aż do samej rozbitej bramy, a biegnący za nim wszyscy mężowie Uderzonego Kowadła, krzesząc z oczu skry furii i wściekłości, wbili się niczym klin w gąszcz nieprzyjaciół. Wielkim czynem okazał się ten wypad, o którym Noldoli wciąż śpiewają pieśni, wielu orków zostało odepchniętych i zrzuconych w szalejące poniżej płomienie. Wojownicy Roga, wskoczywszy na sploty wężów, zaatakowali Balrogów i całkowicie ich rozgromili, mimo że tamci byli ogromnej postury, mieli bicze z płomieni i stalowe szpony. Gnomowie miażdżyli ich bezlitośnie albo wyrywali im bicze i siekli nimi ciała potworów, rozrywając je, jak przedtem Balrogowie rozrywali ciała gnomów. Liczba zabitych Balrogów zdumiała i przeraziła zastępy Melka, bo dotąd żaden z Balrogów nie zginął z ręki elfa ni człowieka.

Wówczas Gothmog, władca Balrogów, zgromadził wszystkie swe demony rozproszone po całym mieście i ustawił je tak: pewna ich liczba zaatakowała oddział Młota i cofnęła się przed nim, lecz liczniejszy zastęp ruszył z flanki i udało mu się dostać na tyły gnomów. Zajęli pozycję wyżej od nich, na splotach smoków, i dotarli bliżej bramy, tak że Rog nie mógł się wycofać, nie ryzykując rzezi swoich wojowników. Jednakże widząc to, nie zarządził odwrotu, wbrew nadziejom Balrogów, lecz rzucił wszystkie siły na tych, których zadaniem było przed nim ustępować; oni zaś pierzchali nie z wyrachowania, lecz z konieczności. Zostali popędzeni w dół na równinę, a ich wrzaski rozdzierały powietrze nad Tumladinem. Wtedy gnomowie z klanu Młota jęli siec i rąbać zaskoczone tym bandy Melka, aż w końcu otoczyły ich przeważające siły orków i Balrogów i został na nich wypuszczony ognisty smok. Tam padli wokół Roga, do końca rozdając ciosy, aż pokonało ich żelazo i ogień; wciąż śpiewa się o tym, że płacąc za swoje życie, każdy wojownik Młota Gniewu odebrał je siedmiu wrogom. Po śmierci Roga i zatracie jego oddziału jeszcze większe przerażenie ogarnęło Gondothlimów. Wycofywali się coraz bardziej w głąb miasta; w jednym z zaułków, przyparty plecami do muru, poległ Penlod, a wokół niego wielu wojowników klanów Filaru i Śnieżnej Wieży.

Teraz więc gobliny Melka opanowały całą bramę i wielką część muru po obu jej stronach, skąd liczni mężowie od Jaskółki i ci od Tęczy zostali strąceni w otchłań śmierci. W samym mieście gobliny zdobyły ogromny teren sięgający niemal centrum grodu, aż do Miejsca Studni, które przylegało do Placu Pałacu. Wokół tych miejsc oraz w pobliżu bramy ciała zabitych goblinów piętrzyły się w niepoliczonych stertach, napastnicy zatrzymali się tedy i urządzili naradę, jako że męstwo Gondothlimów sprawiło, iż ponieśli dużo większe straty, niż się spodziewali, i daleko większe niż obrońcy. Nieprzyjaciół ogarnął też strach z powodu rzezi, jakiej dokonał Rog wśród Balrogów, bo to z obecności tych demonów czerpali odwagę i pewność zwycięstwa.

Wedle ułożonego teraz przez Gothmoga planu gobliny miały utrzymać zdobyte pozycje, podczas gdy węże z brązu na swych ogromnych łapach wspięłyby się powoli po wężach z żelaza, a dotarłszy do muru, uczyniłyby w nim wyłom, przez który mogliby wjechać na ognistych smokach

Balrogowie. Demony wiedziały jednak, że trzeba to zrobić bez ociągania, ponieważ żar smoków nie utrzymywał się bez końca i mógł być podsycany jedynie ogniem ze studni wydrążonych przez Melka w jego ufortyfikowanej krainie.

Lecz w chwili, gdy gobliny wysyłały posłańców, usłyszały słodką muzykę, której dźwięki dochodziły z hufca Gondothlimów, i przestraszyły się, co też może ona oznaczać. To przybył Ecthelion z oddziałem Fontanny, który Turgon aż dotąd trzymał w odwodzie, obserwował bowiem większość tego ataku z wysokości swojej wieży. Wojownicy maszerowali teraz wśród głośnego grania fletów, a na tle czerwonego blasku płomieni i czerni ruin kryształy i srebro ich strojów piękny przedstawiały widok.

Wtem muzyka umilkła, a Ecthelion o pięknym głosie zawołał do swoich, by dobyli mieczy, i zanim orkowie zdołali przewidzieć atak, wszędzie wśród nich rozbłysły jasne klingi. Powiadają, że mężowie Ectheliona zabili tam więcej goblinów, niż ich kiedykolwiek padło we wszystkich bitwach stoczonych przez nich z Eldalië, i że po dziś dzień imię Ectheliona budzi wśród nich grozę i że stało się zawołaniem bojowym Eldarów.

Oto teraz Tuor i mężowie od Skrzydła wkraczają do walki, stając w pobok Ectheliona i wojowników od Fontanny; Tuor i Ecthelion zadają potężne ciosy, osłaniając się wzajemnie przed uderzeniami wroga. Tak gromią orków, że odzyskują prawie cały teren aż do bramy. Lecz oto drży i dudni ziemia — to smoki z wielkim wysiłkiem pokonują drogę po zboczu Amon Gwareth i burzą mury miasta, w których zieje już wyrwa, a bezład zwalonych kamieni znaczy miejsce, gdzie runęły strażnicze wieże. Wśród ruin walczą zaciekle grupy wojowników Jaskółki i Sklepienia Niebieskiego, zmagając się z wrogiem w starciu o mury leżące po wschodniej i zachodniej stronie, lecz w chwili, gdy zbliża się do nich Tuor, pędząc przed sobą orków, jeden z owych wężów z brązu napiera na zachodni mur i cały jego wielki odcinek trzęsie się i wali. Za owym wężem postępuje ognisty potwór z Balrogami na grzbiecie. Z paszczy gada zieją płomienie, od których giną Gondothlimowie. Skrzydła na hełmie Tuora zostają osmalone, lecz on nie oddaje pola, tylko zbiera wokół siebie swoją straż oraz wszystkich mężów z hufców Sklepienia i Jaskółki, których udało mu się odnaleźć; po jego prawicy zaś Ecthelion skupia wokół siebie wojowników Fontanny Południa.

Po przybyciu smoków orkowie znów nabierają ducha i razem z Balrogami, którzy przedostają się przez wyłom, zaciekle atakują Gondothlimów.

Tam właśnie Tuor zabił Othroda, przywódcę orków, rozszczepiając jego hełm, a Balcmega przeciął na pół, Luga zaś tak uderzył toporem, że odciął mu nogi poniżej kolan. Ecthelion jednym pchnięciem przebił dwóch dowódców goblinów i rozłupał głowę Orcobala, najlepszego ich wojownika, od jej czubka aż do zębów. Dzięki swemu wielkiemu męstwu ci dwaj wojownicy przedarli się do oddziału Balrogów. Spośród tych potężnych demonów Ecthelion zabił trzech, błyszczącym mieczem rozcinając ich żelazo i rozrzucając ich ogień, a oni skręcali się w męczarniach, lecz jeszcze bardziej bali się uderzeń dzierżonego przez Tuora topora Dramborlega, który przecinał powietrze ze świstem podobnym do tego, jaki wywołują skrzydła orła, a opadając, odbierał życie, tak że pod jego ciosami pięciu padło nieprzyjaciół.

Lecz tak się dzieje, że nieliczni nie mogą walczyć bez końca z wieloma. Lewą rękę Ecthelionа głęboko rozciął bicz Balroga i w chwili, gdy ten ognisty smok przypełzł bliżej przez ruiny murów, tarcza Gondothlima upadła na ziemię. Wówczas Ecthelion musiał się wesprzeć na Tuorze, a ten nie mógł go opuścić, chociaż tratująca wszystko bestia była już blisko i wyglądało na to, że będą musieli jej ulec. Lecz Tuor ciął stwora w łapę, aż buchnął z niej płomień, a wąż zawrzasnął, miotając ogonem i uśmiercając w ten sposób zarówno orków, jak i Noldolich. Tuor zaś zebrał się w sobie, dźwignął Ecthelionа i wraz z niedobitkami oddziału uciekł przed smokiem. Jednak stwór ten zadał wielu mężom straszną śmierć, toteż Gondothlimowie byli tym bardzo wstrząśnięci.

Tak się więc stało, że Tuor, syn Pelega, wycofał się przed wrogiem, walcząc jednak cały czas w trakcie odwrotu, i wyniósł z bitwy Ecthelionа od Fontanny. Smoki i gobliny zajęły pół miasta, całą jego północną część. Stamtąd bandy maruderów wyprawiały się na ulice i plądrowały domy Gondothlimów albo zabijały w ciemnościach mężów, kobiety i dzieci, a jeśli tylko gobliny miały po temu okazję, wielu wiązały i prowadziły ku żelaznym smokom, a następnie wrzucały do ich żelaznych komór, aby później zawlec jeńców do Melka i uczynić z nich niewolników.

Tuor dotarł już do Placu Miejskiej Studni ulicą prowadzącą od północy i zastał tam Galdora, który bronił hordzie goblinów wstępu od zachodu przy Łuku Inwëgo, lecz teraz miał przy sobie już tylko nielicznych wojowników Drzewa. I stał się Galdor wybawieniem dla Tuora, który został nieco w tyle za swoim oddziałem, jako że dźwigając Ecthelionа, potknął się o niewidoczne w mroku ciało i gdyby nie nagły atak Galdora i cios jego pałki, orkowie schwytaliby ich obu.

Znajdowały się tu niedobitki ze straży Skrzydła oraz klanów Drzewa i Fontanny, a także Jaskółki i Sklepienia, z których zebrał się liczny oddział. Za radą Tuora wycofali się z Miejsca Studni, jako że leżący tuż obok Plac Króla był łatwiejszy do obrony. Na placu tym rosło poprzednio wiele pięknych drzew, dębów i topoli, które otaczały wielką, głęboką studnię z niezwykle czystą wodą, lecz w tej godzinie panował tam zamęt i kłębiły się obrzydliwe stwory Melka, a wody studni zostały skażone ich trupami.

Tak dochodzi do ostatniego zgromadzenia mężnych obrońców na Placu Pałacu Turgona. Wśród nich znajduje się wielu rannych i osłabłych, a Tuor jest zmęczony nocnymi działaniami oraz dźwiganiem nieprzytomnego Ectheliona. Kiedy wprowadzał swój oddział Drogą Łuków z północnego zachodu (a musieli włożyć wiele wysiłku, by nie pozwolić wrogom zajść się od tyłu), po wschodniej stronie placu podniosła się wrzawa i oto pod naciskiem wroga na otwartą przestrzeń wycofuje się Glorfindel wraz z ostatnimi wojownikami Złotego Kwiatu.

Przeżyli oni straszliwe starcie na Wielkim Targu we wschodniej części miasta, gdzie zaskoczył ich oddział orków dowodzonych przez Balrogów, gdy maszerowali okrężną drogą, by dołączyć do walki o bramę. Uczynili tak, by zaskoczyć wroga na jego lewej flance, lecz sami wpadli w zasadzkę. Walczyli tam zaciekle przez wiele godzin, mimo to pokonał ich ognisty smok świeżo przybyły przez wyłom w murze. Glorfindel z wielkim trudem wyrąbał sobie drogę i wyprowadził nielicznych tylko towarzyszy. Cały plac z jego magazynami i pięknymi wytworami rzemiosł zamienił się w pustynię ognia.

Opowieść mówi, że otrzymawszy przez posłańców pilne wiadomości od Glorfindela, Turgon wysłał im na pomoc wojowników Harfy, lecz Salgant ukrył przed swoim oddziałem ten rozkaz i powiedział im, że mają obsadzić Mniejszy Targ, leżący na południe od jego siedziby, choć wojownicy sarkali na ten rozkaz. Teraz jednak odłączyli się od Salganta i podeszli pod pałac króla; uczynili to w samą porę, jako że tryumfujący nieprzyjaciel następował Glorfindelowi na pięty. Wojownicy Harfy bez rozkazu zaatakowali ich z wielką zajadłością i w pełni odkupili tchórzostwo swojego dowódcy, spychając nieprzyjaciela z powrotem na targ. Pozbawieni przywództwa, w gniewie zapuścili się za daleko, tak że wielu z nich dostało się w pułapkę płomieni albo poległo od ognistego oddechu węża, który tam grasował.

Tuor orzeźwił się, napiwszy się z wielkiej fontanny, po czym rozluźnił zapięcie hełmu Ecthelionа i dał mu się napić, spryskawszy twarz nieprzytomnego wodą, by go ocucić. Następnie dwaj dowódcy, Tuor i Glorfindel, oczyszczają plac z wrogów i wycofują wszystkich swoich wojowników, których mogą zwołać, z wylotów prowadzących do placu ulic, zagradzając wszystkie przejścia z wyjątkiem ulicy prowadzącej od południa. Właśnie stamtąd nadchodzi Egalmoth. Dowodził machinami wojennymi na murach, lecz dawno już uznał, że sytuacja bardziej wymaga walki wręcz na ulicach niż strzelania z blanków. Zebrał tedy wokół siebie pewną liczbę wojowników Sklepienia i Jaskółki, odrzucił łuk i wraz z nimi jął krążyć po mieście, rozdzielając mocne ciosy, ilekroć natrafiali na bandy nieprzyjaciela. W ten sposób ocalił wiele grup jeńców, zebrał licznych błąkających się i pędzonych do niewoli mieszkańców miasta. Tocząc ciężkie walki, dotarł do Placu Króla. Wszyscy witali go z radością, bali się bowiem, że zginął. Wszystkie kobiety i dzieci, które się tam zgromadziły lub zostały przyprowadzone przez Egalmotha, schowały się w królewskich salach, a szeregi wojowników przygotowały się do ostatniego starcia. W tym hufcu ocalonych znajdują się, choć nieliczni, członkowie wszystkich rodów i klanów z wyjątkiem jedynie Młota Gniewu. Natomiast oddział królewski jest jeszcze nietknięty, co nie przynosi mu ujmy, jako że jego zadaniem zawsze było do końca zachować świeże siły i bronić króla.

Teraz wszakże mężowie Melka zwarli szyki i zewsząd — od północy, wschodu i zachodu — ruszyli w stronę Placu Króla. Prowadziło ich siedem otoczonych orkami ognistych smoków, niosących na grzbietach Balrogów. Przy zaporach doszło do rzezi; Egalmoth z Tuorem krążyli między stanowiskami obrony, lecz Ecthelion leżał przy fontannie. Spośród wszystkich miejsc, upamiętnionych później w pieśniach i opowieściach, właśnie to było bronione z największym uporem i męstwem. Jednak po długich zmaganiach jeden ze smoków rozbija zaporę od północy, gdzie niegdyś znajdował się wylot Alei Róż. Kiedyś było to piękne miejsce przechadzek, lecz teraz czarne przejście jest wypełnione wrzawą.

Wówczas Tuor stanął na drodze bestii, ale został rozdzielony z Egalmothem i odepchnięty w stronę fontanny na środku placu. Ogarnęła go słabość od dławiącego żaru i wtedy powalił go wielki demon, sam Gothmog, władca Balrogów, syn Melka. Lecz oto gdy Tuor padał na ziemię, stanął nad nim Ecthelion z twarzą poszarzałą do barwy stali i obwisłą bezwładnie ręką, co zwykle dzierżyła tarczę. Zaatakował demona, ale go nie uśmiercił, a sam, zraniony w rękę trzymającą miecz, wypuścił broń z dłoni. Skoczył wówczas Ecthelion, dowódca Fontanny, najurodziwszy spośród wszystkich Noldolich, na unoszącego właśnie bicz Gothmoga i wbił swój zwieńczony kolcem hełm w pierś potwora, a nogami oplótł jego uda. Balrog zawrzasnął i runął do przodu; tak oto obaj przeciwnicy wpadli do głębokiej misy królewskiej fontanny. Tam Gothmog znalazł śmierć, lecz także Ecthelion, obciążony stalą, opadł na dno. W ten sposób po ognistej walce zginął w chłodnych wodach dowódca klanu Fontanny[29].

Tuor, który podniósł się, gdy atak Ecthelìona zapewnił mu nieco przestrzeni, na ten widok zaszlochał, gdyż wielce miłował tego szlachetnego gnoma od Fontanny. W wirze bitwy z trudnością utorował sobie drogę do wojowników zgromadzonych wokół pałacu. Tam, dostrzegłszy wahanie nieprzyjaciela, przerażonego unicestwieniem dowódcy zastępów Melka, królewski klan ruszył do ataku. Król w całym swym majestacie zszedł pomiędzy wojowników i wraz z nimi wymierzał ciosy. Ponownie udało im się oczyścić dużą część placu, a o ich męstwie świadczyć mogło to, że samych Balrogów zabili cztery dziesiątki. Uczynili wszakże coś jeszcze donioślejszego, bo mimo zionących płomieni okrążyli jednego z ognistych smoków i wpędzili go do fontanny, w której wodach zginął. To jednak stało się końcem tej pięknej krynicy; jej źródło wyschło i woda nie strzelała już w niebo, lecz wznosiła się pod postacią ogromnego słupa pary, a utworzona z niej chmura rozpostarła się nad całą krainą.

Na widok zagłady fontanny wszystkich ogarnęło przerażenie. Plac wypełniły gorące opary i oślepiające dymy. Wojownicy królewskiego klanu ginęli od gorąca oraz od ciosów zadawanych przez orków, węże i przez siebie nawzajem, lecz główny oddział obronił króla. Wszyscy ocaleni zgromadzili się pod dwoma drzewami, Glingolem i Bansilem.

Rzekł wówczas król: „Wielki jest upadek Gondolinu". Mężowie zadrżeli, tak bowiem brzmiały słowa dawnego wieszczbiarza Amnona[30], lecz powodowany miłością do króla i rozpaczą, Tuor odezwał się żarliwie: „Gondolin jeszcze się broni, a Ulmo nie dopuści do jego zagłady!". A stali wówczas tak jak przedtem, kiedy Tuor przekazywał posłanie od Ulma: Tuor obok dwóch drzew, a król na schodach. I rzekł Turgon: „Wbrew radzie Ulma sprowadziłem zło na Kwiat Równiny i zezwala on teraz, by ten kwiat spłonął w ogniu. I nie masz już w mym sercu nadziei dla mojego pięknego miasta, lecz dzieci Noldolich nie zostaną pokonane na zawsze".

Zaczęli wówczas Gondothlimowie czynić hałas bronią, wielu bowiem z nich stało w pobliżu, lecz Turgon powiedział: „Nie walczcie z przeznaczeniem, dzieci moje! Kto może, niech szuka ratunku w ucieczce, jeśli jest jeszcze czas po temu, a swą wierność oddajcie Tuorowi". Lecz odrzekł Tuor: „Tyś jest królem". A Turgon odpowiedział: „Mimo to nie zadam już żadnego ciosu". I z tymi słowy cisnął koronę na korzenie Glingola. Podniósł ją Galdor, który tam stał, lecz Turgon nie przyjął jej z powrotem i z odkrytą głową wspiął się na najwyższą wieżyczkę białej wieży, która wznosiła się przy jego pałacu. Stamtąd zawołał głosem dźwięcznym niczym granie rogu w górach, a usłyszeli go wszyscy zebrani pod drzewami oraz wrogowie pogrążeni w oparach zasnuwających plac: „Wielkie jest zwycięstwo Noldolich!". Powiadają, że był już wtedy środek nocy i że orkowie zawyli szyderczo.

Zaczęli wówczas wojownicy radzić o wypadzie, lecz mieli na ten temat różne zdania. Wielu utrzymywało, iż niemożliwe jest przebicie się przez zastępy wroga, a nawet gdyby to się powiodło, nie da się przejść przez równinę czy przez góry i dlatego lepiej jest zginąć przy królu. Lecz Tuor nie potrafił znieść myśli o śmierci tak wielu pięknych kobiet i dzieci, czy to, gdyby doszło do ostateczności, z rąk innych gnomów, czy od broni nieprzyjaciół, i powiedział im o tajemnym tunelu. Radził, by ubłagać Turgona, żeby zmienił zdanie, zszedł między nich i poprowadził ocalałych na południe ku murom i do wejścia do owego tunelu. On sam gorąco pragnął tam dojść i dowiedzieć się, co się dzieje z Idril i Eärendelem, lub przekazać im wieści i polecić, by nie zwlekając, opuścili zdobyty przez nieprzyjaciela Gondolin. Plan Tuora uznali jego towarzysze za prawdziwie desperacki — z uwagi na to, że tunel był wąski, a miałaby nim przejść wielka ciżba — lecz w tak ciężkiej sytuacji chcieli się na niego zgodzić. Atoli Turgon go nie posłuchał, tylko rozkazał im ruszać, zanim będzie za późno, i rzekł: „Niech waszym przewodnikiem i przywódcą będzie Tuor. Lecz ja, Turgon, nie opuszczę mego miasta i spłonę razem z nim". Wówczas ponownie posłali pośpiesznie do wieży posłańców z przesłaniem: „Kim będą Gondothlimowie, panie, jeśli ty zginiesz? Prowadź nas!". On jednak odpowiedział: „Pozostanę tutaj". Wysłali posłańców po raz trzeci, a Turgon tak im odrzekł: „Jeśli jestem królem, słuchajcie moich poleceń i nie ważcie się dłużej podawać w wątpliwość moich rozkazów". Potem już nie posyłali doń posłańców i przygotowywali się do rozpaczliwej próby ucieczki. Lecz wojownicy królewscy, którzy pozostali jeszcze przy życiu, nie chcieli się ruszyć na krok i obstąpili tłumnie podstawę wieży. „Jeśli Turgon nie wyjdzie, zostaniemy tutaj", oznajmili i na nic się nie zdały próby przekonania ich, by zmienili zdanie.

Tuor był rozdarty między szacunkiem dla króla a miłością do Idril i swego syna i rozpacz ogarnęła jego serce. Lecz po placu już krążą węże, tratując martwych i umierających, a wróg pod osłoną mgły zwiera szyki, gotując się do ostatniego ataku. Trzeba dokonać wyboru. Słysząc zawodzenie kobiet w pałacowych salach i czując litość dla smutnych niedobitków mieszkańców Gondolinu, zebrał wówczas Tuor całą tę żałosną grupę i ustawiwszy w środku panny, dzieci i matki, otoczył je swymi wojownikami, których najliczniej rozmieścił po bokach i z tyłu. Zamierzał wycofać się na południe, walcząc po drodze z siłami tylnej straży wroga, i w ten sposób, gdyby się udało, dotrzeć Drogą Parad do Miejsca Bogów, zanim nieprzyjaciel wysłałby większe siły, by mu zastąpić drogę. Stamtąd chciał udać się Drogą Wód Płynących obok Fontann Południa do murów i do swojego domu; bardzo jednak wątpił w powodzenie ucieczki tajemnym tunelem. Kiedy począł się wycofywać, wróg dostrzegł jego ruchy i natychmiast gwałtownie zaatakował lewą flankę i tył kolumny — ze wschodu i od północy — lecz z prawej strony osłaniał ją pałac króla, a jej czoło już dotarło do Drogi Parad.

Wtedy nadeszło kilka największych smoków, świecąc we mgle, musiał więc Tuor wydać rozkaz do biegu, walcząc na oślep na lewej flance. Glorfindel mężnie utrzymywał tyły, jednak padło tam wielu wojowników Złotego Kwiatu. Stało się więc, że przebyli Drogę Parad i dotarli do Gar Ainion, Miejsca Bogów. Był to teren otwarty, a jego centralna część górowała nad całym miastem. Tutaj Tuor szuka miejsca, w którym mógłby stawić beznadziejny opór. Nie ma nadziei, że uda mu się przedostać dalej, lecz zdaje mu się, że wróg zwalnia i, co dziwne, właściwie nikt już za nimi nie podąża. Tuor na czele uciekinierów zbliża się do Miejsca Zaślubin i zdumiewa się, bo oto stoi przed nim Idril z niezaplecionymi włosami, jak w dniu ślubu. Obok niej stał Voronwë i nie było nikogo więcej. Idril nie dostrzegła nawet Tuora, jako że wzrok miała utkwiony w leżącym nieco poniżej Miejscu Króla. Cały hufiec zatrzymał się i wszyscy się obejrzeli tam, gdzie kierowała wzrok. Serca im zamarły, teraz bowiem zrozumieli, dlaczego wróg tak bardzo ich nie naciskał i dlaczego ocaleli. Otóż na stopniach wiodących do pałacu leżał zwinięty smok, kalając ich biel; lecz budowlę plądrowały chmary orków, wywlekając z niej zapomniane kobiety i dzieci albo zabijając samotnie walczących mężów. Drzewo Glingol uschło całkowicie, Bansil był cały osmalony, a wieża króla została otoczona przez wrogów. Widzieli stojącego wysoko na niej króla, lecz u jej podstawy zionął ogniem i bił ogonem żelazny wąż, a wokół niego krążyli Balrogowie. Królewski klan cierpiał straszliwie, a krzyki przerażenia docierały aż do patrzących. Jak się okazało, wrogowie skupili się na plądrowaniu królewskich komnat oraz przełamywaniu oporu wojowników, dlatego Tuor ze swą drużyną dotarł aż do Miejsca Bogów, gdzie stał teraz, płacząc.

Rzekła wówczas Idril, oszalała z bólu, który przyniosła ta noc: „Biada tej, której ojciec czeka zguby na szczycie swej wieży, lecz po siedemkroć biada tym, których pan został pokonany przez Melka i nie wróci już do domu".

Powiedział Tuor: „Posłuchaj, Idril! To ja. Żyję i sprowadzę twojego ojca, choćbym miał go wydostać z Piekieł Melka!". Z tymi słowy chciał sam zejść ze wzgórza, nie mogąc znieść bólu żony, lecz ona przyszła do siebie i wstrząsana płaczem, podjęła go pod kolana. „Panie mój! Panie!", zawołała, nie pozwalając mu odejść. Lecz w tej samej chwili z owego miejsca przepełnionego cierpieniem podniósł się wielki hałas i krzyki. I oto z wieży strzeliły płomienie i budowla zawaliła się w fontannie ognia, smoki bowiem rozbiły jej podstawę i zmiażdżyły wszystkich, którzy tam stali. Wielki był huk owej straszliwej katastrofy, a zginął w niej Turgon, król Gondothlimów. W tej godzinie zwycięstwo przypadło Melkowi.

Rzekła wówczas ponurym głosem Idril: „Smutna jest ślepota mądrych". Lecz Tuor odparł: „Smutny jest także upór tych, których kochamy — a jednak była to wada połączona z męstwem". Następnie schylił się, podniósł żonę i ucałował ją, ponieważ znaczyła dla niego więcej niż wszyscy Gondothlimowie, lecz ona gorzko płakała z żalu za ojcem. Odwrócił się wówczas Tuor do dowódców i tak powiedział: „Musimy jak najszybciej stąd odejść, żebyśmy nie zostali otoczeni". Natychmiast ruszyli przed siebie, idąc tak żwawo, jak tylko się dało, i zanim orkowie zmęczyli się plądrowaniem pałacu oraz radowaniem się z upadku wieży Turgona, znacznie się oddalili od tego miejsca.

Są już w południowej części miasta i napotykają jedynie rozproszone bandy łupieżców, którzy przed nimi uciekają. Wszędzie jednak szaleje ogień i rozprzestrzeniają się pożary wywołane przez bezlitosnego nieprzyjaciela. Spotykają kobiety, jedne z niemowlętami, a inne obładowane pomniejszym dobytkiem, lecz Tuor nie pozwalał im brać ze sobą nic poza odrobiną jedzenia. Dotarli w końcu do spokojniejszej okolicy i Tuor zapytał Voronwëgo o wieści, jako że Idril nic nie mówiła i była bliska omdlenia. Opowiedział mu tedy Voronwë, jak razem z nią czekał przed drzwiami domu, podczas gdy odgłosy walki stawały się coraz głośniejsze i przyprawiały ich serca o drżenie. Nie mając żadnych wieści od Tuora, Idril szlochała. W końcu wysłała większą część swej straży z Eärendelem do sekretnego przejścia, zmuszając gnomów do wyruszenia stanowczymi słowami, lecz rozstanie z synem sprawiło jej wielki ból. Oznajmiła, że sama zaczeka i że nie będzie chciała żyć po śmierci swego pana; następnie zaczęła gromadzić kobiety oraz zabłąkanych mężów i wysyłać ich pośpiesznie do tunelu. Nie udało się wojownikom odwieść jej od noszenia miecza, toteż wraz ze swoim niewielkim oddziałem atakowała nieprzyjacielskich maruderów.

Wreszcie natknęli się na liczniejszą bandę i jedynie dzięki szczęśliwemu trafowi bogów Voronwëmu udało się ją stamtąd odciągnąć, zginęli bowiem wszyscy inni, którzy byli tam z nimi. Nieprzyjaciele spalili dom Tuora, a mimo to nie odnaleźli tajemnej drogi. „Wtedy pani twoja", rzekł Voronwë, „niemal oszalała ze zmęczenia i żalu, ku mojemu przerażeniu zapuściła się na oślep w miasto, a ja nie zdołałem nakłonić jej, by uszła przed ogniem".

Mniej więcej wtedy, gdy padły te słowa, dotarli do południowych murów, w pobliże domu Tuora. Ujrzeli, że został zburzony, a zgliszcza jeszcze dymiły; na ten widok ogarnął Tuora straszliwy gniew. Jednak podniósł się hałas zapowiadający zbliżanie się orków, Tuor wysłał więc pośpiesznie swoich towarzyszy do tajemnego przejścia.

Wielki panuje smutek, gdy wygnańcy żegnają na jego schodach Gondolin. Nie mają nadziei, że uda się im żyć dalej za górami, jak bowiem może się ktokolwiek wymknąć z uścisku Melka?

Rad jest Tuor, że wszyscy weszli do tunelu, i opada z niego strach; jedynie dzięki szczęśliwemu trafowi Valarów gnomowie mogli bez wiedzy orków znaleźć się pod ziemią. Niektórzy zostali z tyłu i odrzuciwszy broń, od wewnątrz za pomocą kilofów zawalają wejście do tunelu, po czym jak najszybciej doganiają hufiec. Kiedy wszyscy zeszli już po schodach do korytarza biegnącego na poziomie doliny, cierpieli od żaru ognia, którym ziały grasujące po mieście smoki. Potwory znajdowały się blisko, w tym bowiem miejscu tunel nie przechodził głęboko pod ziemią. Wstrząsy sprawiły, że głazy w ścianach i stropie się obluzowały i teraz spadały, miażdżąc wielu gnomów, a w powietrzu unosiły się wyziewy, od których gasły pochodnie i latarnie. Tutaj potykali się o ciała tych, którzy weszli do tunelu wcześniej i w nim zginęli, i Tuor bał się o Eärendela. Parli naprzód w głębokiej ciemności, pogrążeni w rozpaczy. Spędzili niemal dwie godziny w tym wydrążonym w ziemi tunelu. W pobliżu wyjścia był on ledwie ukończony, niski i miał nierówne ściany[31].

W końcu dotarli do wylotu, straciwszy w drodze niemal dziesiątą część oddziału. Tunel otwierał się przemyślnie na dużą nieckę wypełnioną niegdyś wodą, lecz teraz gęsto porośniętą krzewami. Zgromadziło się tu wielu gnomów, których Idril i Voronwë wcześniej wysłali ukrytą drogą. Szlochali ze zmęczenia i smutku, lecz Eärendela wśród nich nie było. Kiedy się to okazało, struchlały serca Tuora i Idril[32]. Wśród uciekinierów też rozlegał się lament, majaczące bowiem w dali, pośrodku otaczającej ich równiny wzgórze Amon Gwareth wieńczyły płomienie — tam, gdzie stało niegdyś ich lśniące miasto, ich dom. Krążą po nim ogniste smoki, przez jego bramy przechodzą w obie strony żelazne potwory, pustoszą je Balrogowie i orkowie. Jednakże dowódcy dostrzegają niejaką pociechę w tym, że oprócz okolicy najbliższej wzgórza na równinie prawie nie ma oddziałów Melka, ponieważ wszystkie złe stwory podążyły do miasta, by napawać się jego zniszczeniem.

Rzekł zatem Galdor: „Musimy udać się ninie ku Górom Okrężnym i znaleźć się jak najdalej od tego miejsca, zanim nadejdzie świt, a nie mamy na to wiele czasu, zbliża się bowiem lato[33]". Podniosły się na to głosy sprzeciwu, niektórzy bowiem mówili, że szaleństwem jest kierować się ku Cristhorn, jak zamierzał Tuor. „Słońce wzejdzie na długo przedtem, nim dotrzemy do podnóża gór", dowodzą, „a na równinie dogonią nas smoki i demony. Udajmy się do Bad Uthwen, Drogi Ucieczki, gdyż leży ona dwa razy bliżej. Nasi zmęczeni i ranni towarzysze mogą mieć nadzieję, że pokonają tę odległość, lecz dalej już nie pójdą".

Idril wszakże wypowiedziała się przeciwko temu i namówiła dowódców, by nie ufali magii, która poprzednio chroniła Drogę Ucieczki przed odkryciem. „Jakaż bowiem magia się utrzyma po upadku Gondolinu?" Niemniej duża grupa mężczyzn i kobiet opuściła Tuora, podążyła Bad Uthwen i trafiła do paszczy potwora, którego za radą Meglina podstępny

Melko zasadził u wylotu tunelu po to, by nikt nie uszedł tą drogą. Lecz pozostali, prowadzeni przez Legolasa Liścia Zielonego z klanu Drzewa, który znał całą równinę czy to nocą, czy za dnia i doskonale widział w ciemnościach, mimo wielkiego zmęczenia poszli przez dolinę szybkim marszem i zatrzymali się dopiero po przebyciu długiego odcinka drogi. Całą Ziemię zalało wówczas szare światło świtu, pełnego smutku, bo nie wstał on już nad pięknym Gondolinem, lecz nad wypełnioną oparami doliną, co było tym dziwniejsze, że nigdy wcześniej nie widziano tu mgieł. Mogło to mieć związek ze zniszczeniem królewskiej fontanny. Uciekinierzy ruszyli dalej i pod osłoną mgły bezpiecznie maszerowali jeszcze długo po wschodzie słońca, aż znaleźli się zbyt daleko, by w tych oparach dostrzegł ich ktokolwiek patrzący ze wzgórza albo ze zburzonych murów grodu.

Góry, czy też raczej będące ich zapowiedzią najniższe wzgórza, od tej strony zaczynały się w odległości siedmiu staj bez mili od Gondolinu, a Żleb Orłów Cristhorn w odległości dwóch staj drogi prowadzącej ostro pod górę, ponieważ znajdował się na wielkiej wysokości. Mieli tedy do przemierzenia jeszcze dwie staje i część trzeciej pomiędzy górskimi odnogami, a bardzo byli już znużeni[34]. Słońce wisiało wysoko nad przełęczą między wzgórzami na wschodzie, a było bardzo czerwone i ogromne. Opary się uniosły, lecz ruiny Gondolinu były całkowicie ukryte w spowijającej je chmurze. I oto w przerwie między kłębami mgły ujrzeli w odległości zaledwie kilku furlongów garstkę gnomów uciekających pieszo przed dziwną nieprzyjacielską jazdą — jak im się zdawało, orkowie, wywijając włóczniami, jechali tam na wielkich wilkach. Tuor na ten widok wykrzyknął: „Patrzcie! Jest tam Eärendel, mój syn. Widzicie? Jego twarz lśni jak gwiazda na pustkowiu[35], a otaczają go moi wojownicy od Skrzydła. Są w wielkiej potrzebie". Natychmiast wybrał najmniej znużonych pięćdziesięciu mężów i odłączywszy się od głównej grupy, ruszył z nimi przez równinę tak szybko, jak pozwalały im na to resztki sił. Gdy zbliżył się do uciekających na odległość głosu, Tuor zawołał do gnomów otaczających Eärendela, by się zatrzymali i nie uciekali, jeźdźcy na wilkach starali się bowiem ich rozproszyć i zabijali jednego po drugim. Dziecko niósł na plecach niejaki Hendor, sługa Idril, i wyglądało na to, że inni pozostawią go z jego brzemieniem. Wojownicy ustawili się tedy plecami do siebie, otaczając Hendora i Eärendela ze wszystkich stron; wkrótce dołączył do nich Tuor, chociaż całemu jego oddziałowi brakło już tchu.

Jeźdźców na wilkach było dwudziestu, a Eärendela broniło jedynie sześciu pozostałych przy życiu gnomów. Tuor ustawił zatem swój oddział w kształt półksiężyca z zamiarem otoczenia jeźdźców, tak by żaden z nich nie uciekł i nie zaniósł wieści głównym siłom wroga, sprowadzając na wygnańców śmierć. To mu się udało: uciekło tylko dwóch, w dodatku rannych i pozbawionych wierzchowców, dlatego też przynieśli wieści do miasta zbyt późno.

Z radością przywitał Eärendel Tuora, a ojca szczęściem napełniło spotkanie z synem. Rzekł Eärendel: „Jestem spragniony, ojcze, biegłem bowiem daleko. Hendor wcale nie musiał mnie nieść". Nic na to Tuor nie odpowiedział, ponieważ nie miał wody, a był świadomy, że pragnienie mają wszyscy, których prowadził. Eärendel odezwał się ponownie: „Dobrze było widzieć, jak zginął Meglin, chciał bowiem objąć moją matkę. Mnie się on nigdy nie podobał. Ale choćby Melko miał nie wiadomo ilu jeźdźców na wilkach, nie miałem zamiaru schodzić do żadnego tunelu". Wtedy Tuor uśmiechnął się i posadził sobie syna na ramionach. Wkrótce potem nadeszła główna grupa i Tuor podał Eärendela matce, która nie posiadała się z radości, lecz chłopiec nie chciał, by niosła go na rękach. Odezwał się: „Jesteś znużona, matko Idril, a wśród Gondothlimów każdy wojownik w kolczudze chodzi na własnych nogach, chyba że jest to stary Salgant!". Matka jego roześmiała się mimo smutku, Eärendel zaś zapytał: „A gdzie on jest?". Salgant bowiem opowiadał mu czasem niezwykłe historyjki albo się z nim bawił. Eärendel często śmiał się wraz ze starym gnomem w czasach, gdy ten odwiedzał chętnie dom Tuora, lubił bowiem dobre wino i sute posiłki, jakimi go tam podejmowano. Nikt jednak ani przedtem, ani później nie umiał powiedzieć, gdzie jest Salgant. Może zginął we własnym łóżku, zaskoczony pożarem? Niektórzy jednak utrzymują, iż został schwytany i jako jeniec trafił do siedziby Melka, gdzie stał się jego błaznem — żałosny byłby to los szlachetnego potomka pięknej rasy gnomów. Posmutniał na to Eärendel i szedł obok matki w milczeniu.

Przybyli nareszcie do podnóża gór. Dzień rozpoczął się już na dobre, lecz nadal było szaro. W pobliżu miejsca, gdzie zaczynała się wiodąca w górę droga, gnomowie chwilę odpoczęli w kotlince obramowanej drzewami i leszczyną; mimo zagrożenia wielu z nich zasnęło, jako że byli wyczerpani. Tuor jednak wystawił straże i nie spał. Przygotowali skąpy posiłek z resztek jedzenia i kawałków mięsa, a Eärendel ugasił pragnienie i bawił się nad strumykiem. Po chwili odezwał się do matki: „Matko Idril, chciałbym, żeby zacny Ecthelion od Fontanny zagrał mi na flecie albo zrobił dla mnie gwizdki z wierzbiny! Może poszedł naprzód?". Lecz Idril zaprzeczyła i opowiedziała, co słyszała o śmierci Ectheliona. Eärendel w odpowiedzi oświadczył, że nigdy już nie chce oglądać ulic Gondolinu, i gorzko zapłakał. Tuor powiedział, że nie ujrzy nigdy tych ulic, „ponieważ Gondolinu już nie ma".

Kiedy zbliżała się pora, gdy słońce miało zajść za wzgórzami, Tuor nakazał towarzyszom podnieść się i ruszył z nimi dalej wyboistymi ścieżkami. Wkrótce trawa się przerzedziła i ustąpiła miejsca omszałym kamieniom, znikły drzewa i nawet sosny i jodły napotykali coraz rzadziej. Mniej więcej o zachodzie słońca ścieżka skręciła, chowając się za pasmem wzgórz, tak że nie mogli już spoglądać w stronę Gondolinu. Zatrzymawszy się w tym miejscu, wszyscy się odwrócili: oto piękna równina jak dawniej uśmiechała się w ostatnich promieniach słońca, lecz gdy tak na nią patrzyli, na tle pociemniałego północnego nieba pojawił się wielki rozbłysk. To zawaliła się ostatnia wieża Gondolinu, ta, która stała przy południowej bramie i której cień często padał na ściany domu Tuora. Wtedy zaszło słońce — i nigdy już nie ujrzeli Gondolinu.

Przełęcz Cristhorn, to jest Żleb Orłów, była niebezpieczna dla wędrowców. Ogromnie zmęczeni uciekinierzy nie podjęliby ryzyka pokonania jej nocą bez latarni lub pochodni, w dodatku obarczeni kobietami, dziećmi oraz chorymi i rannymi mężami, gdyby tak bardzo nie bali się zwiadowców Melka. Hufiec Gondothlimów był bowiem liczny i nie mógł się przemieszczać w ukryciu. Kiedy zbliżali się do najwyższego punktu przeprawy, szybko zapadła ciemność i uciekinierzy musieli się rozciągnąć w długą, przerywaną linię. Przodem szedł Galdor z grupą mężów uzbrojonych we włócznie; był też z nimi Legolas, który w ciemności widział dalej niż kot. Za nimi szły najmniej zmęczone spośród kobiet, podtrzymując tych chorych i rannych, którzy mogli maszerować samodzielnie. W tej grupie znalazła się też Idril z Eärendelem, który trzymał się dzielnie. Tuor szedł za nimi, w środku szeregu, a wraz z nim wszyscy jego wojownicy Skrzydła, niosąc ciężko rannych. Był z nim Egalmoth, który podczas wypadu z Placu Króla został raniony. Dalej szły kobiety z niemowlętami, dziewczęta i chromający mężowie; tempo marszu było dla nich wystarczająco powolne. Na samym końcu szła największa grupa zdolnych do walki mężów, a wśród nich złocistowłosy Glorfindel.

W takim ordynku dotarli do Cristhorn. Ze względu na swoje położenie to nieprzyjazne miejsce, ponieważ jest tam bardzo zimno. Tych wysokości nigdy nie nawiedza wiosna ani lato, a gdy dolina kąpie się w słońcu, śnieg w tym ponurym miejscu leży przez cały rok. Kiedy doszli na przełęcz, dął wiatr, który przybył tam za nimi z północy, a jego zimne podmuchy dotkliwie ich kąsały. W powietrzu wirował śnieg, zalepiając im oczy, co utrudniało marsz, bo ścieżka jest wąska, a po prawej, czyli na zachód, na niemal sto dwadzieścia łokci nad szlakiem wznosi się urwista ściana postrzępiona na górze skalnymi iglicami, wśród których gnieżdżą się orły. Tam mieszka król orłów Thorndor, Władca Thornhothów, którego Eldarowie nazwali Soronturem. Po drugiej zaś stronie zieje przepaść, której ściana, choć nie jest całkowicie pionowa, opada straszliwą stromizną. Sterczą z niej skaliste zęby, tak że można po niej zejść — czy raczej spaść — lecz żadną miarą nie da się na nią wspiąć. Z żadnego z krańców tego wąwozu nie ma wyjścia, podobnie jak na boki, a po jego dnie płynie potok Thorn Sir. Spada on tam od południa z wysokiej ściany, lecz niesie mało wody, jako że na tych wysokościach jest tylko niewielkim strumykiem, który wypływa z wąwozu w stronę północy po przebyciu około mili kamienistym, wąskim korytem wbijającym się później w zbocze i tak się zwężającym, że nie przecisnęłaby się tamtędy prawie żadna ryba.

Galdor wraz ze swoimi wojownikami dotarł do końca żlebu w pobliże miejsca, gdzie Thorn Sir spada w przepaść, a pozostali, mimo starań Tuora, rozciągnęli się na długości niemal mili na niebezpiecznym szlaku między przepaścią i skalną ścianą. Grupa idąca z Glorfindelem ledwie dotarła do jego początku, kiedy wśród nocy rozległ się krzyk, rozbrzmiewając echem w ponurej okolicy. Oddział Galdora został w ciemności otoczony przez orków, którzy nagle wyskoczyli zza głazów, gdzie leżeli ukryci, tak że nawet Legolas ich nie dostrzegł. Tuor pomyślał, że natknęli się na któryś z grasujących w okolicy oddziałów Melka, i obawiał się jedynie, że będą musieli stoczyć ostrą utarczkę w mroku. Mimo to odesłał kobiety i chorych do tyłu i połączył swoich wojowników z wojownikami Galdora. Na niebezpiecznej ścieżce doszło do niewielkiego starcia, teraz jednak z góry zaczęły spadać głazy i sprawy przybrały zły obrót, ponieważ wielu gnomów odniosło poważne rany. Tuor stwierdził, że sytuacja jest jeszcze gorsza, kiedy z tyłu dobiegł go szczęk broni, a jeden z wojowników Jaskółki przyniósł wiadomość, że Glorfindel został otoczony przez ścigających ich orków i że jest wśród nich Balrog.

Tuor przestraszył się, że wpadli w pułapkę, i tak też w istocie było. Melko wysłał bowiem zwiadowców w góry okalające równinę. Męstwo Gondothlimów sprawiło, że wielu z tych zwiadowców musiało przyłączyć się do ataku na miasto, toteż w górach, zwłaszcza na południu, pozostała ich garstka. Któryś z nich dostrzegł jednak uciekinierów, kiedy ruszali pod górę z kotlinki okolonej leszczynami. Nieprzyjaciel zebrał więc wszystkich, których zdołał zgromadzić, i zaplanował atak jednocześnie na przód i na tył kolumny posuwającej się niebezpiecznym szlakiem Cristhorn. Mimo zaskoczenia oddziały Galdora i Glorfindela utrzymały swoje pozycje i strąciły wielu orków w przepaść, lecz spadające głazy mogły wkrótce położyć kres ich męstwu i ucieczka uchodźców z Gondolinu mogła zakończyć się klęską. Mniej więcej o tej porze ponad przełęcz wzniósł się księżyc i nieco rozproszył mrok, bo jego blade światło przenikało w mroczne miejsca, lecz z powodu wysokości skalnych ścian nie oświetlało ścieżki. Wówczas wzniósł się w powietrze Thorndor, Król Orłów. Nie lubił Melka, ten bowiem chwytał wielu jego pobratymców i przykuwał ich łańcuchami do ostrych skał, by siłą wydobyć od nich magiczne słowa, dzięki którym mógłby się nauczyć latać (marzyła mu się bowiem rywalizacja w powietrzu z samym Manwëm), a kiedy nic mu nie chcieli powiedzieć, obcinał im skrzydła, chcąc wykorzystać je dla siebie, lecz na nic mu się to nie zdało.

Kiedy więc wrzawa z przełęczy dotarła do wielkiego gniazda Thorndora, rzekł władca orłów: „Dlaczegóż owe nikczemne stwory, ci orkowie ze wzgórz, wspięły się w pobliże mego tronu i dlaczego synowie Noldolich krzyczą na nizinach ze strachu przed dziećmi przeklętego Melka? Wznieście się, o Thornhothowie, których dzioby są stalowe, a szpony niczym miecze!".

Rozległ się wówczas wśród skał szum niczym potężny wicher i Thornhothowie, ptaki z plemienia orłów, spadli na orków, którzy wspięli się powyżej ścieżki, rozdzierając im szponami twarze i ręce i zrzucając ich na leżące daleko w dole skały Thorn Sir. Uradowali się Gondothlimowie i w późniejszych czasach na pamiątkę tej radości uczynili orła symbolem swego rodu; taki znak nosiła Idril, lecz Eärendel wolał łabędzie skrzydło, symbol noszony przez ojca. Teraz wojownicy Galdora już bez przeszkód odepchnęli nieprzyjaciół, którzy nie byli zbyt liczni, a przy tym atak Thornhothów wielce ich przeraził. Uciekinierzy znów ruszyli naprzód, chociaż Glorfindel musiał zmagać się z wrogiem nacierającym od tyłu. Już połowa gnomów przebyła niebezpieczną ścieżkę i minęła wodospad Thorn Sir, lecz wtedy Balrog, który podążał za nimi, potężnym susem wskoczył na wysokie skały wcinające się w ścieżkę na skraju przepaści po lewej stronie. Stamtąd jednym wściekłym skokiem wylądował przed oddziałem Glorfindela, wśród maszerujących z przodu kobiet i chorych, i zaczął siec ich ognistym biczem. Wówczas Glorfindel rzucił się na niego, a jego złocista zbroja zalśniła osobliwie w blasku księżyca. Zamachnął się na demona, który przeskoczył na kolejny wielki głaz, lecz Glorfindel skoczył za nim. Na wyniosłej skale, wznoszącej się ponad maszerującą grupą Gondothlimów, wywiązała się śmiertelna walka. Uciekinierzy, naciskani przez wroga od tyłu i powstrzymywani przez niego od przodu, zwarli szyki tak bardzo, że prawie wszyscy mogli ją obserwować, lecz pojedynek się skończył, zanim wojownicy Glorfindela mogli ruszyć mu na pomoc. Jego furia przepędzała Balroga z miejsca na miejsce, a zbroja chroniła go przed biczem i szponami potwora. Potężny cios Glorfindela trafił w żelazny hełm demona, a zaraz potem wojownik odciął w łokciu rękę trzymającą bicz. W katuszach bólu i strachu Balrog rzucił się wtedy na Glorfindela, który uderzył niczym wąż, lecz tylko trafił demona w ramię. Zaczęli się mocować, zachwiali się i spadli na grań. Wówczas Glorfindel sięgnął lewą ręką po sztylet i zadał nim cios, uderzając w górę i godząc Balroga w brzuch na wysokości własnej twarzy (demon bowiem dwukrotnie przewyższał go wzrostem). Balrog zawrzasnął i runął w tył, lecz zdołał chwycić Glorfindela za złociste loki wymykające mu się spod hełmu i pociągnął go wraz z sobą w przepaść.

Bolesne było to wydarzenie, jako że Glorfindela wszyscy bardzo miłowali. Odgłos upadku dwóch ciał poniósł się echem wśród wzgórz i rozbrzmiała nim czeluść Thorn Sir. Słysząc śmiertelny krzyk Balroga, orkowie atakujący z przodu i z tyłu zawahali się i zostali zabici lub uciekli. Sam potężny Thorndor sfrunął do przepaści i wyniósł z niej ciało Glorfindela, lecz zewłok Balroga został tam i przez wiele dni czarna była woda Thorn Sir spływająca do Tumladin.

Przez pamięć o tym pojedynku Eldarowie, widząc zażartą walkę, w której wielka moc jednego przeciwnika mierzy się z furią zła drugiego, powiadają: „Niestety! Jak Glorfindel z Balrogiem", a serca ich nadal przeszywa ból na wspomnienie tego szlachetnego potomka Noldolich. Powodowany taką właśnie miłością, nie bacząc na konieczność pośpiechu oraz strach przed napaścią nowych oddziałów wroga, Tuor polecił usypać z kamieni nad ciałem Glorfindela wielki kurhan. Wznosi się on tuż obok owego niebezpiecznego szlaku, w pobliżu przepaści, w którą spada Orli Strumień, a Thorndor dba, by to miejsce nie zostało naruszone. Wyrosły tam żółte kwiatki, które cały czas kwitną wokół kurhanu w tej nieprzyjemnej okolicy. Członkowie klanu Złotego Kwiatu płakali przy jego wznoszeniu i nie mogli osuszyć łez.

Któż teraz opowie o wędrówce Tuora i wygnańców z Gondolinu po pustkowiach leżących za górami na południe od doliny Tumladin? Ich udziałem stały się niedola i śmierć, zimno i głód, a także nieustanne czuwanie. To, że w ogóle przedarli się przez te okolice, przesiąknięte złem Melka, było skutkiem wielkiej rzezi i strat, jakie poniosły jego siły w ataku na Gondolin. Zawdzięczali to również szybkości i ostrożności, z jakimi prowadził ich Tuor. Melko bowiem z całą pewnością wiedział o tej ucieczce i nie posiadał się z wściekłości. Ulmo w odległych oceanach usłyszał wieści o dokonanych czynach, nie mógł jednak jeszcze wspomóc uciekinierów, ponieważ znajdowali się z dala od rzek i wszelkich innych wód. W istocie cierpieli wielkie pragnienie i nie znali też drogi, jaką powinni podążać.

Jednak po roku z okładem tej wędrówki, podczas której nieraz błąkali się, omotani magią tych pustkowi, tylko po to, by natrafić na własne ślady, jeszcze raz nadeszło lato i kiedy zbliżała się jego połowa[36], natrafili w końcu na strumień i podążając z jego biegiem, dotarli do bardziej życzliwych im krain, co wlało im w serca nieco otuchy. Tutaj prowadził ich Voronwë, jako że pewnej nocy pod koniec lata usłyszał w owym strumieniu szept Ulma, a z szumu wód zawsze czerpał wielką wiedzę. Teraz wiódł ich, aż zeszli do Sirionu, do którego wpływał ów strumień. Wtedy i Tuor, i Voronwë spostrzegli, że znajdują się niedaleko dawnego wylotu Drogi Ucieczki, w owej głębokiej dolinie porośniętej olchami. Spostrzegli, że wszystkie krzewy zostały stratowane, drzewa spalone, a otaczające dolinę wzgórza osmalił ogień, zapłakali więc, domyślili się bowiem, jaki los spotkał tych, którzy niegdyś odłączyli się od nich przy wejściu do tunelu.

Teraz znowu wędrowali z biegiem rzeki, lecz ponownie obawiali się Melka. Staczali potyczki z bandami orków i zagrażali im jeźdźcy na wilkach, lecz ogniste smoki już ich nie szukały, zarówno z powodu tego, że ich ognie wyczerpały się podczas ataku na Gondolin, jak i ze względu na potęgę Ulma, która rosła w miarę poszerzania się nurtu rzeki. Wreszcie przybyli po wielu dniach — szli bowiem powoli i z trudem zdobywali pożywienie — do owych wielkich wrzosowisk i grzęzawisk leżących powyżej Krainy Wierzb. Voronwë nie znał tych okolic. Sirion płynie tu bardzo długo pod ziemią, spadając do wielkiej Jaskini Burzliwych Wiatrów, i wynurza się na powierzchnię nad Rozlewiskami Półmroku — właśnie tam, gdzie później Tulkas[37] walczył z Melkiem. Po tym, jak niegdyś spotkał się z nim wśród trzcin Ulmo, Tuor wędrował przez ową krainę nocą i o zmierzchu i nie pamiętał tamtejszych ścieżek. Tereny te są gdzieniegdzie zwodnicze i bagniste; uciekinierzy zmitrężyli tu wiele czasu, bardzo cierpiąc od much, wciąż bowiem panowała jesień. Nękały ich też febra i gorączka, tak że wszyscy przeklinali Melka.

W końcu jednak doszli do wielkich rozlewisk i wkroczyli do pięknej Krainy Wierzb, gdzie już samo tchnienie wiatru przyniosło im odpoczynek i spokój. Ukojenie, jakie zapewniało to miejsce, uśmierzyło ból tych, którzy opłakiwali zabitych podczas upadku miasta. Kobietom i pannom wróciła uroda, chorzy ozdrowieli, a dawne rany przestały boleć. Ci jedynie nie śpiewali ani się nie uśmiechali, którzy nie bez powodu obawiali się, że ich bliscy nadal żyją w okrutnej niewoli w Piekłach Żelaza.

W tej krainie przebywali bardzo długo i Eärendel wyrósł na dużego chłopca. Wreszcie głos konch Ulma ponownie urzekł Tuora i serce wypełniła mu tęsknota za morzem, tym silniejsza, że tłumiona przez długie lata. Na jego polecenie cały hufiec wyruszył w drogę i doszedł wzdłuż Sirionu do morza.

Tych, którzy przebyli Żleb Orłów i widzieli upadek Glorfindela, było niemal ośmiuset — wielu jak na grupę wędrowców, lecz żałośnie mało jak na pozostałych przy życiu mieszkańców pięknego i ludnego miasta. Tych zaś, którzy po wielu latach, gdy wiosna ukwieciła łąki jaskółczym zielem i minęła smutna uroczystość ku pamięci Glorfindela, wyruszyli z łąk Krainy Wierzb ku morzu, było zaledwie trzystu dwudziestu mężów i chłopców oraz dwieście sześćdziesiąt kobiet i dziewcząt. Kobiet było niewiele, ponieważ podczas walk schowały się lub zostały ukryte przez krewnych w tajemnych zakamarkach miasta. Tam zostały spalone lub zabite, albo też schwytane i wzięte do niewoli, a wysłani na ratunek wojownicy zbyt rzadko je znajdowali. Wspominano to z ogromnym smutkiem, ponieważ dziewczęta i kobiety Gondothlimów urodą dorównywały słońcu, urokiem księżycowi, a jaśniały bardziej niż gwiazdy. Wielką chwałą cieszył się Gondolin o Siedmiu Imionach, a jego upadek był najstraszniejszą katastrofą, jaka spotkała którekolwiek miasto na Ziemi. Ani Bablon, ani Ninwi, ani wieże Trui, ani po wielekroć zdobywany Rûm, największy wśród grodów zbudowanych przez ludzi, nie zaznały takiej grozy jak ta, która spadła owego dnia na Amon Gwareth i lud gnomów. Uznaje się to za najgorszy spośród wszystkich czynów, jakie obmyślił na świecie Melko.

Wygnańcy z Gondolinu zamieszkali teraz u ujścia Sirionu, blisko falującego Wielkiego Morza. Przybierają tu miano Lothlimów, czyli ludu kwiatu, dawna bowiem ich nazwa, Gondothlimowie, zbyt wielkim bólem napełnia ich serca. Piękny Eärendel wzrasta zaś wśród Lothlimów w domu swego ojca[38]. Tak oto wielka opowieść o Tuorze dobiegła końca.

Wówczas rzekł Serduszko, syn Bronwega:

— Żal Gondolinu.

I przez dłuższy czas w całej Komnacie Bierwion nikt nie odezwał się słowem ani się nie poruszył.

Przypisy

1. Oczywiście nie chodzi o wielką podróż znad Wód Przebudzenia do Morza, lecz o wyprawę elfów z Kôru na ratunek gnomom (zob. I.37).
2. *Korin* w *Dworku Zabawy Utraconej* (I.24) „jest kręgiem z kamieni, cierni, a nawet drzew, otaczającym zieloną murawę"; Meril-i-Turinqi mieszkała „w ogromnym wiązowym *korinie*".
3. *Tôn a Gwedrin* to Ogień Snucia Opowieści.
4. Widnieje tu wskazówka: „Zob. później Nauglafring", lecz jest przekreślona.
5. Jeśli chodzi o Heorrendę, zob. s. 356 i nast., 397–398. Po słowach „brzmi ona tak" jest przerwa oznaczająca miejsce na wiersz w języku staroangielskim, który miał tu zostać umieszczony, lecz nie ma co do niego żadnych wskazówek.

(*W dalszych przypisach sformułowanie „pierwotna wersja" odnosi się do tekstu* Tuor A *oraz tekstu* Tuor B *przed daną poprawką. Nie sugeruje to, że wersja* Tuor A *znajdowała się — lub nie znajdowała — w pierwotnym tekście zapisanym ołówkiem [w większości wypadków nie można tego stwierdzić]*).

6. Fragment ten, zaczynający się na s. 182 od słów „Chcąc odkryć jej sekret", jest późniejszym tekstem zapisanym na kawałku papieru (zob. s. 179). Pierwotny fragment miał dość podobne znaczenie, lecz brzmiał następująco:

> Otóż drążąc koryto rzeki pod tymi wzgórzami, Noldoli pracowali bez wiedzy Melka, który w owych zamierzchłych czasach trzymał ich w ukryciu jako niewolników podległych jego woli. Noldolich zachęcił do tego Ulmo, który zawsze przeciwstawiał się

Melkowi i miał nadzieję, że dzięki Tuorowi doprowadzi do uwolnienia gnomów od grozy i zła wyrządzanego przez Melka.

7. „trzy dni": we wszystkich tekstach „trzy lata", lecz w *Tuor B* nad słowem „lata" napisane ołówkiem „dni?".
8. „Ewolucja" morskich ptaków przeprowadzona przez Ossëgo została opisana w opowieści *Przybycie elfów i powstanie Kôru*, I.149; lecz to zdanie wywodzi się z pierwotnego ołówkowego tekstu *Tuor A*.
9. W tym miejscu w maszynopisie *Tuor C* ojciec mój zostawił puste miejsce (zob. s. 179) i później napisał w nim „Ulmo", a nie „Ainurowie".
10. Pierwotna wersja brzmiała: „O, Tuorze samotnego serca, nie jest wolą Valarów, byś na zawsze zamieszkał w pięknych miejscach pełnych ptaków i kwiatów, nie zamierzaliby też prowadzić cię przez tę miłą krainę…".
11. W *Tuor C* jest tu dodane: „z pomocą Ulma".
12. Wzmianka o Bitwie Nieprzeliczonych Łez stanowi późny dodatek w *Tuor B*. Pierwotna wersja brzmiała: „którzy jako jedyni umknęli przed potęgą Melka, kiedy schwytał ich pobratymców…".
13. W *Tuor A* i *Tuor B* wszędzie figuruje *Voronwë*, lecz to sformułowanie, z formą *Bronweg*, zostało dodane w *Tuor B* (zastępując pierwotny tekst „Po wielu dniach znaleźli ci dwaj głęboką dolinę").
14. Maszynopis *Tuor C* w tym miejscu brzmi:

> …że nie mógł na nie natrafić ani przypadkowo, ani po długich poszukiwaniach nikt, kto nie był z krwi Noldolich. W ten sposób wrota były bezpieczne od wszelkich złych przypadków z wyjątkiem jedynie zdrady, a Tûr nigdy by do nich nie dotarł, gdyby nie niezłomna postawa gnoma Voronwëgo.

Następne zdanie maszynopisu brzmi: „Mimo to wielu co zuchwalszych zniewolonych gnomów przybywających od tych skalistych gór przemknęło się wzdłuż Sirionu ową drogą".

15. Pierwotna wersja brzmiała: „Rozumieli jego mowę, chociaż w owych czasach język wolnych Noldolich nieco się różnił od mowy nieszczęsnych niewolników Melka". Maszynopis *Tuor C* w tym miejscu brzmi: „Rozumieli go, jako że byli Noldolimi. Odezwał się też Tuor w tym samym języku…".

16. Pierwotna wersja brzmiała: „Dotarli w pobliże bramy wcześnie rano. Z murów i wież obserwowało ich…". Lecz Tuor i Voronwë pierwszy raz ujrzeli Gondolin „w świetle poranka" (s. 191), a miasto leżało w odległości, którą można było pokonać po „całodziennym niewyczerpującym marszu" przez równinę; stąd późniejsza zmiana naniesiona w tekście *Tuor B.*
17. „Złym": pierwotna wersja to „Ainurem".
18. Ten fragment, od słów „On sam miał surowy wygląd", jest późniejszym tekstem zapisanym na oddzielnym kawałku papieru; pierwotna wersja brzmiała:

    > Tuor miał oblicze przyjemne, lecz surowe, i był rozczochrany. Chociaż odziany w niedźwiedzie skóry, nie górował wzrostem nad swoimi pobratymcami, lecz Gondothlimowie, mimo że nie zgięci wpół jak wielu ich współplemieńców, którzy bez wytchnienia mozolili się dla Melka, kopiąc w ziemi i pracując młotami, byli drobni, szczupli i gibcy.

    W pierwotnym fragmencie stwierdza się, że ludzie są z natury wyżsi niż elfowie z Gondolinu. Zob. s. 172, 264.
19. „przybył do miasta": „uciekł od Melka" w *Tuor C.*
20. „elfowie": pierwotna wersja „mężowie". To jedyne miejsce, w którym słowo „mężowie" oznaczające elfów zostało zmienione. W *Upadku Gondolinu* jest stosowane konsekwentnie, a raz pojawia się nawet w dziwnie brzmiącym odniesieniu do zastępów Melka: „Teraz wszakże mężowie Melka zwarli szyki" (s. 218).
21. Ustęp, który kończy się tutaj, a zaczyna na s. 195 słowami „Słuchał tego Tuor z ciężkim sercem", ojciec mój w *Tuor B* ujął w nawias i na luźnej karteczce odnoszącej się do tego fragmentu napisał:

    > (W razie kon[ieczności]): Następnie jest powiedziane, jak Idril, córka króla, dołożyła własne słowa do jego mądrości i jak Turgon zaprosił Tuora, by odpoczął przez czas jakiś w Gondolinie, a jako że umiał przewidywać przyszłość, namówił go, [by] w końcu tam zamieszkał. Jak rozkochał się w królewskiej córce, Idril o Srebrnych Stopach, i jak przekazywano mu głęboką wie-

dzę tego wspaniałego ludu, jak nauczył się jego historii oraz historii elfów. Jak Tuor wzrastał w mądrości i jak zyskał poczesne miejsce na naradach Gondothlimów.

Jedyna fabularna rozbieżność z właściwym tekstem polega na wprowadzeniu Idril, córki króla, jako czynnika, który wpłynął na decyzję Tuora, by pozostać w Gondolinie. Poza tym fragment ten zawiera niezwykle skrótowe streszczenie opisu nauk pobieranych przez Tuora w Gondolinie z pominięciem tego, co jest powiedziane w tekście na temat przygotowań Gondothlimów do odparcia ataku. Nie sądzę jednak, że jest to propozycja skrócenia spisanej opowieści. Słowa „W razie konieczności" wyraźnie sugerują, że ojciec miał na myśli jedynie skrócenie prezentacji ustnej — a ta miała miejsce wiosną 1920 roku, kiedy opowieść ta została odczytana na spotkaniu Klubu Eseistycznego kolegium Exeter; zob. s. 179. Kolejna propozycja skrótu jest przedstawiona w przyp. 32.

22. Ten fragment, zaczynający się od słów „Wielką miłością pałała też do Tuora Idril", został napisany na oddzielnej karteczce i zastąpił następujący pierwotny tekst:

> Król, usłyszawszy o tym i przekonawszy się, że jego dziecko Idril, o której Eldarowie mówią jako o Irildë, wzajem miłuje Tuora, zgodził się na ich zaślubiny, jako że nie miał syna, a Tuor prawdopodobnie okazałby się krewniakiem dającym mu siłę i oparcie. Idril i Tuor zostali sobie zaślubieni w przytomności mieszkańców Gondolinu w tym Miejscu Bogów, Gar Ainion, znajdującym się w pobliżu pałacu króla. Był to dzień radości dla Gondolinu, lecz dla… (itd.).

W tekście, który zastąpił powyższy, stwierdza się, że małżeństwo Tuora i Idril było pierwszym, lecz nie ostatnim związkiem człowieka i elfa; natomiast w liście nazw własnych do *Upadku Gondolinu* mówi się, że Eärendel był „jedyną istotą, pochodzącą w połowie od Eldalië, a w połowie od ludzi" (zob. s. 258).

23. Słowa „ale opowieść o Isfin i Eölu nie może być tu przedstawiona" zostały dopisane w *Tuor B*. Zob. s. 264–265.

24. Pierwotna wersja: „ułożono je w języku Gondothlimów".
25. Szafiry, które otrzymał Manwë od Noldolich, są wspomniane w opowieści *Przybycie elfów i powstanie Kôru*, I.154. Można tu odczytać napisany ołówkiem pierwotny tekst *Tuor A*: „bardziej niebieskie od szafirów Súlima".
26. Kończący się tu fragment, rozpoczynający się słowami „W ten sposób mijała tamta ostra zima", został umieszczony na oddzielnej kartce w *Tuor B* (lecz nie należy do ostatniej warstwy poprawek); zastępuje o wiele krótszy fragment wywodzący się z pierwotnego tekstu *Tuor A*:

> Otóż w samym środku zimy wczesnym wieczorem słońce szybko zapadło za góry i kiedy zniknęło, zza wzgórz na północy rozlało się światło. Zdumieni tym mieszkańcy miasta... (itd.).

    Zob. przypisy 34 i 37.
27. Szkarłatne serce: serce Finwëgo Nólemëgo, ojca Turgona, wycięli orkowie podczas Bitwy Nieprzeliczonych Łez, lecz Turgon je odzyskał i uczynił swoim emblematem; zob. I.281 i przyp. 11.
28. Na ten fragment, opisujący ustawienie oraz emblematy klanów Gondothlimów, późniejsza korekta *Tuor A* miała stosunkowo niewielki wpływ; większa jego część istnieje w pierwotnej ołówkowej wersji, która pozostała nietknięta, a wszystkie nazwy własne sprawiają wrażenie pierwotnych.
29. Opis śmierci Ectheliona w pierwotnym tekście *Tuor A* jest czytelny; korekta wprowadziła kilka zmian słownych, lecz nic ponadto.
30. To zdanie, rozpoczynające się od słów „Mężowie zadrżeli", zostało dodane w *Tuor B*. Jeśli chodzi o samą przepowiednię, zob. I.204.
31. W *Tuor B* tekst od słów „Tuor na czele uciekinierów zbliża się do Miejsca Zaślubin" na s. 221 jest ujęty w nawias aż do tego miejsca, a na odnoszącej się do tego fragmentu dołączonej karteczce można przeczytać:

> Jak Tuor i jego towarzysze natknęli się na Idril błąkającą się w rozpaczy w Miejscu Bogów. Jak Tuor wraz z Idril oglądali z tego wysoko położonego miejsca plądrowanie Pałacu Króla i zniszczenie Wieży Króla, z którego to powodu wróg nie podążył za uciekinierami. Jak Tuor usłyszał od Voronwëgo, że Idril wysłała Eärendela

> i swoją straż ukrytą drogą, a sama podążyła do miasta w poszukiwaniu męża; jak, zagrożeni atakiem wroga, uratowali wielu uciekinierów i wysłali ich tajemną drogą. Jak Tuor doprowadził swój zastęp dzięki szczęśliwemu trafowi bogów do wylotu owego tunelu i jak wszyscy zeszli na równinę, całkowicie zasypując za sobą wejście. Jak pogrążona w smutku grupa wyszła na nieckę w dolinie Tumladin.

Jest to po prostu streszczenie istniejącego tekstu; przypuszczam, że to był skrót planowany przy ustnym przedstawieniu opowieści, gdyby zajmowało ono zbyt dużo czasu (zob. przyp. 21).

32. Fragment ten, od słów „Zgromadziło się tu...", zastąpił w *Tuor B* pierwotną wersję: „Chcą tu odpocząć, lecz nie znalazłszy żadnych śladów Eärendela i jego eskorty, zasępiony jest Tuor, a Idril szlocha". Zostało to poprawione częściowo z powodów narracyjnych, lecz także po to, by zmienić czas na przeszły. W następnym zdaniu poprawione zostały słowa „rozlega się lament" oraz „wieńczyły płomienie". Lecz kolejne zdanie („Krążą po nim ogniste smoki...") pozostało niezmienione. Sądzę, że ojciec miał zamiar, zasygnalizowany jedynie jakby mimochodem i do końca niezrealizowany, zredukowania użycia w tekście czasu teraźniejszego historycznego [praesens historicum].
33. „zbliża się bowiem lato": pierwotna wersja brzmiała: „chociaż jest zima". Zob. przyp. 26 i 36.
34. Pierwotna wersja brzmiała:

> Góry od tej strony zaczynały się w odległości siedmiu staj bez mili od Gondolinu, a Cristhorn, Żleb Orłów — w odległości kolejnego staja drogi prowadzącej ostro pod górę. Znajdowali się tedy jeszcze dwa staje i część trzeciego od przełęczy, a bardzo byli już znużeni.

35. Zdanie: „Widzicie? Jego twarz lśni jak gwiazda na pustkowiu" zostało dodane w *Tuor B*.
36. Fragment ten, od słów „Jednak po roku i nieco więcej wędrówki...", zastąpił pierwotny tekst „Jednak po pół roku wędrówki, kiedy zbliżała się połowa lata". Poprawka ta wynika ze zmiany pory ataku na Gondolin ze środka zimy na „święto Bram Lata" (zob. przyp. 26 i 33). W ten

sposób w poprawionej wersji porą roku, w której wygnańcy przybywają do krainy leżącej nad Sirionem, dalej pozostaje lato, lecz spędzają oni w drodze nie pół roku, ale ponad rok.

37. „gdzie później Tulkas": pierwotna wersja brzmi „gdzie później Noldorin i Tulkas". Zob. s. 339–340.
38. Pierwotna ołówkowa wersja *Tuor A* brzmiała: „Piękny wzrasta zaś Eärendel wśród Lothlimów w Sornonturze, domu Tuora". Możliwe, że czwartą literą tej nazwy jest „*u*".

Zmiany imion i nazw własnych w *Upadku Gondolinu*

Ilfiniol < *Elfriniol* przy pierwszych trzech wystąpieniach we fragmencie łącznikowym na początku, przy czwartej okazji *Ilfiniol* zapisany tak od razu.

(W *Dworku Zabawy Utraconej* (I.23) strażnik Gongu z Mar Vanwa Tyaliéva jest nazywany jedynie *Serduszkiem*; w „Łączniku do *Muzyki Ainurów*" jego elfickim imieniem jest *Ilverin* < *Elwenildo* (I.62, I.69), a w „Łączniku do *Opowieści o Tinúviel*" — *Ilfiniol* < *Elfriniol*, jak w niniejszym tekście. W maszynopisie figuruje *Ilfrin* (s. 14).

We wstępie do listy nazw własnych do *Upadku Gondolinu* nosi on imię *Elfrith* < *Elfriniel* i jest to jedyne miejsce, w którym zostaje wyjaśnione znaczenie imienia „Serduszko" (s. 180); w liście nazw własnych znajduje się hasło „*Elf* znaczy »serce« (jak elfickie słowo *Elben*): *Elfrith* to Serduszko" (zob. I.303, hasło *Ilverin*). W innej projektowanej liście nazw własnych, zarzuconej po sformułowaniu zaledwie kilku haseł, ponownie napotykamy formę *Elfrith*, a także *Elbenil* > *Elwenil*.

Te ciągłe zmiany imienia należy postrzegać w kontekście szybko zmieniających się pomysłów i opisów fonologicznych, lecz mimo to są one niezwykłe).

Jeśli chodzi o następne notki, to — w imię zwięzłości — należy rozumieć, że nazwy własne w Tuor B *(przed poprawkami) istnieją w takiej samej postaci w* Tuor A*; np.* „Mithrim < Asgon *w* Tuor B" *oznacza, że w* Tuor A *figuruje* Asgon *(bez zmiany).*

Tuor. Chociaż w *Tuor B* imię to jest czasem poprawiane na *Tûr* oraz tak jest niezmiennie zapisywane w maszynopisie *Tuor C*, ja wszędzie stosuję formę *Tuor*; zob. s. 180.

Dor Lómin. Ta nazwa była tak zapisywana od samego początku w *Tuor B*. W *Tuor A* przy trzech pierwszych okazjach jest *Aryador > Mathusdor*; przy czwartej *Aryador > Mathusdor > Dor Lómin.*

Mithrim < Asgon w całym *Tuor B*; w *Tuor A* figuruje niezmieniony *Asgon.*

Glorfalc lub Cris Ilbranteloth (s. 182). W *Tuor A* jest *Glorfalc lub Teld Quing Ilon*; w *Tuor B* początkowo nie było żadnych imion elfickich, a „*Glorfalc lub Cris Ilbranteloth*" to późniejszy dodatek.

Ainurowie. Tak jak w pierwszym szkicu *Muzyki Ainurów* (I.79), w tekście *Tuor A Ainu* to forma lm.

Falasquil. Przy obu okazjach (s. 184) w *Tuor A* nazwa ta zastępuje nazwę pierwotną teraz już nieczytelną, lecz zaczynającą się literą *Q*; w *Tuor B* moja matka zostawiła puste miejsca i dopisała tę nazwę później ołówkiem; w *Tuor C* puste miejsca nie są wypełnione.

Arlisgion. Nazwa ta została później dopisana w *Tuor B.*

Orkowie. W *Tuor A* i *Tuor B* wszędzie jest *orqui*; ojciec poprawił tę nazwę w *Tuor B* na *orkowie* [*Orcs*], lecz niekonsekwentnie, a w dalszej części opowieści w ogóle jej nie zmienił. Tylko w jednym miejscu (s. 229, w wypowiedzi Thorndora) w obu tekstach są *orkowie* (także *bandy orków*, s. 231). Jak w wypadku imienia *Tuor/Tûr*, wszędzie stosuję formę, która miała przetrwać.

Przy jedynej okazji użycia tego słowa w lp. została w nim zastosowana litera „k" zarówno w *Tuor A*, jak i w *Tuor B* (*Ork's blood*[*], s. 198).

Gar Thurion < Gar Furion w *Tuor B* (*Gar Furion* w *Tuor C*).

Loth < Lôs w *Tuor B* (*Lôs* w *Tuor C*).

Lothengriol < Lósengriol w *Tuor B* (*Lósengriol* w *Tuor C*).

[*] „krew orka" (przyp. tłum.).

Taniquetil. Przy tej nazwie użytej na s. 194 w pierwotnym tekście *Tuor A* zostało dodane: (*Danigwiel*), a następnie przekreślone.

Kôr. Przy tej nazwie (s. 195) w *Tuor B* jest napisane ołówkiem: *Tûn*. Zob. I.258, 357.

Gar Ainion < *Gar Ainon* w *Tuor B* (s. 198; na s. 221 nazwa ta nie została poprawiona, lecz ja w obu miejscach zastosowałem *Gar Ainion*).

Nost-na-Lothion < *Nost-na-Lossion* w *Tuor B*.

Duilin. Przy pierwszej okazji (s. 207) < *Duliglin* w pierwotnym tekście *Tuor A*.

Rog. W *Tuor A* imię to miało początkowo pisownię *Rôg*, następnie *Rog*; w *Tuor B* zawsze figuruje jako *Rôg*, lecz w większości zostało później poprawione na *Rog*.

Dramborleg. Na s. 216 < *Drambor* w pierwotnym tekście *Tuor A*.

Bansil. Tylko na s. 219, *Bansil* > *Banthil* w *Tuor B*.

Cristhorn. Od pierwszej okazji na s. 224 figuruje w postaci *Cristhorn* (nie *Cris Thorn*) w *Tuor A*; *Cris Thorn* w całym *Tuor B*.

Bad Uthwen < *Bad Uswen* w *Tuor B*. Wersją pierwotną w *Tuor A* było (najwyraźniej) *Bad Usbran*.

Sorontur < *Ramandur* w *Tuor B*.

Bablon, *Ninwi*, *Trui*, *Rûm*. W pierwotnym tekście *Tuor A*: *Babilon* [Babylon], *Niniwa* [Nineveh], *Troja* [Troy] i (prawdopodobnie) *Rzym* [Rome]. Nazwy te zostały zmienione na te podane w tekście z wyjątkiem *Niniwa* > *Ninwë*, w *Tuor B* zmienionej na *Ninwi*.

Uwagi do *Upadku Gondolinu*

§ 1. Narracja zasadnicza

Podobnie jak w wypadku *Opowieści o Turambarze*, dzielę mój komentarz na części. Często odnoszę się do wersji znacznie późniejszej (doprowadzonej tylko do miejsca, w którym Tuor i Voronwë widzą Gondolin leżący daleko na równinie) opublikowanej w *Niedokończonych opowieściach*, s. 35–72 (*O Tuorze i jego przybyciu do Gondolinu*); będę ją tu nazywał „późniejszym *Tuorem*”).

(i) Podróż Tuora do Morza i zjawienie się Ulma (s. 182–189)

W niektórych miejscach późniejszy *Tuor* (którego porzucenie stanowi jeden z najsmutniejszych faktów w całej historii niekończenia dzieł literackich) jest tak bliski w sformułowaniach *Upadkowi Gondolinu*, napisanemu ponad trzydzieści lat wcześniej, że ojciec mój niemal na pewno miał ten tekst przed oczami albo przynajmniej niedawno go przeczytał. Uderzającymi przykładami z późniejszej wersji (s. 42–43) są: „Słońce wstawało za jego plecami i zapadało przed oczyma, a kiedy struga opadała w dół spienionymi kaskadami, rankiem i wieczorem, ponad strumieniem wyrastały tęcze"; „— To czarodziejska sztuczka — rzekł do siebie. — Nie, to skowyt jakiegoś zwierzęcia na pustkowiu"; „[Tuor] jeszcze kilka dni wędrował przez górzystą, pozbawioną drzew krainę. Morskie wichury nieustannie smagały tę ziemię i wszelka roślinność — trawy, ziele, krzaki — skłaniała się ku wschodowi, przygięta do skał stałymi powiewami z zachodu" — bardzo podobne do fragmentów opowieści lub niemal z nimi identyczne (por. s. 182–184). Lecz różnice w narracji są ogromne.

W starej opowieści pochodzenie Tuora jest niejasne. W *Opowieści o Turambarze* znajduje się wzmianka (s. 108) o ludziach, którzy „żyli nad brzegami Asgonu, gdzie później urodził się Tuor, syn Pelega", lecz tutaj jest powiedziane, że Tuor nie mieszkał wśród swojego ludu (który „wędrował po leśnych ostępach i wzgórzach"), lecz „pędził samotne życie w okolicy jeziora zwanego Mithrim" [< Asgon], po którym pływał łódką mającą dziób w kształcie łabędziej szyi. Właściwie nie ma żadnych odniesień do innych wydarzeń ani oczywiście żadnych wzmianek o Elfach Szarych z Hithlumu, którzy w późniejszej opowieści go wychowywali, a także o jego banicji czy polowaniu na niego przez Easterlingów; są jednak w Dor Lóminie (Hisilómë, Hithlumie) „wędrowni Noldoli" — na ich temat zob. s. 82 — od których Tuor wiele się nauczył, łącznie z ich językiem, i to oni poprowadzili go ciemną trasą wzdłuż rzeki płynącej pod górami. Jest w tym przeczucie Gelmira i Arminasa, Noldorów, którzy przeprowadzili Tuora przez Bramę Noldorów (późniejszy *Tuor*, s. 39–41), a historia, że Ulmo „niegdyś zachęcił Noldolich do wykucia tego ukrytego przejścia" przetrwała w o wiele bogatszym historycznym kontekście późniejszej legendy, gdzie owo przejście „zwiemy [...] Bramą Noldorów, jako że zostało ono zbudowane rękami ludzi* dawno temu, w czasach Turgona" (późniejszy *Tuor*, s. 36).

* Powinno być: „owego ludu" (przyp. tłum.).

Narracja w późniejszym *Tuorze* staje się bardzo bliska starej opowieści, kiedy Tuor wychodzi z tunelu do wąwozu (nazwanego później *Cirith Ninniach*, lecz nadal jest to nazwa wymyślona przez niego. Powtarza się wiele szczegółów, takich jak gwiazdy świecące na „ciemnej ścieżce nieba nad nim"*, echo gry Tuora na harfie (w opowieści oczywiście bez dosłownych ech wrzasku Morgotha i głosów zastępu Fëanora, który tu przybił do brzegu), jego wątpliwości związane z żałobnym wołaniem mew, zwężenie się wąwozu w miejscu, gdzie fale przypływu (spiętrzone ze względu na zachodni wiatr) spotykały wody rzeki, oraz ucieczka Tuora, który wspiął się na szczyt urwiska (lecz w opowieści nie ma związku między zaciekawieniem Tuora mewami i tym, że dzięki temu uratował życie (bo zachęcony do tego przez Ainurów wspiął się na urwisko). Godne uwagi jest zachowanie pomysłu, że Tuor był pierwszym człowiekiem, który dotarł do Morza, i sceny, gdy staje na szczycie skały z rozpostartymi ramionami, a także tęsknoty, jaką budzi w nim morze (późniejszy *Tuor*, s. 43). Natomiast wątek zbudowania domu w zatoczce Falasquil i przyozdobienia go rzeźbami (oraz, oczywiście, spławiania do niego drewna rzeką przez Noldolich z Dor Lóminu) został zarzucony. W późniejszej wersji legendy Tuor znajduje na wybrzeżu ruiny dawnej przystani Noldorów z czasów rządów Turgona w Nevraście, natomiast w starej opowieści nie ma ani słowa o siedzibie, w której Tuor mieszkał, zanim wyruszył do Gondolinu. Opowieść nie zawiera zatem epizodu z Vinyamarem i mimo częstego przypominania, że to Ulmo prowadził Tuora jako wykonawcę swoich planów, brak w niej zasadniczego elementu: późniejszej legendy o broni zostawionej dla niego przez Turgona z polecenia Ulma (*Silmarillion*, s. 186, 341).

Lecące na południe łabędzie (w późniejszym *Tuorze* jest ich siedem, a nie trzy) w obu tekstach odgrywają zasadniczo taką samą rolę, zachęcając Tuora do kontynuowania wędrówki, lecz emblemat łabędzia otrzymał później inne pochodzenie, stając się „godłem Annaela i jego szczepu", Elfów Szarych znad jeziora Mithrim (późniejszy *Tuor*, s. 44).

Zarówno jeśli chodzi o obraną trasę (w kwestii geografii zob. s. 260), jak i porę roku, ojciec mój w dużym stopniu odszedł później od pierwotnej historii podróży Tuora do Gondolinu. W późniejszym *Tuorze* podążał on wraz

* W *Niedokończonych opowieściach* jest: „na niebie zabłysły zimne, białe gwiazdy" (s. 42) (przyp. tłum.).

z Voronwëm w śniegu i przenikliwym zimnie na wschód pod Górami Cienia podczas Srogiej Zimy, która nastała po upadku Nargothrondu, zimy, podczas której Túrin powrócił do Hithlumu. Tutaj podróż ta trwa o wiele dłużej: Tuor opuścił Falasquil w „ostatnie dni lata" (jak w późniejszym *Tuorze*), lecz udał się wzdłuż całego wybrzeża Beleriandu do ujścia Sirionu i zatrzymał się na dłużej w Krainie Wierzb latem następnego roku. (Niewątpliwie ta geografia była mniej dokładna niż późniejsza, lecz wydaje się, że jej ogólne podobieństwo do później sporządzonej mapy zapewnia opis [s. 185] wybrzeża biegnącego po pewnym czasie raczej ku wschodowi niż południu).

Jedyne podobieństwo między zjawieniem się Ulma Tuorowi w letnim zmierzchu w Krainie Wierzb i jego dramatycznym wychynięciem z morza wzburzonego nadciągającym sztormem na brzegu w Vinyamarze tkwi w umiejscowieniu tego wydarzenia w strukturze narracji. Jednakże niezwykłe jest to, że stara wizja Krainy Wierzb z jej sennym pięknem rzecznych kwiatów i motyli nie przepadła, chociaż później wędrował po niej i wymyślał nazwy nie Tuor, lecz Voronwë, i że to on stał oczarowany, „zanurzony po kolana w trawie" (s. 188; późniejszy *Tuor*, s. 55), aż wreszcie przeznaczenie, czy też Ulmo, Władca Wód, zaprowadziło go nad Morze. Możliwe, że delikatne wspomnienie starej opowieści pobrzmiewa w słowach Ulma (późniejszy *Tuor*, s. 47): „Musisz nauczyć się pośpiechu, gdyż *droga, jaką dla ciebie zgotowałem, nie będzie już taka łatwa*".

W opowieści przemowa Ulma skierowana do Tuora (a przynajmniej ta jej część, która została zapisana) jest o wiele prostsza i krótka, nie ma też w niej wzmianki o tym, że Ulmo „przeciwstawia się nawet woli swych braci, Władców Zachodu"; są w niej jednak obecne dwa zasadnicze elementy jego późniejszego przesłania, a mianowicie stwierdzenie, że Tuor będzie wiedział, co powiedzieć, kiedy stanie przed obliczem Turgona, oraz wzmianka o nienarodzonym jeszcze synu Tuora (w późniejszym *Tuorze* jest ona o wiele mniej jasna: „Nie wybrałem cię jednak jedynie ze względu na twą odwagę. Zaniesiesz bowiem światu nadzieję, której nawet nie dostrzegasz, i blask, który rozproszy ciemność").

(ii) Podróż Tuora i Voronwëgo do Gondolinu (s. 189–192)

W opowieści niewiele jest powiedziane o podróży Tuora do Gondolinu poza jego pobytem w Krainie Wierzb, a Voronwë pojawia się dość późno jako jedyny Noldor, który nie bał się towarzyszyć mu w dalszej drodze; o później przedstawionej historii Voronwëgo nie ma ani słowa, nie jest on też elfem z Gondolinu.

Warto zauważyć, że Noldoli, którzy prowadzili Tuora z Krainy Wierzb na północ, określili siebie jako niewolników Melka. W tej sprawie *Opowieści* przedstawiają spójny obraz. W *Opowieści o Tinúviel* jest powiedziane (s. 16), że

> wszyscy Eldarowie, zarówno ci, którzy pozostali w ciemności albo zabłądzili podczas marszu z Palisoru, jak i ci Noldoli, którzy podążyli za nim [Melkiem] z powrotem do świata, szukając skradzionego skarbu, dostali się w jego władanie jako niewolnicy.

W *Upadku Gondolinu* jest powiedziane, że Noldoli służyli Ulmowi w tajemnicy i „ze strachu przed Melkiem często się wahali" (s. 187); Voronwë mówił Tuorowi o „zniewolonych do znojnej pracy" (s. 190), a Melko wysłał armię szpiegów, każąc im „szukać siedziby Noldolich, którzy uciekli spod jego jarzma" (s. 200). Ci „niewolni Noldoli" są pokazani tak, jakby mogli swobodnie się poruszać po tamtejszych ziemiach aż do samego ujścia Sirionu, lecz „błąkali się jakby pogrążeni w strasznym śnie, wykonując jego podłe rozkazy, omotał ich bowiem czar bezdennego przerażenia i czuli na sobie palący ich z daleka wzrok Melka" (*Opowieść o Turambarze,* s. 96). Wyrażenie to jest często używane: Voronwë radował się w Gondolinie, że nie boi się już Melka i że „już nie paraliżował go strach" przed Melkiem — „bo w istocie urok, który Melko rzucił na Noldolich, był to czar bezdennego przerażenia: wydawało im się, że zawsze jest on koło nich, nawet jeśli przebywali z dala od Piekieł Żelaza; serca im drżały i Noldoli nie uciekali nawet wtedy, kiedy mogli" (s. 192). Czar bezdennego przerażenia został też rzucony na Meglina (s. 203).

Wiele jest w tym wszystkim tego, co można w większym lub mniejszym stopniu zharmonizować z późniejszymi tekstami, a słowa *Silmarillionu* (s. 227) rzeczywiście budzą znajome echo:

> Lecz Noldorowie zawsze najbardziej lękali się zdrady ze strony współplemieńców obróconych w niewolników Angbandu; Morgoth bowiem niektórych jeńców używał do własnych celów,

wypuszczał ich niby na wolność, lecz trzymał na uwięzi swojej woli tak, że po spełnieniu rozkazów wracali do niego.

Niemniej można odnieść wrażenie, że w owym czasie ojciec mój wyobrażał sobie potęgę Melka w jej apogeum jako działającą w Wielkich Krainach w sposób bardziej rozproszony i nieuchwytny, a może także bardziej powszechny. Podczas gdy w *Silmarillionie* Noldorowie, którzy nie cieszą się wolnością, są więźniami w Angbandzie (skąd niektórzy mogą uciec, a inni ze zniewolonymi umysłami mogą zostać wysłani), tutaj wszyscy prócz Gondothlimów są „niewolnikami", kontrolowanymi z daleka przez Melka, a on utrzymuje, że wszyscy Noldoli są prawnie jego niewolnikami z samej racji tego, że przebywają w Wielkich Krainach. Jest to różnica trudna do określenia, lecz o jej istnieniu może świadczyć nieprawdopodobieństwo tego, by w późniejszej opowieści Tuora do Gondolinu prowadzili Noldorowie w jakimkolwiek sensie będący niewolnikami Morgotha.

Wejście Tuora do Gondolinu cechuje ogólne podobieństwo do o wiele pełniejszego i dokładniejszego opisu w późniejszym *Tuorze*. Mamy tu głęboki wąwóz, którym płynie rzeka, splątane krzaki, wlot jaskini — lecz tą rzeką z pewnością jest Sirion (zob. fragment pod koniec opowieści, s. 231, gdzie wygnańcy wracają do wejścia do tunelu), a brama tajemnej drogi znajduje się w stromym brzegu rzeki — w przeciwieństwie do opisu Suchej Rzeki, której dawne koryto samo stanowiło ową sekretną drogę (późniejszy *Tuor*, s. 64–65). Długi tunel, którym w opowieści idą Tuor i Voronwë, nie tylko doprowadza ich w końcu do Straży, ale także wywodzi na światło dnia. Znajdują się „u podnóża stromych wzgórz" i widzą miasto — innymi słowy, mamy do czynienia z prostym schematem obejmującym równinę, pierścień otaczających ją gór, a pod nimi tunel prowadzący do zewnętrznego świata. W późniejszym *Tuorze* wizja miasta jest o wiele dziwniejsza: tunel Straży prowadzi bowiem do wąwozu Orfalch Echor, wielkiej rozpadliny rozcinającej Góry Okrężne od szczytów do samych ich podnóży (są „jak ociosane toporem", s. 67), przez którą prowadzi droga wspinająca się przez kolejne bramy, aż dociera do Siódmej Bramy, zagradzającej rozpadlinę u jej szczytu. Dopiero po otwarciu tej ostatniej bramy Tuor mógł ujrzeć Gondolin, a my musimy założyć (chociaż tekst nie jest doprowadzony do tego miejsca), że aby dotrzeć na równinę, podróżnicy musieli na nią zejść od Siódmej Bramy.

Należy zauważyć, że Straż przyjmuje Tuora i Voronwëgo bez podejrzliwości i surowości, z jakimi potraktowała ich w późniejszym tekście (s. 65–66).

(iii) Tuor w Gondolinie (s. 192–198)

Z tym fragmentem tekstu por. *Silmarillion* s. 186–187:

> Wewnątrz pierścienia gór lud Turgona rozrastał się i rozkwitał, nie ustając w pracy pilnej i umiejętnej, tak że Gondolin na skale Amon Gwareth stał się prawdziwie pięknym grodem, godnym się równać nawet z Tirionem, zbudowanym przez elfów za morzem. Mury miał wysokie i białe, schody wygładzone, a Wieża Królewska była strzelista i potężna. Błyszczały i pluskały fontanny, a na dziedzińcach stały podobizny prastarych Drzew, wyrzeźbione przez samego Turgona za pomocą sztuki znanej elfom. Drzewu złotemu dał imię Glingal, a srebrnemu — Belthil.

Ten obraz Gondolinu był trwały; pojawia się on w notatkach do kontynuacji późniejszego *Tuora* (*Niedokończone opowieści*, s. 77) jako opis „schodów, prowadzących na wysoki taras i wielkiej bramy [...], Źródlanego Dziedzińca, Wieży Króla wspartej na kolumnadach, królewskiego pałacu [...]". W gruncie rzeczy jedyna prawdziwa różnica, jaka pojawia się przy uwzględnieniu pierwotnej wersji, dotyczy Drzew Gondolinu, którymi były w niej nigdy nietracące blasku „młode pędy [...] cudownych drzew oświetlających Valinor", a w *Silmarillionie* — ich wizerunki zrobione z drogocennych kruszców. Jeśli chodzi o Drzewa Gondolinu, zob. hasła *Bansil* i *Glingol* na liście nazw własnych (s. 257–259). O podarowaniu przez bogów tych „młodych pędów" (które były „kwitnące wiecznie, bez chwili osłabienia") Inwëmu i Nólemëmu w czasie wznoszenia Kôru, kiedy to każdy z nich otrzymał dwa pędy, po jednym z każdego drzewa, wspomina się w *Przybyciu elfów i powstaniu Kôru* (I.149), a w *Ukryciu Valinoru* znajduje się wzmianka o wyrwaniu pędów ofiarowanych Nólemëmu, które „zostały wyrwane z korzeniami i przepadły bez śladu" (I.249).

Natomiast opisy, wcześniejsze i późniejsze, rozdziela zasadnicze przesunięcie w historii Gondolinu: w *Zaginionych opowieściach* (oraz później)

Gondolin został odkryty dopiero *po* Bitwie Nieprzeliczonych Łez, kiedy hufiec Turgona wycofał się na południe wzdłuż Sirionu, natomiast w *Silmarillionie* został znaleziony przez Turgona z Nevrastu ponad czterysta lat wcześniej (czterysta czterdzieści dwa lata przed przybyciem Tuora do Gondolinu w czasie Srogiej Zimy po upadku Nargothrondu w 495 roku Słońca). W opowieści ojciec mój wyobraził sobie, że *między* Bitwą Nieprzeliczonych Łez a zniszczeniem miasta minęła cała epoka („nieprzerwana praca, ciągnąca się *przez całe stulecia*, nie wystarczyła, by zbudować i przyozdobić miasto, i [...] elfowie wciąż kontynuują to dzieło", s. 196); później, wraz z radykalnymi zmianami w chronologii Pierwszej Ery po wzejściu Słońca i Księżyca, okres ten został skrócony do zaledwie (w ostatniej zachowanej wersji „Kroniki Lat" Pierwszej Ery) trzydziestu ośmiu lat. Jednakże stara koncepcja nadal jest wyczuwalna we fragmencie na s. 344 *Silmarillionu*, gdzie opis, jak po Nirnaeth Arnoediad lud Gondolinu wycofał się ze wszelkich spraw świata zewnętrznego, sugeruje, że rozgrywało się to w ciągu wielu lat*.

W *Silmarillionie* jest wyraźnie powiedziane, że Turgon tak zaplanował gród, by stanowił „pamiątkę Tirionu wzniesionego na wzgórzu Túna" (s. 185), i że stał się on „piękny jak wspomnienie Tirionu, miasta elfów w Valinorze" (s. 343). Stara opowieść o tym nie mówi, a w istocie w *Zaginionych opowieściach* Turgon nie znał Kôru (urodził się w Wielkich Krainach po powrocie Noldolich z Valinoru, I.198, I.277, I.280); niemniej można wyczuć, że wieża króla, fontanny i schody oraz białe marmury Gondolinu stanowią ucieleśnienie wspomnienia Kôru opisanego w *Przybyciu elfów i budowie Kôru* (I.148–149).

Stwierdziłem wyżej, iż „mimo częstego przypominania, że to Ulmo prowadził Tuora jako wykonawcę swoich planów, brak w [opowieści] zasadniczego elementu: późniejszej legendy o broni zostawionej dla niego przez Turgona z polecenia Ulma". Teraz jednakże dostrzegamy zalążek tej koncepcji w słowach, które Turgon skierował do Tuora (s. 194): „Twoje przybycie zapowiadają nasze księgi wiedzy, w których zostało zapisane, że

* Jeśli chodzi o dzieje Gondolinu od przybycia Tuora do zniszczenia miasta, po wersji „Silmarillionu" stworzonej (prawdopodobnie) w 1930 roku ojciec nie napisał w tej kwestii już nic więcej i w wersji tej wciąż jest przyjęta stara koncepcja historii miasta. Stanowiła ona podstawę dużej części rozdziału XXIII opowieści opublikowanej w wydanym *Silmarillionie*.

gdy zawitasz do miasta, w sadybach Gondothlimów zajdzie wiele wspaniałych wydarzeń". Jednak z odpowiedzi Tuora jasno wynika, że zbudowanie Gondolinu jeszcze nie leżało w planach Ulma: „Doszły do uszu Ulma pogłoski o twojej siedzibie i o twoim wzgórzu czujności skierowanej przeciwko złu Melka, i Ulma to cieszy [...]".

W opowieści Ulmo przewidział, że Turgon nie będzie chciał chwycić za broń przeciwko Melkowi, i przedstawił, ustami Tuora, drugi pomysł: żeby Turgon wysłał elfów z Gondolinu z biegiem Sirionu na wybrzeże, by zbudowali tam statki i zawieźli na nich wieści do Valinoru. Na to stwierdził Turgon, stanowczo i jednoznacznie, że wysyłał posłańców tą wielką rzeką w tym właśnie celu „przez niezliczone lata", a ponieważ na nic się to nie zdało, teraz już tego nie będzie robił. Otóż wiąże się to wyraźnie z fragmentem w *Silmarillionie* (s. 232), gdzie jest powiedziane, że Turgon, po Dagor Bragollach i przerwaniu Oblężenia Angbandu,

> Wysłał [...] tajemnie oddziały Gondolindrimów do Ujścia Sirionu i na wyspę Balar. Spełniając rozkazy króla, elfowie zbudowali tam statki i pożeglowali na najdalszy Zachód, aby odszukać Valinor i wyprosić u Valarów przebaczenie i pomoc; mieli nadzieję, że ptaki morskie staną się dla nich przewodnikami. Ale morze było ogromne i burzliwe; osłonięte cieniem i mocą czarów, a Valinor zakryty przed ich oczyma. Żaden więc z wysłanników Turgona nie dopłynął do zachodniego brzegu, wielu zginęło w drodze, nieliczni tylko wrócili z tej wyprawy.

Turgon uczynił to raz jeszcze — po Bitwie Nieprzeliczonych Łez (*Silmarillion*, s. 280–282), a jedynym ocalałym z tej ostatniej wyprawy na Zachód był Voronwë z Gondolinu. W ten sposób, mimo dogłębnych zmian w chronologii oraz znacznego rozwinięcia narracji dotyczącej ostatnich stuleci Pierwszej Ery, koncepcja rozpaczliwych prób podejmowanych przez Turgona, by przekazać wiadomość do Valinoru, powraca do wersji początkowej.

Innym pierwotnym motywem jest to, że Turgon nie miał syna, a także (co dziwne) w opowieści nie ma żadnej wzmianki o jego żonie Elenwë, matce Idril. W *Silmarillionie* (s. 138) Elenwë zginęła w trakcie przeprawy przez Helcaraxë, lecz ta historia oczywiście należy do późniejszego etapu rozwoju opowieści, kiedy to Turgon jest urodzony w Valinorze.

Opowieść o pobycie Tuora w Gondolinie przetrwała w krótkiej wzmiance w *Silmarillionie* (s. 344):

> Tuor pozostał w Gondolinie, urzeczony szczęściem i pięknem grodu oraz mądrością jego mieszkańców; skrzepił się tutaj na ciele i umyśle i do głębi poznał dzieje elfów żyjących na wygnaniu.

W niniejszej wersji „usłyszał też opowieści o Ilúvatarze, Wiecznym Władcy, który mieszka poza światem" i o Muzyce Ainurów. Wydaje się, że wiedza o istnieniu Ilúvatara była przywilejem elfow; dużo później w ogrodzie Mar Vanwa Tyaliéva (I.65) Eriol zapytał Rúmila: „Kim był Ilúvatar? Czy należał do bogów?", a Rúmil odpowiedział: „Nie, nie należał. On ich powołał do istnienia. Ilúvatar jest Panem na Zawsze i mieszka poza światem".

(iv) Okrążenie Gondolinu; zdrada Meglina (s. 198–205)

Córka króla od początku nazywała się „Idril o Srebrnych Stopach" (w języku „Eldarów" Irildë, przyp. 22); Meglin (później Maeglin) był jego siostrzeńcem, chociaż imię jego matki (siostry Turgona) Isfin zostało później zmienione.

W tej części opowieść przedstawiona w *Silmarillionie* (s. 343–346) zachowała wszystkie zasadnicze elementy wersji pierwotnej z jednym poważnym wyjątkiem. Zaślubiny Tuora i Idril odbyły się za zgodą króla i przy pełnym jego wsparciu, a wszystkich mieszkańców Gondolinu ogarnęła wielka radość — prócz Maeglina (którego miłość do Idril została opisana wcześniej w *Silmarillionie*, s. 203–205, gdzie podkreślony jest fakt, że barierę stanowiło ich bliskie pokrewieństwo, co nie jest wspomniane w opowieści). Dar przewidywania Idril i jej przeczucie nadchodzących złych wydarzeń, jej pomysł wydrążenia tajemnej drogi (która jednak w opowieści prowadziła na południe od miasta, a Żleb Orłów leżał w południowych górach), zabłądzenie Meglina wśród wzgórz podczas szukania rud metali, schwytanie go przez orków, jego zdrada w celu okupienia życia i powrót do Gondolinu, by zapobiec podejrzeniom (z dodanym szczegółem dotyczącym zmiany jego usposobienia i pokazywania się „z uśmiechem na twarzy") — wszystko to pozostało. Wielu elementów w zwięzłym opisie przeznaczonym dla *Silmarillionu* oczywiście brakuje (dlatego, że zostały odrzucone czy przynajmnej pominięte) — nie wspomina się na przykład o śnie Idril dotyczącym Meglina, o utworzeniu za jej radą straży noszącej godło Tuora, o odmowie Turgona podania w wątpliwość niezniszczalności miasta i o zaufaniu, jakim darzył Meglina, o odkryciu przez Meglina tajemnej drogi* ani o niezwykłej koncepcji, że to sam Meglin wpadł na pomysł potworów z ognia i żelaza i że podsunął go Melkowi — zaiste, cennym był zdrajcą!

Wielka różnica między tymi wersjami polega oczywiście na różnicy w charakterze wiedzy Melka/Morgotha na temat Gondolinu. W opowieści dzięki olbrzymiej armii szpiegów** odkrył on to miasto, jeszcze zanim został schwytany Meglin, a stwory Melka znalazły „Drogę Ucieczki" i obserwowały Gondolin z otaczających go wysokich gór. Zdrada Meglina w starej opowieści polegała na tym, że podał on dokładny opis miasta oraz przygotowań poczynionych dla jego obrony, a takżę na udzielonej Melkowi przez Meglina radzie dotyczącej stworzenia ognistych potworów. Natomiast w *Silmarillionie* pojawia się wymyślony o wiele później powód: nieświadomie wskazane przez Húrina szpiegom Morgotha ogólne umiejscowienie rejonu, w którym należy szukać Gondolinu, a mianowicie „górzystej krainy pomiędzy przełęczą Anach a górnym biegiem Sirionu, gdzie jego [Morgotha] słudzy nigdy nie przeniknęli" (*Silmarillion*, s. 346). Jednak „w dalszym ciągu żaden jego szpieg ani stwór z Angbandu nie zdołał się tam przedostać dzięki czujności orłów" (tamże) — a o tej roli orłów z Gór Okrężnych (choć Melkowi okazywały wrogość, s. 229) w pierwotnej opowieści nie ma żadnej wzmianki.

Tak więc w *Silmarillionie* Morgoth poznał dokładną lokalizację Gondolinu dopiero po schwytaniu Maeglina, którego informacje miały dla Morgotha tym większą wartość, że stanowiły także większe zagrożenie dla miasta. Zatem historia ostatnich lat istnienia Gondolinu ma w opowie-

---

* W gruncie rzeczy w *Silmarillionie* (s. 346) wyraźnie się temu zaprzecza: „Dopilnowała, aby o tej nowej drodze nikt nie wiedział prócz garstki najbardziej zaufanych i żeby wiadomość o niej nie doszła do uszu Maeglina".

** Wydaje się, że „stworzenia żywiące się krwią" (na s. 200 jest powiedziane, że mieszkańcy Gondolinu ich nie lubili): węże, wilki, łasice, sowy, sokoły są tu uznawane za naturalne sługi i sprzymierzeńców Melka.

ści nieco inną atmosferę, Gondothlimowie dostają bowiem wiadomość, że szpiedzy Melka „okrążyli [...] całą dolinę Tumladin" (s. 200), a Turgon przygotowuje się do wojny i wzmacnia straże na wzgórzach. Wycofanie przez Melka wszystkich szpiegów na krótko przed atakiem na Gondolin rzeczywiście spowodowało odnowienie optymizmu Gondothlimów, a najbardziej Turgona, toteż w chwili ataku mieszkańcy miasta nie byli na niego przygotowani, lecz w późniejszej opowieści nagły atak wywołuje o wiele większy wstrząs, ponieważ nie było żadnego powodu, by przypuszczać, że miastu grozi bezpośrednie niebezpieczeństwo, a złe przeczucie Idril jej samej wydaje się dziwne i jest bardziej tajemnicze.

(v) Uszykowanie Gondothlimów (s. 205–209)

Chociaż główny obraz tej części opowieści — obraz mieszkańców Gondolinu wyglądających z murów wschodu słońca, by je powitać w święto Bram Lata, a dostrzegających czerwoną łunę, która wstaje na północy, a nie na wschodzie — został zachowany, to w tym fragmencie niemal wcale nie ma heraldycznych szczegółów przedstawionych w późniejszych tekstach. Bez wątpienia, gdyby mój ojciec nie zarzucił pisania późniejszego *Tuora*, to sądząc po rozbudowanych „heraldycznych" opisach wielkich bram oraz ich strażników w Orfalch Echor (s. 67–71), wiele takich elementów pojawiłoby się ponownie. Natomiast w zwięzłym opisie w *Silmarillionie* jedynymi tego pozostałościami są tytuły Ecthelionа „znad Źródeł"* oraz Glorfindela „wódz rodu Złotego Kwiatu z Gondolinu". W *Silmarillionie* (s. 278) powiada się także, że Ecthelion i Glorfindel byli dowódcami Turgona, którzy strzegli prawej i lewej flanki hufca Gondolinu podczas odwrotu z Nirnaeth Arnoediad wzdłuż Sirionu, lecz dalej nie jest wspomniany żaden z innych dowódców wymienionych w opowieści** — chociaż jest znaczące, że osiem-

* W późniejszym *Tuorze* (s. 71) Ecthelion jest „Władcą Źródeł". [Chodzi o to, że w *Silmarillionie* tytułem Ectheliona jest *of the Fountain*, a w *Niedokończonych opowieściach* — *Lord of the Fountains*; Christopher Tolkien pisze, że liczba mnoga jest w rękopisie wyraźna. W niniejszym tłumaczeniu użyto słowa „Fontanna" — przyp. tłum.].

** W wersji „Silmarillionu" z 1930 roku (zob. przyp. na s. 249) ostatni opis upadku Gondolinu, jaki został wykonany i który stanowi podstawę opisu tego wydarzenia w rozdziale XXIII opublikowanego *Silmarillionu*, brzmi: „[...] wiele jest nasty Namiestnik i Rządca Gondoru nosił imię *Egalmoth*, a siedemnasty i dwudziesty piąty — *Ecthelion* (WP III, s. 382)*.

„Złocistowłosy" Glorfindel (s. 227) pozostaje „złotowłosym" Glorfindelem w *Silmarillionie* i takie było od początku znaczenie jego imienia.

(vi) Bitwa o Gondolin (s. 209–224)

Właściwie cała historia walk w Gondolinie jest opisana tylko w *Upadku Gondolinu*; w *Silmarillionie* (s. 347) jest streszczona w kilkunastu wersach:

> *Pieśń o upadku Gondolinu* wiele opowiada o czynach desperackiej odwagi, jakich dokonywali wodzowie z najznakomitszych rodów, i podwładni im wojownicy, wśród których Tuor nie był ostatni; mówi też o bitwie Ectheliona znad Źródeł z wodzem Balrogów Gothmogiem, stoczonej na królewskim dziedzińcu; o pojedynku, w którym przeciwnicy nawzajem zadali sobie śmierć, o tym, jak lud i dworzanie królewscy bronili wieży Turgona, dopóki nie runęła, grzebiąc króla pod gruzami potężnych murów.
>
> Tuor chciał wyprowadzić Idril z miasta, zanim do niego wtargną bandy łupieżców, lecz okazało się, że Idril i Eärendilem już zawładnął Maeglin, i Tuor musiał z nim walczyć na murach grodu; zepchnął go w końcu z takim rozmachem, że ciało Maeglina trzykroć odbiło się od skalistego zbocza Amon Gwareth, zanim spadło

---

powiedziane w *Upadku Gondolinu*: o śmierci Roga poza murami i o walce Ectheliona od Fontanny" itd. Usunąłem wzmiankę o Rogu (*Silmarillion*, s. 347), ponieważ mam całkowitą pewność, że ojciec nie zachowałby tego miana jako imienia jednego z możnowładców z Gondolinu.

* Bardzo późna notatka dotycząca jednego z tekstów składających się na rozdział XVI *Silmarillionu* (zatytułowany „Maeglin") świadczy, że ojciec mój zastanawiał się, czy „trzema szlachetnymi elfami", których Turgon wyznaczył, by towarzyszyli Aredheli w drodze z Gondolinu (s. 193), nie uczynić Glorfindela, Ectheliona i Egalmotha. Ojciec zwraca uwagę, iż Ecthelion i Egalmoth „wywodzą się z pierwotnego U[padku]G[ondolinu]", lecz że ich imiona „dobrze brzmią i istnieją w druku" (jako imiona namiestników Gondoru). Później jednak postanowił nie nadawać imion towarzyszom Aredheli.

w płomienie szalejące w dole. Wtedy Tuor i Idril zgromadzili tylu niedobitków, ilu mogli zwołać wśród zamętu i ognia, i wyprowadzili ich tajemną drogą, którą Idril zawczasu przygotowała.

(W tym znacznie skróconym opisie został zachowany szczegół, że ciało Maeglina uderzyło w zbocze Amon Gwareth trzy razy, zanim spadło w płomienie). Na podstawie *Silmarillionu* może się wydawać, że Maeglin schwytał Idril i Eärendila o wiele później, podczas walki, w gruncie rzeczy na krótko przed ucieczką zbiegów tunelem; sądzę jednak, że jest o wiele bardziej prawdopodobne, że to rezultat skrótu niż zmiana w opisie bitwy.

W opowieści Gondolin jest bardzo wyraźnie przedstawiony jako miasto z targowiskami i wielkimi placami, z których to opisów w późniejszych tekstach zostały tylko resztki (zob. s. 248). W opisie bitwy nie ma niejasności. W pierwotnej koncepcji Balrogowie są mniej przerażający i wyraźnie bardziej niszczycielscy, niż to stało się później — były ich „całe setki" (s. 204)*, a Tuor wraz z Gondothlimami zabili wielu z nich; pięciu padło od ciosów wielkiego topora Dramborlega, trzech od cięć miecza Ectheliona, a czterdziestu zabili wojownicy króla. Balrogowie są „potężnymi demonami" (s. 216), mogą odczuwać ból i strach (s. 230), noszą żelazne zbroje (s. 216, 230) i mają ogniste bicze (tego atrybutu nigdy nie stracili) oraz stalowe szpony (s. 203, 213).

W *Silmarillionie* Gondolin zaatakowały „smoki, pomiot Glaurunga, liczne teraz i straszliwe"; natomiast język użyty w opowieści (s. 204) sugeruje, że przynajmniej niektóre z „potworów" były nieożywionymi „urządzeniami", skonstruowanymi przez kowali w kuźniach Angbandu. Lecz nawet „stwory z żelaza", których cielska „rozwarły się w połowie ich długości", by wypuścić hordy orków, są nazywane „bezlitosnymi bestiami". Gothmog „rozkazał im ułożyć się w stertę" (s. 211); te zrobione z brązu lub miedzi „otrzymały serca z buchającego ognia", a ugodzony przez Tuora „ognisty smok" wrzasnął i miotał ogonem (s. 216).

Ciekawy jest drobny szczegół opowieści: jakich „posłańców" wysłał Meglin do Melka z ostrzeżeniem, by pilnował zewnętrznego wejścia do

* Pomysł, by Morgoth dysponował zastępem Balrogów, przetrwał długo, lecz w późnej notatce ojciec mój stwierdził, że istniało ich bardzo niewielu — „najwyżej siedmiu".

Drogi Ucieczki (dokąd, jak się domyślał, musiał w końcu prowadzić tajemny tunel)? Komu mógł Meglin zaufać do tego stopnia? I kto odważyłby się pójść z takim posłaniem?

(vii) Ucieczka zbiegów i bitwa w Cristhornie (s. 224–231)

Silmarillion (s. 347–349) opowiada nieco szerzej o ucieczce mieszkańców miasta i zasadzce w Żlebie Orłów (nazywanym tam Cirith Thoronath) niż o samym ataku na Gondolin i plądrowaniu miasta, lecz obie narracje tak naprawdę różnią się tylko w jednym miejscu — jak już zostało stwierdzone, Żleb Orłów został później przeniesiony z południowej części Gór Okrężnych na północną, a tunel pomysłu Idril prowadził na północ od miasta (w *Silmarillionie* pada komentarz, że nikt nie sądził, „by ktokolwiek próbował uciekać z grodu w stronę północy, gdzie piętrzyły się góry najwyższe i skąd było najbliżej do Angbandu"). Opowieść cechuje bogactwo szczegółów i bezpośredniość, których brak w jej krótkiej wersji, gdzie zniknęły takie sytuacje, jak potykanie się o martwe ciała w gorącym i śmierdzącym podziemnym przejściu; nie ma tam też wzmianki o Gondothlimach, którzy wbrew radom Idril i Tuora pospieszyli Drogą Ucieczki i zostali zabici przez czyhającego u jej wylotu smoka*, ani o walce w celu uwolnienia Eärendela.

W opowieści występuje bystrooki elf Legolas Liść Zielony — jest to pierwsze imię użyte później w WP I, jakie pojawiło się w dziełach mojego ojca (jeśli chodzi o tego wcześniejszego Legolasa, zob. s. 260); następną taką postacią był elf Gimli w *Opowieści o Tinúviel.*

Wydaje się, że w pewnym momencie trudno śledzić historię zasadzki w Cristhornie, mówi się bowiem (s. 229), że światło księżyca „z powodu wysokości skalnych ścian nie oświetlało ścieżki". Uciekinierzy szli na południe przez Góry Okrężne, a pionowa skalna ściana nad ścieżką w Żlebie Orłów znajdowała się „po prawej, czyli na zachód", a po lewej stronie

---

* Ten element istniał w gruncie rzeczy w „Silmarillionie" z 1930 roku (zob. przyp. na s. 249), lecz wyłączyłem go z opublikowanego tomu ze względu na znajdujący się w znacznie późniejszym tekście dowód na to, że ta stara droga do Gondolinu została zasypana — co stwierdzono w rozdziale XXIII wydanego *Silmarillionu.*

„przepaść, której ściana [...] opada straszliwą stromizną". Zatem światło księżyca wschodzącego na wschodzie chyba musiałoby oświetlać ścieżkę?

Nazwa *Cristhorn* widnieje na rysunku mojego ojca zatytułowanym *Widok na Gondolin i dolinę Tumladin z Cristhornu* z września 1928 roku (*Pictures by J.R.R. Tolkien*, 1979, nr 35).

(viii) Wędrówki uciekinierów z Gondolinu (s. 231–233)

W *Silmarillionie* (s. 349) jest powiedziane, że „pod przewodem Tuora, syna Huora, garstka ocalonych mieszkańców przeprawiła się przez góry i zeszła w Dolinę Sirionu". Można by przypuszczać, że zeszła do Dimbaru i „w trudzie i wśród niebezpieczeństw uciekając na południe, dotarła wreszcie do Nan-tathren, Krainy Wierzb". Dziwne wydaje się, że w opowieści wygnańcy błąkali się po pustkowiach ponad rok, a mimo to dotarli zaledwie do zewnętrznego wylotu Drogi Ucieczki; lecz w trakcie pisania *Upadku Gondolinu* geografia tego rejonu mogła być mniej sprecyzowana.

W *Silmarillionie* kiedy Tuor i Idril przybyli z Nan-tathren do Ujścia Sirionu, „towarzyszący im lud połączył się z gromadką otaczającą Elwingę, córkę Diora, która nieco wcześniej tam się schroniła". Tutaj o tym się nie mówi, lecz rozważania na temat tej części opowieści odkładam na później.

§ 2. Hasła na liście nazw własnych do *Upadku Gondolinu*

Jeśli chodzi o tę listę, zob. s. 180, gdzie jest przytoczony wstęp do niej. Zawarte tam informacje językowe, łącznie z wyjaśnieniami znaczeń, są włączone do „Dodatku" dotyczącego nazw własnych, lecz tutaj zbieram (w porządku alfabetycznym) niektóre znajdujące się w niej stwierdzenia innego rodzaju.

Bablon „był miastem ludzi, a właściwie nazywał się *Babilon*, lecz tak wymawiają teraz jego nazwę gnomowie, a przejęli ją ongiś od ludzi".

Bansil „Imieniem tym zwali Gondothlimowie drzewo rosnące przed królewskimi wrotami, które rodziło srebrne kwiaty i nie traciło blasku — a imię to poznał Elfriniel od swego ojca, Voronwëgo; znaczy ono »Jasna Poświata«. Otóż drzewo, którego było ono pędem (przyniesionym w dawnych wiekach przez Noldolich z Valinoru), miało podobne właściwości, lecz większe, jako że przez połowę dwudziestu czterech godzin oświetlało cały Valinor srebrzystym blaskiem. O nim Eldarowie wciąż opowiadają jako o *Silpionie* albo »Wiśniowym Księżycu«, jego kwiaty przypominały bowiem kwiecie wiśni na wiosnę — lecz imienia tego drzewa w Gondolinie nie znają, a opowiadają o nim tylko Noldoli".

Dor Lómin „albo »Kraina Cieni« był tym regionem zwanym przez Eldarów *Hisilómë* (znaczy to »Cieniste Zmierzchy«), gdzie Melko zamknął ludzi, a został tak nazwany ze względu na skąpe światło słońca, które ledwie wygląda znad Gór Żelaznych na wschodzie i południu tej krainy — mieszka tam teraz Lud Cienia. Stamtąd do Gondolinu przybył Tuor".

Eärendel „był synem Tuora i Idril i — jak jest powiedziane — jedyną istotą pochodzącą w połowie od Eldalië, a w połowie od ludzi. Był pierwszym i największym żeglarzem wśród ludzi i oglądał krainy, których oni, mimo całej mnogości ich statków, jeszcze nie odkryli ani nie dosięgli wzrokiem. Unosi się teraz z Voronwëm na wiatrach firmamentu i nigdy nie wraca dalej niż do Kôru, inaczej bowiem umarłby jak inni ludzie, tyle jest w nim ze śmiertelnika".

(Jeśli chodzi o te ostatnie stwierdzenia na temat Eärendela, zob. s. 321–322. Godne szczególnej uwagi jest zdanie, że Eärendel był „jedyną istotą, pochodzącą w połowie od Eldalië, a w połowie od ludzi". Zostało to prawdopodobnie napisane wtedy, kiedy Beren był elfem, a nie człowiekiem [zob. s. 168]. Dior, syn Berena i Tinúviel, pojawia się w *Opowieści o Nauglafringu*, lecz tam Beren jest elfem, a Dior nie jest półelfem. W opowieści *Upadek Gondolinu* jest powiedziane — lecz w później dodanym fragmencie [s. 198 i przyp. 22] — że Tuor był pierwszym, lecz nie ostatnim, który poślubił „córkę Elfinesse". Jeśli chodzi o niezwykłe stwierdzenie w *Opowieści o Turambarze*, że Tamar Kulawostopy był półelfem, zob. s. 157).

Ecthelion „był tym przywódcą klanu Fontanny, który miał najpiękniejszy głos i największe umiejętności muzyczne spośród wszystkich Gondothlimów. Zdobył wieczną sławę, zabijając Gothmoga, syna Melka, dzięki czemu Tuor został ocalony od śmierci, lecz Ecthelion utonął wraz ze swoim wrogiem w królewskiej fontannie".

Egalmoth był „przywódcą klanu Sklepienia Niebieskiego; wydostał się z płonącego Gondolinu i zamieszkał później u ujścia Sirionu, lecz zginął w rozegranej tam straszliwej walce, kiedy Melko schwytał Elwingę" (zob. s. 313).

Galdor „był tym dzielnym gnomem, który dowodził mężami Drzewa w licznych atakach, a mimo to wyrwał się z Gondolinu, ocalał nawet z ataku Melka na mieszkańców okolic ujścia Sirionu i wrócił z Eärendelem do ruin miasta. Wciąż mieszka na Tol Eressëi (tak powiedział Elfriniel), a niektórzy z jego pobratymców nadal nazywają samych siebie *Nos Galdon. Galdon* bowiem to drzewo i do niego podobne jest imię Galdora". Te ostatnie słowa zostały poprawione na: „*Nos nan Alwen, Alwen* bowiem to Drzewo".

(Jeśli chodzi o powrót Galdora z Eärendelem do ruin Gondolinu, zob. s. 313).

Glingol „znaczy »Śpiewające Złoto« (jak jest powiedziane), i to imię nadali Gondothlimowie drugiemu z owych dwóch nietracących blasku drzew na królewskim placu, które rodziło złociste kwiaty. Ono także było pędem z drzewa Valinoru (zob. też, co Elfrith mówił o Bansilu), lecz z tego, które zwało się Lindeloktë (co znaczy »Śpiewająca Kiść«) albo Laurelin [*poprawione z*: Lindelaurë] (co znaczy »Śpiewające Złoto«), które oświetlało cały Valinor złocistym blaskiem przez połowę 24 godzin".

(Jeśli chodzi o imię *Lindeloktë*, zob. I.31, I.306 [hasło *Lindelos*]).

Glorfindel „dowodził Złotym Kwiatem i był najbardziej umiłowanym spośród Gondothlimów prócz może Ecthelona, lecz któż miałby dokonać wyboru? Mimo to padł, nieszczęsny, zadając śmierć Balrogowi w wielkiej walce w Cristhornie. Jego imię znaczy »Złocistoloki«, miał bowiem złociste włosy, a jego klan zwał się w języku noldorissa *Los'lóriol*" (poprawione z *Los Glóriol*).

Gondolin „znaczy »kamień pieśni« (jak gnomowie metaforycznie określali kamień obrobiony i pięknie rzeźbiony); było to najczęściej używane z Siedmiu Imion, które nadali swemu miastu będącemu tajemnym schronieniem przed Melkiem w czasach sprzed jego uwolnienia".

Gothmog „był synem Melka i ogrzycy Fluithuin; jego imię znaczy Walka-i-nienawiść; był dowódcą Balrogów oraz panem zastępów Melka, a zginął z ręki urodziwego Ecthelona podczas ataku na Gondolin. Eldarowie nazwali go *Kosmoko* lub *Kosomok(o)*, lecz imię to w żaden sposób nie pasuje do ich języka i brzmi źle w naszej bardziej szorstkiej mowie, jak powiedział Elfrith [*poprawione z* Elfriniel]".

(W liście imion Valarów związanych z opowieścią *Przybycie Valarów i budowa Valinoru* [I.116] jest powiedziane, że Melko miał syna „z Ulbandi" imieniem *Kosomot*; wczesny słownik języka quenya podaje: *Kosomoko*

= gnomicki *Gothmog* (I.306). W opowieści Gothmog jest nazywany „dowódcą zastępów Melka" [s. 219].

W późniejszych legendach Gothmog był zabójcą Fëanora, w Bitwie Nieprzeliczonych Łez to on zabił Fingona i pojmał Húrina [*Silmarillion*, s. 161, 278, 279]. Oczywiście później nie jest nazywany „synem Melkora". „Dzieci Valarów" były elementem wcześniejszej mitologii, którą mój ojciec odrzucił.

W Trzeciej Erze imię *Gothmog* nosił oficer z Minas Morgul [WP III, s. 136]).

Hendor „był sługą Idril i wiele liczył sobie lat, lecz w tajemnym tunelu niósł Eärendela na plecach".

Idril „była tą piękną córką króla Gondolinu, którą pokochał Tuor, kiedy była jeszcze małą dzieweczką, i która urodziła mu Eärendela. Elfowie zwą ją *Irildë*; my mówimy o niej jako o *Idril Tal-Celeb* lub Idril o Srebrnych Stopach, lecz oni jako o *Irildë Taltelepta*". Zob. „Dodatek. Nazwy własne", hasło *Idril*.

Indor „było to imię ojca ojca Tuora, dlatego gnomowie nazwali Eärendela *Gon Indor*, a elfowie *Indorildo* lub *Indorion*".

Legolas „lub Liść Zielony był mężem z klanu Drzewa, który doskonale widząc w nocy, poprowadził wygnańców w ciemnościach przez Tumladin; nadal mieszka na Tol Eressëi, zwany tam przez Eldarów imieniem *Laiqalassë*; lecz więcej mówi o tym księga Rúmila" (zob. I.317, hasło *Tári-Laisi*).

§ 3. Sprawy różne

(i) Geografia *Upadku Gondolinu*

Wyżej zauważyłem (s. 245), że marszrutę Tuora do ujścia Sirionu wzdłuż wybrzeża krainy, która potem stała się Beleriandem, cechuje niezaprzeczalne podobieństwo do późniejszej mapy — z tego powodu, że linia owego wybrzeża biegnie początkowo z północy na południe, a następnie z zachodu na wschód. Jest także powiedziane, że kiedy Tuor opuścił Falasquil, odległe „wzgórza coraz bardziej zbliżały się do morza" oraz że boczne pasma Gór Żelaznych „ciągną się aż do samego morza" (s. 185–186). Te stwierdzenia również można z łatwością odnieść do mapy, na której długa zachodnia odnoga Gór Cienia (Ered Wethrin), tworząca południową granicę Nevrastu, dosięgała morza w Vinyamarze (w kwestii utożsamienia Gór z Żelaza z Górami Cienia, zob. I.137).

Arlisgion, „miejsce trzcin" (s. 186), leżący powyżej ujścia Sirionu, przetrwał w późniejszym *Tuorze* jako Lisgardh, „kraina trzcin u ujścia Sirionu" (s. 54). Koncepcja, że ta wielka rzeka przez pewien czas płynęła pod ziemią, pochodzi z najwcześniejszego okresu, podobnie jak Stawy Półmroku, Aelin-uial („Rozlewiska Półmroku", s. 232). Opowieść jednak znacznie się tu różni od *Silmarillionu* (s. 180–181), gdzie Aelin-uial to obszar wielkich rozlewisk i moczarów, wśród których „rzeka płynęła [...] zwalniając bieg"; na południe od Stawów Sirion tworzył „potężny wodospad, a za nim rzeka nieoczekiwanie kryła się pod ziemię w tunelach, wydrążonych siłą spadającej wody". Tutaj natomiast Rozlewiska Półmroku znajdują się wyraźnie poniżej „Jaskini Burzliwych Wiatrów" (więcej już niewspominanej), gdzie Sirion zanurza się pod ziemię. Lecz Kraina Wierzb, leżąca poniżej terenów jego podziemnego biegu, jest umieszczona tam, gdzie miała pozostać.

Zatem pogląd, który wyraziłem (s. 170) na temat geograficznych wskazówek w *Opowieści o Turambarze*, można odnieść również do *Upadku Gondolinu*.

(ii) Ulmo oraz inni Valarowie w *Upadku Gondolinu*

Wygłaszając przy pierwszym spotkaniu z Turgonem przemowę, której słowa podsunął mu Ulmo (s. 194), Tuor rzekł: „pełne gniewu są serca Valarów, którzy [...] [w]idzą [...] żałość zniewolenia Noldolich i wędrówek ludzi". Bardzo się to różni od tego, co zostało powiedziane w *Ukryciu Valinoru*, a zwłaszcza od poniższego fragmentu (I.244–245)*:

> Większość Valarów rzewnie wspominała przy tym czasy dawnej beztroski i ci pragnęli jedynie pokoju, nie życząc sobie,

* Wydaje się, że jest to także sprzeczne z narracją, w której po Bitwie Nieprzeliczonych Łez wszyscy ludzie zostali z woli Melka zamknięci w Hithlumie; jednak wzmianka o „wędrówkach" w tym kontekście brzmi dziwnie, ponieważ zaraz potem czytamy, że „Melko otoczył ich w Krainie Cieni wzgórzami z żelaza".

aby wieści o Melku i jego gwałtach oraz szemranie o powrocie zbuntowanych gnomów burzyły ich szczęście, więc również oni głośno domagali się ukrycia przed światem ich krainy. Poważny głos wśród nich należał do Vány i Nessy, ale też wielcy bogowie byli niemal jednomyślni w tej sprawie. Ulmo, którego wzrok sięgał w przyszłość, daremnie ich błagał, aby się zlitowali i wybaczyli Noldolim...

Następnie Tuor rzekł (s. 195): „w Valinorze przebywają bogowie, chociaż ich radość umniejszają smutek i strach przed Melkiem. Ukrywają więc swój kraj i oplatają go nieprzeniknioną magią, by do jego brzegów nie dotarło żadne zło". Turgon w odpowiedzi ironicznie przeinaczył te słowa: „Ci, co upojeni radością siedzą pośrodku nich [tj. mórz i gór otaczających Valinor], lekce sobie ważą strach budzony przez Melka czy też smutek świata, lecz ukrywają swój kraj i oplatają go nieprzeniknioną magią, by do ich uszu nie docierały żadne wieści o złu".

Jak to należy rozumieć? Czy to była „dyplomacja" Ulma? Z pewnością pojmowanie motywów Valarów przez Turgona lepiej współgra z tym, co jest o nich powiedziane w *Ukryciu Valinoru.*

Lecz gnomowie z Gondolinu czcili Valarów. Odbywały się „uroczystości poświęcone Ainurom" (s. 199); wielki plac w mieście wraz z jego najwyższym punktem nazywał się Gar Ainion, Miejsce Bogów, tam odbywały się uroczyste śluby (s. 198, 221); a członkowie klanu Młota Gniewu „najbardziej ze wszystkich Ainurów darzyli szacunkiem kowala Aulëgo" (s. 208).

Szczególnie interesujący jest fragment (s. 199), w którym zostało wyjaśnione, dlaczego Ulmo na przedstawiciela pomagającego zrealizować jego zamierzenia wybrał człowieka: „Otóż w owych czasach swej wielkiej potęgi Melko niezbyt się obawiał rasy ludzi i z tego powodu Ulmo działał poprzez jednego z nich, by tym lepiej zwieść Melka, jako że nie budząc jego czujności, nie mógł wykonać żadnego ruchu żaden Valar i prawie nikt spośród Eldarów czy Noldolich". To jedyne miejsce, gdzie jest wyraźne podany powód dokonanego przez Ulma wyboru poza wczesną oddzielną notatką, w której są sformułowane dwa powody:

(1) „gniew bogów" (na gnomów);

(2) „Melko nie bał się ludzi — gdyby myślał, że do Valinoru docierają jacyś posłańcy, wzmógłby czujność i zło oraz całkowicie ukryłby gnomów". Jest to jednak zbyt niejasne, by było użyteczne.

W opowieści tej ponownie pojawia się koncepcja „szczęśliwego trafu bogów" (s. 223, 239, przyp. 31), podobnie jak w *Opowieści o Turambarze* (zob. s. 171). Ainurowie „zapalili [...] w jego [Tuora] sercu" pragnienie wyjścia ze Złocistej Rozpadliny po ścianie urwiska, by w ten sposób ocalił życie (s. 183).

Bardzo dziwny jest fragment dotyczący narodzin Eärendela (s. 199): „W owym czasie doszło do spełnienia pragnień Valarów oraz nadziei Eldaliё, z wielkiej bowiem miłości Idril urodziła Tuorowi syna, którego nazwano Eärendelem". Czy należy rozumieć, że związek kobiety elfów i śmiertelnego człowieka oraz narodziny ich potomka były „pragnieniami Valarów" — że Valarowie to przewidzieli albo mieli na to nadzieję jako na spełnienie zamierzeń Ilúvatara, z których powinno wyniknąć wielkie dobro? Nigdzie indziej nie ma żadnej sugestii takiej koncepcji.

(iii) Orkowie

W opowieści (s. 193) znajduje się interesująca uwaga dotycząca pochodzenia orków (albo *orqui*, jak byli nazywani w *Tuor A* i w pierwszej wersji *Tuor B*): „całe bowiem to plemię sporządził Melko z podziemnego żaru i błota". Nie ma jeszcze choćby cienia późniejszego poglądu, że „Melkor nie miał władzy stwarzania życia, czy to prawdziwego, czy pozornego, odkąd się zbuntował w epoce, o której mówi *Ainulindalë*, jeszcze przed początkiem świata", ani że orkowie pochodzili od Quendich zniewolonych po przebudzeniu (*Silmarillion*, s. 82). Możliwe, że w opowieści pierwszym zwiastunem takiego pomysłu dotyczącego pochodzenia orków są słowa z tego samego fragmentu: „chyba że niektórzy Noldoli zostali skażeni złem Melka, a ich rasa zmieszana z rasą orków", chociaż oczywiście w takiej formie bardzo się to różni od koncepcji, że orkowie zostali wyhodowani z elfów.

Także tutaj pojawia się określenie orków *Glamhothowie*, które ponownie zostaje użyte w późniejszym *Tuorze* (s. 59 i 75, przyp. 18).

Jeśli chodzi o Balrogów i smoki w *Upadku Gondolinu*, zob. s. 254–255.

(iv) Noldorin w Krainie Wierzb

„Czyż nawet po czasach Tuora nie pojawili się tu Noldorin i jego Eldarowie, szukający Dor Lóminu, ukrytej rzeki oraz jaskiń, w których byli więzieni gnomowie; a jednak, znalazłszy się tak blisko celu wyprawy, mieliby go porzucić? W istocie, kiedy tak tu spali i tańczyli [...], otoczyły ich gobliny pośpiesznie wysłane przez Melka ze Wzgórz z Żelaza i Noldorinowi ledwie udało się stamtąd umknąć" (s. 187). To była Bitwa w Tasarinanie, wspomniana w *Opowieści o Turambarze* (s. 88, 169), stoczona w czasie wielkiej wyprawy elfów z Kôru. Por. uwagę Linda w *Dworku Zabawy Utraconej* (I.24–25), że jego ojciec „udał się z Noldorinem na poszukiwanie gnomów".

W opowieści mówi się także o Noldorinie (Salmarze, towarzyszu Ulma), że nad Stawami Półmroku walczył u boku Tulkasa z samym Melkiem, chociaż jego imię zostało przekreślone (s. 232 oraz przyp. 37); działo się to po Bitwie w Tasarinanie. Na temat tych bitew zob. s. 339 i nast.

(v) Wzrost elfów i ludzi

Fragment na s. 192 dotyczący wzrostu Tuora mógł jedynie oznaczać — zanim został poprawiony (zob. przyp. 18) — że chociaż sam Tuor nie był szczególnie wysoki jak na człowieka, to jednak był wyższy od elfów z Gondolinu, zatem zgadza się to ze stwierdzeniem w *Opowieści o Turambarze* (zob. s. 172). Jednakże po poprawkach znaczy to raczej, że pod względem wzrostu ludzie i elfowie nie różnili się bardzo od siebie.

(vi) Isfin i Eöl

Najwcześniejsza wersja tej opowieści znajduje się w małym notatniku, którego zawartość związana jest z *Zaginionymi opowieściami* (zob. I.33, I.203) i brzmi następująco:

Isfin i Eöl

Isfin, córka Fingolmy, kochana z daleka przez gnoma Eöla (Arvala) z klanu Kreta. Jest silny i w łaskach u Fingolmy oraz u Synów Fëanora (z którymi jest spokrewniony), ponieważ jest przywódcą Górników i poszukiwaczy ukrytych klejnotów, lecz jest brzydki i Isfin go nie znosi.

(Fingolma jako imię Finwëgo Nólemëgo pojawia się w szkicach *Opowieści Gilfanona*, I.277–279). Mamy tutaj górnika o przykrym usposobieniu nazywanego Eölem „z klanu Kreta", który kocha Isfin, lecz zostaje przez nią ze wstrętem odrzucony — co jest w oczywisty sposób podobne do sytuacji w *Upadku Gondolinu*, gdzie górnik o przykrym usposobieniu imieniem Meglin, który nosi emblemat czarnego kreta, zabiega o rękę Idril, lecz ona go odrzuca. Trudno to zinterpretować. Najprostsze wyjaśnienie jest takie, że historia naszkicowana w owym małym notatniku jest w gruncie rzeczy wcześniejsza od tej przedstawionej w *Upadku Gondolinu*, że Meglin jeszcze nie istniał i że następnie obraz „brzydkiego górnika — odrzuconego epuzera" stał się obrazem syna, obiektem pożądania została Idril (bratanica Isfin), a dla ojca, ciemnego elfa Eöla z lasu, który omotał Isfin, została wymyślona nowa historia. W żaden jednak sposób nie jest wyjaśnione, gdzie był górnik Eöl, kiedy „kochał z daleka" Isfin, córkę Fingolmy. Chyba nie ma powodu sądzić, że coś go łączyło z Gondolinem; bardziej prawdopodobne jest to, że koncepcja górnika noszącego emblemat kreta pojawiła się w Gondolinie wraz z Meglinem.

IV

Nauglafring

Docieramy teraz do ostatniej z pierwotnych *Zaginionych opowieści*, które otrzymały spójną formę narracyjną. Jest ona zapisana w oddzielnym notatniku i nosi tytuł *Nauglafring: Naszyjnik Krasnoludów*.

Początek tej opowieści jest nieco zagadkowy. Zanim została opowiedziana historia upadku Gondolinu, Lindo powiedział Ilfiniolowi, że „wszyscy tu pragną, byś czym prędzej opowiedział nam o Tuorze i Eärendelu" (s. 175), na co Ilfiniol odrzekł: „To wielka opowieść i siedem razy podążą słuchający do Ognia Snucia Opowieści, zanim zostanie właściwie opowiedziana; a tak jest spleciona z opowieściami o Nauglafringu i o Marszu Elfów, że chętnie przyjąłbym pomoc w jej snuciu obecnego tu Ailiosa [...]". Tak więc oddanie przez Ilfiniola — na początku niniejszego tekstu — siedziska gawędziarza Ailiosowi, żeby to on opowiedział o Nauglafringu, dobrze pasuje do całego kontekstu. Nie powinniśmy jednak oczekiwać, że nowa opowieść zostanie poprzedzona słowami: „Lecz po chwili zapadło milczenie", ponieważ *Upadek Gondolinu* kończy się słowami „I przez dłuższy czas w całej Komnacie Bierwion nikt nie odezwał się słowem ani się nie poruszył". W każdym razie po bardzo długim *Upadku Gondolinu* z kolejną opowieścią z pewnością zaczekano by do następnego wieczoru.

Opowieść ta również zachowała się w formie rękopisu napisanego atramentem na całkowicie wytartej gumką pierwotnej ołówkowej wersji, lecz jedynie do słów „zaspokojenie swej chciwości" na s. 277. Od tego miejsca aż do końca istnieje tylko pierwotny ołówkowy rękopis w pierwszym stadium tworzenia, pisany w pośpiechu — miejscami naprędce rzucony na stronę; wielu wyrazów nie daje się odczytać z całkowitą pewnością, a część tekstu została w dużym stopniu poprawiona jeszcze w trakcie jego pisania (zob. przyp. 13).

Nauglafring
Naszyjnik Krasnoludów

Lecz po chwili zapadło milczenie i słuchacze szeptali: „Eärendel", lecz inni mówili: „Nie — a co z Nauglafringiem, Naszyjnikiem Krasnoludów". Rzekł zatem Ilfiniol, wstając z siedziska gawędziarza:

— Zaiste, lepiej będzie dla opowieści, jeśli sprawy dotyczące tego naszyjnika przedstawi Ailios.

Ailios zaś chętnie się tego podjął i tak zaczął, wodząc wzrokiem po słuchaczach:

— Pamiętacie wszyscy, jak Úrin Niezłomny rzucił Tinwelintowi do stóp złoto Glorunda, a potem nie chciał go tknąć, lecz wrócił pogrążony w smutku do Hisilómë i tam umarł?

Wszyscy oznajmili, że opowieść tę wciąż mają świeżo w sercach. Rzekł Ailios:

— Tak oto z wielkim żalem patrzył król na Úrina, kiedy ten wychodził z komnaty. Tinwelint znużony już był złem Melka, który w ten sposób omamiał wszystkie serca. Opowieść jednakże mówi, że tak potężne były zaklęcia, którymi Mîm niemający ojca oplótł ten skarb, że kiedy leżał tak na posadzce królewskich komnat, lśniąc dziwnie w świetle płonących tam pochodni, wszystkich, co na niego patrzyli, już dotknęło jego nieuchwytne zło.

Zatem członkowie bandy Úrina jęli szemrać, a jeden z nich rzekł do króla: „Oto, panie, dowódca nasz Úrin, człek stary i szalony, odszedł, lecz my nie zamierzamy pozbyć się naszej zdobyczy".

Odrzekł na to Tinwelint, on bowiem też nie oparł się urokowi złota: „Czyż nie wiecie, że owo złoto należy do całego plemienia elfów, jako że Rodothlimów, którzy dawno temu wydarli je ziemi, już nie ma i nikt nie ma szczególnego prawa[1] choćby do jego garstki prócz jedynie Úrina ze względu na jego syna Túrina, zabójcę Smoka, grabieżcy elfów; Túrin jednak nie żyje, Úrin skarbu tego nie chce, a Túrin był moim domownikiem".

Słysząc te słowa, banici zapłonęli wielkim gniewem, a król powiedział: „Idźcie precz, głupcy, i nie szukajcie zwady z elfami z lasu, by nie dosięgła was wśród drzew śmierć czy też straszliwa magia Valinoru. Nie oczerniajcie też imienia ich króla Tinwelinta, nagrodzę was bowiem hojnie za wasz trud i przyniesienie złota. Niech teraz każdy z was podejdzie i weźmie z niego tyle, ile zdoła zawrzeć w każdej dłoni, a potem odejdzie w pokoju".

Teraz z kolei niezadowolenie okazali elfowie z lasu, którzy długo stali, wpatrzeni w złoto; lecz dzicy ludzie uczynili, co im polecono, a nawet więcej, niektórzy bowiem podchodzili do skarbu po dwakroć i trzykroć, co wywołało gniewne w tej komnacie okrzyki. Chcieli wówczas leśni elfowie powstrzymać banitów od kradzieży; co wywołało wielką waśń i chociaż król chciał zażegnać spór, nikt go nie słuchał. Wówczas owi banici, będąc ludźmi gwałtownymi i nieustraszonymi, dobyli mieczy i zaczęli zadawać nimi ciosy, tak że wkrótce wywiązała się zażarta walka aż na stopniach podestu z królewskim tronem. Mężni byli owi banici, a ścierając się z orkami[2], nabrali wielkiej wprawy we władaniu mieczami i toporami, tak że padło wielu zabitych, zanim król, widząc, że niemożliwe jest już zachowanie pokoju ani wzajemne przebaczenie, wezwał zastęp swoich wojowników. Banici, oszołomieni silniejszą magią króla[3], straciwszy orientację w ciemnych zakamarkach Tinwelintowych komnat, wszyscy zostali zabici, chociaż zażarcie walczyli. Królewska komnata spływała krwią, która zbryzgała też leżące przed tronem złoto, rozrzucone i zdeptane nogami walczących. Tak rozpoczęło się działanie klątwy krasnoluda Mîma i tak przyniosła owoce jeszcze jedna niedola, której ziarna były zasiane dawno temu przez Noldolich w Valinorze[4].

Ciała banitów zostały wyrzucone na zewnątrz, lecz zabitych leśnych elfów kazał Tinwelint pochować w sąsiedztwie pagórka Tinúviel. Powiada się, że w Artanorze wciąż istnieje wielki kopiec, który przez długi czas lud wróżków nazywał Cûm an-Idrisaith, Kopcem Chciwości.

Podeszła wtedy do Tinwelinta Gwenniel i rzekła: „Nie dotykaj tego złota, serce bowiem mówi mi, że po trzykroć jest przeklęte. Przeklęte przez oddech smoka i przeklęte przez krew twoich wasali, która je spryskała, i przeklęte przez śmierć tych[5], których zabili. Wydaje mi się jednak, że wisi nad nim jakaś gorsza i bardziej wiążąca klątwa, której nie mogę dostrzec".

Wspomniawszy na mądrość swojej żony Gwenniel, król zamierzał jej posłuchać; poprosił ją, by zebrała i wrzuciła złoto do strumienia płynącego przed wrotami. Lecz mimo to nie zdołał otrząsnąć się z jego uroku, powiedział więc do siebie: „Najpierw ostatni raz spojrzę na jego piękno, a potem odrzucę od siebie na zawsze". Kazał więc obmyć je w czystej wodzie z plam krwi i rozłożyć przed sobą. Otóż nigdy więcej nie zgromadzono w jednym miejscu tak wielkich stert złota; były tam wykute z niego kielichy, misy, talerze, były rękojeści mieczy i pochwy do nich, a także do sztyletów, lecz najwięcej było nieobrobionego czerwonego złota, leżącego w kawałkach i sztabkach. Wartości tego skarbu nie zdołałby zliczyć nikt, wśród złota leżało bowiem mnóstwo klejnotów szczególnie pięknych dla oka, ponieważ przodkowie Rodothlimów przynieśli je z Valinoru, a stanowiły one część tego niezmierzonego skarbu, który posiadali tam Noldoli.

Patrząc na to złoto, rzekł Tinwelint: „Jakże wspaniały jest ten skarb! A ja nie mam z niego ani dziesiątej części prócz owego Silmarila, który Beren zdobył w Angamandi". Lecz stojąca obok Gwenniel powiedziała: „On byłby wart wszystkiego, co tu leży, choćby było tego trzykroć więcej".

Powstał wówczas spośród zgromadzonych gnom Ufedhin, który wędrował po świecie dłużej i dalej niż ktokolwiek z ludu króla i długo mieszkał z Nauglathami oraz ich pobratymcami Indrafangami. Nauglathowie to dziwna rasa i nikt nie wie z całą pewnością, skąd się wywodzą; nie służą Melkowi ni Manwëmu i nie zważają na elfów ni ludzi, a niektórzy powiadają, że nie słyszeli o Ilúvatarze albo słyszeli, lecz w niego nie wierzą. Atoli w rzemiosłach, naukach oraz w wiedzy o zaletach wszystkiego, co znajduje się w ziemi[6] lub pod wodą, nikt ich nie prześcignie. Mieszkają w wydrążonych jaskiniach i podziemnych miastach, a najpotężniejszym z nich był ongiś Nogrod. Są wiekowi, a wśród nich nigdy nie pojawiają się dzieci, nigdy się też nie śmieją. Chociaż krępej budowy, są silni, a ich brody sięgają im aż do stóp. Jednak najdłuższe brody mają Indrafangowie; są one rozdzielone na dwoje i kiedy Indrafangowie gdzieś wyruszają, owiązują się nimi w pasie. Wszystkie te istoty ludzie nazwali „krasnoludami" i powiadają, że przewyższają oni gnomów umiejętnościami rzemieślniczymi i sprytem. Wytwarzają przemyślne przedmioty, lecz tak naprawdę mało jest piękna w ich własnych wyrobach, w pracy nad tymi bowiem, które stworzyli w minionych wiekach, zawsze pomagali im tacy zbuntowani gnomowie jak Ufedhin. Otóż gnom ten dawno temu porzucił swój lud, sprzymierzył się z krasnoludami z Nogrodu i przybył w owym czasie do królewskich dziedzin Tinwelinta z niektórymi innymi podobnymi mu Noldolimi. Przynieśli miecze, kolczugi i inne nadzwyczaj kunsztowne wyroby sztuki płatnerskiej, którymi Nauglathowie powszechnie handlowali wówczas z wolnymi Noldolimi, a także, jak się powiada, z orkami i żołnierzami Melka.

Kiedy tak stał tam Ufedhin, urok złota opanował jego serce silniej niż serce kogokolwiek innego w owej komnacie i sprawił, że nie mógł znieść myśli o wyrzuceniu skarbu. Ozwał się zatem w te słowa: „Zły to czyn, którego zamierza się dopuścić król Tinwelint, któż bowiem później powie, że plemiona Eldaliё kochają piękne przedmioty, jeśli król Eldarów wrzuca tak wielkie nagromadzenie piękna w ciemne leśne wody, gdzie będą mogły je oglądać tylko ryby? Błagam cię, o królu, byś zamiast tego zgodził się, aby krasnoludzcy rzemieślnicy dowiedli swych umiejętności na tym nieobrobionym złocie, tak by we wszystkich krainach i miejscach usłyszano o złotym skarbie Tinwelinta. Zapewniam cię, iż uczynią to za skromne wynagrodzenie, żeby tylko ocalić ten skarb od zniszczenia".

Spojrzał wówczas król na złoto i spojrzał na Ufedhina, a miał ów gnom wielce bogate odzienie: tunikę ze złocistej tkaniny i złoty pas wysadzany drobnymi klejnotami, jego miecz był osobliwie inkrustowany[7], a szyję otaczał mu naszyjnik z nadzwyczaj misternie splecionego złota i srebra. Ubiór Tinwelinta żadną miarą nie mógł się równać strojowi tego przybysza do królewskich komnat. Ponownie spojrzał Tinwelint na złoto; lśniło ono jeszcze ponętniejszym blaskiem i wydawało się, że klejnoty nigdy nie skrzyły się tak olśniewająco. Znowu odezwał się Ufedhin: „A jak strzeżesz, o królu, owego Silmarila, o którym słyszał cały świat?".

Otóż Gwenniel trzymała Silmaril w drewnianej szkatule okutej żelazem. Ufedhin powiedział, że szkoda, by taki klejnot dotykał czegoś mniej cennego niż najczystsze złoto. Zmieszał się wówczas Tinwelint i uległ: zawarł z Ufedhinem umowę, zgodnie z którą król miał odmierzoną połowę złota oddać Ufedhinowi i jego towarzyszom, oni zaś mieli zanieść je do Nogrodu i siedzib krasnoludzkich. Otóż leżały one bardzo daleko na południu za rozległym lasem na skraju owych wielkich pustkowi w sąsiedztwie Umboth-muilin, Rozlewisk Półmroku, rozciągających się na obrzeżach Tasarinanu. Po siedmiu pełniach księżyca Nauglathowie mieli wrócić z pożyczonym przez króla złotem w postaci przedmiotów największego rzemieślniczego kunsztu, lecz bez najmniejszego uszczerbku dla wagi i czystości kruszcu. Wtedy mieli porozmawiać z Tinwelintem i — jeżeli nie spodobają mu się ich wyroby — bez słowa wrócić do siebie; lecz jeśli uzna ich pracę za dobrą, to z pozostałej części złota mieli uczynić tak wspaniałe ozdoby dla niego oraz dla królowej Gwenniel, jakich nie stworzył jeszcze żaden gnom ni krasnolud.

„Zgłębiłem bowiem kunszt Nauglathów", rzekł Ufedhin, „i poznałem piękno kształtów, jakie potrafią osiągnąć jedynie Noldoli. Mimo to zapłata za nasze wysiłki będzie zaiste niewielka, a oznajmimy ci ją, zanim skończymy pracę".

Wtedy blask złota sprawił, że król pożałował umowy z Ufedhinem; nie spodobały mu się jego słowa i nie chciał pozwolić, by tak wielki zapas złota został zabrany sprzed jego oczu do odległych siedzib krasnoludów na siedem księżyców bez żadnego poręczenia. Mimo to zamierzał wykorzystać ich umiejętności. Nagle rozkazał więc pochwycić Ufedhina i jego towarzyszy i oświadczył: „Pozostaniecie tu, w moich komnatach, jako zakładnicy, dopóki znów nie ujrzę mojego skarbu". Tinwelint bowiem w głębi serca myślał, że Ufedhin, podobnie jak jego gnomowie, jest dla krasnoludów niezwykle cenny i że ci nie będą aż tak chciwi, by go porzucić. Lecz na te słowa gnom zawrzał wielkim gniewem i rzekł: „Nauglathowie nie są złodziejami, o królu, podobnie jak ich przyjaciele", na co odparł Tinwelint: „A jednak blask zbyt wielkiej ilości złota uczynił złodziei z wielu mężów, którzy wcześniej nimi nie byli". Ufedhin musiał się z tym zgodzić, lecz w głębi serca nie wybaczył Tinwelintowi.

Tak więc złoto zostało teraz zaniesione do Nogrodu przez królewski oddział prowadzony przez jednego tylko towarzysza Ufedhina, a umowę Ufedhina i Tinwelinta przedstawiono ustnie Naugladurowi, władcy owego miejsca.

W czasie oczekiwania Ufedhin był traktowany na dworze Tinwelinta uprzejmie, lecz z konieczności czas ów spędzał bezczynnie i gryzł się tym w duchu. Nieustannie zastanawiał się, jaki to piękny przedmiot ze złota i klejnotów uczyni później dla Tinwelinta, lecz miało to służyć jedynie jeszcze większemu omotaniu króla, Ufedhin bowiem już zaczął snuć w głębokiej tajemnicy mroczne intrygi chciwości i zemsty.

W dzień siódmej pełni księżyca strażnicy na królewskim moście zawołali: „Patrzcie! Zdąża przez las wielka ciżba mężów, a wszyscy wyglądają na starców i niosą na plecach wielkie ciężary". Lecz usłyszawszy to, król rzekł: „To są Nauglathowie, którzy dotrzymują słowa. Możesz teraz odejść wolno, Ufedhinie, i zanieść im moje pozdrowienie, a potem przyprowadzić prosto do mojej komnaty". Ufedhin z zadowoleniem ruszył naprzód, lecz w sercu wciąż niósł dawną niechęć. Zatem rozmówiwszy się poufnie z Nauglathami, namówił ich, by zażądali na końcu bardzo wysokiego wynagrodzenia, i to takiego, którego wypłata stanowiłaby upokorzenie dla króla; wyjawił im też więcej swoich zamierzeń, dzięki którym owo złoto mogłoby już na zawsze znaleźć się w Nogrodzie.

Jednak teraz przechodzą krasnoludowie przez most i stają przed tronem Tinwelinta. A dzieła swego kunsztu przynieśli owinięte w jedwabne tkaniny i zamknięte w umiejętnie rzeźbionych szkatułach z drewna rzadkich drzew. Inaczej postąpił ze skarbem Úrin — połowa dostarczonego przezeń złota wciąż wypełniała zgrzebne worki i koślawe skrzynki. Kiedy jednak przyniesione teraz skarby zostały odsłonięte, zabrzmiał okrzyk podziwu, przedmioty bowiem uczynione przez Nauglathów okazały się wspanialsze od nielicznych naczyń i ozdób wytworzonych dawno temu przez Rodothlimów. Ujrzał król kielichy i puchary, a niektóre z nich miały podwójne czary albo splecione ze sobą osobliwe uchwyty, były tam też osobliwych kształtów rogi do picia, talerze i półmiski, karafki i dzbanki, i wszelka zastawa królewskiego stołu. Były tam świeczniki i uchwyty na pochodnie, a nikt nie zdołałby zliczyć pierścieni i bransolet na ramię, bransoletek i obręczy na szyję, i złotych diademów; a wszystko to było tak misternie wykonane i tak przemyślnie ozdobione, że zadowolenie Tinwelinta przeszło wszelkie nadzieje Ufedhina.

Lecz na razie jego zamysły się nie ziściły, bo żadną miarą nie chciał Tinwelint się zgodzić, by Ufedhin lub też Nauglathowie wybrali się do Nogrodu z tą częścią albo i bez niej — nieobrobionego złota, która jeszcze została. I tak rzekł Tinwelint: „Co pomyślą o mnie inni, jeśli po trudach podróży z takim obciążeniem pozwoliłbym wam odejść tak szybko, żebyście rozgłaszali w Nogrodzie, że Tinwelintowi brak grzeczności? Teraz zostańcie czas jakiś, odpoczywajcie i ucztujcie, potem zaś dostaniecie pozostałe złoto do obróbki wedle waszej woli i upodobania. Nie zabraknie też przy tej pracy niczego, czym ja albo mój lud moglibyśmy się wam przysłużyć, a na końcu czeka was wynagrodzenie hojne, a nawet więcej niż hojne".

Mimo tych słów poznali jednak, że stali się więźniami, a szukając potajemnie dróg wyjścia, przekonali się, że są one pilnie strzeżone. Nie znajdując tedy nigdzie porady, skłonili się przed królem — a oblicza krasnoludów rzadko zdradzają ich myśli. I tak oto po czasie odpoczynku rozpoczęła się ta ostatnia kowalska praca w głęboko położonym zakątku siedziby Tinwelinta, który król kazał wydzielić w tym celu. W sercach krasnoludów brakło zapału, lecz zastąpił go strach. We wszystkim tym wielką Ufedhin odegrał rolę.

Zrobili dla Tinwelinta, który do tej pory nosił jedynie wieniec ze szkarłatnych liści, złotą koronę, uczynili też dla niego wspaniały hełm, a sprowadzonemu z daleka mieczowi z krasnoludzkiej stali przydali rękojeść z błyszczącego złota i ozdobili oręż złotą i srebrną inkrustacją, która układała się w osobliwe sylwetki wyraźnie przedstawiające polowanie na Karkarasa Żelaznego Kła, ojca wilków. Był to najwspanialszy miecz, jaki kiedykolwiek widział Tinwelint, i przyćmił on miecz noszony u pasa przez Ufedhina, na który król od dawna spoglądał z zazdrością. Te przedmioty były dziełem kunsztu Ufedhina, a krasnoludowie sporządzili dla Tinwelinta kolczugę ze stali i złota oraz złoty pas. Ucieszyło się na ich widok serce króla, atoli rzekli krasnoludowie: „To jeszcze nie koniec". Ufedhin zrobił dla Gwenniel srebrną koronę, a także, wspomagany przez krasnoludów, wysadzane diamentami pantofelki ze srebra, a srebro to było uformowane w delikatne łuski i układało się na stopie niczym miękka skóra. Zrobił też Ufedhin pasek ze srebra scalonego z jasnym złotem. Przedmioty te stanowiły jednak ledwie dziesiątą część owych wytworów, a żadna opowieść nie opisuje ich wszystkich.

Kiedy zaś wszystko to wykonano i dzieła kowalskiego kunsztu ofiarowano królowi, rzekł Ufedhin: „O Tinwelincie, najbogatszy z królów, masz te rzeczy za piękne?". Odparł Tinwelint: „Tak", a Ufedhin powiedział: „Wiedz zatem, że wciąż istnieje wielki zapas twego najlepszego i najczystszego złota, używaliśmy go oszczędnie, chcemy bowiem o coś cię prosić. A oto nasza prośba: chcielibyśmy uczynić dla ciebie bogato zdobiony naszyjnik, wykorzystując do tego wszystkie nasze umiejętności i całą naszą zręczność. Pragniemy, by była to najwspanialsza ozdoba, jaką widziano na Ziemi, i największe spośród dzieł elfów i krasnoludów. Błagamy cię zatem, byś dał nam ów Silmaril, który tak pieczołowicie przechowujesz, by mógł cudownie lśnić w Nauglafringu, Naszyjniku Krasnoludów".

Ponownie wówczas podał Tinwelint w wątpliwość zamiar Ufedhina, spełnił jednak jego prośbę pod warunkiem, że będzie mógł oglądać kowali przy pracy.

— Nie żyje już nikt — rzekł Ailios[8] — kto widział tę przewspaniałą ozdobę, prócz jedynie[9] Serduszka, syna Bronwega, a mimo to wiele się o niej mówi. Nie tylko była ona dziełem największej w świecie umiejętności i finezji, lecz miała też magiczną moc i nie było tak potężnej lub tak wiotkiej szyi, na której naszyjnik ten nie układał się wdzięcznie i pięknie. I chociaż użyto nań złota niewiarygodnej wręcz wagi, to na każdej piersi leżał lekko niczym pasmo lnu. Każdy, kto go nakładał, olśniewał swym wyglądem, a jeśli była to kobieta, jawiła się jako piękność. W tym złotym naszyjniku osadzone były niezliczone drogocenne kamienie, lecz stanowiły tylko oprawę dla głównego klejnotu, ściągając ku niemu spojrzenie — w samym jego centrum wisiał bowiem, niczym mała lampa wypełniona przezroczystym ogniem, Silmaril, dzieło Fëanora, klejnot bogów. Lecz niestety, nawet gdyby na owym złocie Rodothlimów nie ciążył zły urok, i tak naszyjnik ten nie przynosiłby szczęścia, krasnoludów bowiem przepełniała uraza i wszystkie jego ogniwa oplatały ich złowrogie myśli. Teraz jednakże przynieśli go królowi w całym jego lśniącym świeżością przepychu, a radość Tinwelinta, króla leśnej krainy, nie znała granic, lecz kiedy tylko włożył wysadzany klejnotami łańcuch na szyję, spadła nań klątwa Mîma. Rzekł wówczas Ufedhin: „Teraz, o panie, skoro jesteś zadowolony nad wszelkie swe nadzieje, może zechcesz po królewsku wynagrodzić rzemieślników i pozwolisz im, równie ucieszonym, odejść do ich ojczystej krainy".

Lecz Tinwelintowi, oszołomionemu urokiem złota i klątwą Mîma, nie w smak było przypomnienie o wcześniejszej umowie. Ukrywając jednak prawdziwe uczucia, rozkazał rzemieślnikom stawić się przed swym obliczem i w królewskich słowach wychwalał dzieło ich rąk. W końcu rzekł: „Powiedział mi jeden z was, imieniem Ufedhin, że na końcu oznajmi, jakiego wynagrodzenia pragniecie, lecz będzie ono niewygórowane, jako że była to praca wykonana z miłością, on zaś nie chciał, by złoty skarb został wyrzucony i utracony. Czego zatem pragniecie ode mnie jako zapłaty?".

Rzekł wówczas z pogardą Ufedhin: „Dla siebie, o panie, nie pragnę niczego; zaiste gościnność twoich komnat przez siedem, a potem jeszcze trzy księżyce, to więcej niż mógłbym sobie życzyć". Lecz krasnoludowie odparli: „Oto, o co prosimy. Za naszą pracę przez siedem księżyców dla każdego siedem klejnotów z Valinoru i siedem magicznych szat, które potrafi tkać jedynie Gwendelina[10], i worek złota dla każdego. Lecz za nasz wielki mozół w twoich komnatach wbrew naszej woli przez trzy księżyce prosimy dla każdego o trzy worki srebra, złoty kielich, który będziemy, królu, wznosić za twoje zdrowie, i piękną pannę leśnych elfów, która odejdzie z każdym z nas do naszych domów".

Zawrzał wtedy Tinwelint wielkim gniewem, bo zapłata, jakiej zażądali krasnoludowie, sama w sobie stanowiła istną fortunę, jako że bardzo liczna była ich kompania. On zaś nie miał zamiaru przetrwonić w ten sposób smoczego skarbu, ale też nie mógłby oddać elfich panien szpetnym krasnoludom, nie okrywając się wieczną sromotą.

To ostatnie żądanie wysunęli jedynie za podszeptem Ufedhina. Widząc zaś gniewną twarz króla, dodali: „Nie, to nie wszystko: jako zapłatę za trwającą siedem księżyców niewolę Ufedhina musi z nami pójść siedmiu silnych elfów, którzy zamieszkają wśród nas na siedem razy po siedem lat jako niewolnicy i słudzy do pomocy przy naszych pracach".

Podniósł się na te słowa ze swego siedziska Tinwelint i zawołał na uzbrojonych tanów oraz wojowników, by otoczyli Nauglathów oraz towarzyszących im gnomów, a potem takie wyrzekł słowa: „Za waszą czelność każdy z was otrzyma trzy pręgi wierzbowymi kąsającymi witkami zadane, a Ufedhin dostanie ich siedem, potem zaś pomówimy o wynagrodzeniu".

Kiedy się to dokonało, rozpalając w głębi ich serc płomień nienawiści i zemsty, rzekł król: „Oto za siedem miesięcy waszej ciężkiej pracy każdy otrzyma sześć kawałków złota i jeden srebra, a za starania w moich komnatach trzy kawałki złota i jakiś drobny klejnot, którego mogę się pozbyć. Za podróż, jaką odbyliście, by tu dotrzeć, zostaniecie podjęci wspaniałą ucztą i odejdziecie dobrze zaopatrzeni na drogę, a przed odejściem przepijecie do Tinwelinta elfim winem. Wiedzcie jednak, że za utrzymanie Ufedhina w moich komnatach przez siedem bezczynnych miesięcy każdy z was zapłaci kawałkiem złota i dwoma srebra, on sam bowiem nic nie ma i nic nie otrzyma, ponieważ niczego nie pragnie; jednak zdaje mi się, że to on kryje się za waszą arogancją".

Otrzymali wówczas zapłatę krasnoludowie jak zwykli kowale parający się kuciem brązu i żelaza i zostali przymuszeni do wydzielenia z niej opłaty za Ufedhina. „Inaczej bowiem", oznajmił król, „nigdy go stąd nie wydostaniecie". Zasiedli następnie do wspaniałej uczty, udając dobry nastrój; nadeszła jednak w końcu pora ich odejścia, kiedy to przepili do Tinwelinta elfim winem, lecz w gąszczu swych bród przeklęli go, a Ufedhin nie przełknął wina, tylko wypluł je na progu.

Teraz opowieść mówi o tym, że Nauglathowie ponownie ruszyli do domu; jeśli zaś ich chciwość rozżarzyła się, gdy złoto po raz pierwszy zostało przyniesione do Nogrodu, to teraz zapłonęła gwałtownym ogniem pożądania. Co więcej, dopiekły im zniewagi króla. Rzeczywiście bowiem cały ich lud miłuje złoto i srebro bardziej niż cokolwiek innego na Ziemi, a ponadto na skarbie tym ciążyła klątwa, przed którą żadną miarą nie umieli się bronić. Był wśród nich stary Fangluin*, który od początku radził im, by nie zwracali pożyczonego przez króla skarbu, przekonując: „Ufedhina możemy później starać się uwolnić podstępem, jeśli trafi się dobra okazja". Lecz w owym czasie ich władca Naugladur nie uważał takiego postępowania za słuszne, nie pragnął bowiem wojny z elfami. Teraz jednak, po powrocie krasnoludów, Fangluin wielce z nich szydził, mówiąc, że dostali za swoją pracę nędzarską zapłatę i łyk wina, co okryło ich hańbą. Tak grał na ich żądzy złota, a jego gorzkim słowom wtórował Ufedhin. Zwołał zatem Naugladur tajemną naradę krasnoludów Nogrodu, chcąc zarówno znaleźć metodę zemszczenia się na Tinwelincie, jak i zaspokojenia swej chciwości[11].

Mimo jednak długich rozważań nie odkrył innego sposobu osiągnięcia tych celów jak użycie siły, co niewiele dawało nadziei, tak z racji wielkiej w owym czasie liczebności elfów Artanoru, jak i przez wzgląd na magię, którą królowa Gwenniel osnuła cały ten obszar, tak że noszący wrogość w sercach mężowie błądzili i nie zagłębiali się w te lasy. Zaiste, żaden nieprzyjaciel nie zdołałby się tam dostać bez pomocy jakowegoś zdrajcy.

Kiedy ci wiekowi krasnoludowie siedzieli w ciemnych komnatach, przygryzając brody, rozległo się oto granie rogów oznajmiające przybycie posłańców Bodruitha z rodu Indrafangów, krasnoludów mieszkających w innych krainach. Posłańcy przynieśli mu wieść o śmierci Mîma niemającego ojca z rąk Úrina i o zagrabieniu złota Glorunda, o czym opowieść dopiero teraz dotarła do uszu Bodruitha. Do tej pory krasnoludowie nie znali w całości losów tego skarbu, lecz wiedzieli tylko tyle, ile usłyszał Ufedhin z rozmów w komnatach Tinwelinta, Úrin bowiem przed odejściem nie przedstawił całej historii owego złota. Kiedy zatem wysłuchali tych wieści, do ich dawnej żądzy złota dołączył się świeży gniew i wybuchła wśród nich wrzawa. Naugladur przysiągł, iż nie spocznie, dopóki Mîm nie zostanie po trzykroć pomszczony — „a co więcej", dodał, „wydaje mi się, że owo złoto słusznie się plemieniu krasnoludów należy".

Taki zatem był jego zamysł, a wcielenie go w czyn sprawiło, że od tamtej pory krasnoludowie na zawsze poróżnili się z elfami i bardziej zbliżyli w przyjaźni z pobratymcami Melka. Naugladur potajemnie dał znać przez

---

* Na marginesie rękopisu jest napisane: *Fangluin: Błękitnobrody.*

posłańców Indrafangom, by przygotowywali zbrojny zastęp na dzień, który on wyznaczy, kiedy nadejdzie odpowiednia pora, i w Belegoście, siedzibie Indrafangów, zaczęto w tajemnicy wykuwać stalowe ostrza. Zgromadził też Naugladur wielki zastęp orków i wędrownych goblinów, obiecując im dobrą zapłatę, zadowolenie ich pana i wreszcie bogate łupy, a wszystkich uzbroił własnym orężem. Wówczas przybył do niego elf z ludu Tinwelinta i zaproponował, że przeprowadzi ten zastęp przez magiczną osłonę Gwendeliny, ogarnęła go bowiem żądza złota, którą obudził skarb Glorunda. W ten sposób klątwa Mîma odcisnęła swe piętno na Tinwelincie, a wśród elfów Artanoru pierwszy raz pojawiła się zdrada. [Uśmiechnął się?] wówczas gorzko Naugladur, zrozumiał bowiem, że nadszedł czas, gdy Tinwelint wpadnie w jego ręce. Otóż co roku w porze wielkiego polowania Berena na wilka Tinwelint miał zwyczaj czcić pamięć owego wydarzenia, urządzając wielkie i tłumne łowy, po których przez wiele nocy odbywały się w lesie huczne uczty. Teraz Naugladur dowiedział się od owego elfa Narthsega, którego imię elfowie nadal wspominają z goryczą, że król wybierze się na polowanie za dwie pełnie księżyca, i od razu wysłał umówiony znak, nóż poplamiony krwią, do Bodruitha w Belegoście. Teraz cały zastęp krasnoludów zebrał się na skraju lasu, a do króla nie doszły jeszcze żadne o tym wieści.

Opowieść mówi teraz o tym, że ktoś przybył do Tinwelinta, a on go nie poznał z powodu obfitości rosnących na wszystkie strony włosów przybysza. A był to Mablung, który rzekł: „Oto nawet w głębi lasu usłyszeliśmy, o królu, że tego roku będziesz świętował śmierć Karkarasa polowaniem większym niż poprzednie; wróciłem więc, by dotrzymać ci towarzystwa". Król ucieszył się ogromnie i chętnie powitał dzielnego Mablunga, a dowiedziawszy się od niego, że do Artanoru przybył także Huan, przywódca psów, wielce był zadowolony.

Tak więc król Tinwelint wyruszył konno na polowanie. Strój miał wspanialszy niż kiedykolwiek przedtem, na jego bujnych lokach lśnił złoty hełm, a rząd jego wierzchowca ozdobiony był złotem. Słoneczny blask padał wśród drzew na jego twarz, a tym, którzy na nią patrzyli, zdała się podobna do świetlistego oblicza słońca o poranku, na szyi miał bowiem Nauglafring, Naszyjnik Krasnoludów. Obok niego jechał Mablung Twardoręki, zajmując honorowe miejsce ze względu na czyny, jakich dokonał dawno temu podczas owego wielkiego polowania. Huan biegł przed myśliwymi i mężom wydawało się, że ten wspaniały pies dziwnie się porusza, ale może tego dnia było coś w niesionym wiatrem powietrzu, co mu się nie podobało.

Król z całą drużyną znajduje się już daleko w głębi puszczy, a granie rogów cichnie w leśnych otchłaniach, lecz Gwendelina siedzi w swym alkierzu pełna złych przeczuć. Spytała wówczas Nielthi, panna elfów: „Dlaczegóż to, o pani, smutna jesteś w chwili tryumfu króla?". A Gwendelina odparła: „Zło szuka przystępu do naszej krainy, a moje serce mówi mi, że kończą się moje dni w Artanorze. Gdybym jednak straciła Tinwelinta, żałowałabym, że odeszłam z Valinoru". Odrzekła Nielthi: „Nie, o pani Gwendelino, czyż nie osnułaś nas wielką magią, byśmy się nie bali?". Królowa odpowiedziała: „Jednak wydaje mi się, że jakiś szczur przegryza nici i cała sieć się rozplotła". Kiedy jeszcze mówiła, od drzwi dobiegł krzyk, który nagle przerodził się w gwałtowne odgłosy [...] szczękiem stali. Wyszła wówczas nieulękła Gwendelina z alkierza: oto mostem nagle zawładnął tłum orków i Indrafangów, a w głębi przepastnych wrót toczyła się walka. Miejsce to spływało krwią i leżał tam wielki stos zabitych. Atak był utrzymywany w tajemnicy, toteż całkiem niespodziewany.

Poznała wówczas Gwendelina, że sprawdziły się jej złe przeczucia i że w końcu jej królestwo dosięgła zdrada, lecz mimo to dodała otuchy tym nielicznym strażnikom, którzy nie pojechali na polowanie i zostali przy niej. Dzielnie strzegli królewskiego pałacu, aż fala atakujących odrzuciła ich do tyłu [i] do wszystkich komnat i podziemnych przejść tej wielkiej fortecy elfów dotarły ogień i krew.

Wówczas orkowie wraz z krasnoludami przetrząsnęli wszystkie komnaty w poszukiwaniu skarbów, a jeden z nich, głośno się śmiejąc, usiadł na podwyższonym królewskim siedzisku. Ujrzała Gwendelina, że to Ufedhin, on zaś z szyderstwem w głosie kazał jej zasiąść na jej dawnym miejscu obok króla. Wówczas Gwendelina spojrzała na niego tak, że spuścił wzrok, i rzekła: „Dlaczegóż to, zaprzańcu, kalasz siedzisko mojego pana? Nie sądziłam, że ujrzę zasiadającego tu jakiegoś elfa, splamionego morderstwem złodzieja sprzymierzonego z wiarołomnymi nieprzyjaciółmi jego rodu. A może sądzisz, że chwalebnym czynem jest atak na słabo broniony dom pod nieobecność jego pana?". Lecz Ufedhin nic nie odpowiedział, unikając spojrzenia błyszczących oczu Gwendeliny, a ona odezwała się ponownie: „Idź precz ze swoimi obrzydłymi orkami, bo inaczej gorzką odpłatę otrzymasz od Tinwelinta po jego powrocie".

Na to w końcu odpowiedział Ufedhin, śmiejąc się nieszczerze: „Ale on już powrócił". Nie patrzył przy tym na królową, lecz nasłuchiwał odgłosów z zewnątrz. I teraz wszedł Naugladur w otoczeniu zastępu krasnoludów, niosąc głowę Tinwelinta w złotej koronie i hełmie, a na piersi mając budzący powszechny zachwyt naszyjnik. Ujrzała wówczas w sercu swoim Gwendelina wszystko, co się wydarzyło, a także to, jak klątwa złota spadła na królestwo Artanoru, i nigdy już od tej czarnej godziny nie tańczyła ni śpiewała. Lecz Naugladur kazał zebrać wszystkie przedmioty ze złota lub srebra, albo z drogimi kamieniami i ponieść je do Nogrodu — „a co zostanie z dobytku albo ludu, mogą sobie wedle życzenia zatrzymać albo zabić orkowie. Lecz pani Gwendelina, królowa Artanoru, uda się ze mną".

Rzekła na to Gwendelina: „Złodzieju i morderco, pomiocie Melka, jesteś jednak głupcem, nie widzisz bowiem tego, co wisi nad twoją głową".

Udręka serca nadała przenikliwość jej wzrokowi, a dzięki mądrości poznała klątwę Mîma i wiele z tego, co miało jeszcze się wydarzyć.

Roześmiał się wtedy Naugladur z tryumfem, aż zatrzęsła mu się broda, i rozkazał ją schwytać, lecz nikt nie zdołał tego uczynić, kiedy bowiem zbliżali się do niej, zaczynali macać na oślep jakby w nagle zapadłym mroku, albo potykali się i upadali, przewracając się nawzajem. Gwendelina wyszła ze swojego pomieszkania, a las wypełnił jej przejmujący szloch. Umysł królowej okryła głęboka ciemność, odbiegły ją rozsądek i wiedza, tak że przez długi czas błąkała się bez celu. Stało się tak z powodu jej miłości do króla Tinwelinta, dla którego niegdyś postanowiła już nigdy nie wrócić do Valinoru i piękna bogów i na zawsze zamieszkać w dzikich lasach północy. Teraz wydawało jej się, że ani w Valinorze, ani w Krainach Na Zewnątrz nie ma piękna ni radości. Błądząc po lesie, spotykała wielu rozproszonych elfów, a oni się nad nią użalali, lecz na nich nie zważała. Raczyli ją opowieściami, ale ona ich nie słuchała, skoro Tinwelint nie żył. Musicie jednak wiedzieć, że w tej godzinie, kiedy zastęp Ufedhina wtargnął do pałacu i go plądrował, a inne równie liczne i równie przerażające grupy orków i Indrafangów niosły śmierć i ogień całemu królestwu Tinwelinta, dzielni myśliwi króla odpoczywali wśród wesela i śmiechu, lecz Huan ostrożnie oddalił się od nich. Wówczas las napełnił się nagle hałasem i Huan począł ujadać, a króla z całym jego zastępem otoczyli zbrojni wrogowie. Długo i zawzięcie walczyli wśród drzew, a Nauglathowie — oni bowiem okazali się napastnikami — odnosili ciężkie rany i ginęli. Lecz w końcu elfowie zostali pokonani, a Mablung i król padli w pobok siebie — lecz to Naugladur odciął głowę martwego Tinwelinta, bo póki król żył, nie ważył się zbliżyć do jego lśniącego miecza ni Mablungowego topora[12].

Opowieść nie mówi nic więcej o Huanie poza tym, że kiedy jeszcze śpiewały miecze, wielki ten pies pędził przez tę krainę, aż droga doprowadziła go niczym [wiatr?] do krainy i·Guilwarthon, żyjących umarłych, gdzie rządzili Beren i Tinúviel, córka Tinwelinta. Nie miało tych dwoje żadnej stałej siedziby, a ich królestwo dobrze oznaczonych granic — i w istocie nie znalazł Berena i nie uzyskał od niego tak szybko pomocy żaden inny posłaniec prócz jedynie Huana, który znał wszystkie drogi[13]. Opowieść mówi dalej, że Huan przybył do chaty Berena w czasie, kiedy zastęp orków palił cały kraj Tinwelinta, zapadł już zmrok, a Nauglathowie wraz z Indrafanginami zmierzali ku swym domom wielce obciążeni złupionym złotem i cennymi łupami. A kiedy Beren, siedząc na korzeniu drzewa, patrzył, jak Tinúviel tańczy w zmierzchu na zielonej murawie, nagle stanął przed nimi Huan. Wydał Beren okrzyk radości i zdumienia, dawno już bowiem nie polował z Huanem. Lecz patrząc na psa, spostrzegła Tinúviel, że krwawi, a z jego wielkich oczu można odczytać, że ma coś do opowiedzenia. Ozwała się nagle: „Jakież to zło spadło na Artanor?", a Huan odparł: „Ogień i śmierć, i groza orków; a Tinwelint został zabity".

Wówczas zapłakali Beren i Tinúviel gorzkimi łzami, a oczu ich nie osuszyła pełna opowieść Huana. Kiedy dobiegła końca, zerwał się Beren pobladły z gniewu na równe nogi i chwyciwszy róg wiszący u pasa, wydobył z niego potężną, czystą nutę, która rozniosła się wśród wszystkich okolicznych wzgórz, i ze wszystkich polan, zagajników i wzniesień, znad wszystkich strumieni jakby powodowany magią ruszył pośpiesznie ku niemu elfi lud odziany w zielenie i brązy.

Nawet Beren nie wiedział, ilu jest tych niezliczonych elfów, którzy podążali za głosem jego rogu w lasach Hisilómë. Zanim księżyc wzniósł się wysoko ponad wzgórza, zastęp zgromadzony na polanie przed jego siedzibą liczył już wielu elfów, lecz lekko uzbrojonych, a większość z nich miała tylko noże i łuki. „Teraz najbardziej potrzebujemy pośpiechu", rzekł Beren. Na jego polecenie grupa elfów niczym jelenie pomknęła naprzód, szukając wieści o przemarszu krasnoludów i Indrafangów, a o świcie podążył za nimi Beren na czele zielonych elfów. Tinúviel została na polanie, samotnie opłakując śmierć Tinwelinta i Gwendeliny, którą również miała za nieżywą.

Trzeba teraz powiedzieć, że obładowany zastęp krasnoludów oddalał się od splądrowanego pałacu, a na ich czele jechał Naugladur, mając obok siebie Ufedhina i Bodruitha. Ufedhin cały czas na próżno usiłował wyrzucić z pamięci straszne spojrzenie Gwendeliny. Serce skurczyło mu się pod wpływem wspomnienia jej wzroku i uciekło z niego całe zadowolenie, lecz nie tylko to było powodem jego udręki. Ilekroć podnosił wzrok, widział Naszyjnik Krasnoludów lśniący na pomarszczonej szyi Naugladura i wtedy znikały wszystkie inne dręczące go myśli, zmiecione bezdenną żądzą posiadania tego pięknego klejnotu.

Tak podążali ci trzej, a z nimi cały zastęp. Ufedhin nie mógł już znieść męczarni umysłu. Nocą, kiedy zarządzono postój, zakradł się potajemnie tam, gdzie spał Naugladur, i zbliżywszy się do pogrążonego we śnie starego krasnoluda, chciał go zabić, by zabrać cudowny Nauglafring. Ale gdy właśnie miał tego dokonać, nagle ktoś chwycił go od tyłu za szyję. Był to Bodruith, który, przepełniony podobną żądzą, również zamierzał zawładnąć tym przepięknym klejnotem, a natknąwszy się na Ufedhina, chciał go zabić — jako że był krewniakiem Naugladura. Wtedy Ufedhin zadał w ciemności i na ślepo nagłe pchnięcie ostrą klingą długiego i wąskiego sztyletu, który wziął ze sobą na zgubę Naugladura. Ostrze przeszyło wnętrzności Bodruitha. Władca Belegostu zwalił się bez życia na Naugladura, a jego szyję i magiczny łańcuch na niej ponownie zbryzgała krew.

Obudził się wówczas Naugladur z wielkim krzykiem, lecz Ufedhin umknął stamtąd, ledwie dysząc, bo długie palce Indrafanga niemal pozbawiły go tchu. I kiedy krasnoludowie pośpieszyli tam z pochodniami, Naugladur sądził, że tylko Bodruith chciał obrabować go z klejnotu, i dziwił się, jakim sposobem został ów krasnolud tak w porę zabity. Ogłosił, że wypłaci sowitą nagrodę zabójcy Bodruitha, gdyby tylko mąż ten się ujawnił i opowiedział o wszystkim, co widział. Dlatego też przez jakiś czas nikt nie zauważył ucieczki Ufedhina, a gniew i wzajemna agresja między krasnoludami z Nogrodu a Indrafangami sprawiły, że wielu zginęło, zanim mniej liczebni Indrafangowie zostali rozproszeni i zdołali dotrzeć do Belegostu, unosząc ze sobą mizerne łupy. Z tego zrodziła się wielowiekowa waśń między tymi dwoma szczepami krasnoludów, która rozlała się później na wiele krain i dostarczyła tematu do wielu opowieści, o czym jednak elfowie niewiele wiedzą, a ludzie rzadko słyszeli. Lecz mimo to widać, że klątwa Mîma wcześnie spadła na jego współbraci i że zaiste lepiej by było, gdyby nie objęła nikogo więcej i nigdy już nie dotknęła Eldarów.

Kiedy wyszła na jaw ucieczka Ufedhina, wpadł Naugladur w gniew i rozkazał zabić wszystkich gnomów, którzy pozostali w jego zastępie. Rzekł potem: „Pozbyliśmy się Indrafangów, gnomów i wszystkich zdrajców i teraz już nie boję się niczego".

Ufedhin zaś przemierzał dzikie krainy w wielkim strachu i udręce, wydawało mu się bowiem, że zdradził swoich pobratymców, przelał krew elfów i ściągnął na siebie [palące?] spojrzenie oczu królowej Gwendeliny tylko po to, by znosić wygnanie i niedolę. Nie zyskał też nawet najmniejszej części złota Glorunda ani żadnego udziału w skarbie, chociaż całym sercem go pożądał. Mimo to mało kto go żałował.

Teraz opowieść mówi o tym, że Ufedhin natknął się na strażników należących do ludu Berena, a ci, uzyskawszy od niego wiarygodną wiedzę na temat oddziału Naugladura i jego szyku, a także dróg, które zamierzał obrać, pośpieszyli niczym wiatr wiejący między drzewami z powrotem do swego władcy. Jednak Ufedhin nie wyjawił im, kim jest, lecz udawał elfa z Artanoru, który schwytany przez ów oddział zbiegł z niewoli. Dlatego dobrze go teraz traktowano; został odesłany do Berena, by dowódca mógł ...... jego słowom, a chociaż Berena dziwiła jego [tchórzliwa?] ......[14] i spuszczony wzrok, to jednak uznał, że przyniesione przez zbiega wieści są pewne, i urządził zasadzkę na Naugladura.

Beren nie śpieszył już tropem krasnoludów, lecz wiedząc, że w pewnej chwili podejmą próbę przekroczenia Arosu, skręcił i wraz ze swoimi lekkostopymi elfami szybko podążył prostszą drogą, by dotrzeć do Sarnathrod, Grobli z Kamieni, przed tymi, których ścigał. Otóż Aros wartko toczy swoje wody — a jest to ten sam strumień, który w pobliżu swego źródła wartkim nurtem przepływa obok pradawnych wrót jaskiń Rodothlimów i mrocznego leża Glorunda[15] — a na tych niżej położonych terenach liczny zastęp obładowany łupami w żaden sposób nie zdołała go przekroczyć gdzie indziej niż brodem, a nawet wówczas przeprawa nie jest łatwa. Nie wybrałby tej drogi Naugladur, gdyby wiedział o Berenie — lecz oślepiony urokiem i blaskiem złota nie bał się niczego ani w otoczeniu swego oddziału, ani poza nim. Śpieszyło mu się do Nogrodu i jego ciemnych jaskiń, krasnoludowie nie lubią bowiem długo przebywać w jasnym świetle dnia.

I cały ten hufiec przybył do brzegów Arosu, a szli w takim szyku: najpierw kilku nieobładowanych krasnoludów w pełnym rynsztunku, pośrodku wielki oddział tych, którzy nieśli skarbiec Glorunda i wiele jeszcze innych pięknych przedmiotów wyciągniętych z siedziby Tinwelinta; za nimi Naugladur na koniu Tinwelinta dziwny przedstawiał widok, nogi bowiem krasnoludów są krótkie i krzywe; konia prowadziło dwóch krasnoludów, jako że nie szedł chętnie i był obładowany łupami. Za nimi podążała ciżba zbrojnych, lecz bez obciążenia, i w takim szyku chcieli przejść Sarnathrod w dniu swojej zagłady.

Do bliższego brzegu dotarli o poranku, a w południe jeszcze przekraczali rzekę długimi szeregami i powoli brodzili przez płycizny wartkiego strumienia. Tutaj rozszerza się on i płynie wąskimi kanałami pełnymi głazów, pomiędzy długimi mierzejami z kamyków i mniejszych kamieni. Wówczas Naugladur zsunął się z obładowanego konia i gotował do przekroczenia rzeki, zbrojna straż przednia już bowiem wspięła się na dalszy brzeg, a był on wysoki, stromy i gęsto porośnięty drzewami; spośród niosących złoto niektórzy już nań weszli, a niektórzy znajdowali się pośrodku nurtu, lecz zbrojni z tylnej straży chwilę odpoczywali.

Nagle cała okolica rozbrzmiewa odgłosami elfickich rogów, a jeden z nich [...][16] czystszym dźwiękiem niż inne i jest to róg Berena, leśnego myśliwego. Wtedy powietrze gęstnieje od smukłych strzał Eldarów, które nie chybiają ani nie znosi ich wiatr, i oto z każdego drzewa i głazu zeskakują nagle elfowie w brązach i elfowie w zieleniach i nieustannie posyłają strzały dobyte z pełnych kołczanów. Wybuchła wtedy panika i wrzawa w hufcu Naugladura, a ci, którzy zaczęli już przekraczać bród, zrzucili swoje złote ciężary do wody i pobiegli z przestrachem ku obu brzegom, lecz wielu zostało trafionych tymi bezlitosnymi grotami i wpadło ze złotem w nurt Arosu, plamiąc jego czystą wodę ciemną krwią.

A wtedy wojownicy na dalszym brzegu [ogarnięci?] bitwą skrzykiwali się, by natrzeć na wrogów, lecz ci zwinnie przed nimi uciekali, podczas gdy [inni?] wciąż zasypywali ich gradem strzał i w ten sposób tylko nieliczni Eldarowie byli ranieni, krasnoludowie zaś nieustannie padali na ziemię. I teraz te wielkie zmagania przy Grobli z Kamienia [...] przybliżyły się do Naugladura, bo chociaż on sam i jego dowódcy mężnie dowodzili swoimi oddziałami, nie zdołali chwycić wrogów w śmiercionośny uścisk, a na ich szeregi śmierć spadała jak deszcz, aż większość złamała szyk i uciekła, na co elfowie wybuchnęli czystym śmiechem i przestali strzelać, rozśmieszyły ich bowiem pokrzywione postacie uciekających krasnoludów i siwe ich brody szarpane wiatrem. Lecz teraz stanął Naugladur w otoczeniu nielicznych i wspomniał na słowa Gwendeliny, bo oto podszedł do niego Beren, który odrzucił łuk i dobył lśniącego miecza, a był on pomiędzy Eldarami potężnej postury, chociaż nie tak rozłożysty w barach jak Naugladur wśród krasnoludów.

Rzekł wówczas Beren: „Broń swego życia, jeśli zdołasz, o krzywonogi morderco, bo inaczej ci je odbiorę", a Naugladur zaproponował, że odda mu Nauglafring, ów wspaniały naszyjnik, żeby tylko mógł odejść cało, lecz Beren powiedział: „Nie, mogę go i tak zabrać, kiedy zginiesz". I z tymi słowy rzucił się w pojedynkę na Naugladura i jego towarzyszy i kiedy zabił tych w pierwszym szeregu, pozostali uciekli wśród śmiechu elfów, a Beren zaatakował Naugladura, zabójcę Tinwelinta. Wiekowy ten krasnolud mężnie się wtedy bronił i zacięta była to walka. Wielu elfów, którzy patrzyli, powodowani miłością do swego dowódcy lub strachem o niego, wodziło palcami po cięciwach łuków, lecz Beren zawołał, nie przerywając walki, by powstrzymali dłonie.

Otóż niewiele mówi opowieść o ranach i ciosach zadanych w tej potyczce poza tym, że Beren odniósł wiele obrażeń i że wiele jego przemyślnych ciosów mało krzywdy wyrządziło Naugladurowi z powodu [umiejętności?] i magii, jakich użyto do wykucia jego krasnoludzkiej kolczugi; powiadają, że trzy godziny walczyli i osłabły ramiona Berena, lecz nie Naugladura, który przywykł w kuźni dzierżyć potężny młot, i jest bardziej niż prawdopodobne, że inaczej by się potoczyła sprawa, gdyby nie klątwa Mîma; zauważywszy bowiem osłabienie Berena, Naugladur nacierał coraz mocniej, a jego serce opanowała arogancja zrodzona z tego potężnego zaklęcia, pomyślał więc: „Zabiję tego elfa, a jego pobratymcy uciekną ze strachu przede mną"; ścisnąwszy zatem miecz, zadał potężny cios i zawołał: „Nadeszła twoja zguba, o młokosie z lasu". I w tej samej chwili zawadził stopą o wystający kamień i zachwiał się, chyląc do przodu, lecz Beren usunął się od tego ciosu i chwycił krasnoluda za brodę, i natknął się dłonią na złoty ozdobny naszyjnik i pociągnąwszy zań, przewrócił krasnoluda, który padł twarzą do ziemi: miecz wypadł Naugladurowi z ręki, lecz Beren pochwycił go i zabił nim przeciwnika, mówiąc: „Nie chcę kalać mojej lśniącej klingi twoją ciemną krwią, skoro nie ma takiej potrzeby". A ciało Naugladura zostało wrzucone do Arosu.

Rozpiął wówczas naszyjnik i popatrzył nań ze zdumieniem — i ujrzał Silmaril, ten sam klejnot, który zdobył w Angbandzie, a tym swoim czynem zyskał nieśmiertelną chwałę; i rzekł: „Nigdy oczy moje nie widziały, o Lampo Krainy Czarów, byś płonęła choć w połowie tak pięknie, jak płoniesz teraz, osadzona wśród złota i drogich kamieni, i magii krasnoludów"; i kazał obmyć naszyjnik z plam i go nie odrzucił, nie wiedząc nic o jego mocy, lecz zabrał go ze sobą w lasy Hithlumu.

Lecz wody Arosu zawsze już miały płynąć nad zatopionym skarbem Glorunda. I nadal nad nim płyną, nieco później bowiem przybyli z Nogrodu krasnoludowie i szukali złota, a także ciała Naugladura, lecz rzeka wezbrała w górach i poszukiwacze zginęli w powodzi. Dziś zaś Grobla z Kamieni budzi taki smutek i strach, że nikt już nie szuka skarbu, którego strzeże bród, ani nie waży się przekraczać magicznego strumienia w tym zaczarowanym miejscu.

W dolinach Hithlumu nastała radość z powrotu elfów do ich pieleszy, a Tinúviel wielce się ucieszyła na widok władcy raz jeszcze powracającego wśród swoich oddziałów. To, że został zabity Naugladur i wielu krasnoludów wraz z nim, nie umniejszyło jej żałości po śmierci Tinwelinta. Chciał wówczas Beren ją pocieszyć i wziąwszy w ramiona, włożył jej na szyję wspaniały Nauglafring, a wszystkich oślepiło jej piękno. Rzekł Beren: „Oto jest Lampa Fëanora, którą ty i ja zdobyliśmy w Piekle", a na wspomnienie pierwszych dni ich miłości i wszystkich późniejszych, spędzonych w niedostatku na pustkowiach, Tinúviel się uśmiechnęła.

Trzeba w tym miejscu powiedzieć, że Beren posłał po Ufedhina i sowicie go wynagrodził za wskazówki, dzięki którym zostali pokonani krasnoludowie, i zaprosił, by zamieszkał w ...... wśród jego ludu, a Ufedhin chętnie na to przystał. Lecz pewnego razu, niedługo potem, stało się to, czego najmniej pragnął. Rozległ się bowiem w lesie bardzo smutny śpiew, a była to błąkająca się w rozpaczy Gwendelina. Stopy zawiodły ją na środek polany, na której siedzieli Beren i Tinúviel; o tej godzinie wstawał nowy dzień, lecz na owe dźwięki wszyscy znajdujący się w pobliżu zamilkli i znieruchomieli. Popatrzył wówczas Beren z trwogą i zdumieniem na Gwendelinę, lecz Tinúviel zawołała nagle ze smutkiem zmieszanym z radością: „O matko Gwendelino, dokąd to wiodą cię stopy twe, miałam cię bowiem za nieżywą". Bardzo ciepłe było ich przywitanie na zielonej murawie. Ufedhin uciekł zaś od elfów, nie mógł bowiem znieść spojrzenia oczu Gwendeliny. Ogarnęło go szaleństwo i nikt nie potrafi powiedzieć, jaki był później jego nieszczęsny los. Złoto Glorunda dało mu jedynie umęczone serce.

Słysząc krzyki Ufedhina, spojrzała za nim Gwendelina ze zdumieniem i powstrzymała czułe słowa; po jej oczach dało się poznać, że wróciła jej pamięć. Na widok Naszyjnika Krasnoludów opasującego białą szyję Tinúviel krzyknęła jakby w oszołomieniu, a potem z gniewem zapytała Berena, cóż to może znaczyć i dlaczego dopuścił, by ten przeklęty przedmiot dotknął Tinúviel. I opowiedział Beren[17] o wszystkim, czego się dowiedział od Huana, zarówno o czynach, jak i o przypuszczeniach, a także o pościgu i walce u brodu. Rzekł na koniec: „I zaiste nie wiem, kto — skoro pan Tinwelint odszedł do Valinoru — miałby większe prawo, by nosić ten klejnot bogów, niż Tinúviel". Lecz Gwendelina powiedziała o klątwie, jaką rzucił smok na złoto, i o [plamach?] krwi w królewskich komnatach. „A jest z nim spleciona jeszcze jedna, znacznie potężniejsza klątwa, której początków nie znam", rzekła królowa. „Nie wydaje mi się też, żeby dzieło krasnoludów wolne było od trwale związanych z nim złych czarów". Jednak Beren roześmiał się i powiedział, że chwała Silmarila i jego świętość mogły przemóc wszelkie zło tego rodzaju, tak jak sparzyły [nikczemne?] ciało Karkarasa. „Nigdy też nie widziałem", rzekł, „mojej Tinúviel tak powabnej jak teraz, przybranej urokiem tego złotego klejnotu", na co odparła Gwendelina: „A jednak Silmaril tkwił w Koronie Melka, a zaiste jest to dzieło złowrogich kowali".

Rzekła wówczas Tinúviel, że nie pragnie cennych przedmiotów ani drogich kamieni, lecz elfickiej radości w lesie, i aby sprawić przyjemność Gwendelinie, zdjęła go szybko z szyi; lecz Beren nie był zadowolony i nie chciał pozwolić, by naszyjnik odrzucono, lecz strzegł go w swoim ......[18]

Wówczas Gwendelina pozostała jakiś czas w lasach wśród nich i została uzdrowiona; w końcu wróciła smutna do krainy Lóriena i nigdy już nie pojawiła się w opowieściach mieszkańców Ziemi; lecz na Berena i Lúthien szybko spadł ów wyrok śmiertelności, wyrzeczony przez Mandosa, kiedy odprawiał ich ze swojej siedziby — i w tym właśnie może ujawniła swoją [moc?] klątwa Mîma, że stało się to szybciej; a teraz tych dwoje nie wyruszyło w tę drogę razem, lecz kiedy ich dziecię, Dior[19] Piękny, było jeszcze małe, Tinúviel powoli zgasła, tak jak w późniejszych czasach działo się to z elfami na całym świecie, i zniknęła w lasach i nikt już więcej nie widział jej tańczącej wśród drzew. Szukając jej, Beren przemierzył wszystkie ziemie Hithlumu i Artanoru i nigdy żaden elf nie zaznał większej samotności niż on; i on też zgasł, a władcą brązowych elfów i zielonych, i Władcą Nauglafringa został jego syn Dior.

Może prawdą jest to, co mówią wszyscy elfowie, że tych dwoje poluje teraz w lasach Oromëgo w Valinorze, a Tinúviel po wsze czasy tańczy na zielonej murawie Nessy i Vány, córek bogów; a jednak wielki był ból elfów, kiedy opuścili ich i·Guilwarthon, a jako że zostali pozbawieni przywódcy i mniej mieli magii, stali się mniej liczni; wielu z nich udało się do Gondolinu, o którego rosnącej potędze i chwale szeptali potajemnie wszyscy elfowie.

Mimo to Dior, osiągnąwszy wiek męski, rządził licznym ludem, a kochał lasy tak jak Beren; pieśni nazywają go najczęściej Ausirem Bogatym ze względu na to, że miał ten cudowny klejnot oprawiony w Naszyjniku Krasnoludów. A opowieści o Berenie i Lúthien zaczęły się w jego sercu zacierać i Dior nabrał zwyczaju noszenia naszyjnika i zapałał wielką miłością do jego piękna; sława tego klejnotu rozprzestrzeniła się z szybkością pożaru po wszystkich krajach północy, a elfowie mówili między sobą: „W lasach Hisilómë płonie Silmaril Fëanora".

Zmierzają teraz długie dni Elfinesse ku czasom, kiedy Tuor mieszkał w Gondolinie. Elf Dior[20] miał wówczas dwoje dzieci, Auredhira i Elwingę. Auredhir najbardziej przypominał swego przodka Berena i wszyscy go miłowali, lecz nikt tak bardzo jak Dior, Wróżkę Elwingę wszystkie poezje nazywały tak piękną — jeśli to zaiste możliwe — jak Tinúviel, co jednak trudno orzec, jeśli zna się wielką urodę dawnych elfów. Były to w dolinach Hithlumu szczęśliwe czasy, panował bowiem pokój z Melkiem i krasnoludami, którzy myśleli tylko o jednym i spiskowali przeciwko Gondolinowi, a w Angbandzie trwały wytężone prace. Trzeba jednak wspomnieć, że do serc siedmiu synów Fëanora na wspomnienie złożonej przez nich przysięgi wkradła się gorycz. Przywódcą ich był Maidros, okaleczony przez Melka; zwołał on swych braci: Maglora i Dinithela, i Damroda, i Celegorma, Cranthora i Curufina Przebiegłego, i oznajmił im, że wedle jego wiedzy jeden Silmaril spośród tych, które uczynił jego ojciec Fëanor, jest teraz dumą i chwałą Diora z południowych dolin, „a Elwinga, jego córka, ma go na sobie, dokądkolwiek się udaje. Nie zapominajcie jednak", rzekł Maidros, „że poprzysięgliśmy wojnę z Melkiem i z każdym jego sługą, a także wszelkimi innymi mieszkańcami Ziemi, którzy wbrew nam przetrzymują Silmarile Fëanora". I mówił dalej Maidros: „Po cóż cierpimy wygnanie i wędrówki, rządząc nielicznym i zapomnianym ludem, skoro inni gromadzą w swoim skarbcu nasze rodowe dziedzictwo?".

Wysłali zatem do Diora Curufina Przebiegłego, a przypomniawszy o swojej przysiędze, kazali zwrócić ten piękny klejnot prawowitym właścicielom, lecz Dior, podziwiając piękność Elwingi, nie chciał tego uczynić i powiedział, że nie zniesie, by Nauglafring, najpiękniejsze dzieło ziemskiego kunsztu, został tak zbezczeszczony. „A zatem", rzekł Curufin, „Nauglafring w całości musi zostać zwrócony synom Fëanora". Zawrzał Dior gniewem i kazał mu iść precz. Powiedział, żeby się nie ważył żądać tego, co Beren Jednoręki, jego ojciec, wydarł własnoręcznie ze [szczęk?] Melka. „Dwa pozostałe są tam nadal", rzekł, „jeśli waszym sercom wystarczy odwagi".

Udał się wtedy Curufin do braci; ze względu na złożoną przez nich i niemożliwą do złamania przysięgę i [pożądanie?] tego Silmarila (miały też swoje znaczenie klątwy Mîma i smoka) zaplanowali wydać Diorowi wojnę. Za ten czyn, za pierwszą z rozmysłem przeprowadzoną wojnę elfów z elfami, potępiają Eldarowie tych, których imiona do tej pory cieszyły się wśród Eldalië szacunkiem ze względu na ich cierpienia. Niewiele dobrego im z tego przyszło, bo choć zaatakowali znienacka Diora i Dior oraz Auredhir ponieśli śmierć, to Evranina, piastunka Elwingi, i gnom Gereth uciekli z nią, wbrew jej woli, z tej krainy, zabierając ze sobą Nauglafring, a synowie Fëanora tego nie spostrzegli. Jednak zastęp ludu Diora, nadciągnąwszy pośpiesznie, lecz z opóźnieniem, włączył się do walki i zaatakował z nagła tyły napastników. Wywiązała się zażarta bitwa, w której poległ od ciosów mieczy Maglor, Mai ......[21] zmarł na pustkowiu od ran, a Celegorma — i stojącego przy nim Cranthora — przeszyła setka strzał. Lecz w końcu synowie Fëanora zapanowali nad pokrytym ciałami poległych polem, a brązowi i zieloni elfowie rozproszyli się po całej okolicy. Przepełniała ich złość i nie chcieli słuchać okaleczonego Maidrosa ani Curufina i Damroda, którzy zabili ich pana. Powiada się, że w dzień owej bitwy Melko starał się zaszkodzić Gondolinowi, a losy elfów potoczyły się tak źle, że prawie całkiem zgaśli.

Teraz z potomków Berena Ermabweda, syna Egnora, pozostała już tylko Elwinga Śliczna, która wędrowała po lasach, i zebrało się przy niej kilku spośród elfów brązowych i zielonych, i na zawsze odeszli z polan Hithlumu, i wyruszyli na południe, ku głębokim wodom Sirionu i przyjemnym krainom.

I tak oto wszystkie losy wróżków splotły się w jeden wątek, a wątkiem tym jest wielka opowieść o Eärendelu; w ten sposób dotarliśmy do prawdziwego jej początku.

Rzekł wtedy Ailios:

— A mnie się zdaje, że na razie wystarczy już tej opowieści.

Przypisy

1. Zdanie to zastąpiło pierwotny tekst, który brzmiał następująco:

> „Czyż nie wiecie, że owo złoto należy do plemienia elfów, którzy dawno temu wydarli je ziemi, i nikt spośród ludzi nie ma prawa..."

> Pozostała część tej sceny, zakończonej rzezią bandy Úrina, została poprawiona w wielu miejscach w tym samym celu, który przyświecał zmianie właśnie przytoczonego fragmentu — po to, by zmienić członków bandy Úrina z ludzi w elfów, jak zostało to też zrobione pod koniec opowieści Eltasa (zob. s. 141, przyp. 33). Tak więc użyte pierwotnie słowo „elfowie" zostało zmienione na „elfowie z lasu" lub „leśni elfowie", a pierwotni „ludzie" na „banici"; zob. też przyp. 2, 3, 5.

2. Tutaj pierwotne zdanie brzmiało:

> Mężni byli ci ludzie i nabrali wielkiej wprawy we władaniu mieczami oraz toporami, a w owych wciąż niezblakłych czasach mógł jeszcze śmiertelny oręż ranić ciała elfów.

   Zob. przyp. 1.
3. Tutaj pierwotne zdanie brzmiało: „Ludzie oszołomieni magią". Zob. przyp. 1.
4. Zdanie to, od słów „i przyniósł owoce...", zostało dodane później.
5. „tych": w tekście jest słowo „ludzi", najwyraźniej pozostawione bez zmian przez przeoczenie. Zob. przyp. 1.
6. „w ziemi" to poprawka pierwotnego sformułowania „na ziemi".

7. „osobliwie inkrustowany", tj. zdobiony wzorami ze złota i srebra nałożonymi na wgłębienia w metalu. Słowo „inkrustowany" jest użyte w opisie miecza Tinwelinta wykutego przez krasnoludów, na którym widniały sceny z polowania na wilka (s. 271), oraz w opisie broni Glorfindela (s. 208).
8. W tekście figuruje „Eltas", lecz nad tym imieniem jest napisane ołówkiem imię „Ailios". Ponieważ na początku opowieści jako gawędziarz pojawia się Ailios i to nie w efekcie zmiany, użycie imienia „Eltas" jest tu zapewne pomyłką.
9. „prócz jedynie" to późniejsza poprawka pierwotnego sformułowania „ani nawet [Serduszko, syn]". Zob. s. 311.
10. To dziwne, że pojawia się tu *Gwendelina*, a nie *Gwenniel*, jak poprzednio w tej opowieści. Ponieważ pierwsza jej część jest zapisana atramentem na wytartym gumką tekście napisanym ołówkiem, oczywiste wyjaśnienie jest takie, że w wytartym tekście figurowało imię *Gwendelina* i że ojciec mój zmieniał je w trakcie pisania atramentem na *Gwenniel*, w tym jednym miejscu go nie zauważając. Lecz prawdopodobnie kwestia ta jest bardziej złożona — to zapewne jedna z tych drobnych zagadek, w które obfitują teksty *Zaginionych opowieści* — bowiem kiedy kończy się tekst pisany atramentem, pojawia się imię *Gwenniel*, chociaż tylko raz, a później do końca opowieści używane jest tylko imię *Gwendelina*. Zob. *Zmiany imion i nazw własnych*, s. 294.
11. Tutaj kończy się rękopis pisany atramentem; zob. s. 267.
12. Przy tym zdaniu ojciec mój umieścił dopisek, że w opowieści ma być powiedziane, iż Nauglafring zaplątał się w krzaki i unieruchomił króla.
13. Odrzucony fragment rękopisu podaje wcześniejszą wersję wydarzeń, według której to Gwendelina, a nie Huan, przyniosła wieści Berenowi:

> ...las wypełnił jej przejmujący szloch. I tam Gwendelinga [*sic!*] zgromadziła przy sobie wielu rozproszonych leśnych elfów i to od nich usłyszała, co się wydarzyło, a czego się domyślała: że myśliwi zostali otoczeni i pokonani przez Nauglathów, a w tym samym czasie grupy orków i Indrafangów przyniosły nagle śmierć i ogień całemu królestwu Tinwelinta, i że duży zastęp Ufedhina zabił strażników mostu; mówiono też, że Naugladur zabił Tinwelinta, powalonego przez licznych napastników,

i że poprowadził ich tam pewien dziki elf imieniem Narthseg, który sam zginął podczas walki.

Nie widząc wówczas żadnej nadziei, Gwendelina i jej towarzysze z najwyższym pośpiechem opuścili tę krainę smutku i dotarli aż do królestwa i·Guilwarthon w Hisilómë, gdzie rządzili Beren i Tinúviel, jej córka. Otóż nie mieszkało tych dwoje w żadnej stałej siedzibie, a ich królestwo nie miało dobrze oznaczonych granic — i w istocie nie znalazł tych dwojga żyjących umarłych tak szybko żaden inny posłaniec prócz jedynie Gwendeliny, córy Valich.

Z rękopisu jasno wynika, że powrót Mablunga i Huana do Artanoru oraz ich obecność na polowaniu (wspomniana ogólnie pod koniec *Opowieści o Tinúviel*, s. 50) zostały dodane do opowieści, co pociągnęło za sobą zmianę działań Gwendeliny po klęsce. Lecz chociaż ze względu na wytarcie gumką tekstu i wstawki na luźnych karteczkach niezwykle trudno jest tu ustalić historię tworzenia fabuły, sądzę, że niemal na pewno zmiany te były wprowadzane na bieżąco w trakcie powstawania opowieści.

14. Pierwsza z tych luk, które zostawiłem w tekście, obejmuje dwa słowa, prawdopodobnie „uwierzyć" i „najlepiej". Słowem opuszczonym w drugiej luce mogło być „bladości".
15. Zdanie to od słów „a jest to ten sam strumień…" jest przekreślone i ujęte w nawias, a na marginesie ojciec mój pośpiesznie napisał: „Nie [to?] jest Narog".
16. Tym nieczytelnym słowem może być „ryczy"; „czystszym" to poprawione słowo „chrapliwszym".
17. „I opowiedział Beren": „I" zastąpiło pierwotne „Potem".
18. Możliwe, że tym nieczytelnym słowem jest „skarbcu", lecz nie sądzę, by tak było.
19. Imię *Dior* zastąpiło imię *Ausir*, które jednak pojawia się niżej jako inne imię Diora.
20. Określenie „elf Dior" zostało poprawione z pierwotnego „wiekowy już wtedy elf Dior".
21. Druga część tego imienia jest napisana bardzo niewyraźnie: można je

odczytać jako *Maithog* albo *Mailweg*. Zob. hasło *Dinithel* w *Zmiany imion i nazw własnych* poniżej.

Zmiany imion i nazw własnych w *Opowieści o Nauglafringu*

Ilfiniol (s. 267). Imię tak pisane tutaj od początku: zob. s. 240.

Gwenniel. Imię to jest używane w całej poprawionej części opowieści z wyjątkiem ostatniego jego wystąpienia (s. 275), kiedy ma ono formę *Gwendelina*; w zapisanej ołówkiem części opowieści za pierwszym razem imię królowej ponownie brzmi *Gwenniel* (s. 277), lecz później już zawsze *Gwendelina* (zob. przyp. 10).

Imię królowej w *Zaginionych opowieściach* jest tak zmienne, jak imię Serduszka. W *Skowaniu Melka* oraz *Przybyciu elfów i powstaniu Kôru* brzmi ono *Tindriel* > *Wendelina*. W *Opowieści o Tinúviel* — *Wendelina* > *Gwendelinga* (zob. s. 63); w maszynopisie *Opowieści o Tinúviel* imię *Gwenethlina* > *Meliana*; w *Opowieści o Turambarze* — *Gwendelinga* > *Gwedhelinga*; w niniejszej opowieści *Gwendelina*/*Gwenniel* (forma *Gwendelinga* pojawia się w odrzuconym fragmencie przytoczonym w przyp. 13), a w słowniku gnomickiego *Gwendelinga* > *Gwedhilinga*.

Belegost. Za pierwszym razem (s. 278) w rękopisie mamy *Ost Belegost*. Słowo *Ost* jest obwiedzione kółkiem, jakby było przeznaczone do odrzucenia; później jest już używana wyłącznie forma *Belegost*.

(i·)Guilwarthon. W *Opowieści o Tinúviel*, s. 50, nazwa ta brzmi *i·Cuilwarthon*. Na s. 288 nie wydaje się, by końcówką było *-on*, ale ponieważ nie potrafię stwierdzić, jaka jest poprawna wersja, w tekście stosuję pisownię *Guilwarthon*.

Dinithel. Imię to można także odczytać jako *Durithel* (s. 288). Zostało ono naniesione później atramentem na wcześniejsze imię napisane ołówkiem i ledwie teraz czytelne, chociaż wyraźnie takie samo, jak to zaczynające się na *Mai*..., którym następnie jest określany ten syn Fëanora (zob. przyp. 21).

Uwagi do *Opowieści o Nauglafringu*

W niniejszych uwagach nie będę szczegółowo porównywał *Opowieści o Nauglafringu* z historią opowiedzianą w *Silmarillionie* (rozdział XXII „Zniszczenie Doriathu"). Opowieści te głęboko się różnią w zasadniczych elementach — zwłaszcza dotyczy to zredukowania skarbu przyniesionego przez Húrina z Narhgothrondu do jednego przedmiotu, Naszyjnika Krasnoludów. W *Silmarillionie* Naszyjnik istniał już od dawna (chociaż oczywiście nie był w nim osadzony Silmaril), zostały też zmienione dzieje relacji między Thingolem i krasnoludami. Ojciec mój nigdy już nie napisał żadnej części tej historii w porównywalnej skali, a stworzenie opublikowanego tekstu sprawiało w tym miejscu ogromne trudności. Mam nadzieję, że później to opiszę.

Chociaż często trudno rozróżnić to, co ojciec pominął w swoich bardziej zwięzłych wersjach (aby utrzymać ich zwięzłość), a co odrzucił, wydaje się jasne, że znaczna część rozbudowanej fabuły *Opowieści o Nauglafringu* została zarzucona już dość wcześnie. W kolejnych wersjach zniknęła opowieść o walce bandy Úrina z elfami Tinwelinta, nie ma też później śladu po Ufedhinie czy innych gnomach mieszkających wśród krasnoludów oraz po koncepcji, że krasnoludowie wzięli połowę nieobrobionego złota („pożyczone przez króla złoto") do Nogrodu, by wykonać z niego cenne przedmioty. Nie ma mowy o tym, że Ufedhin został zatrzymany jako zakładnik, że Tinwelint nie chciał pozwolić krasnoludom odejść, że wysunęli oni oburzające żądania, że zostali wychłostani i że otrzymali obelżywą zapłatę.

Znowu silny nacisk został tu położony na umiłowanie złota przez Tinwelinta oraz na to, że tego złota mu brakowało — w przeciwieństwie do późniejszej koncepcji, w której wskazuje się na jego ogromne bogactwo (zob. moje uwagi na s. 154–155). Silmaril jest trzymany w drewnianej szkatule (s. 271), Tinwelint nie ma korony, lecz wieniec ze szkarłatnych liści (s. 273) i jest o wiele skromniej odziany od „przybysza do królewskich komnat" (Ufedhina). Sam w sobie pomysł jest bardzo dobry — leśny elf zdeprawowany przez urok złota — lecz nie trzeba chyba powtarzać, jak uderzająco sprzeczny jest ten obraz z wizerunkiem Thingola, władcy Beleriandu, który miał olbrzymi skarbiec w swoim wspaniałym podziemnym królestwie Menegrothu, Tysiąca Grot — w dużej mierze zbudowanym w zamierzchłej przeszłości przez krasnoludów z Belegostu (*Silmarillion*, s. 141), i który z całą pewnością nie potrzebował w tym czasie pomocy krasnoludów, by zrobić dla siebie królewską koronę, wspaniały miecz lub zastawę stołową uświetniającą jego bankiety. Wedle późniejszej koncepcji

Thingol jest dumny i surowy; jest także mądry i potężny, a dzięki związkowi z Majarką wielce zyskał na prestiżu i wiedzy. Czy taki król mógłby zniżyć się do motywowanego skąpstwem oszukiwania, jak to jest przedstawione w *Opowieści o Nauglafringu*?

Rzeczywiście nacisk jest położony na wielkość skarbu — „nigdy więcej nie zgromadzono w jednym miejscu takich wielkich stert złota" (s. 269) — który jest tak ogromny, że trudno uwierzyć, by do komnat leśnych elfów zdołała go przenieść banda wędrownych banitów, nawet jeśli „trochę zgubili po drodze" (s. 136). Istnieje tu może pewna różnica, jeśli chodzi o opis Rodothlimów i ich wytworów w *Opowieści o Turambarze* (s. 100), gdzie na pewno nie ma żadnej sugestii, że Rodothlimowie mają skarby pochodzące z Valinoru — chociaż pomysł ten zachował się mimo wszelkich zmian, jakie przechodziła ta część opowieści: w *Silmarillionie* (s. 170) jest powiedziane o władcy Nargothrondu, że „Finrod wyniósł z Tirionu więcej bogactw niż inni książęta Noldorów".

Co ważniejsze, w tej opowieści dominują motywy „uroku" oraz „klątwy", i to do tego stopnia, że można by je niemal uznać za jej główne elementy. Klątwę, jaką rzucił na złoto Mîm, wyczuwa się przy każdym zwrocie akcji. Zemsta za tego krasnoluda jest jednym z motywów ataku Naugladura na elfów z Artanoru (s. 277). Klątwa ta spełnia się w postaci „wielowiekowej waśni" między szczepami krasnoludów (s. 282) — po której został później wytarty wszelki ślad, przez co zniknęła cała historia zamiaru Ufedhina, który chciał ukraść Naszyjnik śpiącemu Naugladurowi, zabicia Bodruitha, władcy Belegostu, i walki, jaka się wywiązała między dwoma klanami krasnoludów. Wybierając tak nierozważnie trasę opuszczenia Artanoru, Naugladur był „oślepiony urokiem" złota (s. 283), a walcząc z Berenem, potknął się o kamień z powodu klątwy Mîma (s. 285). Sugeruje się nawet, co jest bardzo zaskakujące, że to przez tę klątwę życie Berena i Tinúviel trwało tak krótko (s. 287), a wreszcie jest ona powodem ataku Fëanorian na Diora (s. 289). Ważnym motywem opowieści jest również złowroga natura Nauglafringa, który krasnoludowie tworzyli z poczuciem goryczy, a do zbioru klątw i uroków zostaje też dodana „klątwa, jaką rzucił smok na złoto" (s. 287 i 289). W *Opowieści o Turambarze* nie mówi się, że Glorund przeklął złoto albo rzucił na nie urok, jednakże Mîm powiedział do Úrina (s. 135): „Leżał bowiem na nim długie lata Glorund i przesiąkło ono złem Melkowych smoków. Nie przyniesie ono nic dobrego ni ludziom, ni elfom". Godne uwagi jest to, że

Gwendelina, wbrew zapewnieniom Berena dotyczącym Silmarila, że „jego świętość mogł[a] przemóc wszelkie zło tego rodzaju", sugeruje, iż sam klejnot nie jest uświęcony, ponieważ „tkwił w Koronie Melka" (s. 287). W późniejszym z dwóch „projektów" *Zaginionych opowieści* (zob. I.131–132, przyp. 3) jest powiedziane, że Nauglafring sprowadził chorobę na Tinúviel*.

Lecz bez względu na to, jak wielki urok został rzucony na głównych bohaterów tej opowieści albo jak ślepo wypełniają oni tajemnicze nakazy klątwy, nie ma wątpliwości, że wedle pierwotnej koncepcji krasnoludowie byli, ogólnie rzecz biorąc, bardziej nikczemni niż w późniejszym ujęciu, bardziej skłonni do czynienia zła dla osiągnięcia swoich celów, a także w o wiele większym stopniu powodowani przez chciwość. To, że Doriath został spustoszony przez najemnych orków opłacanych przez krasnoludów (s. 277), miało się stać później niewiarygodne i niemożliwe. Powiedziano nawet, że przez czyny Naugladura „krasnoludowie na zawsze poróżnili się z elfami i bardziej zbliżyli w przyjaźni z pobratymcami Melka" (s. 277), a w szkicach *Opowieści Gilfanona* Nauglathowie są ludem złym i współdziałają z goblinami (I.276–277). W odrzuconym szkicu *Opowieści o Nauglafringu* (s. 164) Naszyjnik został zrobiony „przez pewnych Úvanimorów (Nautarów lub Nauglathów)", a Úvanimorowie są określeni gdzie indziej jako „potwory, olbrzymy, ogry". Porównajmy z tym wszystkim „Dodatek F" do *Władcy Pierścieni*: „Krasnoludowie nie są źli z natury i bardzo nieliczni służyli Nieprzyjacielowi z własnej woli, cokolwiek na ten temat utrzymywaliby ludzie" (WP III, s. 529).

Przedstawienie krasnoludów w niniejszej opowieści jest szczególnie interesujące pod innymi względami. W „wydłużającym zaklęciu" Tinúviel zostały wymienione „brody Indrafangów" (s. 27, 58) — jest to pierwszy opis krasnoludów w pismach mojego ojca, od razu z zastosowaniem pisowni, którą utrzymywał wbrew nieustannemu sprzeciwowi korektorów**. Krasnoludowie już tu wyróżniają się skrytym i posępnym usposobieniem, „brzydotą" (*Silmarillion*, s. 169) oraz „szczególną biegłością w obróbce metali" (tamże, s. 140). Dziwne stwierdzenie, że „wśród nich nigdy nie pojawiają

* W słowniku gnomickiego jest powiedziane, że klątwa Mîma została „złagodzona", kiedy Nauglafring przepadł w morzu; zob. Dodatek dotyczący imion i nazw własnych, hasło *Nauglafring*.

** Czyli zapis *Dwarves*, podczas gdy poprawna forma lm. tego rzeczownika to *Dwarfs* (przyp. tłum.).

się dzieci", można odnieść „do niemądrych opinii, krążących pośród ludzi", wspomnianych w „Dodatku A" (WP III, s. 442), „iż w ogóle nie znają krasnoludowie niewiast, rodzą się zaś »z kamienia«". W tym samym miejscu jest powiedziane, że „[f]akt, iż tak niewiele jest niewiast pośród krasnoludów, odpowiedzialny jest za to, że plemię ich rozrasta się bardzo wolno".

W opowieści mówi się także o tym, że niektórzy uważają, iż krasnoludowie „nie słyszeli o Ilúvatarze"; jeśli chodzi o wiedzę ludzi ma temat Ilúvatara, zob. s. 251.

Według słownika języka gnomickiego *Indrafangowie* to „specjalne miano Długobrodych czy też krasnoludów", lecz w opowieści jest zupełnie jasne, że Długobrodzi to krasnoludowie z Belegostu; krasnoludowie z Nogrodu to Nauglathowie, a ich królem jest Naugladur. Trzeba jednak przyznać, że użycie tych terminów jest czasem mylące lub wręcz mylne: tak więc opis Nauglathów na s. 270 wygląda na opis wszystkich krasnoludów i obejmuje Indrafangów, chociaż nie mogło to być zamierzone. Sformułowanie „przemarsz krasnoludów i Indrafangów" (s. 281) należy uważać za elipsę, tj. powinno ono brzmieć „przemarsz krasnoludów z Nogrodu i Indrafangów". Jest powiedziane, że Naugladur z Nogrodu i Bodruith z Belegostu byli spokrewnieni (s. 282), chociaż może to znaczyć tylko tyle, że obaj byli krasnoludami, podczas gdy Ufedhin był elfem.

W opowieści mówi się, że krasnoludzkie miasto Nogrod znajdowało się „bardzo daleko na południu za rozległym lasem na skraju owych wielkich pustkowi w sąsiedztwie Umboth-muilin, Rozlewisk Półmroku, rozciągających się na obrzeżach Tasarinanu" (s. 271). Można to rozumieć tak, że sam Nogrod znajdował się „na skraju owych wielkich pustkowi w sąsiedztwie Umboth-muilin", lecz sądzę, że jest to wykluczone. Byłoby to bardzo nieprawdopodobne miejsce zamieszkania krasnoludów, którzy „[m]ieszkają w wydrążonych jaskiniach i podziemnych miastach, a najpotężniejszym z nich był ongiś Nogrod" (s. 270). Mimo że w związku z krasnoludami nie wspomina się tu wyraźnie o górach, uważam za wielce prawdopodobne, że ojciec mój wyobrażał sobie w owym czasie, tak jak i później, krasnoludzkie miasta jako położone w górach. Ponadto chyba nie można zaprzeczyć, że konfiguracja krain w *Zaginionych opowieściach* była zasadniczo podobna do tej z najwcześniejszej i późniejszych map związanych z „Silmarillionem", a określenie „bardzo daleko na południu" zupełnie nie odpowiada pokazanej na nich odległości między Tysiącem Grot a Rozlewiskami Półmroku.

Zatem sformułowanie to musi po prostu znaczyć „bardzo daleko na południu za rozległym lasem", a to, co następuje dalej, opisuje położenie owego rozległego lasu, a nie Nogrodu; lasem tym jest w istocie las Artanor.

Rozlewiska Półmroku są opisane w *Upadku Gondolinu*, lecz ich elficka nazwa tam się nie pojawia (zob. s. 232, 261).

Nie stwierdza się wyraźnie, czy Belegost znajdował się blisko, czy daleko od Nogrodu; we fragmencie tym mówi się, że złoto powinno zostać zaniesione „do Nogrodu i siedzib krasnoludzkich", lecz później (s. 277) Indrafangowie są rodem „krasnoludów mieszkających w innych krainach".

Przez związek z krasnoludami Ufedhin przypomina Eöla, ojca Maeglina, o którym mówi się w *Silmarillionie* (s. 195), że „dla krasnoludów żywił więcej przyjaznych uczuć niż inni elfowie w dawnych czasach" (por. tamże s. 140): „Nieliczni też Eldarowie odwiedzali kiedykolwiek Nogrod i Belegost; do wyjątków należeli Eöl z Nan Elmoth i jego syn Maeglin". We wczesnych wersjach historii Eöla i Isfin (wspominanych w *Upadku Gondolinu*, s. 198) Eöl nie ma żadnych związków z krasnoludami. W niniejszej opowieści jest wzmianka (s. 270) o intensywnym handlu krasnoludów „z wolnymi Noldolimi" (a także ze sługami Melka) w owych czasach; możemy się zastanawiać, kim byli owi wolni Noldoli, ponieważ Rodothlimowie zostali wybici, a Gondolin pozostawał w ukryciu. Może chodzi o synów Fëanora lub o Egnora, ojca Berena (zob. s. 82).

Koncepcja, że w wydarzeniach tych uczestniczyli głównie krasnoludowie z Nogrodu, przetrwała w późniejszej narracji, lecz stali się oni wyłącznymi ich uczestnikami, a krasnoludowie z Belegostu odmówili im wszelkiej pomocy (*Silmarillion*, s. 333).

Wróćmy teraz do elfów. Beren oczywiście jest tu nadal elfem (zob. s. 168), a w swoim drugim życiu jest w Hithlumie-Hisilómë władcą elfickiego ludu tak licznego, że „Nawet Beren nie wiedział, ilu jest tych niezliczonych elfów" (s. 281); są nazywani „zielonymi elfami" oraz „brązowymi i zielonymi elfami", byli bowiem odziani „w zielenie i brązy". Po ostatecznym odejściu Berena i Tinúviel rządził nimi w Hithlumie Dior. Kim byli? Jest bardzo niejasne, jakie mają zająć miejsce w koncepcji elfów z Wielkich Krain, która pojawia się w innych *Zaginionych opowieściach*. Możemy tu porównać fragment z *Przybycia elfów i powstania Kôru* (I.144–145):

> Choć radość Valinoru dawno temu zatarła przykre wspomnienia [tj. wspomnienia wędrówki przez Hisilómë], elfowie po dziś dzień śpiewają rzewne pieśni o owej mozolnej wędrówce i przywołują w opowieściach wielu swych współbraci, którzy zagubili się w starych lasach i wciąż tam błądzą, pogrążeni w smutku. Byli tam, kiedy Melko zamknął ludzi w Hisilómë, i jeszcze tam tańczą, podczas gdy synowie człowieczy wywędrowali daleko do jaśniejszych miejsc na Ziemi. Ludzie zwą Hisilómë Aryadorem, a Zaginionych Elfów Ludem Cienia, i żyją w strachu przed nimi.

Lecz w tamtej opowieści wciąż istniała koncepcja, że Tinwelint rządził „żyjącymi w rozproszeniu elfami w Hisilómë", a w zarysach *Opowieści Gilfanona* „Lud Cienia" z Hisilómë przestał być ludem elfów (zob. s. 80). Tak czy owak, wyrażenie „zieloni elfowie" zestawione z faktem, że to Elfów Zielonych z Ossiriandu poprowadził Beren do pułapki zastawionej na krasnoludów przy Sarn Athrad w późniejszej opowieści (*Silmarillion*, s. 335), wskazuje, którym elfickim ludem mieli się stać, mimo że jeszcze nie ma tu śladu Ossiriandu za rzeką Gelion ani opowieści o pochodzeniu Laiquendich (tamże s. 143, 145).

Było nieuniknione, że „kraj żyjących umarłych" zostanie przeniesiony z Hisilómë (której chyba groziło przeludnienie), a notatka na rękopisie *Opowieści o Nauglafringu* głosi: „Beren musi być w »Doriacie za Sirionem« na ...... nie w Hithlumie". Doriath za Sirionem to obszar nazywany w *Silmarillionie* (s. 180) Nivrimem, Marchią Zachodnią, gdzie na zachodnim brzegu rzeki „pomiędzy miejscem, gdzie Teiglin spotykał się z Sirionem", a Aelin-uial, Stawami Półmroku, rósł las. W *Opowieści o Tinúviel* Beren i Tinúviel, nazywani i·Cuilwarthon, „[s]tali się [...] potężnymi wróżkami na ziemiach wokół północnego biegu Sirionu" (s. 50).

W porównaniu z Melianą z *Silmarillionu* Gwendelina/Gwenniel sprawia wrażenie postaci słabszej i bardziej nieudolnej. Możliwe, że między innymi dlatego ochrona, jaką daje królestwu Artanoru jej magia, jest o wiele mniej skuteczna niż ta zapewniana przez nieprzenikniony mur i zwodnicze labirynty Obręczy Meliany (zob. s. 79). Lecz wedle starej koncepcji natura tej ochrony jest bardzo niejasna. W *Opowieści o Nauglafringu* krasnoludowie z Nogrodu zostają zauważeni dopiero wtedy, kiedy zbliżają się do mostu przed jaskiniami Tinwelinta (s. 272); z drugiej strony, jest powiedziane (s. 277), że magia, „którą królowa [...] osnuła cały ten obszar", chroniła go przed mężami noszącymi „wrogość w sercach", którzy nie mogliby się przedostać przez ten las bez pomocy zdrajcy z wewnątrz. Może to stanowi pewne wyjaśnienie, w jaki sposób krasnoludowie idący z Nogrodu ze skarbem zdołali bez przeszkód i najwyraźniej niezauważeni dotrzeć do komnat Tinwelinta (por. także przybycie bandy Úrina w *Opowieści o Turambarze*, s. 135). Jak się okazało, tę ochronną magię można było łatwo — zbyt łatwo — pokonać przez prosty zabieg wprowadzenia jednego zdradzieckiego elfa z Artanoru, który „zaproponował, że przeprowadzi ten zastęp przez magiczną osłonę Gwendeliny". Okazało się to wyraźnie niezadowalające, nie będę tu jednak bardziej zagłębiać się w tę kwestię. Ten element nienaruszalności Doriathu spowodował nadzwyczajne problemy w strukturze narracji, co mam nadzieję opisać kiedyś w przyszłości.

Można by pomyśleć, że historia zatopienia skarbu przy Grobli z Kamieni (wpadł do rzeki razem z krasnoludami, którzy go nieśli) rozwinęła się z odrzuconego zakończenia *Opowieści o Turambarze* (s. 164) — Tinwelint, „słysząc tę klątwę [rzuconą na skarb przez Úrina], rozkazał wrzucić złoto do głębokiego rozlewiska rzeki przed wrotami swej siedziby". Natomiast w *Opowieści o Nauglafringu* Tinwelint pod wpływem złowróżbnych słów królowej nadal ma zamiar to uczynić, lecz nie wprowadza zamiaru w życie (s. 269).

Opis drugiego odejścia Berena i Tinúviel (s. 287) ponownie porusza nadzwyczaj trudną kwestię szczególnego losu, który wyznaczył im Mandos, a który omówiłem na s. 75–76. Zasugerowałem tam, że

> szczególna dyspensa Mandosa w odniesieniu do Berena i Tinúviel polega zatem na zmianie ich całego „naturalnego" przeznaczenia jako elfów: straciwszy życie tak, jak mogli stracić je elfowie (z powodu ran lub żałoby), nie odradzali się jako nowe istoty, lecz wracali z Mandosu w swoich własnych osobach — jednak będąc teraz „takimi samymi śmiertelnikami jak ludzie".

Tutaj jednakże Tinúviel „zgasła" i zniknęła w lasach, a Beren szukał jej w całym Hithlumie i Artanorze, aż sam „zgasł". Ponieważ to gaśnięcie jest tu wyraźnie sposobem, w jaki się realizuje „ów wyrok śmiertelności, wyrzeczony przez Mandosa" (s. 287), godne uwagi jest to, że zostaje ono porównane z gaśnięciem elfów „w późniejszych czasach [...] na całym świecie", a nawet wydaje się z nim utożsamiane — jakby w pierwotnej koncepcji gaśnięcie elfów było formą śmiertelności — co w istocie jest faktem wyraźnie stwierdzonym w późniejszej wersji.

Siedmiu synów Fëanora, ich przysięga (złożona nie w Valinorze, lecz po przybyciu Noldolich do Wielkich Krain) oraz okaleczenie Maidrosa pojawiają się w zarysach *Opowieści Gilfanona*; w ostatnim z nich Fëanorianie zostają umieszczeni w Dor Lóminie (= Hisilómë, Hithlum), zob. I.278, I.280, I.284. Tutaj, w *Opowieści o Nauglafringu*, po raz pierwszy pojawiają się imiona synów Fëanora; pięć z nich (Maidros, Maglor, Celegorm, Cranthor, Curufin) w formach, jakie miały zostać zachowane lub bardzo do tych form podobne. Curufin ma już swój przydomek „Przebiegły". Imiona *Amras* i *Amrod* w *Silmarillionie* były efektem późnych zmian; przez długi czas ci dwaj synowie Fëanora nosili imiona *Damrod* (jak tutaj) i *Díriel* (tu *Dinithel* lub *Durithel*, zob. *Zmiany imion i nazw własnych*, s. 294).

Tutaj pojawiają się także Dior Piękny, zwany też Ausirem Bogatym, oraz jego córka Elwinga; jego syn Auredhir zniknął na wczesnym etapie rozwoju legend. Lecz Dior był tu władcą „z południowych dolin" (s. 288) Hisilómë, nie Artanoru, i w przeciwieństwie do tego, co zostało powiedziane później (zob. *Silmarillion*, s. 336), nie ma żadnej wzmianki o jakiejkolwiek odnowie królestwa Tinwelinta po jego śmierci. Co więcej, Fëanorianie, jak zauważyłem powyżej, mieszkali także w Hisilómë — i zupełnie nie potrafię powiedzieć, jak to wszystko może zostać powiązane z tym, co zostało powiedziane gdzie indziej o mieszkańcach tej krainy — por. *Opowieść o Tinúviel*, s. 17: „Hisilómë, gdzie mieszkali ludzie i trudzili się niewolni Noldoli, i gdzie zapuszczało się niewielu wolnych Eldarów".

W końcowej części opowieści pada bardzo ciekawe stwierdzenie, że „[b]yły to w dolinach Hithlumu szczęśliwe czasy, panował bowiem pokój z Melkiem i krasnoludami, którzy myśleli tylko o jednym i spiskowali przeciwko Gondolinowi" (s. 288). Przypuszczalnie „pokój z Melkiem" znaczy tylko tyle, że Melko odwrócił uwagę od tych krain; natomiast nigdzie indziej nie ma żadnej wzmianki o spiskach krasnoludów przeciwko Gondolinowi.

W spisanej na maszynie wersji *Opowieści o Tinúviel* (s. 52) jest powiedziane, że jeśli Turgon, król Gondolinu, był najwspanialszym królem elfów, który przeciwstawiał się Melkowi, to „przez pewien czas najpotężniejszym i *najdłużej wolnym* był Thingol z Lasów". Najbardziej naturalną interpretacją tego stwierdzenia jest z pewnością ta, że Gondolin upadł przed Artanorem, podczas gdy w *Silmarillionie* (s. 344) „Thorondor, Władca Orłów, przyniósł wiadomość o upadku Nargothrondu, potem zaś o śmierci Thingola i jego spadkobiercy, Diora, i o zniszczeniu Doriathu, lecz Turgon zamykał uszy na skargi dobiegające z zewnętrznego świata". W niniejszej opowieści widzimy tę samą chronologię, jako że wielu elfów podążających za Berenem udało się po jego odejściu do Gondolinu, „o którego rosnącej potędze i chwale szeptali potajemnie wszyscy elfowie" (s. 288), chociaż tutaj mówi się, że zniszczenie Gondolinu nastąpiło tego samego dnia, w którym synowie Fëanora zaatakowali Diora (s. 289). Aby zatem uniknąć rozbieżności, musimy uznać, że znaczenie omawianego fragmentu *Opowieści o Tinúviel* jest takie, iż niezależnie od dat upadku tych władców Thingol pozostawał wolny przez więcej lat niż Turgon.

I wreszcie stwierdzenia, że „w Artanorze wciąż istnieje" (s. 269) Cûm an-Idrisaith, Kopiec Chciwości, oraz że wody Arosu nadal płyną nad zatopionym skarbem (s. 286), są godne uwagi jako wskazówki, że w pierwotnej koncepcji nie istniało nic analogicznego do zatopienia Beleriandu.

V

Opowieść o Eärendelu

„Prawdziwym początkiem" *Opowieści o Eärendelu* miało być osiedlenie się Lothlimów u ujścia Sirionu (moment, w którym kończy się *Upadek Gondolinu*: „Piękny Eärendel wzrasta zaś wśród Lothlimów w domu swego ojca", s. 233) oraz przybycie w to miejsce Elwingi (moment, w którym kończy się *Opowieść o Nauglafringu*: „na zawsze odeszli z polan Hithlumu i wyruszyli na południe, ku głębokim wodom Sirionu i przyjemnym krainom. I tak oto wszystkie losy wróżków splotły się w jeden wątek, a wątkiem tym jest wielka opowieść o Eärendelu; w ten sposób dotarliśmy do prawdziwego jej początku", s. 289–290). Sprawa ta, jak się za chwilę okaże, jest jednak skomplikowana przez to, że ojciec mój uczynił z *Nauglafringa* także pierwszą część *Opowieści o Eärendelu*.

Lecz ta wielka opowieść nie została napisana; a jeśli chodzi o jej treść, jak ją sobie wówczas wyobrażał, musimy całkowicie polegać na bardzo skrótowych i często przeczących sobie szkicach. Istnieje też wiele oddzielnych notatek oraz bardzo wczesne wiersze związane z Eärendelem. Podczas gdy daty ich powstania można precyzyjnie określić, w stosunku do notatek nie da się tego zrobić i nie wydaje się możliwe ułożenie ich w kolejności umożliwiającej przedstawienie wyraźnej linii rozwoju tej historii.

Jednym z zarysów *Opowieści o Eärendelu* jest wcześniejszy z dwóch „projektów" *Zaginionych opowieści*, które stanowią główne materiały *Opowieści Gilfanona*. Powtórzę tutaj to, co powiedziałem na ten temat w części pierwszej (I.273):

Nie ma wątpliwości, że ten pierwszy, na potrzeby tego rozdziału nazwany „B", powstał w czasie, gdy *Zaginione opowieści* osiągnęły najdalszy punkt rozwoju, reprezentowany przez ostatnie teksty przytoczone w tej książce. W odniesieniu do *Opowieści Gilfanona* staje się on pełniejszy, po czym znów sprowadza się do pobieżnych uwag dotyczących opowieści o Tinúviel, Túrinie,

Tuorze i Naszyjniku Krasnoludów, i nabiera kształtu w opowieści o Eärendelu.

Ten „Projekt B" (jak nadal będę go nazywać) daje spójny, choć bardzo pobieżny plan narracji i dzieli opowieść na siedem części, z których pierwsza (oznaczona słowem „Opowiedziane") to „Nauglafring do ucieczki Elwingi". Podział ten wspomina Serduszko na początku *Upadku Gondolinu* (s. 176):

> To wielka opowieść i siedem razy podążą słuchający do Ognia Snucia Opowieści, zanim zostanie właściwie opowiedziana; a tak jest spleciona z opowieściami o Nauglafringu i o Marszu Elfów, że chętnie przyjąłbym pomoc w jej snuciu [...]

Jeśli każda z sześciu części następujących po *Opowieści o Nauglafringu* miałaby mieć długość podobną do niej, to cała *Opowieść o Eärendelu* niemal dorównałaby długością połowie wszystkich zapisanych opowieści; lecz ojciec mój nigdy już później do niej nie wrócił na większą skalę.

Podaję teraz końcową część „Projektu B".

Zaczyna się opowieść o Eärendelu, z którą spleciona jest opowieść o Nauglafringu i Marsz Elfów. Dalsze szczegóły w notatniku „C"*.

Część pierwsza. Opowieść o Nauglafringu do ucieczki Elwingi.

Część druga. Siedziba nad Sirionem. Przybycie Elwingi i dziecięca miłość jej oraz Eärendela. Starzenie się Tuora — jego potajemne wypłynięcie „Łabędzim Skrzydłem" po konchach Ulma.

Eärendel wypływa na północ, by odnaleźć Tuora, a jeśli będzie trzeba — Mandosa. Żegluje na „Eärámë". Rozbija się. Pokazuje się Ulmo. Ratuje go i każe żeglować do Kôru — „albowiem po to zostałeś ocalony ze zniszczenia Gondolinu".

Część trzecia. Druga próba Eärendela dotarcia do Mandosa. Zniszczenie Falasquil i uratowanie przez Oarnich[1]. Dostrzega Wyspę Morskich Ptaków,

* Jeśli chodzi o notatnik „C", zob. s. 307.

„dokąd co pewien czas przylatują wszystkie ptaki ze wszystkich wód". Wraca lądem nad Sirion.

Idril zniknęła (wyruszyła nocą na morze). Eärendela wzywają konchy Ulma. Ostatnie pożegnanie Elwingi. Budowa „Wingilota".

Część czwarta. Eärendel żegluje do Valinoru. Jego liczne wędrówki, trwające kilka lat.

Część piąta. Ptaki z Gondolinu przybywają z wieściami do Kôru. Oburzenie elfów. Narady bogów. Marsz Inwirów (śmierć Inwëgo), Telerich i Solosimpich.

Atak na Sirion i niewola Elwingi.

Smutek i gniew bogów, opuszczenie zasłony między Valmarem i Kôrem, ponieważ bogowie nie chcą go zniszczyć, lecz nie mogą znieść jego widoku.

Przybycie Eldarów. Spętanie Melka. Podróż na Samotną Wyspę. Klątwa Nauglafringa i śmierć Elwingi.

Część szósta. Eärendel dociera do Kôru i zastaje go opuszczonym. Wraca do domu pogrążony w smutku (i dostrzega Tol Eressëę oraz flotę elfów, lecz unoszą go silny wiatr i ciemność, Eärendel gubi drogę i płynie na wschód).

Przybywa w końcu nad Sirion i zastaje go opuszczonym. Wędruje do ruin Gondolinu. Słyszy wieści. Żegluje na Tol Eressëę. Żegluje na Wyspę Morskich Ptaków.

Część siódma. Jego podróż na firmament.

Na końcu tekstu jest napisane: „Reszta Projektu w notatniku »C«". Wzmianki w „Projekcie B" o notatniku „C" odnoszą się do małego notesu sięgającego wstecz do lat 1916–1917, lecz używanego do zapisywania pomysłów przez cały okres tworzenia *Zaginionych opowieści* (zob. I.203). Na początku znajduje się w nim szkic (oznaczony tutaj literą „C") zatytułowany „Opowieść Eärendela, syna Tuora", który dobrze współgra z „Projektem B":

> Eärendel mieszka z Tuorem i Irildë[2] nad morzem u ujścia Sirionu (na Wyspach Sirionu). Ucieka do nich z Nauglafringiem Elwinga z rodu gnomów z Artanoru[3]. Eärendel i Elwinga kochają się dziecięcą miłością.

Wielka miłość Eärendela i Tuora. Tuor się starzeje, a konchy Ulma nawołują go coraz głośniej z dalekiego zachodu przez morze, aż pewnego wieczoru Tuor wyrusza na swym oświetlonym blaskiem zmierzchu statku o purpurowych żaglach „Łabędzie Skrzydło", „Alqarámë"[4]. Idril widzi go za późno. Jej pieśń na plaży Sirionu.

Kiedy nie wraca, żałoba Eärendela i Idril. Eärendel (zachęcany także przez Idril, która jest nieśmiertelna) pragnie wyruszyć na morze i szukać aż do samego Mandosu. [*Dopisek na marginesie*:] Na jego morskich wyprawach ciąży klątwa Nauglafringa. Ossë jego nieprzyjaciel.

Fiord Syreny. Rozbicie statku. Przy wraku pojawia się Ulmo i ich ratuje, mówiąc im, że Eärendel musi się udać do Kôru i dlatego zostaje ocalony.

Rozpacz Elwingi, która dowiaduje się o poleceniu Ulma. „Żaden bowiem mąż nie może chodzić ulicami Kôru albo spoglądać na miejsca bogów i ponownie zamieszkać w pokoju w Krainach Zewnętrznych".

Eärendel wyrusza mimo to i jego statek rozbija się w wyniku zdrady Ossëgo; ratują go, tylko z Voronwëm, Oarni (którzy go miłują) i zaciągają do Falasquil.

Eärendel wraca lądem z Voronwëm. Na miejscu okazuje się, że Idril zniknęła[5]. Jego ból. Modli się do Ulma i słyszy konchy. Ulmo poleca mu zbudować nowy i cudowny statek z drewna Tuora z Falasquil. Budowa „Wingilota". Wyspy Magiczne.

Na tej stronie notatnika pod nagłówkiem „Dodatki" figurują cztery punkty:

Budowa „Eärámë" („Orlego Skrzydła").
Do polecenia Ulma dołączają swoje prośby Noldoli.
Eärendel ogląda pierwszą siedzibę Tuora w Falasquil.
Rejs do Mandosu i Mórz Lodowych.

Szkic kontynuuje rozpoczęty wątek:

Voronwë i Eärendel wyruszają na „Wingilocie". Pędzeni na południe. Mroczne obszary. Ogniste góry. Drzewoludzie. Pigmeje. Sarqindi albo ogry-kanibale.

Pędzeni na zachód. Ungweliantë. Wyspy Magiczne. Wyspa Zmierzchu [*sic!*]. Gong Serduszka budzi Śpiącego w Wieży Perłowej[6].

Odnajdują Kôr. Pusty. Eärendel odczytuje w wodach opowieści i przepowiednie. Opustoszały Kôr. Buty Eärendela i on sam oprószone diamentowym pyłem tak, że jasno błyszczą.

Przygody w drodze do domu. Odepchnięci na wschód — pustynie i czerwone pałace, gdzie mieszka Słońce[7].

Przybywa nad Sirion, lecz zastaje miejsce splądrowane i puste. Zrozpaczony Eärendel wędruje dalej z Voronwëm i dociera do ruin Gondolinu. Obozują tam pogrążeni w nędzy ludzie. Także gnomowie, nadal poszukujący zaginionych klejnotów (albo nieliczni gnomowie, którzy wrócili do Gondolinu).

O spętaniu Melka[8]. Wojny z ludźmi i odejście na Tol Eressëę (Eldarowie nie są w stanie znieść konfliktu rozgrywającego się na świecie). Eärendel żegluje na Tol Eressëę i dowiaduje się, że Elwinga utonęła razem z Nauglafringiem. Elwinga stała się morskim ptakiem. Rozpacz Eärendela jest ogromna. Jego odzienie i ciało błyszczą jak diamenty, a u jego skroni jaśnieje srebrny płomień zrodzony z rozpaczy i ......

Wyrusza na morze z Voronwëm i zamieszkuje na Wyspie Morskich Ptaków na północnych wodach (niedaleko Falasquil). Żywi tam nadzieję, że Elwinga wróci razem z morskimi ptakami, ona zaś szuka go, lamentując, po wszystkich wybrzeżach, a zwłaszcza wśród wraków statków.

Po trzykroć siedmiu latach Eärendel ponownie wyrusza z Voronwëm do sal Mandosa — dociera tam, ponieważ mogą to uczynić [tylko?] ci, którzy wciąż ...... i cierpieli. Tuor odszedł do Valinoru, a o Idril oraz Elwindze nie wiadomo nic.

Dociera do krawędzi świata i wypływa na oceany firmamentu, by patrzeć na Ziemię. Ze względu na jego blask ściga go Żeglarz Księżyca i Eärendel przechodzi przez Bramę Nocy. Jak nie może teraz wrócić do świata albo umrze.

Znajdzie Elwingę podczas Wyprawy.

Niektórzy powiadają, że Tuor i Idril żeglują teraz na „Łabędzim Skrzydle" i że o świcie i o zmierzchu można ich ujrzeć, jak pędzą z wiatrem.

Wydarzenia równoległe do *Opowieści Eärendela*

Atak orków Melka na Sirion i niewola Elwingi.

Ptaki mówią elfom o Upadku Gondolinu i straszliwym losie gnomów. Narady bogów i oburzenie elfów. Marsz Inwirów i Telerich. Wyruszają także Solosimpi, lecz wędrują wzdłuż wszystkich plaż świata, nie lubią bowiem oddalać się od morza i jego odgłosów — i zgadzają się iść z Telerimi tylko pod tym warunkiem — ponieważ Noldoli zabili pewną liczbę ich współbraci w Kópas.

Szkic ten opisuje następnie wydarzenia po przybyciu elfów z Valinoru do Wielkich Krain; zostanie to omówione w kolejnym rozdziale.

Chociaż tekst „C" jest o wiele pełniejszy od tekstu „B", znajduje się w nim chyba niewiele materiału wyraźnie sprzecznego z tekstem „B", z kolei w tym ostatnim są elementy nieobecne w pierwszym. Omawiając te szkice, kieruję się podziałem opowieści w „Projekcie B".

Część druga. W „C" jest powiedziane nieco więcej o opuszczeniu przez Tuora osady nad Sirionem (w „B" nie wspomina się o Idril); pojawia się też motyw wrogości Ossëgo do Eärendela oraz ważnej roli, jaką odgrywa klątwa Nauglafringa w rozbiciu jego statków. Miejsce pierwszej z tych katastrof jest nazywane Fiordem Syreny. Użyte w zdaniu „Ulmo [...] ich ratuje, mówiąc im, że Eärendel musi się udać do Kôru" słowo „ich" (zamiast „go") jest w rękopisie bardzo wyraźne, co może sugerować, że Eärendelowi towarzyszyła Idril albo Elwinga (lub obie).

Część trzecia. W „B" druga wyprawa Eärendela, tak jak pierwsza, jest wyraźnie próbą dotarcia do Mandosu (w celu odnalezienia ojca), podczas gdy w „C" wydaje się, że drugą wyprawę Eärendel podjął raczej po to, by wypełnić polecenie Ulma, który nakazał mu pożeglować do Kôru (ku rozpaczy Elwingi). W „C" jako towarzysz Eärendela podczas drugiej wyprawy, która zakończyła się w Falasquil, jest wskazany Voronwë, lecz w tym miejscu nie wspomina się o Wyspie Morskich Ptaków. W „C" „Wingilot" jest budowany „z drewna Tuora z Falasquil"; w *Upadku Gondolinu* drewno Tuora pochodziło z drzew ścinanych dla niego przez Noldolich w lasach Dor Lóminu i spławianych ukrytą rzeką (s. 184).

Część czwarta. Podczas gdy „B" jedynie wspomina „[j]ego [Eärendela] liczne wędrówki, trwające kilka lat", podejmowane w celu znalezienia Valinoru, to „C" ukazuje za pośrednictwem drobnych wzmianek, jak te wędrówki miały przebiegać na „Wingilocie", który był pędzony na południe, a potem na zachód. Ciekawe jest spotkanie z Ungweliantë podczas podróży na zachód; w *Opowieści o Słońcu i Księżycu* jest powiedziane, że „Melko trzymał Północ, a Ungwelianta Południe" (zob. I.217, I.234–235).

W „C" ponownie spotykamy Śpiącego w Wieży Perłowej (ową postacią miała być Idril, ale zostało to przekreślone, zob. przyp. 6) obudzonego przez gong Serduszka; por. opis Serduszka w *Dworku Zabawy Utraconej* (I.23):

> To on pożeglował z Eärendelem na „Wingilocie" w tę ostatnią podróż na poszukiwanie Kôru. Brzmienie owego Gongu na Morzach Cienia zbudziło Śpiącego w Wieży Perłowej daleko na zachodzie, na Wyspach Zmierzchu.

W *Przybyciu Valarów i budowie Valinoru* jest powiedziane, że Wyspy Zmierzchu „pływają" na Morzach Cienia, a „[b]lada Wieża Perłowa wznosi się w niebo na najdalszym zachodnim przylądku" (I.87; por. I.151). Lecz w „C" nie wspomina się już więcej o Serduszku, synu Voronwëgo, jako towarzyszu Eärendela, chociaż Serduszko został wcześniej wskazany w odrzuconym fragmencie jako obecny u Ujścia Sirionu (zob. przyp. 5), a w *Opowieści o Nauglafringu* Ailios mówi, że nikt z obecnie żyjących nie widział Nauglafringa „prócz jedynie Serduszka, syna Bronwega" (gdzie „prócz jedynie" jest poprawionym wcześniejszym sformułowaniem „ani nawet [Serduszko, syn]").

Części piąta i szósta. W „C" znajdujemy obraz butów Eärendela błyszczących od diamentowego pyłu w Kôrze, zachowany później w *Silmarillionie* (s. 354):

> Posuwał się opustoszałymi drogami, a kurz osypujący mu odzież i obuwie był pyłem diamentów, tak że wędrowiec cały błyszczał i świecił, wspinając się po długich białych schodach.

Lecz w *Silmarillionie* Tirion był opustoszały, ponieważ „w Valinorze odbywały się wielkie uroczystości i niemal wszyscy elfowie podążali do Valimaru albo do siedziby Manwëgo na Taniquetilu"; tutaj natomiast, jak się wydaje, pojawia się silna sugestia, zarówno w „B", jak i w „C", że Kôr opustoszał, ponieważ na skutek wieści przyniesionych przez ptaki Gondolinu elfowie z Valinoru odeszli do Wielkich Krain. W tych bardzo wczesnych narracyjnych projektach nie ma wzmianek o tym, że Eärendel rozmawiał z Valarami jako ambasador elfów i ludzi (*Silmarillion*, s. 354), toteż możemy jedynie dojść do wniosku — chociaż wniosek to niezwykły — że wielka podróż Eärendela na zachód, mimo że jej cel został osiągnięty, była bezowocna, i że Eärendel nie sprowadził pomocy, którą elfowie z Wielkich Krain rzeczywiście uzyskali z Valinoru, oraz (co najdziwniejsze), że plany Ulma dotyczące Tuora nie przyniosły żadnych skutków. Rzeczywiście, ojciec mój napisał w wersji „Silmarillionu" z 1930 roku:

> I tak się stało, że wielu wysłańców gnomów z późniejszych czasów już nie wróciło do Valinoru — z wyjątkiem jednego, a on wrócił za późno.

Słowa „a on wrócił za późno" zostały zmienione na „najpotężniejszego z żeglarzy, o jakich mówią pieśni", i to sformułowanie znajduje się w *Silmarillionie* na s. 153. Niestety, w najwcześniejszych tekstach nie zostało wyjaśnione, w jakim celu Ulmo polecił Eärendelowi pożeglować do Kôru, chociaż właśnie dlatego został on uratowany z płonącego Gondolinu. Co by osiągnął ponad to, do czego doszło po dotarciu wieści z Gondolinu — a więc do Marszu Elfów do Wielkich Krain — gdyby przybył do Kôru „na czas"? W intrygującej notatce w „C", niezwiązanej z niniejszym szkicem, ojciec mój postawił pytanie: „Jak posłańcy króla Turgona dotarli do Valinoru lub zyskali zgodę bogów?" i odpowiedział: „Jego wysłańcy wcale tam nie dotarli. Ulmo [*sic!*] lecz ptaki przyniosły elfom wieści o losie Gondolinu (synogarlice i gołębie Turgona), a ci [zbroją się i wyruszają?]".

Po dotarciu tych wieści nastąpiły „narady bogów i oburzenie elfów", lecz w „C" nic nie mówi się o „smutku i gniewie bogów" ani „opuszczeniu zasłony między Valmarem i Kôrem", wspomnianych w „B", gdzie z pewnością może to znaczyć tylko to, że Marsz Elfów z Valinoru został podjęty w akcie bezpośredniego sprzeciwu wobec Valarów, którzy zdecydowanie przeciwstawiali się ingerencji elfów z Valinoru w sprawy Wielkich Krain.

Może tu istnieć związek ze słowami Vairë (I.28): „Kiedy jednak wróżkowie opuścili Kôr, ścieżkę [tj. Olórë Mallë, która prowadziła obok Dworku Zabawy Utraconej] *zagrodzono nieprzebytym wałem wielkich głazów*". Istnieje tylko jeszcze jedna wzmianka na temat efektu, jaki wywarła wiadomość zza morza, i zawiera się ona w wypowiedzi Linda skierowanej do Eriola w *Dworku Zabawy Utraconej* (I.24):

> W jej [tj. Meril-i-Turinqi] żyłach płynie krew Inwëgo — Inwithiela, jak zwą go gnomowie — władcy wszystkich Eldarów, gdy jeszcze mieszkali w Kôrze. Było to w czasach, zanim Inwë usłyszał lament świata [tj. Wielkich Krain] i poprowadził ich ku ziemiom człowieczym.

Później Meril-i-Turinqi powiedziała Eriolowi (I.155), że Inwë, ojciec jej dziada, „zmarniał w znojnym marszu do świata", lecz Igil, jego syn, „dawno temu wrócił do Valinoru i zamieszkał z Manwëm". W „B" znajduje się wzmianka o śmierci Inwëgo.

W „C" Solosimpi zgodzili się towarzyszyć ekspedycji pod warunkiem, że pozostaną blisko morza, i ta niechęć Trzeciego Szczepu wywołana Bratobójstwem w Łabędziej Przystani przetrwała (*Silmarillion*, s. 357). Nie ma jednak sugestii, że elfowie z Valinoru zostali przewiezieni statkami — stwierdza się, wręcz przeciwnie, że Solosimpi „wędrują wzdłuż wszystkich plaż świata", a ekspedycja nazwana jest „Marszem", choć z drugiej strony nie otrzymujemy żadnej wskazówki, jak elfowie dostali się do Wielkich Krain.

W obu szkicach Eärendel w drodze powrotnej z Kôru jest pędzony na wschód, a kiedy w końcu wraca do ujścia Sirionu, zastaje osadę splądrowaną. Jednak „B" nie mówi, kto przeprowadził atak i pojmał Elwingę. W „C" czytamy, że zaatakowali orkowie Melka; por. hasło na liście nazw własnych do *Upadku Gondolinu* (s. 258): „*Egalmoth* [...] wydostał się z płonącego Gondolinu i zamieszkał później u ujścia Sirionu, lecz zginął w rozegranej tam straszliwej walce, kiedy Melko schwytał Elwingę".

Żaden ze szkiców nie mówi o ucieczce Elwingi z niewoli. Oba wspominają o powrocie Eärendela do ruin Gondolinu — w „C" Eärendel wraca wraz z Voronwëm i zastaje tam ludzi i gnomów. Odnosi się do tego kolejne hasło na liście nazw własnych do *Upadku Gondolinu* (s. 259): „*Galdor* [...] wyrwał się z Gondolinu i ocalał nawet z ataku Melka na mieszkańców okolic ujścia Sirionu i wrócił z Eärendelem do ruin".

Oba szkice wspominają o odejściu elfów z Wielkich Krain na Tol Eressëę po spętaniu Melka; „C" dodaje wzmiankę o „wojnach z ludźmi" i o tym, że Eldarowie „nie są w stanie znieść konfliktu rozgrywającego się na świecie". W obu szkicach mówi się, że Eärendel udaje się następnie na tę wyspę, lecz kolejność wydarzeń jest chyba inna: w „B" Eärendel w drodze powrotnej z Kôru „dostrzega Tol Eressëę oraz flotę elfów" (prawdopodobnie flotę powracającą z Wielkich Krain), a w „C" o odejściu elfów mówi się dopiero po powrocie Eärendela nad Sirion. Lecz tekst tu drukowany nie oddaje charakteru tych szkiców: ojciec pisał je bardzo szybko, chwytając ulotne myśli, i nie można zbytnio polegać na tym zapisie. Jednakże wydaje się, że jeśli chodzi o los Elwingi, „B" i „C" wyraźnie się rozchodzą: w „B" znajduje się prosta wzmianka o jej śmierci, niewątpliwie związanej z klątwą Nauglafringa, a z kolejności następowania po sobie wydarzeń można się domyślić, że Elwinga umarła w drodze na Tol Eressëę. „C" wyraźnie mówi o „utonięciu" Elwingi i Nauglafringa — lecz też powiada, że Elwinga stała się morskim ptakiem, który to pomysł przetrwał (*Silmarillion*, s. 352). Być może w ten sposób większy sens zyskuje wyprawa Eärendela na Wyspę Morskich Ptaków, wspomniana zarówno w „B", jak i w „C"; w tym drugim szkicu Eärendel „żywi nadzieję, że Elwinga wróci razem z morskimi ptakami".

Część siódma. W „B" końcowa część opowieści jest jedynie streszczona słowami „Jego podróż na firmament" odnoszącymi się do szkicu „C", w którym znajdują się wzmianki pozwalające naszkicować narrację. Wydaje się, że istnieje sugestia, iż blask bijący od Eärendela (zupełnie niezwiązany z Silmarilem) jest efektem „diamentowego pyłu" w Kôrze, lecz w pewnym sensie także przemożnej rozpaczy, jaka nim owładnęła. W innym miejscu w „C" jest rzucone osobne pytanie: „Co się stało z Silmarilami po pojmaniu Melka?". W tamtym czasie ojciec mój nie udzielił na nie odpowiedzi, lecz samo w sobie dowodzi ono stosunkowo niewielkiej wówczas roli klejnotów Fëanora, a być może świadczy też o tym, że ojciec miał świadomość, iż nie zawsze tak będzie i że w Silmarilach zawiera się centralne znaczenie całej mitologii, które nie zostało jeszcze odkryte.

Wydaje się także, iż Eärendel pożeglował na nieboskłon w nieustannym poszukiwaniu Elwingi („wypływa na oceany firmamentu, by patrzeć na Ziemię"); a przekroczył Bramę Nocy (wejście uczynione przez Bogów w Murze Rzeczywistości na Zachodzie, zob. I.252) nie w wyniku jakiegoś planu, lecz dlatego, że polował na niego Księżyc. Z tą ostatnią koncepcją por. I.226, gdzie mówi się o Ilinsorze, sterniku Księżyca, że „poluje na gwiazdy".

Późniejszy z tych dwóch projektów *Zaginionych opowieści*, w którym znajduje się dość obszerny szkic *Opowieści Gilfanona*, oznaczyłem literą „D" (zob. I.273); ten projekt tutaj nas zawodzi, ponieważ końcowy jego fragment jest bardzo zwięzły, częściowo wytarty gumką i urywa się wcześnie w toku *Opowieści o Eärendelu*. Przytaczam go poniżej, zaczynając narrację nieco wcześniej:

O śmierci Tinwelinta i ucieczce Gwenethliny [zob. s. 64]. Jak Beren pomścił Tinwelinta i jak Naszyjnik stał się jego własnością. Jak sprowadził na Tinúviel chorobę [zob. s. 297] i jak Beren z Tinúviel zniknęli z Ziemi. Jak po nich żyli ich synowie [*sic!*] i jak z powodu Silmarila zaatakowali ich z całym hufcem synowie Fëanora. Jak zostali zabici wszyscy, lecz Elwinga, córka Daimorda [zob. s. 168], syna Berena, uciekła z Naszyjnikiem.

O Tuorowym statku z białymi żaglami.

Jak lud Lothlimów mieszkał u Ujścia Sirionu. Eärendel wyrósł na najpiękniejszego spośród wszystkich ludzi, którzy byli lub są. Jak pokochały go syreny (Oarni). Jak do Lothlimów przybyła Elwinga i o miłości jej oraz Eärendela. Jak Tuor posunął się w latach i jak Ulmo skinął na niego wieczorem, a on wyruszył na morze i zaginął. Jak popłynęła za nim Idril.

(Wydaje się, że w następnym fragmencie ojciec mój najpierw napisał: „Eärendel ...... Oarnich zbudował »Wingilota« i wyruszył na poszukiwanie ......, zostawiając z Elwingą Voronwëgo" — w pierwszej luce być może było napisane „z pomocą", chociaż teraz nic nie widać. Później ojciec napisał: „Eärendel zbudował »Łabędzie Skrzydło«", a następnie częściowo wytarł ten fragment gumką. Teraz nie można dociec, jaki miał zamiar).

Lament Elwingi. Jak Ulmo zakazał tej wyprawy, lecz Eärendel mimo to chciał wypłynąć na morze w poszukiwaniu drogi do Mandosu. Jak „Wingilot" rozbił się przy Falasquil i jak Eärendel znalazł tam rzeźbiony dom Tuora.

Tutaj „Plan D" się kończy. Wcześniej w pewnym miejscu są w nim wspomniani „posłańcy wysłani z Gondolinu. Po upadku tego miasta lecą do Valinoru synogarlice Gondolinu".

Wydaje się, że szkic ten stanowi ruch w stronę uproszczenia złożoności narracji — „Wingilot" jest statkiem, na którym Eärendel próbował żeglować do Mandosu i na którym rozbił się przy Falasquil; szkic jest jednak zbyt krótki i urywa się zbyt szybko, by można było z niego wysnuć jakieś pewne wnioski.

Na osobnej kartce znajduje się czwarty szkic, który oznaczę literą „E"; Tuor nosi w nim imię *Tûr* (zob. s. 180).

Upadek Gondolinu. Wyczyn Glorfindela. Zamieszkanie nad wodami ujścia Sirionu. Do Eärendela przybywają syreny.

Tûr zaczyna tęsknić za morzem — jego pieśń dla Eärendela. Pewnego wieczoru wzywa Eärendela i razem idą na brzeg. Jest tam łódka. Tûr żegna się z Eärendelem i każe mu wypchnąć łódkę na wodę; płynie ku Zachodowi. Kiedy łódka Tûra znika za krawędzią świata, Eärendel słyszy narastającą ponad morzem potężną pieśń. Zalewa się łzami na brzegu. Lament Idril.

Budowa „Earuma"[9]. Przybycie Elwingi. Niechęć Eärendela. Wzburzenie Idril. Podróż „Earuma" i jego zatonięcie na Północy, zniknięcie Idril. Jak morskie panny ocaliły Eärendela i sprowadziły go do zatoki Tûra. Jego podróż do brzegu.

Porwanie Elwingi. Eärendel odkrywa zniszczenia w ujściu Sirionu.

Budowa „Wingelota". Szuka Elwingi i wiatr znosi go daleko na południe. Wirilómë. Ucieka na wschód. Wraca na zachód; dostrzega Zatokę Czarodziejskiej Krainy. Wieża Perłowa, magiczne wyspy, wielkie cienie. Zastaje Kôr pusty; wraca, obsypany pyłem i z pałającą twarzą. Dowiaduje się o utonięciu Elwingi. Osiada na Wyspie Morskich Ptaków. Elwinga przybywa do niego jako mewa. Eärendel żegluje poza krawędź świata.

Prócz pełniejszego opisu opuszczenia ujścia Sirionu przez Tuora z fragmentu tego niewiele można się dowiedzieć — jest zbyt zwięzły. Lecz nawet biorąc pod uwagę szybkość pisania i lapidarność sformułowań, można dostrzec cechy zasadniczo różniące go od „B" i „C". Tak więc wydaje się, że w szkicu „E" przybycie Elwingi nad Sirion następuje w późniejszym momencie opowieści, po odejściu Tuora. Jednakże napad na osadę i pojmanie Elwingi ma chyba miejsce wcześniej, kiedy Eärendel jest w drodze powrotnej nad Sirion po katastrofie jego statku na północy (a nie, jak w „B" i „C", gdy odbywa wielki rejs „Wingilotem" do Kôru). Wydaje się, że miała tu się odbyć tylko jedna podróż na północ, zakończona rozbiciem „Earámë"/„Earuma" koło Falasquil. Chociaż nie można tego wykazać, skłaniam się ku poglądowi, iż ten szkic jest tekstem późniejszym od „B" i „C" — częściowo dlatego, że zamiana dwóch rejsów na północ kończących się rozbiciem statku na jeden taki rejs wydaje się bardziej prawdopodobna niż zabieg odwrotny, a częściowo ze względu na formę *Tûr*, która, chociaż nie przetrwała, przez jakiś czas zastępowała formę *Tuor* (zob. s. 180).

W szkicu tym można zauważyć kilka innych kwestii. Na ogromną pajęczycę, nazywaną w „C" *Ungweliantë*, lecz tutaj *Wirilómë* („Tkaczka Mroku", zob. I.181), Eärendel natyka się na dalekim południu, a nie, jak w „C", podczas podróży na zachód (zob. s. 311). W tej wersji Elwinga przybywa do Eärendela jako morski ptak (tak jak w *Silmarillionie*, s. 352–353), czego nie ma w „C", a nawet wydaje się, że tekst ten temu zaprzecza.

Na innej oddzielnej kartce (związanej z wierszem *Polecenie dla minstrela*, zob. s. 328–329) znajduje się bardzo ciekawy opis wielkiej podróży Eärendela:

> Statek Eärendela przekracza północ. Islandia. [*Dodane na marginesie*: za Północnym Wiatrem]. Grenlandia i dzikie wyspy: potężna wichura i grzebień ogromnej fali niosą go w cieplejsze okolice, za Zachodni Wiatr. Kraina dziwnego ludu, kraina magii. Dom Nocy. Pajęczyca. Eärendel ucieka z sieci Nocy z kilkoma towarzyszami, widzi wielką wyspę w kształcie góry i złociste miasto [*dodane na marginesie*: Kôr] — wiatr niesie go na południe. Drzewoludzie, mieszkańcy Słońca, przyprawy, ogniste góry, czerwone morze: Śródziemne [traci statek (podróżuje pieszo przez pustkowia Europy?)] albo Atlantyk*. Dom. Starzeje się. Każe zbudować

* Słowa występujące w tym fragmencie („Drzewoludzie, mieszkańcy Słońca...") są wyraźne — w przeciwieństwie do interpunkcji, której układ przedstawiony tu przeze mnie może być niezgodny z zamierzonym.

nowy statek. Żegna się ze swoją północną krainą. Ponownie żegluje na zachód na krawędź świata w chwili, kiedy Słońce zanurza się w morzu. Żegluje po niebie i nie wraca już na ziemię.

Tym złocistym miastem był Kôr; Eärendel usłyszał wtedy muzykę Solosimpë i teraz wraca, by ją odnaleźć, ale okazuje się, że wróżkowie uciekli z Eldamaru. Zob. mały notatnik. Oprószony diamentowym pyłem wspina się opustoszałymi ulicami Kôru.

Z pewnością można by uznać ten opis za wcześniejszy od innych omawianych do tej pory (zarówno ze względu na fakt, że historia Eärendela po jego powrocie z wielkiej wyprawy chyba nie ma żadnego związku z jego historią przedstawioną w „B" i „C", jak i na to, że jego wyprawa odbywa się na lądach i oceanach znanego nam świata), gdyby nie wzmianka o „małym notatniku"; musi ona wskazywać na notatnik „C", z którego pochodzi przedstawiony powyżej szkic „C" (zob. s. 307). Moim zdaniem wcześniejsze powstanie szkicu jest jednak bardzo prawdopodobne (przemawia za tym wygląd rękopisu), z tym że ostatni akapit („Tym złocistym miastem był Kôr...") został dodany później; reszta szkicu pochodzi z tego samego okresu, kiedy powstała najwcześniejsza wersja wiersza, czyli zimy 1914 roku.

Warto zauważyć, że jeśli chodzi o najwcześniejsze teksty, tylko tutaj jest wyraźnie powiedziane, że „pył diamentów" pokrywający Eärendela pochodzi z ulic Kôru (por. fragment *Silmarillionu* przytoczony na s. 311).

Inny wczesny wiersz poświęcony Eärendelowi, zatytułowany *Wybrzeża Czarodziejskiej Krainy*, poprzedza krótka przedmowa, która, chociaż nie została napisana w tym samym czasie, co pierwsza wersja samego wiersza (czyli w lipcu 1915 roku, zob. s. 330), z pewnością jest niewiele późniejsza:

Eärendel Wędrowiec, który przemierzał Oceany Świata swoim białym statkiem „Wingelot", na starość długo przebywał na Wyspie Morskich Ptaków na Północnych Wodach, zanim wyruszył w swą ostatnią podróż.

Minął Taniquetil, a nawet Valinor, przeciągnął swój żaglowiec przez granicę na kraju świata i wprowadził go na Oceany Firmamentu. O jego tamtejszych wyprawach nie opowiedział żaden człowiek; wyjątkiem jest podróż, kiedy ścigany przez glob Księżyca uciekł z powrotem do Valinoru i wspiąwszy się na wieże Kôru, spoglądał na Oceany Świata. Do Eglamaru przybywa zawsze o pełni, kiedy Księżyc żegluje kapryśnie poza Taniquetilem i Valinorem*.

Zarówno tutaj, jak i w szkicu związanym z *Poleceniem dla minstrela* Eärendel pożeglował na firmament jako starzec.

Z najwcześniejszego okresu nie datuje się żaden inny „spójny" tekst *Opowieści o Eärendelu*. Istnieje natomiast pewna liczba oddzielnych notatek, głównie w formie pojedynczych zdań, znajdujących się albo w małym notatniku „C", albo pośpiesznie skreślonych na osobnych karteczkach. Zbieram tu owe odniesienia w kolejności mniej więcej odpowiadającej chronologii opowieści.

(i) „Siedziba na Wyspie Sirionu w domu ze śnieżnobiałego kamienia". W „C" (s. 307) jest powiedziane, że Eärendel mieszkał z Tuorem i Idril nad morzem u ujścia Sirionu „na Wyspach Sirionu".

(ii) „Oarni dają Eärendelowi cudowny lśniący srebrzysty płaszcz, który nie chłonie wilgoci. Wbrew Ossëmu miłują Eärendela i przekazują mu wiedzę na temat budowy statków i pływania wpław, a on bawi się z nimi u brzegów Sirionu". W szkicach znajdują się wzmianki o miłości, jaką Oarni darzą Eärendela („D", s. 315), o przybyciu do niego syren („E", s. 316) oraz o wrogości Ossëgo („C", s. 308).

(iii) Eärendel był drobniejszy od większości ludzi, lecz poruszał się szybko i zręcznie i był dobrym pływakiem (lecz Voronwë nie umiał pływać).

(iv) „Idril i Eärendel widzą, jak łódź Tuora zanurza się w zmierzch i słychać pieśń". W „B" odpłynięcie Tuora jest „potajemne" (s. 306), w „C" „Idril widzi go za późno" (s. 308), a w „E" Eärendel jest obecny przy tym,

* Przedmowa ta towarzyszy wszystkim tekstom tego wiersza z wyjątkiem najwcześniejszego, a jej wersje różnią się jedynie formami nazw własnych: *Wingelot*/*Vingelot* i *Eglamar*/*Eldamar* (zmieniającymi się w ten sam sposób, jak w odpowiednich wersjach wiersza; zob. przypisy do tekstu wiersza na s. 331) oraz *Kôr* > *Tûn* w trzecim tekście, *Tûn* w czwartym. Jeśli chodzi o *Egla* = *Elda*, zob. I.298 oraz s. 420, a jeśli chodzi o *Tûn*, zob. s. 357.

jak Tuor wyrusza w podróż i wypycha jego łódź na wodę: „słyszy narastającą ponad morzem potężną pieśń" (s. 316).

(v) „Śmierć Idril? — udaje się potajemnie za Tuorem". Temu, że Idril umarła, przeczy „C": „Niektórzy powiadają, że Tuor i Idril żeglują teraz na »Łabędzim Skrzydle« [...]" (s. 310); w „D" Idril popłynęła za nim wpław (s. 315).

(vi) „Tuor pożeglował z powrotem do Falasquil i potem udał się dalej w górę Ilbrantelothu do Asgonu, gdzie siedzi na skale pośrodku jeziora i gra na swej samotnej harfie". Zdanie to jest oznaczone znakiem zapytania oraz literą „X", co sugeruje odrzucenie tego pomysłu. W szkicach *Opowieści Gilfanona* są ciekawe wzmianki o „Skalistej Wysepce Asgonu" (zob. I.277–278).

(vii) „Fiord Syreny: zaczarowanie jego żeglarzy. Syreny to nie Oarni (albo są mieszkankami ziemi, albo duszkami? — albo jednymi i drugimi)". W „D" (s. 315) Syreny są utożsamione z Oarnimi.

(viii) Statek „Wingilot" został zbudowany z drewna z Falasquil „z pomocą Oarnich". Tak prawdopodobnie było w „D": zob. s. 315.

(ix) „Wingilot" miał „kształt łabędzia z pereł".

(x) „Synogarlice i gołębie z dziedzińca Turgona przynoszą wieści do Valinoru — tylko do elfów". Inne wzmianki o ptakach, które przyleciały z Gondolinu, także mówią, że przybyły one do elfów lub do Kôru (s. 307, 309, 312).

(xi) „W trakcie swoich podróży Eärendel dostrzega lśniące w dali białe mury Kôru, lecz przeciwne wiatry i prądy Ossëgo znoszą go w przeciwną stronę". To samo jest powiedziane w „B" (s. 307) o Eärendelu, który podczas powrotnego rejsu z Kôru dostrzegł Tol Eressëę.

(xii) „Śpiący w Wieży Perłowej obudzony przez gong Serduszka: posłaniec wysłany wiele lat wcześniej przez Turgona i omotany magią. Nawet teraz nie może on opuścić Wieży i ostrzega ich o magii". W „C" znajduje się odrzucone stwierdzenie, że Śpiącym w Wieży Perłowej była sama Idril (zob. przyp. 6).

(xiii) „Ochrona Ulma wycofana z Sirionu w gniewie wywołanym przez drugą próbę Eärendela dotarcia do Mandosu i dlatego Melko zdobył osadę". Ta notatka jest przekreślona, a obok niej widnieje litera „X"; lecz w „D" (s. 315) jest powiedziane, że „Ulmo zakazał tej wyprawy, lecz Eärendel mimo to chciał wypłynąć na morze w poszukiwaniu drogi do Mandosu". Musi to znaczyć, że poszukiwanie ojca przez Eärendela w Mandosie było sprzeczne z zamiarami Ulma i że Eärendel powinien raczej starać się dotrzeć do Kôru.

(xiv) „Przed wyruszeniem w rejs Eärendel poślubia Elwingę. Kiedy otrzymuje wieść o jej utracie, mówi, że jego potomkowie będą »wszyscy takimi mężami, którzy wypuszczają się statkami na otwarte morze«". Z tym por. *Dworek Zabawy Utraconej* (I.21): „i nawet taki wędrowiec jak syn Eärendela" oraz (I.26): „mężnego podróżnika, syna, zda się, Eärendela". W zarysie życia Eriola (I.33) jest powiedziane, że był on synem Eärendela i że jeśli na nowo narodzone dziecię padnie blask Eärendela, staje się ono „dzieckiem Eärendela" i wędrowcem. We wczesnym słowniku quenyi figuruje hasło: *Eärendilyon* „syn Eärendela (określenie używane w odniesieniu do wszystkich marynarzy)" (I.297).

(xv) „W poszukiwaniu Elwingi Eärendel udaje się aż do pustych Żelaznych Sal". Eärendel zapewne wyprawił się do Angamandi (fortecy opuszczonej po pokonaniu Melka) w tym samym czasie, kiedy wędrował do ruin Gondolinu (s. 307, 309).

(xvi) Statek, na pokładzie którego znajdowała się Elwinga z Nauglafringiem, przepadł podczas rejsu na Tol Eressëę, kiedy elfowie opuszczali Wielkie Krainy. Zob. moje uwagi na s. 314. Jeśli chodzi o „złagodzenie" klątwy Mîma poprzez utopienie Nauglafringa, zob. „Dodatek. Nazwy własne", hasło *Nauglafring*. Odejście elfów na Tol Eressëę jest omówione w następnym rozdziale (s. 341–342).

(xvii) „Eärendel i północna wieża na Wyspie Morskich Ptaków". W „C" (s. 309) Eärendel „[w]yrusza na morze z Voronwëm i zamieszkuje na Wyspie Morskich Ptaków na północnych wodach (niedaleko Falasquil). Żywi tam nadzieję, że Elwinga wróci razem z morskimi ptakami"; w „B" (s. 306–307) „[d]ostrzega Wyspę Morskich Ptaków, »dokąd co pewien czas przylatują wszystkie ptaki ze wszystkich wód«". Echo tego można znaleźć w *Silmarillionie*, s. 356: „Toteż dla niej zbudowano na północnych wybrzeżach Mórz Rozłąki białą wieżę, do której zlatywały niekiedy wszystkie morskie ptaki z całej ziemi".

(xviii) Kiedy Eärendel przybywa do Mandosu, okazuje się, że Tuora „nie ma w Valinorze ani w Erumáni i że ani elfowie, ani Ainu nie wiedzą, gdzie jest. (Jest z Ulmem)". W „C" (s. 309) po dotarciu do sal Mandosa Eärendel dowiaduje się, że Tuor „odszedł do Valinoru". Jeśli chodzi o możliwość przebywania Tuora w Erumáni lub w Valinorze, zob. I.113 i nast.

(xix) Eärendel „co pewien czas powraca z firmamentu z Voronwëm do Kôru, by sprawdzić, czy zostało rozpalone Magiczne Słońce i wrócili wróżkowie — lecz odpycha go Księżyc". Jeśli chodzi o powrót Eärendela z firmamentu, zob. odniesienie (xxi) poniżej; na temat ponownego rozpalenia Magicznego Słońca zob. s. 350.

Można tu dodać już wcześniej przytoczone dwa stwierdzenia na temat Eärendela:

(xx) W opowieści *Kradzież klejnotów przez Melka* (I.170) jest powiedziane: „Na ścianach Kôru pojawiły się spisane obrazkami liczne mroczne opowieści, a na kamieniach wyryto piękne runy. Dawno temu Eärendel wyczytał z nich dużo cudownych historii".

(xxi) Na liście nazw własnych do *Upadku Gondolinu* figuruje następujące hasło (przytoczone na s. 258): „*Eärendel* był synem Tuora i Idril i – jak jest powiedziane – jedyną istotą pochodzącą w połowie od Eldaliё, a w połowie od ludzi. Był pierwszym i największym żeglarzem wśród ludzi i oglądał krainy, których oni, mimo całej mnogości ich statków, jeszcze nie odkryli ani nie dosięgli wzrokiem. Unosi się teraz z Voronwёm na wiatrach firmamentu i nigdy nie wraca dalej niż do Kôru, inaczej bowiem umarłby jak inni ludzie, tyle jest w nim ze śmiertelnika". W szkicu związanym z wierszem *Polecenie dla minstrela* Eärendel „[ż]egluje po niebie i nie wraca już na ziemię" (s. 318); w napisanym prozą wstępie do wiersza *Wybrzeża Czarodziejskiej Krainy* „[d]o Eglamaru przybywa zawsze o pełni, kiedy Księżyc żegluje kapryśnie poza Taniquetilem i Valinorem" (s. 319); w zarysie „C" (s. 309) „nie może teraz wrócić do świata albo umrze"; a w przytoczonym powyżej (xix) cytacie „co pewien czas powraca z firmamentu z Voronwёm do Kôru".

W *Silmarillionie* (s. 355) z wyroku Manwёgo Eärendel i Elwinga „nie wrócą już nigdy między elfów czy ludzi do Krain Zewnętrznych"; lecz jest także powiedziane, że Eärendel wracał do Valinoru ze swych „wypraw poza granice świata" (tamże, s. 356), tak jak jest powiedziane w liście nazw własnych do *Upadku Gondolinu*, że nigdy nie wraca dalej niż Kôr. Dalsze stwierdzenie, że gdyby powrócił, umarłby jak inni ludzie, „tyle jest w nim ze śmiertelnika", w pewnym sensie powróciło znacznie później echem w liście, który ojciec napisał w 1967 roku: „Eärendilowi, będącemu po części potomkiem ludzi, nie pozwolono już wrócić na Ziemię. Stał się Gwiazdą świecącą blaskiem Silmarila" (*Listy*, s. 523).

Na tym kończą się wszystkie „prozatorskie" materiały związane z najwcześniejszą postacią *Opowieści o Eärendelu* (poza kilkoma innymi wzmiankami na jego temat w następnym rozdziale). Te szkice i notatki ukazują bardzo wczesny etap pisania, kiedy koncepcje były płynne i nie otrzymały nawet wstępnej formy narracyjnej; mit istniał w pewnych wyobrażeniach, które miały przetrwać, lecz nie zostały jeszcze jasno wyrażone.

Zwróciłem już uwagę (s. 312) na niezwykły fakt, że nie ma tu nawet śladu pomysłu, iż to Eärendel dzięki swojemu wstawiennictwu sprowadził pomoc z Zachodu; nie ma również sugestii, że Valarowie uświęcili jego statek i umieścili go na nieboskłonie ani że blask, jakim emanował Eärendel, jest blaskiem Silmarila. Niemniej istniały już takie pomysły, jak przybycie Eärendela do opuszczonego Kôru (Tirionu), diamentowy pył na jego butach, przemiana Elwingi w morskiego ptaka, przejście jego statku przez Bramę Nocy i zakaz jego powrotu na ziemie leżące na wschód od Morza. We wczesnych szkicach pojawia się napad na Przystań na Sirionie,chociaż był to czyn Melka, a nie Fëanorian; podobne jest odejście Tuora, lecz bez Idril, którą opuścił. Jego statek nazywał się „Alqarámë", „Łabędzie Skrzydło", a później „Eärrámë", co znaczy „Skrzydło Morza" (*Silmarillion*, s. 350) i co zachowuje — pod względem formy, lecz nie znaczenia — nazwę pierwszego statku Eärendela „Eärámë", „Orle Skrzydło" (s. 306, 308 oraz przyp. 9).

Interesującą lekturą jest sformułowane jakieś pół wieku później (we wspomnianym wyżej liście z 1967 roku) wyjaśnienie mojego ojca dotyczące początków Eärendila:

> Wywodzi się ono [imię *Eärendil*] (co oczywiste) ze staroangielskiego *éarendel*. Kiedy po raz pierwszy uczyłem się staroangielskiego zawodowo (od 1913) — było to moje chłopięce hobby uprawiane w czasie, kiedy miałem się uczyć greki i łaciny — uderzyła mnie wielka uroda tego słowa (czy też nazwy), całkowicie zgodnego ze zwykłym stylem języka staroangielskiego, lecz dziwnie eufonicznego w tym przyjemnym, lecz nie „rozkosznym" języku. Także jego forma wskazuje, że z pochodzenia jest to nazwa własna, a nie rzeczownik pospolity. Potwierdzają to wyraźnie pokrewne formy w innych językach germańskich; mimo zamętu i niższego poziomu późniejszych przekazów wydaje się niemal pewne, że słowo to wiązało się z mitem astronomicznym i stanowiło nazwę gwiazdy czy też gwiazdozbioru. Według mnie przykłady używania go w staroang. wydają się wyraźnie wskazywać, że była to gwiazda zapowiadająca świt (w każdym razie w tradycji angielskiej), to znaczy ta, którą teraz nazywamy „Wenus": gwiazda poranna jasno świecąca

o świcie, przed wschodem słońca. W każdym razie tak rozumiałem to słowo. Przed 1914 r. napisałem „wiersz" o Earendelu, który wypłynął swoim statkiem niczym jasną iskrą z przystani Słońca. Włączyłem go do mojej mitologii — w której stał się główną postacią jako żeglarz, a w końcu prorocza gwiazda i znak nadziei dla ludzi. *Aiya Eärendil Elenion Ancalima* ([WP] II, s. 397) „Witaj, Earendilu, najjaśniejsza z gwiazd" jest bardzo dalekim odpowiednikiem *Éalá Éarendel engla beorhtast**. Nie można było jednak przejąć tej nazwy ot, tak sobie: jednocześnie ze zrobieniem dla osoby, której posłużyła za imię, miejsca w legendzie trzeba było dostosować to imię do elfickiej sytuacji językowej. Z niej, z zamierzchłej przeszłości „elfickiego", który po wielu próbach wymyślenia go w dzieciństwie zaczął w okresie, gdy przejąłem to imię, przybierać określony kształt, powstał w końcu: (a) wspólnoelficki temat *AYAR, „morze", początkowo używany w odniesieniu do Wielkiego Morza Zachodu, leżącego między Śródziemiem a Amanem, Błogosławionym Krajem Valarów, oraz (b) pierwiastek, czy też podstawa czasownikowa (N)DIL, „kochać, być czemuś oddanym" — opisująca postawę wobec osoby, przedmiotu, działania czy zajęcia, któremu jest się oddanym dla niego samego. „Earendil" został bohaterem jednej z najwcześniej napisanych (1916–1917) głównych legend: *Upadek Gondolinu*. Był on największym z Pereldarów, „Półelfów", synem Tuora, potomka z najsłynniejszego Rodu Edainów, oraz Idril, córki króla Gondolinu (*Listy*, s. 521–523).

Ojciec mój nie chciał tu powiedzieć, że jego *Eärendel* od początku zawierał w sobie elementy, które razem składają się na znaczenie „Miłośnik morza"; w każdym razie jest jasne, że w czasie, kiedy powstawały pierwsze zachowane teksty związane z tym zagadnieniem, imię to miało związek z elfickim słowem *ea* „orzeł" (zob. s. 323 nt. nazwy pierwszego statku Eärendela „Eärámë", „Orle Skrzydło"). Na liście nazw własnych do *Upadku Gondolinu* jest to powiedziane wyraźnie: „*Earendl* [*sic!*], chociaż

* Ze staroangielskiego poematu *Crist*: *éalá! éarendel engla beorhtast ofer middangeard monnum sended.*

imię to prawdopodobnie jest spokrewnione z elfickimi słowami *ea* i *earen* »orzeł« oraz »gniazdo orła« (co przywodzi na myśl przejście przez Cristhorn oraz posługiwanie się emblematem orła przez Idril [zob. s. 229]), w mniemaniu niektórych zostało ułożone w tym tajemnym języku Gondothlimów [zob. s. 199]".

Na koniec przytaczam cztery wczesne wiersze mojego ojca, w których pojawia się Eärendel.

I
Éalá Éarendel Engla Beorhtast

Raczej nie ma wątpliwości, że, jak przypuszcza Humphrey Carpenter (*Biografia*, s. 112), był to pierwszy wiersz o Eärendelu, jaki ułożył mój ojciec, i że został napisany w gospodarstwie Phoenix Farm we wsi Gedling w Nottinghamshire we wrześniu 1914 roku[10]. To o tym wierszu wspominał w zacytowanym wyżej liście z 1967 roku: „napisałem »wiersz« o Earendelu, który wypłynął swoim statkiem niczym jasną iskrą" (por. wers 5 „I wypuścił łódź bystrą niczym iskrę srebrzystą...").

Istnieje bodaj pięć różnych wersji tego wiersza, z których każda zawiera poprawki, jakich dokonano w poprzedniej, chociaż znaczne zmiany zostały wprowadzone tylko do pierwszej strofy. Tytuł wiersza brzmiał pierwotnie „Podróż Éarendela, Gwiazdy Wieczornej" i towarzyszył mu jego staroangielski odpowiednik: *Scipfœreld Earendeles Æfensteorran*. W jednej z kolejnych wersji został on zmieniony na *Éalá Éarendel Engla Beorhtast*, „Ostatnia podróż Eärendela", a w jeszcze późniejszych imię we współczesnej angielszczyźnie zostało usunięte. Przytaczam tutaj ostatnią wersję, której daty powstania nie da się określić, chociaż charakter pisma dowodzi, że jest znacznie późniejsza od tej pierwotnej; w przypisach dolnych podaję wszystkie odmienne sformułowania z najwcześniejszej zachowanej wersji.

Éarendel się z toni szarych cieni wyłonił,
  Z Oceanu milczącej rubieży,

Z głębi nocy przepastnej — promień światła tak jasny
  U zamglonych i stromych wybrzeży.
I wypuścił łódź bystrą niczym iskrę srebrzystą,
  I z plaż pustych, rozległych i chłodnych
Mknął w słonecznej poświacie, gdy dzień konał w szkarłacie,
  Aż odpłynął hen z Krain Zachodnich*.

Płynął ścieżką swą dalej, podążając wytrwale,
  W ślad za Słońcem, co w toni się chowa,
I gwiazd mijał tysiące, gdy w swej łodzi błyszczącej
  Przez bezmiary niebiosów żeglował.
Fala nocy napływa, świat ciemnością okrywa,
  Na niej suną okręty podniebne,
Połyskują w otchłani świetlistymi żaglami,
  Wkoło leją się gwiazd strugi srebrne.

On przemyka milczący obok statków tych lśniących,
  Niespokojny duch naprzód go pędzi,
W dal przez Zachód podąża, co się w mroku pogrąża
  I ciemnieje u świata krawędzi.
Migoczące bezmiary i cienisty zmierzch szary,
  Ten, z którego się przedtem wyłonił,
Teraz nikną w oddali — żądza serce mu pali,
  Płomień srebrny jaśnieje u skroni.

---

* Najwcześniejsza wersja:

1–8 Éarendel wychynął z misy Oceanu
W mrok nad środkowym światem;
Od bramy Nocy, by promień światła
Przeskoczył nad zmierzchu skrajem.
I śmignąwszy swym barkasem, jak srebrną skrą,
Od piasków zamierających złotem
Po słonecznym tchu ognistej śmierci Dnia
Pomknął od Krain Zachodnich.

16 Wieczorna gwiazda strugi leje srebrne

17 On ← Lecz on

18 Niespokojny ← Wędrowca

19 W dal przez ← Przez magiczny

22 z którego się przedtem wyłonił ← ku któremu teraz podąża

Oto Księżyc w swej łodzi płynie z krain na Wschodzie
Tam gdzie Słońca przystanie świetliste,
Teraz biała ich brama połyskuje skąpana
W księżycowej poświacie srebrzystej.
Ciężkie chmury zwisały z burt okrętu jak całun,
Gdy podnosił kotwicę z wód toni,
Ciemność naprzód go niosła, migotały drżąc wiosła
I w półmroku lśnił pokład srebrzony.

Schronił się Éarendel poza ziemi krawędzie
Przed strasznego Żeglarza obliczem,
Pod Ocean zamglony, za cieniste zasłony,
I odpłynął za świata granice.
Słyszał stamtąd gwar ziemski, ludów radość i klęski,
I szmer łez spływających do morza,
Kiedy świat się zapadał, wrakiem na dnie osiadał
W swej podróży przez czasu bezdroża.

Połyskując jak srebro, zstąpił w pustkę bezgwiezdną,
Jak samotna latarnia na falach,
Poza ludzkie poznanie — przez pustynne otchłanie
Wciąż się bardziej i bardziej oddalał,
I podążał za Słońcem w galeonie swym lśniącym
Przez rozległe niebiosów bezdroża,
Aż blask jego się zaćmił w zimnych głębiach przepaści,
Płomień żądzy na zawsze w nim zgorzał.

---

25 Oto Księżyc ← Bo Księżyc
32 lśnił pokład srebrzony ← glob statku lśnił srebrzony
38 I szmer ← Słuchał
46–48 Przemierzając nieba przestworza,
Aż odarł go z chwały Poranek wspaniały
I sczezł żeglarz mając blask Świtu w oczach.

Bardzo wiele przemawia za tym, że wiersz ten powstał wcześniej od wszystkich szkiców i notatek przytoczonych w niniejszym rozdziale i że znajdujące się w nich słowne podobieństwa do tego utworu są jego echem (np. „u jego skroni jaśnieje srebrny płomień", szkic „C", s. 309; „poza krawędź świata", szkic „E", s. 316).

W czwartej strofie wiersza Statek Księżyca wypływa z przystani Słońca; w opowieści *Ukrycie Valinoru* (I.251) Aulë i Ulmo wybudowali na wschodzie dwie przystanie — Słońca (która była „szeroka i złota") oraz Księżyca (która była „biała, z bramą ze srebra i pereł") — lecz obie znajdowały się „w tej samej zatoczce". Tak jak w wierszu, w *Opowieści o Słońcu i Księżycu* napędem tego ostatniego (I.228) są połyskliwe wiosła.

II
Polecenie dla minstrela

Wedle notatki sporządzonej przez mojego ojca na jednym z egzemplarzy tego wiersza został on napisany przy St. John's Street w Oksfordzie (zob. I.38) zimą 1914 roku; nie ma żadnej innej wskazówki dotyczącej daty jego powstania. W tym wypadku zachowały się najwcześniejsze zapiski, a na odwrocie jednej z kartek widnieje szkic wielkiej podróży Eärendela przytoczony na s. 317–318. Wiersz był wówczas znacznie dłuższy niż w ostatecznej wersji, lecz jego forma jest bardzo niedopracowana, brakuje też tytułu. Do najwcześniejszego ukończonego tekstu tytuł został pośpiesznie dodany później i najprawdopodobniej brzmiał „Minstrel wyrzeka się pieśni". Później tytuł został zmieniony na „Ballada o Eärendelu", a w najpóźniejszym tekście na „Polecenie dla minstrela, z Ballady o Eärendelu".

Po pierwotnym brudnopisie powstały jeszcze cztery wersje wiersza, lecz wprowadzone do nich zmiany były drobne, tu podaję go zatem w najpóźniejszej postaci, zauważając jedynie, że pierwotnie minstrel chyba wcześniej zareagował na „polecenie"– w wersie 5., który brzmiał: „A więc słuchajcie o nieśmiertelnej tęsknocie za morzem", przy czym wers 6. zaczynał się od słów „Zaśpiewam pieśń...". Zwracam też uwagę, że słowa „Eldarów" w wersie 6. i „elfów" w wersie 23. to poprawione w najpóźniejszym tekście słowa „wróżków".

„Pieśń nam zaśpiewaj jeszcze o wędrowcu owym,
Eärendelu w jego białowiosłej łodzi,
Pieśń cudowniejszą niźli zdoła człek wysłowić.
Jej ton dźwięczny się z piany morskich głębin zrodził.
Śpiewaj o nieśmiertelnej tęsknocie za morzem,
Śpiewaj nam pieśń Eldarów sprzed światła przemiany,
Upojną niczym wino o letnim wieczorze,
Ciepłym i pełnym woni, i mgiełką spryskanym;
Szumiał ocean w nikłej poświacie przed zmierzchem,
U brzegów wysp samotnych kołysał się statek
Na swej kotwicy, fale toczyły się wieczne
I wiatr wydymał żagle budząc się nad światem.
Mórz tropikalnych wody perliły się lśniące
Tuż pod dziobem, gdy okręt mknął w dalekie strony,
Od swoich budowniczych, hen, na mil tysiące,
Niczym petrel, ptak biały, klejnot uskrzydlony,
Pochylony na falach w podróży bezkresnej,
Krążył, błądził po morzach, śmiało i wytrwale,
Nie znając lęku — jednak do przystani wreszcie
Dopłynął nocą, chociaż nie szukał jej wcale".

„Lecz dziś muzyka prysła, słowa zapomniane,
Księżyc się już postarzał, osłabł słońca promień,
Statki elfów butwieją, zielskiem oplątane,
I gorejący niegdyś zagasł w sercu płomień.
Któż tak teraz zaśpiewa i przy harfie jakiej,
Na tak cudną melodię, z tak bogatym dźwiękiem,
Z tak głęboką harmonią tonów wielorakich,
Z muzyką morskich brzegów czarującą pięknem,
Jak smukła ta łódź była, z jak lśniącego drzewa,
I maszt jej jak wyniosły, żagle jak srebrzyste,
Jak biały nurt spieniony burty jej oblewał,
Sunącej niczym łabędź przez wody przejrzyste?
Ta pieśń, którą dziś śpiewam, jest już tylko cieniem
Złocistych opowieści w dawnych dniach wyśnionych,
Szeptem u drew gasnących, niknącym wspomnieniem
Przeszłości, którą w sercach już niewielu chroni".

III
Wybrzeża Czarodziejskiej Krainy

Wiersz ten w jego najwcześniejszej postaci przytacza Humphrey Carpenter w *Biografii*, s. 120–121[11]. Istnieje on w czterech wersjach, z których w każdej, jak zwykle, pojawiają się drobne zmiany. Ojciec mój zapisał datę jego powstania na trzech z owych wersji: „8–9 lipca 1915"; „Moseley i Edgbaston, Birmingham lipiec 1915 (po drodze pieszo i autobusem). Później częste poprawki — zwł. 1924" oraz „Pierwszy wiersz o mojej mitologii, Valinor .... 1910". Ta data nie mogła oznaczać daty powstania wiersza, a poprzedzające ją nieczytelne słowo może być odczytane jako „obmyślony". Tak czy owak, nie był to chyba „pierwszy wiersz o mitologii" — był nim, jak sądzę, *Éalá Éarendel Engla Beorhtast*, co sugeruje także wzmianka ojca w liście z 1967 roku (zob. s. 324).

Staroangielski tytuł przytoczonego poniżej utworu brzmiał *Ielfalandes Strand* („Wybrzeża Kraju Elfów"). Poprzedza go krótka przedmowa prozą zacytowana powyżej, s. 318–319. Podaję najpóźniejszą jego wersję (której daty powstania nie sposób określić) wraz ze wszystkimi zmienionymi w niej sformułowaniami w stosunku do wersji najwcześniejszej, przedstawionymi w przypisach dolnych.

Na wschód od Księżyca, na zachód od Słońca*
Wzgórze się wznosi samotne;
Stopy zanurza w zielonkawym morzu,
Wieże ma białe i mocne,
Hen za Taniquetilem
W Valinorze.
Tylko jedna gwiazda zjawia się na niebie,
Co sprzed księżyca pierzchła mocy,
I Dwa Drzewa tam nagie rosną obok siebie:

* Najwcześniejsza wersja:
1 wschód [...] zachód ← zachód [...] wschód
7 Nie zjawiają się żadne gwiazdy prócz jednej
8 Co wraz z księżycem polowała
9 I ← Bo

Jedno przynosi srebrne kwiecie Nocy,
Drugie — kuliste Południa owoce
W Valinorze.
Tam są Krainy Czarodziejskiej brzegi —
Żwir na ich plażach oblany księżycem,
A fale pienią się muzyką srebrną
Nad dnem, co błyszczy blaskiem opalowym,
Poza cieniami ogromnymi morza
W dal rozpostarły piaski swe granice,
Które się ciągną wiecznie aż do progów
Drzwi wyrzeźbionych na kształt smoczej głowy —
Do wrót Księżyca
Za Taniquetilem
W Valinorze.
Na wschód od Księżyca, na zachód od Słońca
Gwiazda swą przystań znaleźć może;
Tam jest Wędrowca miasto jasne
I skały Eglamaru.
„Wingelot” w porcie owym zasnął,
Gdy Eärendel patrzy w morze,
Ponad ciemnością wielkich wód,
W dal, w stronę Eglamaru,

---

10 przynosi ← przynosiło
18 granice ← rubieże
19–21 ...do progów / Drzwi wyrzeźbionych na kształt smoczej głowy — / Do wrót Księżyca ← od złotych podnóży Kôru
24 Na wschód od Księżyca, na zachód od Słońca ← O! Na zachód od Księżyca, na wschód od Słońca
27 skały ← skała
28 „Wingelot”] *najwcześniejszy tekst* „Wingelot” > „Vingelot”; *drugi tekst* „Vingelot”; *trzeci tekst* „Vingelot” > „Wingelot”; *ostatni tekst* „Wingelot”
30 Ponad ciemnością wielkich wód ← Na wód magię i morza cud
31 W dal ← Daleko

W najpóźniejszym tekście w wersie 13. na słowie „Czarodziejskiej” jest lekko napisane „Elfów”, a w wersie 27. (tylko) obok słowa „Eglamaru” jest napisane „Eldamaru”; *Eglamar* > *Eldamar* w drugim tekście.

Hen, hen za Taniquetilem
W dalekim Valinorze.

Istnieją ciekawe powiązania między tym wierszem a opowieścią *Przybycie elfów i powstanie Kôru*. Wzgórze, które „się wznosi samotne" w wersie 2., to wzgórze Kôru (por. opowieść, I.148: „Na krańcu tego pasa wody wznosi się [...] samotne wzgórze patrzące ku strzelistym górom"), podczas gdy sformułowania „od złotych podnóży Kôru" (wers zastąpiony przez inny w późniejszych wersjach wiersza) oraz bardzo prawdopodobnie „piaski [...], Które się ciągną wiecznie" wyjaśnia fragment znajdujący się dalej w opowieści (tamże):

> Aulë zniósł tam [tj. do Kôru] cały pył z magicznych metali, powstały w czasie tworzenia wielkich dzieł, i rozsypał go u podnóża, w większości złoty. I tak oto złocisty szlak ciągnął się od stóp Kôru aż ku dalekim kwitnącym Dwóm Drzewom.

Z obrazem „Drzwi wyrzeźbionych na kształt smoczej głowy" (wers 20) por. opis Bramy Nocy w *Ukryciu Valinoru* (I.252):

> Jej filary i nadproże wykuto z masywnego bazaltu, a w nim wyrzeźbiono wielkie smoki z rozdziawionymi paszczami, z których leniwie snuje się mroczny dym.

W opisie tym Brama Nocy nie jest jednakże wrotami Księżyca z wersu 21., ponieważ to Słońce przechodzi przez nią w zewnętrzną ciemność, podczas gdy „Księżyc nie ośmiela się wpływać w pustkę zewnętrznej ciemności z powodu mniejszego światła i majestatu. Podróżuje przeto pod światem [tj. przez wody Vai]".

IV
Szczęśliwi żeglarze

Na koniec przytaczam wiersz, którego tematem jest Wieża Perłowa na Wyspach Zmierzchu. Został on napisany w lipcu 1915 roku[12], a jego wersję opublikowaną (wraz z wierszem *Czemu Człowiek z Księżyca zszedł za wcześnie*) w Leeds w 1923 roku*, pierwszą z dwóch tu przytaczanych, poprzedza sześć tekstów.

(1)

Znam jedno takie okno w wieży na zachodzie,
Co wychodzi na przestwór niebiańskiego morza;
Wiatr, który przedtem gwiazdy okrążał swym tchnieniem,
W jego miękkich draperiach szuka teraz łoża.
Na Wyspach Zmierzchu wznosi się ta wieża biała,
Tam, gdzie Wieczór wieczystym okrywa się cieniem,
Gdy ona, lśniąc jak perły samotnej odłamek,
Odbija nikłe światła, gasnące promienie;
Skałę, na której stoi, morze zmywa wokół,
A obok płyną łodzie do krain półmroku,
Połyskujące lekko, całe wypełnione
Drobnymi iskierkami wschodniego płomienia,
Poławianymi z głębin nieznanego Słońca —
Może słychać tam czasem srebrnej liry drgnienia,
Głosy szarych żeglarzy echem się niosące
W tej wędrówce przez świata cieniste odmęty,
W łodzi bez wioseł, steru, o żaglach zwiniętych;
Czasem słychać stóp tupot i ktoś, zda się, śpiewa,
Czasem dźwiękiem przeczystym jakiś gong rozbrzmiewa.

O, szczęśliwi żeglarze na morskich zalewach,
Wiodących do wrót wielkich na zachodnich brzegach,

* *A Northern Venture* („Wyprawa na północ"): zob. I.239, przypis dolny. Egzemplarz wiersza w przytoczonej tu wersji dostarczył mi uprzejmie Douglas A. Anderson; jest ona tylko nieznacznie zmieniona w stosunku do opublikowanej w „The Stapeldon Magazine" (Kolegium Exeter, Oksford) w czerwcu 1920 roku (*Biografia*, s. 380). — *Twilight* w wersie 5. wersji z Leeds jest niemal na pewno błędem, ponieważ we wszystkich pierwotnych tekstach w tym miejscu figuruje słowo *Twilit*. [*twilight* „zmierzch"; *twilit* „oświetlony światłem zmierzchu" — przyp. tłum.].

Gdzie biją jasne strugi z konstelacji krynic
U odrzwi Nocy, których smocze głowy strzegą,
Spryskanych gwiezdną pianą błyszczącą z głębiny.
Gdy ja, samotny, sięgam poza Księżyc wzrokiem
Z wnętrza mej wietrznej wieży, wysmukłej i białej,
Wy nie czekacie dłużej, nawet chwili małej,
Lecz, niesieni mistycznej melodii urokiem,
Płyniecie w przód przez ciemność i groźne odmęty,
Przez krainy bez słońca do tych łąk zaklętych,
Gdzie gwiazdy na wszechświata ścianie hiacyntowej
Plączą się, rozplatają, wiążą w sploty nowe.
W ślad za Earendelem lśniącym wasze łodzie
Do Wysp błogosławionych płyną na Zachodzie,
I tylko wiatr powraca zza krawędzi cienia
I dźwiękiem szyb z kryształu przelotnie trąconych
O strugach deszczu szemrze magią rozzłoconych,
Lejących się niezmiennie w zamglonych przestrzeniach.

W *Ukryciu Valinoru* (I.251) jest powiedziane, że kiedy zostało uczynione Słońce, Valarowie chcieli przeciągnąć je pod Ziemią, lecz

> Statek jest [...] zbyt kruchy, a nadto podczas prób zanurzania wiele cennego blasku rozlało się i uciekło do nieznanych podmorskich jaskiń. Potem przez długi czas wielu elfów i duszków nurkowało za najdalszym Wschodem, szukając w głębinach owych tajemnych iskier, o czym zresztą powiada pieśń Śpiącego w Wieży Perłowej.

To, że *Szczęśliwi żeglarze* to w istocie „pieśń Śpiącego w Wieży Perłowej", najwyraźniej potwierdzają wersy 10.–13. wiersza.

Jeśli chodzi o „odrzwia Nocy, których smocze głowy strzegą", zob. s. 332. Znaczenie słowa „hiacyntowej" w wyrażeniu „wszechświata ścianie hiacyntowej" (wers 31.) to „niebieskiej"; por. „na tle ciemnoniebieskiego muru" w *Ukryciu Valinoru* (I.252).

Wiele lat później ojciec mój poprawił wiersz i tę jego wersję podaję poniżej. Jeszcze później wrócił do niego ponownie i wprowadził kilka kolejnych zmian (tutaj odnotowanych w przypisach dolnych); wtedy też zanotował, że poprawiona wersja pochodzi z roku „1940?".

(2)

Znam jedno takie okno w wieży na zachodzie,
co wychodzi na przestwór niebiańskiego morza;
zimny powiew nieziemski tchnie ze studni ciemnych*
poza gwiazdami, z głębi pustego bezdroża.
Na Wyspach Zmierzchu wznosi się ta wieża biała,
co z cieni nieprzebranych, odwiecznych wyrasta,
i błyszcząc niby perły samotnej domostwo,
gości zbłąkane światła, nim zbledną i zgasną.

Jej stopy zmywa fala, co nigdy nie drzemie,
a obok niej na Zachód płyną łodzie nieme,
połyskujące lekko, całe wypełnione
ogniem ze wschodu, który w stosach iskier płonie,
poławianych z głębiny,
gdzie ponoć lśnią Słońca drobiny.
Czasem da się tam słyszeć harfy srebrnej drganie,
co ostrym dźwiękiem w serce godzi niespodzianie;
albo u stóp gór stromych, dalekich, wysokich
głosy szarych żeglarzy brzmią echem szerokim,
w tej wędrówce przez świata cieniste odmęty,
w owych statkach bez wioseł, o żaglach zwiniętych,
gdy śpiewają swe pieśni, pieśni o rozłące,
bo żegluga jest długa, a morze bez końca.

O, szczęśliwi żeglarze, niesieni przez fale
hen w dal poza Gondobar i za wyspy szare,

---

* Ostatnie poprawki:
3 „zimny" usunięte
17 albo u stóp gór stromych, dalekich, wysokich ← lub u stóp góry stromej, dalekiej, wysokiej
22 jest ← ich

do owych bram ogromnych na ostatnich brzegach,
gdzie biją jasne strugi z konstelacji krynic
u odrzwi Nocy, których głowy smocze strzegą,
spryskanych gwiezdną pianą błyszczącą z głębiny!
Gdy ja, samotny, sięgam poza Księżyc wzrokiem
z wnętrza mej wietrznej wieży, wysmukłej i białej,
wy nie czekacie dłużej, nawet chwili małej,
płyniecie harf niesieni i pieśni urokiem,
dążycie w dal przez cienie, po mrocznych zalewach,
do ostatniej krainy, gdzie rosną Dwa Drzewa,
ich kwiatem i owocem są księżyc i słońce,
tu wszelkie światło ziemi rodzi się i kończy.

W ślad za Eärendelem mkniecie bez wytchnienia,
za Zachód, w ślad za łodzią jego pełną lśnienia,
za nim, co przez rozwartą paszczę nocy wpłynął
na przestwór mórz zewnętrznych pod ciemnością siną.
Tutaj tylko zbłąkany wiatr wieje czasami,
a potem wraca ciemną drogą w ślad za wami,
przepełniony nieziemskich drzew cudowną wonią.
Tu ja tylko przez okno dostrzegam przelotem,
jak migocą w oddali czasem deszcze złote,
co na zewnętrzne morza krople wiecznie ronią.

Nie potrafię wyjaśnić wzmianki (tylko w poprawionej wersji, wers 24.) o podróży żeglarzy „hen w dal poza Gondobar i za wyspy szare". *Gondobar* („Kamienne Miasto") było jedną z siedmiu nazw Gondolinu (s. 191).

---

30 uwięziony w wietrznej wieży, smukłej i białej,
33–36 *przekreślone*
40 „zewnętrznych" usunięte
41–43 *przekreślone*
46 na zewnętrzne na owe zewnętrzne

Na końcu dodany wers: za krainą, gdzie lśniące Drzewa głowy kłonią.

Przypisy

1. *Falasquil* było nazwą siedziby Tuora na wybrzeżu (s. 184); Oarni, wraz z Falmarínimi i Wingildimi, są nazywani duchami „piany morskiej i fal przyboju" (I.86).
2. *Irildë*: „elfickie" imię odpowiadające gnomickiemu imieniu *Idril*. Zob. „Dodatek. Nazwy własne", hasło *Idril*.
3. „Elwinga z gnomów z Artanoru" to prawdopodobnie pomyłka.
4. Jeśli chodzi o łabędzie skrzydło jako emblemat Tuora, zob. s. 184, 197, 207, 229.
5. Słowa „Idril zniknęła" zastąpiły wcześniejszą wersję: „Sirion został splądrowany i pozostał tylko Serduszko (Ilfrith), który snuje tę opowieść". *Ilfrith* to kolejna wersja elfickiego imienia Serduszka (zob. s. 240).
6. W tym miejscu przekreślone: „Śpiącym jest Idril, lecz on tego nie wie".
7. Por. *Kortitrion wśród drzew* (I. 49, wersy 129–130): „Nie dla mnie już pałace pośród chmur, / gdzie słońce mieszka, ani morza toń". Wersy te zostały zachowane w nieco zmienionej formie w drugiej wersji (z 1937 roku) (I.53).
8. Fragment ten od słów „Zrozpaczony Eärendel..." zastąpił następujący: „[Czeka?] tam [nieczytelne imię, prawdopodobnie *Orlon*] i mówi mu o splądrowaniu Sirionu oraz pojmaniu Elwingi. Podróż Koreldarów i spętanie Melka". Możliwe, że słowa „Podróż Koreldarów" zostały przekreślone przez pomyłkę (por. szkic „B").
9. *Earum* to poprawiona (tylko za pierwszym razem) nazwa *Earam*; za nią widniała nazwa *Earnhama*, lecz została przekreślona. *Earnhama* to w staroangielskim „Orli płaszcz", „Orli strój".
10. Tę wersję wiersza o Eärendelu datują w ten sposób dwa najwcześniejsze zachowane teksty, jeden z dopiskiem „Klub Eseistów Kol[egium] Ex[eter] grudz. 1914"; na trzecim zostało napisane „Gedling, Notts., wrzes. 1913 [błędnie zamiast 1914] i później". W liście do mojej matki z 27 listopada 1914 roku ojciec wspomniał, że przeczytał „Eärendela" na spotkaniu Klubu Eseistów.

11. Zamiast słowa „skały" w wersie 27. (26.) powinno być słowo „skała".
12. Według jednej notatki został napisany w miejscowościach „Barnt Green [zob. *Biografia*, s. 61] lipiec 1915 oraz Bedford i później", a inna notatka podaje datę „24 lipca [1915], poprawiony 9 wrzes.". Pierwotny tekst znajduje się na odwrocie niewysłanego listu napisanego w Moseley (Birmingham) 11 lipca 1915 roku. Ojciec rozpoczął szkolenie wojskowe w Bedford 19 lipca.

VI

Historia Eriola albo Ælfwine'a i koniec opowieści

W tym ostatnim rozdziale dochodzimy do najtrudniejszej (chociaż nie całkiem niemożliwej do rozwikłania, jak mam nadzieję wykazać) części najwcześniejszej postaci mitologii: do jej zakończenia, w którym ważne miejsce zajmują dzieje Eriola/Ælfwine'a, a także związana z nimi historia oraz kwestia pierwotnego znaczenia Tol Eressëi. Dla objaśnienia tych spraw dysponujemy krótkimi fragmentami ciągłej narracji, lecz w dużej mierze polegamy na takich samych materiałach jak te, które składają się na *Opowieść Gilfanona* oraz historię Eärendela: są nimi nieustannie zmieniające się zarysy fabuły pośpiesznie zanotowane na luźnych karteczkach lub na stronach niewielkiego notatnika „C" (zob. s. 307). W niniejszym rozdziale znajduje się dużo materiału i dla wygody posługiwania się odniesieniami wewnątrz niego opatruję cytaty kolejnymi numerami. Należy jednak powiedzieć, że żadna metoda przedstawienia tych materiałów nie zdoła w znaczącym stopniu zmniejszyć ich wewnętrznej złożoności i mgławicowości.

Najpełniejszy (choć bardzo pobieżny) opis marszu elfów z Kôru oraz następujących później wydarzeń znajduje się w notatniku „C". Jest to kontynuacja opowieści od miejsca, w którym na s. 310 porzuciłem ten szkic po tym, jak z Gondolinu przybyły ptaki, po „naradach bogów i oburzeniu elfów" oraz po „marszu Inwirów i Telerich", kiedy to Solosimpi zgadzają się towarzyszyć tej wyprawie jedynie pod warunkiem, że pozostaną w pobliżu morza. Historia rozwija się dalej:

(1) Przybycie Eladrów. Obozowisko pierwszego hufca w Krainie Wierzb. Pokonanie Noldorina i Valwëgo. Wędrówki Noldorina z harfą.

Tulkas pokonuje Melka w bitwie nad Milczącymi Rozlewiskami. Spętany w Lumbi i strzeżony przez Gorgumotha, ogara Mandosa.

Uwolnienie Noldolich. Natychmiast po powrocie Tulkasa i Noldorina do Valinoru wojna z ludźmi.

Noldoli poprowadzeni do Valinoru przez Egalmotha i Galdora.

W *Zaginionych opowieściach* już wcześniej pojawiały się wzmianki o Bitwie w Tasarinanie, Krainie Wierzb: w *Opowieści o Turambarze* (s. 88, 169), a zwłaszcza w *Upadku Gondolinu* (s. 187), gdzie w opisie pobytu Tuora w tej krainie wspomina się o wydarzeniach mających się tam rozegrać w przyszłości:

> Czyż nawet po czasach Tuora nie pojawili się tu Noldorin i jego Eldarowie, szukający Dor Lóminu, ukrytej rzeki oraz jaskiń, w których byli więzieni gnomowie; a jednak, znalazłszy się tak blisko celu wyprawy, mieliby go porzucić? W istocie, kiedy tak tu spali i tańczyli [...] otoczyły ich gobliny pośpiesznie wysłane przez Melka ze Wzgórz z Żelaza i Noldorinowi ledwie udało się stamtąd umknąć.

Valwë został wspomniany wcześniej raz, przez Linda, podczas pierwszego wieczoru Eriola w Mar Vanwa Tyaliéva (I.24–25): „mój ojciec Valwë, który udał się z Noldorinem na poszukiwanie gnomów". O Noldorinie wiemy także to, że był Valarem imieniem Salmar, bliźniakiem Ómara zwanego Amillem, że wkroczył do świata razem z Ulmem i że w Valinorze grał na harfie i lirze oraz że miłował Noldolich (I.85, I.94, I.116, I.152).

Oddzielna notatka głosi:

(2) Noldorin ucieka po porażce w Krainie Wierzb, bierze harfę i udaje się w Góry Żelazne na poszukiwanie Valwëgo i gnomów, aż znajduje miejsce ich uwięzienia. Za nim udaje się Tulkas. Na jego spotkanie wychodzi Melko.

Jedynym spośród wielkich Valarów, o którym wspomina się w tych notatkach jako o biorącym udział w ekspedycji do Wielkich Krain, jest Tulkas, lecz jakakolwiek historia kryłaby się za jego obecnością, mimo gniewu i smutku Valarów wywołanych przez Marsz Elfów (zob. s. 312), jest ona nie do odzyskania. (Bardzo delikatna wskazówka na ten temat znajduje się w dwóch oddzielnych notatkach: „Tulkas daje — albo elfowie biorą ze sobą *limpë*" oraz „bogowie [Oromë? Tulkas?] dają *limpë*, kiedy elfowie opuszczają Valinor", por. *Ucieczka Noldolich* [I.197]: „Nie mieli jednak *limpë*, ten bowiem eliksir elfowie otrzymali znacznie później, po podjęciu przez gnomów Marszu Wyzwolenia"). Zgodnie z tekstem (1) Tulkas walczył z Melkiem i go pokonał „w bitwie nad Milczącymi Rozlewiskami"; a Milczące Rozlewiska to Rozlewiska Półmroku, „gdzie później Tulkas walczył z Melkiem" (*Upadek Gondolinu*, s. 232; pierwotna wersja brzmiała „gdzie później Noldorin i Tulkas walczyli").

Nazwa *Lumbi* występuje w innym miejscu jako trzecia siedziba Melka, a w notatniku „C" znajduje się dość tajemniczy wpis: „Lumfad. Siedziba Melka po uwolnieniu. Zamek Lumbi". Lecz ta opowieść również zaginęła.

Godne uwagi jest to, że jak powiedziano we fragmencie (1), Noldolich zaprowadzili z powrotem do Valinoru Egalmoth i Galdor. Przeczy temu bezpośrednio stwierdzenie zamieszczone w liście nazw własnych do *Upadku Gondolinu* (s. 258), że Egalmoth został zabity w ataku na osadę u ujścia Sirionu, kiedy to pojmano Elwingę, a pośrednio przytoczony poniżej tekst (3) zawierający informację, że elfom nie pozwolono zamieszkać w Valinorze.

Jedyna inna wzmianka dotycząca tych wydarzeń znajduje się w pierwszym z czterech szkiców składających się na *Opowieść Gilfanona*, który nazwałem tam „A" (I.273). Brzmi ona:

(3) Marsz elfów do świata.
Schwytanie Noldorina.
Obóz w Krainie Wierzb.
Armia Tulkasa nad Rozlewiskami Półmroku ...... i [wielu?] gnomów, lecz atakują ich ludzie przybyli z Hisilómë.
Klęska Melka.
Zburzenie Angamandi i uwolnienie jeńców.
Wrogość ludzi. Gnomowie zabierają niektóre klejnoty.
Elwinga i większość elfów wracają na Tol Eressëę. Bogowie nie chcą pozwolić im na zamieszkanie w Valinorze.

Różni się to wyraźnie od tekstu (1): tutaj Noldorin zostaje schwytany, a zanim dochodzi do klęski Melka, atak przypuszczają ludzie z Hisilómë. Najbardziej godne uwagi jest jednak stwierdzenie, że bogowie nie pozwalają elfom zamieszkać w Valinorze. Nie ma powodu sądzić, że zakaz ten dotyczył jedynie czy też głównie Noldolich. Tekst (3) nie odnosi się w szczególności do gnomów, a z zakazem niewątpliwie wiąże się „[s]mutek i gniew bogów" w czasie Marszu Elfów (s. 307). Co więcej, w *Dworku Zabawy Utraconej* (I.24) jest powiedziane, że kiedy Ingil, syn Inwëgo, wrócił na Tol Eressëę, powróciła wraz z nim „większość najpiękniejszych i najmędrszych, najweselszych i najmilszych ze wszystkich Eldarów" oraz że miasto, które tam wybudował, otrzymało nazwę „Koromas, czyli Miejsce Odpoczynku Wygnańców z Kôru" (I.25). To wyraźnie należy wiązać ze stwierdzeniem w tekście (3), że „większość elfów [wraca] na Tol Eressëę", oraz z tym, co zostało przytoczone na s. 309: „Wojny z ludźmi i odejście na Tol Eressëę (Eldarowie nie są w stanie znieść konfliktu rozgrywającego się na świecie)". Sądzę, że wskazówki te, rozpatrywane razem, nie pozostawiają żadnych wątpliwości, iż w pierwotnej koncepcji mojego ojca Eldarowie z Valinoru wyruszyli do Wielkich Krain wbrew woli Valarów; wraz z uratowanymi Noldolimi wrócili przez Ocean, lecz spotkawszy się z odmową ponownego wpuszczenia do Valinoru, osiedli na Tol Eressëi jako „Wygnańcy z Kôru". Niektórzy z nich powrócili jednak w końcu do Valinoru, co można wywnioskować ze słów Meril-i-Turinqui (I.155), że Ingil, który wybudował Kortirion, „dawno temu wrócił do Valinoru i zamieszkał z Manwëm". Lecz we wczesnych koncepcjach Tol Eressëa pozostawała krainą wróżków, Wygnańców z Kôru, Eldarów i gnomów posługujących się zarówno językiem eldarissa, jak i noldorissa.

Wydaje się, że jeśli chodzi o pierwotną historię pojawienia się pomocy z Zachodu i ponownego ataku na Melka, nie ma już nic więcej do powiedzenia ani żadnych innych materiałów do odnalezienia.

Pierwotna wersja zakończenia całej opowieści miała zostać w całości odrzucona. Jej znajomość w dużym stopniu opiera się na znajdującym się w notatniku „C" szkicu kontynuującym opowieść od przytoczonego powyżej fragmentu (1); tekst ten jest bardzo surowy i chaotyczny. Podaję go tu po niewielkiej obróbce redaktorskiej.

(4) Po odejściu Eärendela i przybyciu elfów na Tol Eressëę (a większość z tych wydarzeń przynależy do historii ludzi) mijają długie wieki; ludzie rozprzestrzeniają się i prosperują, a elfowie z Wielkich Krain gasną. Ich postura się zmniejsza, a postura ludzi rośnie. Ludzie i elfowie byli wprzódy jednego wzrostu, chociaż ludzie zawsze byli roślejsi[1].

Melko ponownie ucieka dzięki pomocy Tevilda (który w ciągu długich wieków przegryza jego więzy); wśród bogów panuje niezgoda co do ludzi i elfów, jedni bowiem darzą przychylnością tych pierwszych, a inni tych drugich. Melko udaje się na Tol Eressëę i próbuje wzniecić niesnaski wśród elfów (między gnomami i Solosimpimi), którzy, skonsternowani, wysyłają wieści do Valinoru. Nie przybywa żadna pomoc, jednak Tulkas przysyła potajemnie Telimektara (Taimonta[2]), swego syna.

Telimektar ze srebrnym mieczem oraz Ingil zaskakują i ranią Melka, który ucieka i wspina się na wielką Sosnę Tavrobelu. Zanim Invirowie opuścili Valinor, Belaurin (Palúrien[3]) dała im nasiono i powiedziała, by go strzegli, gdy bowiem zakiełkuje, szeroko się o tym rozejdą wieści. Zostało jednak zapomniane i rzucone do ogrodu Gilfanona, i wyrosła z niego potężna sosna, sięgająca aż do Ilwë i gwiazd[4].

Telimektar z Ingilem ścigają Melka i pozostają teraz w niebiosach, by ich strzec, on zaś skrada się wysoko nad strefą powietrza, bez przestanku usiłując ukrzywdzić Słońce, Księżyc i gwiazdy (zaćmienia, meteory). Jego zamiary są wciąż udaremniane, lecz za pierwszym razem — twierdząc, że bogowie skradli mu ogień, by je uczynić — obalił Słońce i Urwendi wpadła do Morza, a jej Statek zniżył się ku powierzchni gruntu tak, że niektóre rejony Ziemi zostały przypieczone. Od tamtej pory blask Słońca nie jest już tak przejrzysty i umknęło z niego nieco magii. Dlatego już od dawna wróżkowie tańczą i śpiewają słodszymi głosami oraz są lepiej widoczni w blasku Księżyca — z powodu śmierci Urwendi.

„Ponowne rozpalenie Magicznego Słońca" odnosi się częściowo do Drzew, a częściowo do Urwendi.

Wściekłość i rozpacz Fionwëgo. W końcu to on zada śmierć Melkowi.

„Orion" to tylko wyobrażenie Telimektara na niebie? [*sic!*] Varda dała mu gwiazdy, a on wynosi je wysoko, żeby bogowie wiedzieli, że czuwa; pochwę jego miecza zdobią diamenty, a kiedy nadejdzie Wielki Koniec i Telimektar dobędzie miecza, nabierze ona czerwonej barwy.

Lecz teraz Telimektar i Gil[5], który podąża za nim jako Pszczoła Błękitna, dają odpór złu i Varda natychmiast zastępuje wszystkie gwiazdy, które obluzowuje i zrzuca Melko.

Chciaż to polecenie bogów budzi rozpacz, Sosna zostaje ścięta i w ten sposób Melko pozostaje poza światem — lecz kiedyś znajdzie drogę powrotu i rozpoczną się ostatnie ogromne wzburzenia przed Wielkim Końcem.

Zło, które nadal się wydarza, pojawia się w ten sposób. Bogowie potrafią zasiać różne rzeczy w sercach ludzi, lecz nie elfów (stąd ich trudne relacje w dawnych czasach Wygnania Gnomów) — a chociaż Melko siedzi na zewnątrz, obgryzając paznokcie i gniewnie spoglądając na świat, to może namawiać do zła ludzi o odpowiednim usposobieniu — a zarazem kłamstwa, które zasiał dawniej, wciąż się rozrastają i rozprzestrzeniają.

Dlatego Melko może powodować krzywdy, szkody i zło w świecie jedynie za pośrednictwem ludzi, a ze względu na długi pobyt wśród ludzi ma na nich wpływ większy i subtelniejszy niż Manwë lub którykolwiek z bogów.

W tych wczesnych zapiskach stykamy się z prymitywną mitologią, gdzie Melko jest sprowadzony do groteskowej postaci ściganej po pniu ogromnej sosny, która zostaje następnie ścięta, by utrzymać go z dala od świata, a on „skrada się wysoko nad strefą powietrza" albo „siedzi na zewnątrz, obgryzając paznokcie" i przewraca Statek Słońca, w wyniku czego Urwendi wpada do Morza — i, co bardzo dziwne, traci życie.

To, że Ingil (Gil), który wraz z Telimektarem ściga Melka, ma być tożsamy z Ingilem, synem Inwëgo, który zbudował Kortirion, jest pewne i wynika z kilku notatek; zob. „Dodatek. Nazwy własne" w cz. 1 *Zaginionych opowieści*, hasła *Ingil, Telimektar*. Oto najpełniejsza wersja mitu o Orionie, który jest wspomniany w *Opowieści o Słońcu i Księżycu* (I.215, I.234):

a także Nielluina [Syriusza], Pszczołę Lazurową, widzialną dla wszystkich ludzi jesienią i zimą, gdy płonie opodal stopy Telimektara, syna Tulkasa, wszelako opowieść o nim czeka na swoją kolej.

W słowniczku gnomickiego jest powiedziane (I.303), że Gil wzniósł się na niebiosa i „na podobieństwo wielkiej pszczoły niosącej miód płomienia" ruszył za Telimektarem. To prawdopodobnie oznacza koncepcję odmienną od tej przedstawionej powyżej, wedle której Ingil „dawno temu wrócił do Valinoru i zamieszkał z Manwëm" (I.155).

Jeśli chodzi o wzmiankę o tym, że Fionwë „w końcu" zada śmierć Melkowi, por. koniec *Ukrycia Valinoru* (I.255):

> Fionwë-Úrion, syn Manwëgo, z miłości do Urwendi sprowadzi na Melka ostateczną zgubę, świat pustosząc dla unicestwienia wroga, i wówczas wszystko obróci się wniwecz.

Por. również *Opowieść o Turambarze*, s. 137, gdzie jest powiedziane, że Turambar „stanie obok Fionwëgo podczas Wielkiej Zagłady".

Jeśli chodzi o przepowiednie i nadzieje elfów dotyczące ponownego rozpalenia Magicznego Słońca, zob. s. 349–350.

Szkic „C" biegnie dalej i kończy się w następujący sposób (tutaj także podaję go z bardzo nieznacznymi poprawkami redaktorskimi):

(5) Mijają dłuższe wieki. Gilfanon jest teraz najstarszym i najmędrszym elfem na Tol Eressëi, lecz nie wywodzi się z Inwirów — dlatego Panią Wyspy jest Meril-i-Turinqi.

Na Tol Eressëę dociera Eriol. Przebywa w Kortirion. Udaje się do Tavrobelu, by spotkać się z Gilfanonem, i bawi w domu stu kominów — jest to bowiem ostatni warunek, jaki ma spełnić przed skosztowaniem *limpë*. Gilfanon prosi go, by, zanim się napije, spisał wszystko, co słyszał.

Eriol pije *limpë*. Gilfanon mówi mu, co się wydarzy; że w głębi serca jest przekonany (chociaż wróżkowie mają nadzieję, że będzie inaczej), iż Tol Eressëa stanie się siedzibą ludzi. Gilfanon przepowiada również wydarzenia związane z Wielkim Końcem, z Zagładą Rzeczywistości, z Fionwëm, Tulkasem i Melkiem oraz z ostatnią walką na Równinach Valinoru.

Eriol umiera w Tavrobelu, lecz ostatnie dni życia wypełnia mu przemożna tęsknota za czarnymi klifami jego wybrzeży — tak jak powiedziała Meril.

Księga leżała nietknięta w domu Gilfanona przez długie wieki ludzi.

Opowieść podejmuje kompilator Złotej Księgi, jeden z potomków praojców ludzi. [*Obok tego jest napisane*:] Może o wiele lepiej będzie pozwolić, by rzeczy ostateczne ujrzał i dokończył księgę sam Eriol.

Powstanie Zaginionych Elfów przeciwko orkom i Nautarom[6]. Nie nadszedł jeszcze czas Wyprawy, lecz wróżkowie uważają, że jest konieczna. Za pośrednictwem Ulma uzyskują pomoc Uina[7], a Tol Eressëa zostaje oderwana od dna i przeciągnięta w pobliże Wielkich Krain, w okolice przylądka Rôs. Przez tak powstałą cieśninę zostaje przerzucony magiczny most. Rozbicie korzeni wyspy, którą osadził tak dawno temu i wokół której rośnie tak wiele jego rzadkich morskich cudów, budzi gniew Ossëgo. Kiedy usiłuje przeciągnąć wyspę z powrotem, odłamuje się jej zachodnia połowa i stanowi teraz wyspę Íverin.

Bitwa o Rôs: elfowie wyspiarscy i Zaginieni Elfowie przeciwko Nautarom, gongom[8], orkom i nielicznym nikczemnym ludziom. Klęska elfów. Gasnący elfowie wycofują się na Tol Eressëę i kryją w lasach.

Na Tol Eressëę przybywają ludzie, a także orkowie, krasnoludowie, gongowie, trolle itp. Po Bitwie o Rôs elfowie gasną ze smutku. Nie mogą oddychać tym samym powietrzem, którym oddychają ludzie dorównujący im lub przewyższający ich liczebnością, a w miarę jak ludzie stają się coraz potężniejsi i liczniejsi, wróżkowie gasną, robią się mniejsi i wątlejsi, prawie przezroczyści i przejrzyści, natomiast ludzie stają się roślejsi, cięższi, bardziej prostaccy. W końcu prawie żaden z nich nie potrafi już dostrzec wróżków.

Bogowie mieszkają teraz w Valinorze i rzadko nawiedzają świat, zadowalając się powstrzymywaniem żywiołów przed całkowitym unicestwieniem ludzi. Bardzo boleją nad tym, co widzą, *lecz ponad wszystkim jest Ilúvatar.*

Na następnej stronie naprzeciwko ustępu dotyczącego Bitwy o Rôs jest napisane:

Wielka bitwa między ludźmi na Wrzosowisku Dachu Niebios (teraz Zwiędłe Wrzosowiska), mniej więcej staje od Tavrobelu. Elfowie i Dzieci uciekają, przeprawiając się przez rzeki Gruir i Afros.

„Właśnie się zbliżają i kończy się nasza wielka opowieść".

Księga znaleziona w ruinach domu stu kominów.

To, że Gilfanon był najstarszym spośród elfów z Tol Eressëi, chociaż tytuł Pani Wyspy dzierżyła Meril, jest powiedziane także w *Opowieści o Słońcu i Księżycu* (I.208); lecz najbardziej godne uwagi jest to, że w tym szkicu pojawia się Gilfanon (nie Ailios, który snuje opowieść o Nauglafringu i którego Gilfanon zastąpił, zob. I.230 przyp. 19 oraz I.267 i nast.). Musi to zatem oznaczać, że szkic powstał w późniejszym okresie tworzenia *Zaginionych opowieści*.

Warto również zwrócić uwagę na wzmianki o piciu *limpë* przez Eriola w „domu stu kominów" Gilfanona. W *Dworku Zabawy Utraconej* (I.25) Lindo powiedział Eriolowi, że nie może mu dać do skosztowania *limpë*:

> Tylko Turinqi częstuje nim tych spoza szczepu Eldarów, a ten, kto go skosztuje, musi mieszkać wśród nich na Wyspie, dopóki nie wyprawią się na poszukiwanie zaginionych rodzin współbraci.

Sama Meril-i-Turinqi, kiedy Eriol poprosił ją o łyk *limpë*, potraktowała go surowo (I.121):

> [j]eśli wypijesz ten napój, [...] nawet podczas Wyprawy, [...] gdy w końcu wybuchnie wojna między Eldarami i ludźmi, przyjdzie ci stanąć po naszej stronie przeciwko dzieciom własnego plemienia, i wiedz, że nie prędzej niż wtedy odwiedzisz strony ojczyste, mimo dręczącej cię tęsknoty...

W tekście opisanym w części 1 (I.267 i nast.) Eriol żali się Lindowi, że jego prośba została odrzucona. Chociaż Lindo przestrzega go, by nie „myślał o przekroczeniu granic ustanowionych przez Ilúvatara", Eriol mówi, że Meril nie odmówiła mu napitku nieodwołalnie. W notatce do owego tekstu ojciec mój napisał, że Eriol udaje się do Tavrobelu i „po Tavrobelu kosztuje *limpë*".

Stwierdzenie w tym fragmencie szkicu „C", że „ostatnie dni życia [Eriola] wypełnia mu przemożna tęsknota za czarnymi klifami jego wybrzeży — tak jak powiedziała Meril", wyraźnie nawiązuje do ustępu w *Skowaniu Melka*, który cytowałem już poprzednio:

> Kiedy jesień dmuchnie porywistym wiatrem, a pędzona nim mewa zakwili nad głową, napłyną wspomnienia i przepełni cię pragnienie powrotu na czarne ojczyste brzegi (I.120).

Wzmianka Linda w przytoczonym powyżej fragmencie *Dworku Zabawy Utraconej* o wyprawie elfów z Tol Eressëi „na poszukiwanie zaginionych rodzin współbraci" (I.25) musi podobnie odnosić się do wzmianek w tekście (5) o Wyprawie (chociaż nie nadeszła jeszcze odpowiednia pora), o „powstaniu Zaginionych Elfów przeciwko orkom i Nautarom" oraz o tym, że w Bitwie o Rôs uczestniczyli „elfowie wyspiarscy i Zaginieni Elfowie". Nie jest jasne, kogo dokładnie należy rozumieć pod określeniem „Zaginieni Elfowie", lecz w *Opowieści Gilfanona* (I.270) wszyscy elfowie z Wielkich Krain, „którzy nigdy nie ujrzeli światła Kôru" (Ilkorinowie), bez względu na to, czy opuścili Wody Przebudzenia, czy nie, są nazywani „zaginionymi wróżkami świata" i wydaje się, że takie jest znaczenie tego określenia w omawianym tekście. Należy zatem przypuszczać, że na Tol Eressëi mieszkali tylko Eldarowie z Kôru („Wygnańcy") oraz Noldorowie oswobodzeni z niewoli u Melka. Wyprawa miała być wielką ekspedycją z Tol Eressëi mającą na celu uratowanie tych, którzy nigdy nie opuścili Wielkich Krain.

W tekście (5) spotykamy się z koncepcją przeciągnięcia Tol Eressëi przez Ocean z powrotem na wschód, na geograficzną pozycję Anglii — i ona staje się Anglią (zob. I.36). To, że część odłamana przez Ossëgo, wyspa Íverin, to Irlandia, jest bezpośrednio stwierdzone w słowniku języka quenya. Przylądek Rôs może być Bretanią.

W tekście tym znajduje się również klarowne wyjaśnienie zjawiska „gaśnięcia" elfów, ich fizycznego zmniejszania się i coraz większej wiotkości i przezroczystości, aż stają się niewidzialni (i w końcu nieprawdopodobni) dla prostackiej ludzkości. To jest centralna koncepcja wczesnej mitologii: „wróżkowie", jakich wyobrażają sobie teraz ludzie (o ile jest to wyobrażenie właściwe), stali się właśnie tacy. A nie tacy zawsze byli. I może najbardziej godne uwagi w tym ciekawym fragmencie jest ostateczne i właściwie całkowite wycofanie się bogów (Ilúvatar „do nich upodobnił Eldarów", I.75) ze spraw „świata", Wielkich Krain za morzem. Wydaje się, że je obserwują, ponieważ się martwią, a zatem nie są wcale obojętni na to, co dzieje się na ziemiach ludzi; lecz od tej pory pozostają całkowicie nieobecni, ukryci na Zachodzie.

Wkrótce zostaną wyjaśnione inne aspekty tekstu (5) dotyczące Złotej Księgi Tavrobelu oraz Bitwy na Wrzosowisku Dachu Niebios. Poniżej przytaczam oddzielny ustęp znaleziony w notatniku „C" i zatytułowany „Ponowne rozpalenie Magicznego Słońca. Wyprawa".

(6) Przepowiednia elfów głosi, że pewnego dnia wyprawią się oni z Tol Eressëi i po przybyciu do świata zgromadzą wszystkich swoich gasnących współbraci, którzy nadal tam żyją, i wyruszą pieszo ku Valinorowi — przez krainy południa. Tego dokonają jedynie z pomocą ludzi. Jeśli ludzie im pomogą, to wróżkowie zaprowadzą ich do Valinoru — tych, którzy zechcą tam się udać — stoczą wielką bitwę z Melkiem w Erumáni i otworzą Valinor[9]. Laurelin i Silpion zostaną rozpalone na nowo, a po zniszczeniu górskiej bariery na cały świat spłynie miękka poświata; Słońce i Księżyc zostaną odwołane. Jeśli ludzie przeciwstawią się elfom i pomogą Melkowi, nastąpi Zagłada Bogów i koniec wróżków — i może też Wielki Koniec.

Na przeciwnej stronie jest napisane:

> Jeśli Drzewa zostaną zapalone na nowo, to wszystkie drogi prowadzące do Valinoru staną otworem — a żeglowanie po Morzach Cienia będzie mogło odbywać się swobodnie i bez przeszkód — ludzie oraz elfowie zakosztują błogostanu bogów, a Mandos opustoszeje.

To jest proroctwo, które wyraźnie kryje się za tym, co Vairë powiedziała Eriolowi (I.28): „po Wyprawie, gdy synowie i córki człowiecze zatłoczą drogi przez Arvalin do Valinoru".

Ponieważ kiedy Dwa Drzewa znowu będą dawać światło, a „Słońce i Księżyc zostaną odwołane", wydaje się, że tutaj „ponowne rozpalenie Magicznego Słońca" (za które wzniesiono toast w Mar Vanwa Tyaliéva, I.25, I.84) odnosi się do ponownego zapalenia Drzew. Jednak we fragmencie (4) „»Ponowne rozpalenie Magicznego Słońca« odnosi się częściowo do Drzew, a częściowo do Urwendi", podczas gdy w *Opowieści o Słońcu i Księżycu* (I.213) Yavanna najwyraźniej rozdziela te dwie koncepcje:

> „Wiele rzeczy dokona się i przeminie, bogowie się zestarzeją i niewielu elfów zostanie na świecie, zanim ujrzycie ponowne rozpalenie tych Drzew lub Magicznego Słońca". Bogowie nie pojęli wówczas jej słów o Magicznym Słońcu, ani potem przez długi czas nie przejrzeli ich treści.

Fragment (xix) na s. 321 nie daje wyjaśnienia tej wzmianki: Eärendel „co pewien czas powraca z firmamentu z Voronwëm do Kôru, by sprawdzić, czy zostało rozpalone Magiczne Słońce i wrócili wróżkowie"; lecz w przytoczonej poniżej oddzielnej notatce „Ponowne rozpalenie Magicznego Słońca" wyraźnie oznacza ponowne wzniesienie Urwendi:

(7) Urwendi uwięziona przez Móru (wyrzucona za burtę statku przewróconego przez Melka i od tej pory magiczny jest tylko Księżyc). Do jej uwolnienia i ponownego rozpalenia Magicznego Słońca doprowadzi Wyprawa i Bitwa o Erumáni.

O „przewróceniu" Statku Słońca przez Melka i utracie „magii" przez Słońce wspomina się także we fragmencie (4), gdzie stwierdza się ponadto, że Urwendi wpadła do morza i że poniosła „śmierć". W opowieści *Kradzież klejnotów przez Melka* jest powiedziane (I.181), że w jaskini, w której Melko spotkał Ungweliantę, zostały później uwięzione Słońce i Księżyc, „odwieczna zjawa Móru" była bowiem w istocie Ungweliantą (zob. I.309). Bitwa o Erumáni jest także wspomniana w tekście (6) i możliwe, że należy ją utożsamiać z „ostatnią walką na Równinach Valinoru" przepowiadaną przez Gilfanona w tekście (5), lecz jego ostatnia część wykazuje, że Wyprawa poszła na marne, a przepowiednie się nie spełniły.

Nie ma żadnych innych wzmianek na temat Bitwy o Rôs ani o tym, że wielki wieloryb Uin przeciągnął Tol Eressëę przez Ocean do wyspy Íverin, lecz zachował się ciekawy tekst dotyczący następstw „wielkiej bitwy między ludźmi na Wrzosowisku Dachu Niebios (teraz Zwiędłe Wrzosowiska), mniej więcej o staje od Tavrobelu" (zakończenie fragmentu [5]). Jest on bardzo pośpiesznie napisany ołówkiem, nadzwyczaj trudny i nosi tytuł „Epilog". Zaczyna się krótkim wstępem:

(8) Eriol ucieka z gasnącymi elfami z Bitwy o Wysokie Wrzosowisko (Ladwen-na-Dhaideloth) i przekracza rzeki Gruir i Afros.

Ostatnie słowa księgi Opowieści. Napisane przez Eriola w Tavrobelu, zanim zapieczętował księgę.

Odzwierciedla to rozwój wypadków przedstawionych jako pożądane w tekście (5), a mianowicie „by rzeczy ostateczne ujrzał i dokończył księgę sam Eriol"; lecz oddzielna notatka w „C" świadczy, że ojciec mój wciąż nie był do takiego zakończenia przekonany nawet mimo istnienia „Epilogu": „Prolog napisany przez autora z Tavrobelu [*tzn. taki Prolog jest potrzebny*] z wyjaśnieniem, jak znalazł zapiski Eriola i je zgromadził. Jego epilog po opisie bitwy o Ladwen Daideloth".

Rzeki Gruir i Afros pojawiają się również w ustępie dotyczącym bitwy pod koniec tekstu (5). Ponieważ jest tam powiedziane, że Wrzosowisko znajdowało się w odległości mniej więcej staja od Tavrobelu, te dwie rzeki są najwyraźniej rzekami wspomnianymi w *Opowieści o Słońcu i Księżycu*: „nad rzekami stoi Wieża Tavrobelu" (I.208 oraz zob. I.229 przyp. 2). W rozproszonych notatkach bitwa ta jest także nazywana „Bitwą o Niebiański Dach" oraz „Bitwą o Dor-na-Dhaideloth"[10].

Poniżej przytaczam tekst „Epilogu":

A oto przybliżył się kres wszystkiego, co piękne, i tak cała uroda, jaka jeszcze zdobiła ziemię — cząstki niewyobrażalnego uroku Valinoru, skąd dawno, dawno temu przybył lud elfów — idzie ninie z dymem. Zawartych jest tu kilka opowieści, źle odtworzonych wspomnień, o całej magii i cudowności wypełniających obszar pomiędzy tym miejscem a Eldamarem, które, przywiedziony mymi błądzącymi nogami na tę smutną wyspę, poznałem lepiej niż jakikolwiek inny śmiertelny człek.

Opowiedziałem o wszystkich bolesnych wydarzeniach tej ostatniej bitwy na wyżynnym wrzosowisku, którego dachem jest rozległe niebo, jakie widziałem — a pod błękitnymi fałdami szaty Manwëgo nie było innego miejsca tak bliskiego niebiosom ani tak dobrze nakrytego jego rozległym sklepieniem.

Gasną już elfowie w smutku, Wyprawa wniwecz się obróciła i już tylko sam Ilúvatar wie, czy Drzewa zostaną zapalone ponownie za istnienia tego świata. Wymknąłem się oto przed wieczorem z owego zniszczonego wrzosowiska i uciekałem krętym szlakiem wzdłuż doliny Szklanego Ruczaju, atoli zachodzące Słońce poczerniły dymy pożarów, a wody strumienia skaziła wojna ludzi i brud ich zmagań. Napełniło się wówczas me serce goryczą na widok kości szlachetnej ziemi obnażonych przez wiatr tam, gdzie burzycielskie ręce ludzi rozdarły wrzosy i paprocie i spaliły je w ofierze dla Melka oraz z żądzy niszczenia. Miejsca rojące się od pszczół, które cały dzień brzęczały wśród kolcolistów i krzaczków borówek i dawno temu niosły gęsty miód do Tavrobelu — miejsca owe zmieniły się teraz w rowy i [kopce?] czerwonej ziemi i nic już tam nie śpiewało ni tańczyło prócz niezdrowych wyziewów i much roznoszących zarazę.

Kiedy zgasło Słońce, przybyłem do tego magicznego lasu, gdzie wśród później wyrosłych buków i smukłych brzóz stały niegdyś niewzruszone, odwieczne dęby, lecz wszystkie zostały powalone bezlitosnymi toporami bezmyślnych ludzi. Ach, tu oto była ścieżka utwardzona zaklęciami, opleciona muzyką i czarami wijącymi się wzdłuż niej, i tędy elfowie mieli w zwyczaju jeździć na polowanie. Widziałem ich tam niejeden raz, a wśród nich Gilfanona; puszczali się w pościg za zwierzyną niby królowie, uroda ich twarzy w blasku słońca była niczym świeży poranek, ich złociste włosy powiewające na wietrze niczym splendor jasnych kwiatów falujących o świcie, a głośna muzyka ich głosów niczym morze, niczym trąbki i dźwięki licznych skrzypiec i złotych harf nieprzeliczonych. Widziałem też lud Tavrobelu w blasku Księżyca; elfowie ci przemierzali konno albo też tanecznym krokiem dolinę dwóch rzek, gdzie szary most przeskakuje nad ich połączonymi wodami; a poruszali się szybko, odziani jak we śnie, obsypani klejnotami podobnymi kroplom szarej rosy w trawie, a ich białe szaty odbijały długie promienie Księżyca ...... a ich włócznie drżały od srebrzystych płomieni.

A teraz spadły na elfów smutek i ......, opustoszał Tavrobel i wszyscy uciekli, [bojąc się?] nieprzyjaciela, który siedzi na zniszczonym wrzosowisku niecałe staje dalej, którego dłonie są czerwone od elfiej krwi i poplamione żywotami odebranymi współbraciom, który sprzymierzył się z Melkiem i Władcą Nienawiści, który walczył dla orków, gongów i ohydnych potworów tego świata — nieprzyjaciela ślepego, głupiego i za całą wiedzę mającego zniszczenie. Ścieżki wróżków zamienił w zakurzone drogi, gdzie [snuje się ze znużeniem?] pragnienie i nikt nie pozdrawia innych wędrowców, lecz mija ich, posępny.

I tak gasną elfowie, i stanie się tak, że z powodu wód otaczających tę wyspę, a jeszcze bardziej ze względu na niezaspokojoną miłość do niej nieliczni tylko uciekną, lecz w miarę tego, jak ludzie będą na niej wzrastać, robić się coraz grubsi, a mimo to coraz bardziej ślepi, elfowie będą gasnąć coraz bardziej i robić się coraz mniejsi. Ludzie żyjący w późniejszych latach będą drwić, mówiąc: „Kimże są ci wróżkowie — to kłamstwa opowiadane dzieciom przez kobiety albo niemądrych mężczyzn, kimże są ci wróżkowie?". A nieliczni będą im odpowiadać: „Wyblakłe wspomnienia, zjawa o zanikającej urodzie wśród drzew, szelest trawy, lśnienie rosy, delikatny zaśpiew wiatru"; a inni jeszcze, mniej liczni, będą mówić ...... „Bardzo drobni i delikatni są teraz wróżkowie, a mimo to mamy oczy, którymi widzimy, i uszy, którymi słyszymy, a Tavrobel i Kortirion wciąż są zamieszkałe przez [ten?] uroczy lud. Zna wróżków wiosna i lato, i zimą nadal przebywają wśród nas, lecz pojawiają się głównie jesienią, jesień bowiem to ich pora roku, chociaż oni sami przeżywają jesień swoich dni. Jacy będą ziemscy marzyciele, kiedy nadejdzie ich zima.

Słuchajcie, bracia moi, powiedzą wtedy; grają trąbki, słyszymy dźwięki instrumentów niewyobrażalnie małych. Niczym powiewy wiatru, niczym na wpół przezroczyste mistyczne istoty wyrusza dziś wieczorem konno Gilfanon, Władca Tavrobelu, otoczony współbraćmi i poluje na elfie jelenie pod bladnącym niebem. Muzyka zapomnianych stóp, lśnienie liści, nagłe pochylenie traw[11], smutne głosy szemrzące na moście — i już ich nie ma.

Lecz oto Tavrobel nie będzie znał swej nazwy i cała kraina się zmieni, i nawet te spisane przeze mnie słowa zapewne zaginą; odkładam zatem pióro i przestaję opowiadać o wróżkach.

Innym tekstem odnoszącym się do tych kwestii jest napisany prozą wstęp do poematu *Kortirion wśród drzew* (1915), który został przytoczony w *Księdze zaginionych opowieści* cz. 1 (I.35–36), a który powtarzam tutaj:

(9) Po wielkich wojnach z Melkiem i po upadku Gondolinu wróżkowie osiedli na Samotnej Wyspie. Tam zbudowali pośrodku piękne miasto otoczone drzewami. Nazwali je Kortirion na pamiątkę swej starożytnej siedziby Kôr w Valinorze, a także dlatego, że również stało na wzgórzu i miało wysoką szarą wieżę, wzniesioną z woli ich władcy Ingila, syna Inwëgo.

Korition była piękna i umiłowana przez mieszkańców, bogata w śpiew, poezję i radosny śmiech. Powstała jednak w czasie Wyprawy i wróżkowie rozpaliliby Magiczne Słońce Valinoru, gdyby nie zdrada i małoduszność ludzi. Stało się, że Magiczne Słońce zgasło, Samotna Wyspa została przeciągnięta w granice Wielkich Krain, a jej mieszkańcy rozproszyli się po nieprzyjaznych ścieżkach szerokiego świata. Człowiek wziął w posiadanie nawet tę zapomnianą wyspę i nie dba o jej dawne dzieje albo nie chce o nich wiedzieć. Wciąż jednak przebywają tam niektórzy z dawnych Eldarów i Noldolich, a ich pieśni niosą się po brzegach wyspy, która była niegdyś najpiękniejszą siedzibą nieśmiertelnego ludu.

I zdaje się wróżkom, i mnie się zdaje, znam bowiem to miasto i często stąpałem po jego zniszczonych uliczkach, że jesienią, w porze opadania liści, otwierają się niektóre serca i oczy człowiecze, i wówczas dostrzec można ubogość świata po utracie dawnej radości i piękna. Pomyśl o Kortirion i zasmuć się — czyż nie ma już nadziei?

W tym miejscu możemy zająć się historią samego Eriola. Wczesne koncepcje mojego ojca dotyczące żeglarza, który przybył na Tol Eressëę, również są zaledwie aluzyjnymi szkicami na kartkach notatnika „C". Części tego materiału nie da się sensownie przedstawić. Być może najwcześniejszy jest zbiór notatek zatytułowanych „Historia życia Eriola", które przytoczyłem w części 1 (I.33–34), lecz z pominięciem niektórych nieprzydatnych tam stwierdzeń. Notatki te przytaczam ponownie tutaj, dodając pominięte wcześniej fragmenty.

(10) Eriol, pierwotnie zwany *Ottorem*, ale mówiący o sobie *Wǽfre* (staroangielskie słowo oznaczające „niespokojny", „wędrujący"), spędzał życie na morzu. Jego ojciec, Eoh (staroangielskie słowo znaczące „koń"), został zabity przez swojego brata Beorna albo „podczas oblężenia", albo „podczas wielkiej bitwy". Ottor Wǽfre osiadł na wyspie Heligoland na Morzu Północnym i poślubił kobietę o imieniu *Cwén*; mieli dwóch synów nazwanych *Hengest* i *Horsa*, „aby pomścić Eoha".

Potem Ottora Wǽfre ogarnęła tęsknota za morzem (był „synem Eärendela, gdyż urodził się w jego blasku) i po śmierci Cwén Ottor opuszcza swoje małe dzieci. Hengest i Horsa mszczą się za Eoha i zostają wielkimi wodzami. Ottor Wǽfre wyrusza na poszukiwanie Tol Eressëi (*se uncúþa holm*, „nieznana wyspa"), i ją znajduje.

Na Tol Eressëi, odmłodzony przez *limpë* (tutaj nazywanym także staroangielskim słowem *líp*), bierze ślub z Naimi (Éadgifu), której ciotką była Vairë, i płodzi z nią syna imieniem *Heorrenda.*

Następnie jest powiedziane, nieco bez związku (chociaż kwestia ta sama w sobie jest bardzo interesująca i nie powraca już nigdzie indziej), że Eriol opowiedział wróżkom o takich postaciach, jak *Wóden*, *Þunor*, *Tíw* itp. (są to staroangielskie imiona germańskich bogów, którym odpowiadają staroskandynawskie *Oðinn*, *Þorr*, *Týr*), a oni utożsamili je z Manwegiem, Tulkasem oraz trzecią postacią, której imię jest nieczytelne, lecz nie jest podobne do imienia żadnego z wielkich Valarów.

Eriol przyjął imię *Angol.*

Zatem za pośrednictwem Eriola i jego synów *Engle* (tj. Anglicy) poznali prawdziwą spuściznę wróżków, o których *Íras* i *Wéalas* (Irlandczycy i Walijczycy) opowiadają zniekształcone historie.

W ten sposób powstały specyficznie angielskie przekazy o wróżkach, i to prawdziwsze niż cokolwiek, co można znaleźć na ziemiach celtyckich.

O ślubie Eriola na Tol Eressëi nie wspomina się nigdzie indziej; lecz jego syn Heorrenda został wymieniony (chociaż nie jest nazwany synem Eriola) w „łączniku do *Upadku Gondolinu*" (s. 176) jako ten, który „później" przełożył jedną z pieśni panien Meril na język swojego ludu. Nieco więcej światła na postać Heorrendy zostanie rzucone w dalszej części niniejszego rozdziału.

Z tymi dwiema notkami wiąże się strona tytułowa i przerwany po kilku wersach prolog:

(11)

Złota Księga Heorrendy
czyli księga
Opowieści z Tavrobelu

Heorrenda z Hægwudu

Księgę tę napisałem, posługując się zapiskami sporządzonymi przez ojca mego Wǽfre (którego gnomowie nazywali od jego kraju ojczystego Angolem) podczas jego pobytu na tej świętej wyspie za czasów elfów; wiele dodałem też o sprawach, których oczy jego później już nie oglądały; chociaż o sprawach tych jeszcze mówić nie należy. Wiedzcie bowiem

Tutaj zatem Złota Księga powstała z zapisków Eriola zebranych przez jego syna Heorrendę — w przeciwieństwie do tekstu (5), gdzie ułożył ją ktoś nieznany z imienia, a także w przeciwieństwie do „Epilogu" (8), gdzie księgę dokończył i zapieczętował sam Eriol.

Jak stwierdziłem wcześniej (I.34), imię *Angol* ma związek ze starożytną ojczyzną „Anglików" sprzed ich migracji przez Morze Północne (jeśli chodzi o etymologię imion *Angol/Eriol* „żelazne klify", zob. I.34, I.298–299).

(12) Do szkicu (10) jest też dołączona zgodna z nim tablica genealogiczna. Została sporządzona w dwóch wersjach, które różnią się od siebie tylko w jednym miejscu: zamiast Beorna, brata Eoha, w tej drugiej figuruje *Hasen z Isenóry* (*isenóra* to w staroangielskim „żelazne wybrzeże"). Natomiast pod koniec tablicy został wprowadzony fakt zasadniczy, jeśli chodzi o wszystkie te najwcześniejsze materiały dotyczące Eriola i Tol Eressëi: Hengest i Horsa, synowie Eriola, których urodziła Cwén na wyspie Heligoland, i Heorrenda, jego syn urodzony przez Naimi na Tol Eressëi, są ujęci jedną klamrą, a poniżej ich imion jest napisane:

pokonali Íeg
(„seo unwemmede Íeg")
teraz zwany Englalandem
i tam mieszka lud Angolcynn, czyli Engle.

íeg to staroangielskie słowo „wyspa"; *seo unwemmede íeg* znaczy „nieskażona wyspa". Wspomniałem wcześniej (I.35, przypis) o wierszu, który ojciec mój napisał w Étaples w czerwcu 1916 roku, zatytułowanym *Samotna Wyspa* i odnoszącym się do Anglii — ma on staroangielski tytuł *seo Unwemmede íeg*.

(13) W notatniku „C" znajdują się następnie zapiski, które precyzyjnie utożsamiają miejsca na Tol Eressëi z miejscami w Anglii.

Najpierw jest objaśniona nazwa *Kortirion*. Cząstka *Kôr* pochodzi od wcześniejszego słowa *Qorǎ*, wywodzącego się od jeszcze wcześniejszego *Guorǎ*; lecz od tego ostatniego pochodzi również (w języku gnomickim) forma *Gwâr*. (Zgadza się to z zapisem w słowniczku gnomickiego, zob. I.305). Tak więc *Kôr* = *Gwâr*, a *Kortirion* = **Gwarmindon* (asterysk oznacza formę hipotetyczną, niezanotowaną). W nazwie używanej w języku gnomickim jej elementy były przestawione: *Mindon-Gwar*. (*Mindon*, podobnie jak *Tirion*, znaczył — i nigdy się to nie zmieniło — „wieża". Znaczenie *Kôr/Gwâr* nie jest tu podane, lecz zarówno w opowieści *Przybycie elfów* [I.148], jak w słowniczku gnomickiego [I.305] figuruje wyjaśnienie, że nazwa ta odnosi się do krągłości wzgórza Kôru).

Notatka głosi dalej (przy użyciu form staroangielskich): „W Wíelisc *Caergwâr*, w Englisc *Warwíc*". Zatem cząstka *War-* w nazwie *Warwick* wywodzi się z tego samego angielskiego źródła, co *Kor-* w *Kortirion* i *Gwar* w *Mindon-Gwar*[12]. Na koniec pada stwierdzenie, że „stolicą Hengesta było Warwick".

Następnie Horsa (brat Hengesta) jest kojarzony z miejscowością *Oxenaford* (staroangielski: Oxford), który ma q[uenejski] odpowiednik *Taruktarna*, a gnomicki **Taruithorn* (zob. „Dodatek. Nazwy własne", s. 431).

Trzeci syn Eriola, Heorrenda, miał swoją „stolicę" w Great Haywood (wioska w Staffordshire, w której moi rodzice mieszkali w latach 1916–1917, zob. I.35); nazwa ta otrzymuje odpowiedniki: quenejskie *Tavaros(së)* oraz *Taurossë*, gnomickie *Tavrobel* oraz *Tavrost*, a także „Englisc [tj. staroangielskie] *Hægwudu se gréata, Gréata Hægwudu*"[13].

Notatki te kończą się stwierdzeniem, że „Heorrenda nazwał Kôr albo Gwâr »Tûnem«". W kontekście owych koncepcji jest to wyraźnie staroangielskie słowo *tún*, „ogrodzona siedziba", z którego rozwinęło się współczesne słowo *town* „miasto" oraz końcówka nazw miejscowych *-ton*. Nazwa *Tûn* pojawiła się w *Zaginionych opowieściach* kilka razy jako późniejsza poprawka lub alternatywna wersja nazwy *Kôr*. Zmiany te niewątpliwie pochodziły z późniejszego okresu, w którym miasto nosiło nazwę *Tûn*, a nazwa *Kôr* była ograniczona do wzgórza, na którym stało — lub taką sytuację zapowiadały. Jeszcze później ta pierwsza nazwa przekształciła się w nazwę *Túna*, a kiedy miasto elfów otrzymało nazwę *Tirion*, wzgórze stało się *Túną*, jak w *Silmarillionie;* przestało wówczas już mieć jakiekolwiek konotacje z „siedzibą" i całkowicie oderwało się od swego pochodzenia, przedstawionego tutaj jako staroangielskie *tún*, „miasto" Heorrendy.

Czy można te wszystkie materiały zebrać w spójną narrację? Sądzę, że tak (co prawda przyznaję, że w kwestii życiorysu Eriola istnieją pewne różnice nie do pogodzenia), i odtworzyłbym ją w następujący sposób:

— Eldarowie i uratowani Noldoli opuścili Wielkie Krainy i przybyli na Tol Eressëę.

— Na Tol Eressëi zbudowali wiele miast i wsi, a w Alalminórë, centralnym rejonie wyspy, Ingil, syn Inwëgo, zbudował miasto Koromas, „Miejsce Odpoczynku Wygnańców z Kôru" („Wygnańców", ponieważ nie mogli powrócić do Valinoru), które od potężnej wieży Ingila wzięło nazwę *Kortirion* (zob. I.25).

— Z Heligolandu na Tol Eressëę przybył Ottor Wǽfre i zamieszkał w Dworku Zabawy Utraconej w Kortirion; elfowie nazywali go *Eriolem* lub *Angolem* od „żelaznych klifów" jego ojczyzny.

— Po pewnym czasie, zdobywszy wielką wiedzę o pradawnej historii bogów, elfów i ludzi, Eriol odwiedził Gilfanona we wsi Tavrobel i tam spisał wszystko, czego się dowiedział; tam również skosztował w końcu *limpë*.

— Na Tol Eressëi Eriol się ożenił i spłodził syna imieniem *Heorrenda* (półelfa!). (Według tekstu [5] Eriol umarł w Tavrobelu z tęsknoty za „czarnymi klifami jego wybrzeży", lecz według tekstu [8], z całą pewnością późniejszego, dożył Bitwy na Wrzosowisku Dachu Niebios).

— Zaginieni Elfowie z Wielkich Krain powstali przeciwko panowaniu sług Melka; doszło do niewczesnej Wyprawy, kiedy to Tol Eressëa została przeciągnięta przez Ocean z powrotem na wschód i zakotwiczona u brzegów Wielkich Krain. Kiedy Ossë usiłował przeciągnąć ją z powrotem, odłamała się zachodnia jej część i stała się wyspą Íverin (= Irlandia).

— Tol Eressëa znalazła się teraz na geograficznej pozycji Anglii.

— Wielka bitwa o Rôs zakończyła się porażką elfów, którzy wycofali się i ukryli na Tol Eressëi.

— Na Tol Eressëę wkroczyli źli ludzie w towarzystwie orków i innych wrogich istot.

— Niedaleko Tavrobelu rozegrała się Bitwa na Wrzosowisku Dachu Niebios; oglądał ją (według tekstu [8]) Eriol, który dokończył pisanie Złotej Księgi.

— Elfowie zgaśli i stali się niewidzialni dla niemal wszystkich ludzi.

— Synowie Eriola, Hengest, Horsa i Heorrenda, zdobyli wyspę, która stała się „Anglią". Nie byli wrodzy elfom i to za ich pośrednictwem Anglicy poznali „prawdziwą spuściznę wróżków".

— Kortirion, pradawna siedziba wróżków, stała się znana w języku Anglików jako Warwick; mieszkał tam Hengest; Horsa osiadł w Taruithornie (Oksfordzie), a Heorrenda w Tavrobelu (Great Haywood). (Według tekstu [11] Heorrenda dokończył Złotą Księgę).

Rekonstrukcja ta może nie być „właściwa" we wszystkich jej częściach; w gruncie rzeczy jest możliwe, że każda taka próba jest sztuczna, ponieważ opiera się na założeniu, że wszystkie te notatki i zapiski mają równe znaczenie, a wszystkie pomysły powstały w jednym czasie i są ze sobą powiązane. Niemniej uważam, że w głównych zarysach rekonstrukcja dobrze pokazuje, jak mój ojciec chciał uporządkować narrację *Zaginionych opowieści*. Uważam ponadto, że taka właśnie koncepcja nadal stanowi podstawę *Opowieści* w ich zachowanej postaci, przedstawionych w niniejszych książkach.

Dla wygody będę później nazywał tę narrację „opowieścią o Eriolu". Jej najciekawszymi cechami, w przeciwieństwie do późniejszej opowieści, są: przekształcenie Tol Eressëi w Anglię oraz wczesne (w stosunku do całej historii) pojawienie się żeglarza oraz jego znaczenie.

W gruncie rzeczy ojciec mój (zanim zdecydował się na radykalną zmianę całej koncepcji) rozwijał warianty, w których znaczenie tej postaci byłoby dużo większe.

(14) Z bardzo szkicowych zapisków można wywnioskować, że Eriola tak miała dręczyć tęsknota za domem, że wbrew rozkazowi Meril-i-Turinqi odpłynął z Tol Eressëi ze swoim synem Heorrendą (zob. fragment *Skowania Melka* przytoczony na s. 348); jednak powodem tej decyzji było również „przyśpieszenie Wyprawy", do którego Eriol namawiał w krajach wschodu. Tol Eressëa została przeciągnięta z powrotem w granice Wielkich Krain, lecz od razu najechały ją wrogie ludy zwane *Guiðlinami* oraz *Brithoninami* (a w jednej z owych notatek także *Rúmhothami*, Rzymianami). Eriol umarł, lecz jego synowie Hengest i Horsa pokonali Guiðlinów. Jednak z powodu nieposłuszeństwa Eriola, który wbrew rozkazowi Meril powrócił, zanim nastał czas sprzyjający Wyprawie, „wszystko zostało przeklęte" i z powodu wrzawy i zła wywołanego wojną elfowie zgaśli. Oddzielne zdanie mówi o „dziwnej przepowiedni, głoszącej, iż człek dobrej woli, lecz tęskniący za człeczymi sprawami, może sprawić, że Wyprawa spełznie na niczym".

Tak więc Eriol miał odegrać zasadniczą rolę w historii elfów, nie ma jednak śladów tego, że pomysły na taki rozwój wydarzeń wyszły poza owo wstępne stadium.

Stwierdziłem, że przytoczona wyżej rekonstrukcja („opowieść o Eriolu") w głównych zarysach stanowi podstawę ram konstrukcyjnych *Zaginionych opowieści*. Jest tak ze względu na powody zarówno pozytywne, jak i negatywne. Pozytywne, ponieważ Eriol wciąż nosi w niej to właśnie imię (zob. s. 368) i ponieważ Gilfanon, który pojawia się (zastępując Ailiosa) późno w narracji *Zaginionych opowieści*, występuje także we fragmencie (5), który jest jednym z głównych składników tej rekonstrukcji. Negatywne, ponieważ w gruncie rzeczy nie ma nic, co uniemożliwiałoby przyjęcie najłatwiejszego założenia. W *Zaginionych opowieściach* nigdzie nie jest wyraźnie powiedziane, że Eriol przybył z Anglii. Na początku (I.21) jest on tylko „podróżnikiem z dalekich stron", a fakt, że historia jego wcześniejszego życia, jaką przedstawił Vëannë (s. 10–14), zgadza się z innymi opisami, w których jest wyraźnie powiedziane, iż jego dom znajduje się w Anglii, dowodzi jedynie tego, że sama historia pozostała niezmieniona, w przeciwieństwie do geografii — tak jak „czarne wybrzeża" jego ojczyzny przetrwały w późniejszych tekstach, by stać się zachodnimi wybrzeżami Brytanii, podczas gdy najwcześniejsza wzmianka o nich istnieje w etymologii słowa *Angol* „żelazne klify" (tak brzmi jego imię, = *Eriol*, z krainy „między morzami", Angeln na Półwyspie Jutlandzkim, skąd przybył: zob. I.298). W gruncie rzeczy istnieje bardzo wczesny odrzucony szkic życia Eriola, zawierający zasadnicze elementy tej samej opowieści — atak na siedzibę jego ojca (w tym wypadku zniszczenie zamku Eoha przez jego brata Beorna, zob. tekst [10]), niewolę i ucieczkę Eriola — i w tej notatce jest powiedziane, że potem Eriol „wędrował po pustkowiach Środkowych Krain do Morza Wewnętrznego, *Wendelsæ* [staroangielski: Morze Śródziemne], a stamtąd do wybrzeży Zachodniego Morza", skąd pierwotnie przybył jego ojciec. Wydaje się, że wzmianka w maszynopisie „łącznika do *Opowieści o Tinúviel*" (s. 12) o dzikich ludziach z Gór Wschodu, *które książę widział ze swojej wieży*, również świadczy o tym, że w owym czasie pierwotny dom Eriola znajdował się w jakimś „kontynentalnym" rejonie.

O ile się orientuję, jedyna sugestia, że pogląd ten może nie być słuszny, znajduje się we wczesnym wierszu o złożonej historii, którego teksty przytaczam poniżej.

Istnieją najwcześniejsze brudnopisy tego wiersza; jego pierwotny tytuł brzmiał „Hołd wędrowca" i nie jest jasne, czy od początku był planowany jako wiersz w trzech częściach. Ojciec mój dopisał później w tych brudnopisach śródtytuły, dzieląc wiersz na trzy segmenty: „Preludium", „Miasto w głębi lądu" oraz „Miasto pełne smutku", i nadając całości tytuł „Miasto pełne smutku", a także dopisał datę: 16–18 marca 1916. Ogólny tytuł późniejszego jedynego zachowanego tekstu całego wiersza to *Miasto snów i miasto teraźniejszego smutku*, a jego trzy części są zatytułowane „Preludium" (staroangielskie *Foresang*), „Miasto snów" (staroangielskie *Þæt Slǽpende Tún*) i „Miasto teraźniejszego smutku" (staroangielskie *Seo Wépende Burg*). Na tej wersji tekstu widnieje data: „Marzec 1916, Oksford i Warwick; poprawione Birmingham listopad 1916". „Miasto snów" to Warwick nad rzeką Avon, a „Miasto teraźniejszego smutku" to Oksford nad Tamizą podczas I wojny światowej. W wierszu tym nie ma żadnych wyraźnych nawiązań do Eriola czy *Zaginionych opowieści*.

Preludium

Za dni dawno minionych mych ojców przodkowie
Przybyli, potem z każdym nowym pokoleniem
Wrastali silniej w sady i nadrzeczne łąki,

W wysokie trawy równin wonnych i zielonych,
Przez wiele lat patrzyli, jak wśród trzciny płowej
Słońce roznieca żółtych irysów płomienie
I wiele razy kwiecia niezliczone pąki
Przeszły w złocisty owoc w ogrodach strzeżonych.

Żonkile pod drzewami swe głowy kłoniły
I śmiech mężów rozbrzmiewał tam wesołym graniem
Kiedy śpiewali głośno pieśń, uszczęśliwieni,
W znoju pracy codziennym i przy pełnym dzbanie.
Sen tam przychodził łatwo przy brzęku pszczół miłym
Rojących się w ogródkach obsypanych kwieciem;
W tych dniach pełnych miłości i słońca promieni
Tak ich życie płynęło w tym dostatnim świecie —
Ale to minęło,
Teraz już nie śpiewają, nie żną i nie sieją;
A ja w tak wielu miastach tej wyspy mieszkałem,
Wieczny tułacz, co nigdzie nie spoczął na stałe.

Miasto snów

Tutaj wiele dni cichych przewlekło się po mnie
W tym moim drogim, starym mieście zapomnienia,
Tu wszystko sny oplotły, kiedym spał spokojnie
I ze świata nie słyszał żadnych ech cierpienia,
Co w szeleście listowia wiązów zanikały,
Gdy Avon na płyciznach bulgotał, melodie
Tkając swe nieskończone, a po jego fali
Spływały świty, zmierzchy, aż nadeszła Jesień
(Jak liście, co się sypią wirem w złotych wstęgach,
A potem ciemna rzeka te płomyki niesie,
Gdy płyną wolno, tam gdzie nasz wzrok już nie sięga).

Oto śpią tutaj — zamek i wieża potężna,
Bardziej wyniosłe niźli najroślejsze wiązy,
Bardziej szare niż deszcze ulewne jesieni;
Żadna godzina triumfu ni chwila zwycięstwa,
Ani żadna odmiana pór roku nie zbudzi
Ich starych władców, co już zbyt długo uśpieni.

Ich snu niewzruszonego nigdy nic nie zmąca,
Nawet promień, co w tańcu nurt strumienia trąca,
Ni ten deszcz, co je smaga, ni śnieg, co je skrywa,
Ni wiatr marca, co kłęby pyłu z ziemi zrywa,
Ni Wiąz, co wielolistną szatę na się wdziewa
Jak w roku zatłoczonym wiele chwil zebranych,
Wciąż ich serca starego rozpacz nie zalewa,
Nie rozumieją bowiem, że zło się przybliża,
Dzisiaj — to wielki smutek, Jutro — lęk nieznany:
W ich salach słabe echa nikną niczym duchy,
Światło dnia pełza sennie po ich murach głuchych.

Miasto teraźniejszego smutku

Jest takie jedno miasto, co w oddali leży,
W dolinie wyciosanej za dni zapomnianych —
Mniej tam wiązów wyniosłych, trawy rozleglejsze,
Cięższe od rzecznych woni nizinne powietrze.
Wiele wierzb tam wyrosło wzdłuż długich pobrzeży,
Gdzie strumyki leniwe krętymi drogami
Wpływały do Tamizy, a ponad jej łonem
Szerokim pnie wierzbowe gięły się schylone,
Drobne cienie się kładły na jej rozlewisku,

Zwieszone nad srebrzystą wodą siwe liście
Tkały szatę z klejnotów błyszczącą świetliście,
O zielonkawym, bladym i modrym połysku.

O miasto stare, w którym czas zbyt szybko płynie,
Widzę, jak w twoich oknach w tej oto godzinie
Płoną lampy i świece dla ludzi odeszłych.
Mgliste gwiazdy koroną wieńczą twoje skronie,
Noc cię szatą okrywa; w twojej magii tonie
Me serce, i znów oto wracają dni przeszłe,
Szare świty, wieczory przyćmione przynoszą
Odgłosy dawnych zmierzchów i poranków białych,
Tyś mych tęsknot i mojej radości istotą,
Do ciebie duch mój, często tańcząc we śnie, bieży
Po szerokich ulicach lub zaułkach małych
Oświetlonych nocami latarenką złotą —
Inne miasta z pamięci jego uleciały,
Zapomniał o drzewami opasanej wieży
I o grodzie snów owym, gdzie już nikt nie śpiewa.
Twoje serce wie wszystko i wiele łez lejesz
Nad złem i smutkiem, jaki niosą z sobą dzieje.
Twych wieżyczek i iglic strzelistych tysiące
Błyszczą ogniście niczym płomienie jarzące,
Gdy wiele dzwonów echem donośnym rozbrzmiewa,
Ożywiając wspomnienia o dniach pełnych chwały,
Które dziś wietrzne lata po drogach rozwiały;
I w twoich salach jeszcze duch twój pieśni śpiewa,
Co wśród łez przywołują dni minionych pamięć
Lub nadzieję dni przyszłych przyćmionych lękami.
Choć na ścieżkach twych śmiechu nie słychać już teraz,
Gdy wojna twoich synów na zawsze zabiera,
W tym zła przypływie twoja chwała nie zatonie
Strojna w smutny majestat, w gwiaździstej koronie.

Poza tym tekstem istnieją jeszcze dwa inne, w których część *Miasta teraźniejszego smutku* została potraktowana jako odrębna całość. Zaczyna się ona słowami „O miasto stare, w którym czas zbyt szybko płynie" i jest krótsza; kończy się po wersie „Inne miasta z pamięci jego uleciały" czterema wersami:

Zapomniał na chwil kilka o ludzkiej niedoli
I szczęściem przepełniony piosenkę ci śpiewa:
„W tym zła przypływie twoja chwała nie zatonie
Strojna w smutny majestat, w gwiaździstej koronie!"

Początkowo tekst ten nosił tytuł „Miasto pełne smutku", lecz został on później zmieniony na *Wínsele wéste, windge reste réte berofene* (*Beowulf* wersy 2456–2457, lekko zmienione: „sala biesiadna pusta, miejsca odpoczynku omiatane wiatrem, obrabowane ze śmiechu").

Istnieją także dwa rękopisy, w których *Miasto snów* jest traktowane jako oddzielny wiersz noszący podtytuł „Powrót do pewnego starego miasta", a w jednym z nich główny tytuł został później zmieniony na „Miasto martwych dni".

W końcu istnieje podzielony na dwie części wiersz zatytułowany *Pieśń Eriola*. Zachował się on w trzech rękopisach; późniejsze z nich zawierają drobne poprawki naniesione na ten pierwszy manuskrypt (lecz trzeci rękopis to tylko druga część wiersza).

Pieśń Eriola

Eriol w Komnacie Ognia Snucia Opowieści zaśpiewał pieśń opowiadającą o tym, jak jego stopy poniosły go w drogę, na której końcu znalazł Samotną Wyspę i owo najpiękniejsze miasto Kortirion.

1

Za dni dawno minionych mych ojców przodkowie
Przybyli, potem z każdym nowym pokoleniem
Wrastali silniej w sady i nadrzeczne łąki,
W wysokie trawy równin wonnych i zielonych:

Przez wiele lat patrzyli, jak wśród trzciny płowej
Słońce roznieca żółtych kosaćców płomienie
I wiele razy kwiecia niezliczone pąki
Przeszły w złocisty owoc w ogrodach strzeżonych.

Żonkile pod drzewami swe głowy kłoniły
I śmiech mężów rozbrzmiewał tam wesołym graniem
Kiedy śpiewali głośno pieśń, uszczęśliwieni,
W znoju pracy codziennym i przy pełnym dzbanie.

Sen tam przychodził łatwo przy brzęku pszczół miłym
Rojących się w ogródkach obsypanych kwieciem;
W tych dniach pełnych miłości i słońca promieni
Tak ich życie płynęło w tym dostatnim świecie —
Ale to minęło,
Teraz już nie śpiewają, nie żną i nie sieją;
A ja w tak wielu miastach tej wyspy mieszkałem,
Wieczny tułacz, co nigdzie nie spoczął na stałe.

2

Wojny potężnych królów, stali szczęk surowy,
Włócznie tak mnogie jako w polu kłosy zboża
I miecze, jakich żaden człowiek nie wysłowi,
Rozlały się po Wielkich Krainach, i Morza

Zahuczały od floty; języki płomieni
Pożerały osady, miasta i pól plony;
Każdy gród był złupiony albo się przemienił
W stos gorejący; na nim skarby i korony,

Królowie i ich ludy, i dziewice gładkie —
Wszyscy spłonęli. Cisza trwa nad dziedzińcami,
Zwalono wieże, których dawny zarys blaknie,
I nikt już nie przechodzi przez zburzone bramy.

Na tych polach mój ojciec poległ w krwawym boju,
Matka umarła z głodu w mieście oblężonym,
A ja, jeniec, słyszałem ryk fali przyboju —
To morza mnie wołały, wołały, aż do nich

Duch mój w dal się wyrywał, ku brzegom zachodnim,
Skąd niegdyś mojej matki przybyli przodkowie;
Zerwałem więzy, biegłem przez martwe pustkowie,
Aż moich stóp dosięgły wody tego morza,
Aż me uszy ogłuszył pomruk fali chłodny,
I chlupot, i ryk wściekły zachodniego morza —
Ale to minęło,
Teraz znam fale, co się w tych zatokach leją,
Przylądki zmierzchu ciche, mglisty archipelag,
Wszystkie słone pustacie między tą zaklętą
Wyspą a wybrzeżami, które wciąż pamiętam.

Na jednym z rękopisów *Pieśni Eriola* widnieje późniejsza notka: „Easington 1917–1918" (Easington przy ujściu rzeki Humber, zob. *Biografia*, s. 148). Możliwe, że druga część wiersza została napisana w Easington i dodana do już istniejącej pierwszej części (poprzednio zatytułowanej „Preludium").

Z wiersza niewiele da się wywieść materiału o ściśle narracyjnym charakterze prócz zarysów tej samej opowieści: ojciec Eriola poległ „w krwawym boju", kiedy „[w]ojny potężnych królów [...] [r]ozlały się po Wielkich Krainach", a jego matka umarła „z głodu w mieście oblężonym" (to samo sformułowanie zostało użyte w „Łączniku do *Opowieści o Tinúviel*" [s. 13]); on sam dostał się do niewoli, lecz z niej uciekł i w końcu przybył do wybrzeży Zachodniego Morza (skąd wywodził się lud jego matki).

Fakt, że pierwszą częścią *Pieśni Eriola* jest także „Preludium" wiersza, którego tematem są Warwick i Oksford, może prowadzić do wniosku, że zamek z potężną wieżą górującą nad rzeką w historii, którą Eriol opowiedział Vëannë, był zamkiem w Warwick. Ja tak jednak nie uważam. W każdym razie pozostaje w mocy zastrzeżenie, że trudno byłoby z tym pogodzić atak przypuszczony na zamek przez ludzi z Gór Wschodu, które książę widział ze swojej wieży. Sądzę ponadto, że jasne jest, iż pierwotny trzyczęściowy wiersz został podzielony, a „Preludium" otrzymało nowe znaczenie: „ojców przodkowie" mojego ojca stali się „ojców przodkami" Eriola. Zarazem pewne intensywne obrazy były jednocześnie dominujące i niestałe, a kiedy (jak zostanie wkrótce wykazane) struktura historii żeglarza została w radykalny sposób zmieniona, wielka wieża z ojczyzny Eriola miała się stać wieżą Kortirion albo Warwick. I nic nie mogłoby wyraźniej ukazać złożoności zalążków, z których powstała ta historia, niż ewolucja tego wiersza.

Humphrey Carpenter tak napisał w *Biografii* o życiu mojego ojca po powrocie do Oksfordu w 1925 roku (s. 241–242):

> Tolkien nanosił liczne poprawki i zmieniał bohaterów głównych opowieści cyklu: zdecydował się na odrzucenie pierwotnego imienia żeglarza, „Eriola", który ich wysłuchiwał, i zastąpienie go „Ælfwinem", czyli „przyjacielem elfów".

To, że *Eriol* został (na jakiś czas) zastąpiony *Ælfwine'em*, jest pewne. Lecz chociaż to całkiem możliwe, że w okresie powstawania tekstów, którymi teraz się zajmę, imię *Eriol* rzeczywiście zostało odrzucone, to w pierwszej wersji właściwego „Silmarillionu", napisanej w 1926 roku, *Eriol* pojawia się ponownie, a w najwcześniejszych *Kronikach Valinoru*, napisanych w latach 30. XX wieku, jest powiedziane, że zostały one przetłumaczone na Tol Eressëi „przez Eriola z Leithien, to jest Ælfwine'a z Angelcynnów". Z drugiej strony, wydaje się, że dostępne dowody pozwalają traktować te dwa imiona istniejące w tym wcześniejszym okresie jako wyznaczniki odmiennych wizji narracyjnych — „opowieści o Eriolu" i „opowieści o Ælfwinie".

„Ælfwine" jest zatem związany z nową koncepcją, powstałą już po napisaniu *Zaginionych opowieści*. W drugim „projekcie" *Opowieści*, który określiłem jako „niezrealizowany pomysł przeredagowania całości dzieła" (zob. I.273), żeglarzem jest Ælfwine, nie Eriol. Teraz, przed przytoczeniem trudnego dowodu tego twierdzenia, można podkreślić zasadniczą różnicę: Tol Eressëa w żaden sposób nie jest już utożsamiana z Anglią, a opowieść o przeciągnięciu Samotnej Wyspy z powrotem przez morze została zarzucona. Anglia w gruncie rzeczy wciąż znajduje się w centrum tej późniejszej koncepcji i nosi nazwę *Luthany*[14]. Żeglarz,

Ælfwine, jest Anglikiem, który od wybrzeży Brytanii płynie na zachód. Jego rola została umniejszona, bo podczas gdy w dotąd analizowanych tekstach przybywa na Tol Eressëę przed rozwiązaniem akcji oraz katastrofą Wyprawy i albo on sam, albo jego potomkowie oglądają spustoszenie wyspy w wyniku najazdu ludzi oraz ich nikczemnych sprzymierzeńców (w jednej z wersji miał być nawet za nie odpowiedzialny, zob. s. 360), to w późniejszych zarysach narracji przybywa dopiero po rozegraniu się tych wszystkich bolesnych wydarzeń. Jego rola polega jedynie na uczeniu się i robieniu zapisków[15].

Przechodzę teraz do kilku krótkich i bardzo niejasnych tekstów zapisanych na oddzielnych karteczkach, lecz ułożonych razem i wyraźnie pochodzących z tego samego okresu.

(15) Ælfwine'em z Anglii mieszkał na południowym zachodzie. Był krewnym Inga, króla Luthany. Jego rodziców zabili morscy piraci, a jego wzięli do niewoli.

Zawsze miłował wróżków: ojciec wiele mu opowiadał (o rodzie Inga). Ucieka. Krąży po północnych i zachodnich wodach. Spotyka Sędziwego Żeglarza — i szuka Tol Eressëi (*seo unwemmede íeg*), na którą wycofała się przed hałasem, wojną i ludzką wrzawą większość niezgasłych elfów.

Elfowie witają go z tym większą życzliwością, że dowiadują się, kim jest. Nadają mu imię *Lúthien*, mąż z Luthany. Przekonuje się, że na wyspie mówi się jego językiem, pradawnym językiem angielskim.

„Sędziwy Żeglarz" pojawił się w historii opowiedzianej Vëannë przez Eriola (s. 12, 14); później zostanie o nim powiedziane o wiele więcej.

(16) Ælfwine z Englalandu [*dodane później*: ścigany przez Normanów] przybywa na Tol Eressëę, dokąd wycofała się ze świata większość gasnących elfów i gdzie elfowie ci już nie gasną.

Opis przystani na południowym brzegu. Słysząc, że jest z Englalandu, wróżkowie mile go witają. Jest zaskoczony, że posługują się mową Ælfreda z Wesseksu, chociaż między sobą rozmawiali w melodyjnym, nieznanym mu języku.

Elfowie nadają mu imię „Lúthien" („przyjaciel"), ponieważ przybył z Luthany („przyjaźni"), jak nazywają ten kraj. Eldaros albo Ælfhâm. Zostaje szybko wyprawiony do ich stolicy, Rôs. Tam odnajduje Dworek Zabawy Utraconej oraz Linda i Vairë.

Mówi, kim jest, skąd przybywa i dlaczego długo szukał tej wyspy (ze względu na przekazy istniejące wśród krewnych Inga), i błaga elfów, by powrócili do Englalandu.

Tutaj zaczyna się (jako wyjaśnienie, dlaczego nie mogą tego uczynić) seria opowieści nazywanych „Księgą zaginionych opowieści".

W tym fragmencie Ælfwine zostaje mocniej zakorzeniony w angielskiej historii: najwyraźniej pochodzi z jedenastowiecznego Wesseksu — lecz jak w tekście (15) jest krewnym Inga. Stolicą elfów na Tol Eressëi nie jest Kortirion, lecz Rôs; nazwa ta ma teraz zupełnie inne zastosowanie niż w tekście (5), gdzie nosił ją jeden z przylądków Wielkich Krain.

Nie udało mi się dociec, w jaki sposób nazwa własna *Lúthien* otrzymała później tak odmienne znaczenie (*Lúthien Tinúviel*). Inna notatka z tego samego okresu wyjaśnia ją zupełnie inaczej: „Lúthien lub też Lúsion był synem Telumaitha (Telumektara). Ælfwine bardzo lubił znak Oriona, dlatego wróżkowie nazwali go Lúthienem (Wędrowcem)". Jest to jedyna wzmianka o szczególnym związku Ælfwine'a z Orionem oraz o tej interpretacji imienia „Lúthien"; wydaje się, że tego wątku ojciec mój nie kontynuował.

Nadarza się teraz dogodna okazja, by przytoczyć początkowy fragment wspomnianego wyżej drugiego projektu *Zaginionych opowieści*. Wyraźnie pochodzi on z tego samego okresu, co pozostałe przedstawione tu notki związane z Ælfwine'em, kiedy *Zaginione opowieści* zostały doprowadzone do najdalszego etapu budowy ich pierwszej struktury.

(17) Ælfwine budzi się na piaszczystej plaży. Nasłuchuje odgłosów morza, które jest znacznie oddalone. Jest odpływ.

Ælfwine spotyka elfów z Rôs; okazuje się, że poza własnym melodyjnym językiem posługują się oni mową Anglików. Dlaczego tak czynią — siedziba elfów w Luthany oraz ich wyprawa stamtąd i z powrotem. Odziewają go i karmią, po czym Ælfwine wyrusza na kwieciste ścieżki wyspy.

Dalej jest powiedziane, że pewnego letniego wieczoru Ælfwine przybył do Kortirion, inaczej niż w tekście (16), w którym udaje się do „ich stolicy, Rôs", gdzie odnajduje Dworek Zabawy Utraconej. Wydaje się, że tutaj nazwa „Rôs" jest użyta w jeszcze innym znaczeniu — możliwe, że jako nazwa Tol Eressëi.

(18) Zostaje szybko wyprawiony do Ælfhâm (Domu Elfów) Eldos, gdzie Lindo i Vairë opowiadają mu o wielu sprawach: o stworzeniu świata i jego starożytnym urządzeniu, o bogach, o elfach z Valinoru, o Zaginionych Elfach i ludziach, o trudach gnomów, o Eärendelu, o Wyprawie i Utracie Valinoru, o klęsce Wyprawy i wojnie z nikczemnymi ludźmi. O wycofaniu się do Luthany, gdzie królem był Ingwë. O tęsknocie elfów za domem i o tym, jak większa ich liczba powróciła do Valinoru. O utracie Elwingi. Jak Solosimpi i inni uczynili sobie na Tol Eressëi nowy dom. Jak elfowie stale i ze smutkiem opuszczają świat i podążają na tę wyspę.

Aby zinterpretować ten fragment, koniecznie należy sobie uświadomić (a jest to kluczem do zrozumienia tej projektowanej historii), że „Wyprawa" nie oznacza tutaj tego, co do tej pory — wyruszenia z Tol Eressëi, by ponownie rozpalić Magiczne Słońce, co skończyło się katastrofą — lecz Marsz elfów z Kôru i „Utratę Valinoru" wywołaną przez ów marsz (zob. s. 307, 312, 341). Nie jest jasne, dlaczego jest on tu określany jako „klęska", lecz na pewno należy to wiązać z „wojną z nikczemnymi ludźmi", a o wojnie elfów i ludzi z czasów Marszu z Kôru wspomina się we fragmentach (1) i (3).

Z „opowieści o Eriolu" jasno wynika, że po Marszu z Kôru elfowie odeszli z Wielkich Krain na Tol Eressëę; z drugiej strony, tutaj po „wojnie z nikczemnymi ludźmi" następuje „wycofanie się do Luthany, gdzie królem był Ingwë". Elfowie odeszli (częściowo) na Tol Eressëę z Luthany; wydaje się, że utrata Elwingi nastąpiła podczas którejś z tych morskich podróży. Jak się później okaże, „Wyprawa" z „opowieści o Eriolu" zniknęła jako wydarzenie w historii elfów i jest tylko wspomniana jako przepowiednia i wyraz nadziei.

Wymienione powyżej zasadnicze rozbieżności pomiędzy tymi dwiema strukturami narracyjnymi można przedstawić w następujący sposób:

(opowieść o Eriolu)	(opowieść o Ælfwinie)
Marsz elfów z Kôru do Wielkich Krain	Marsz elfów z Kôru do Wielkich Krain (nazywany „Wyprawą")
Wojna z ludźmi w Wielkich Krainach	Wojna z ludźmi w Wielkich Krainach
Wycofanie się elfów na Tol Eressëę (utrata Elwingi)	Wycofanie się elfów do Luthany (> Anglii) pozostającej pod rządami Ingwëgo
	Odejście wielu elfów na Tol Eressëę (utrata Elwingi)
Eriol żegluje ze wschodu (rejon Morza Północnego) na Tol Eressëę	Ælfwine żegluje z Anglii na Tol Eressëę
Wyprawa, przyciągnięcie Tol Eressëi do Wielkich Krain; ostatecznie Tol Eressëa > Anglia	

To oczywiście w żadnym razie nie stanowi pełnego obrazu opowieści o Ælfwinie; zestawienie to ma jedynie na celu wykazanie radykalnej różnicy strukturalnej. Brakuje w nim historii Luthany, która wyłania się z fragmentów przytaczanych poniżej.

(19) *Luthany* znaczy „przyjaźń", *Lúthien* „przyjaciel". Luthany — jedyny kraj, gdzie ludzie i elfowie mieszkali niegdyś przez całą erę w pokoju i miłości.

Jak przez pewien czas po przybyciu synów Inga elfowie znowu prosperowali i przestali odpływać na Tol Eressëę.

Jak staroangielski stał się jedynym językiem śmiertelników, w którym elf rozmawia ze śmiertelnikiem nieznającym elfickiego.

(20) Ælfwine z Anglii (którego ojca i matkę zabili groźni ludzie morza nieznający elfów) był wielkim wielbicielem elfów, zwłaszcza elfów nadbrzeżnych, którzy zwlekali z opuszczeniem owego kraju. Szuka Tol Eressëi, gdzie podobno schronili się wróżkowie.

Dociera na nią. Wróżkowie zwą go Lúthienem. Dowiaduje

się, jak został stworzony świat, ... o bogach i elfach, o elfach i ludziach aż do odejścia na Tol Eressëę.

Jak Wyprawa spełzła na niczym, a wróżkowie schronili się w Albionie lub na Luthany (Wyspie Przyjaźni).

Siedem najazdów.

O przybyciu ludzi na Luthany, jak rasy te się waśniły i wróżkowie gaśli, aż po przybyciu Rúmhothów [większość?] wyruszyła na morze, na zachód. Dlaczego ludzie z siódmego najazdu, Ingwaiwarowie, są bardziej przyjaźni.

Ingwë i Eärendel, którzy mieszkali w Luthany, zanim kraj ten stał się wyspą i został [*sic!*] pchnięty na wschód przez Ossëgo, by ustanowić Ingwaiwarów.

(21) Wszyscy potomkowie Inga byli dobrze nastawieni do elfów; dlatego pozostali elfowie z Luthany rozmawiali z [nimi?] w pradawnym języku Anglików, a jako że niektórzy udali się ...... na Tol Eressëę, język ten jest tam rozumiany i wszyscy, którzy pragną rozmawiać z elfami — jeśli nie znają języków elfickich i nie mają sposobu, by się ich nauczyć — muszą posługiwać się pradawnym językiem Anglików.

W tekście (20) określenie „Wyprawa" musi być rozumiane tak, jak w tekście (18), czyli jako Marsz elfów z Kôru. Tam jest powiedziane, że skończyła się „klęską" (zob. s. 371), a tutaj — że „spełzła na niczym". Trzeba przyznać, że trudno zrozumieć, jak można użyć takiego stwierdzenia, skoro jej następstwem było spętanie Melka oraz uwolnienie Noldolich (zob. [1] i [3]).

Także w tekście (20) po raz pierwszy pojawia się koncepcja Siedmiu Najazdów na Luthany. Jednego z nich dokonali Rúmhothowie (wspomniani także w [14]), czyli Rzymianie, a siódmego Ingwaiwarowie, którzy nie byli wrogo nastawieni do elfów.

Trzeba powiedzieć parę słów o pojawiającym się w tych fragmentach imieniu *Ing* (*Ingwë*, *Ingwaiar*). Podobnie jak w kwestii wprowadzenia Hengesta i Horsy, związek mitologii mojego ojca z pradawnymi angielskimi legendami jest tu oczywisty. Sądzę jednak, że bezcelowe byłoby zagłębianie się w niejasną i opartą na domysłach wiedzę o angielskich i skandynawskich źródłach tego imienia, na którą składają się: termin *Inguaeones* stosowany przez rzymskich autorów na określenie morskich ludów bałtyckich, zamierzchłych przodków Anglików; imię *Ingwine* (które można zinterpretować albo jako *Ing-wine* „przyjaciele Inga", albo jako zawierające cząstkę *Ingw-* występującą także w nazwie *Inguaeones*); czy też tajemnicza postać *Ing* ze staroangielskiego *Wiersza runicznego*:

Ing wæs ærest mid East-Denum
gesewen secgum oþ he siþþan east
ofer wæg gewat; wæn æfter ran

— który można przetłumaczyć jako: „Ing po raz pierwszy był widziany przez ludzi wśród wschodnich Duńczyków, aż odszedł na wschód przez fale; jego wóz pędził za nim". Zagłębianie się w tę problematykę byłoby bezcelowe, bo chociaż związek imion *Ing*, *Ingwë* używanych przez mojego ojca z zagadkowym *Ingiem* (*Ingw-*) z północnej historycznej legendy jest pewny i w gruncie rzeczy oczywisty, to ojciec chyba zamierzał jedynie nawiązać w swojej mitologii do znanych przekazów (chociaż słowa *Wiersza runicznego* miały na niego oczywisty wpływ). Kwestia ta jest szczególnie niejasna ze względu na fakt, że w tych notkach imiona *Ing* oraz *Ingwë* są ze sobą powiązane, lecz nigdy nie są wyraźnie rozróżnione ani zidentyfikowane.

Tak więc Ælfwine był „krewnym Inga, króla Luthany" (15), (16), lecz elfowie wycofali się „do Luthany, gdzie królem był Ingwë" (18). Elfowie z Luthany znów prosperowali „po przybyciu synów Inga" (19), a Ingwaiwarowie, siódma grupa najeźdźców na Luthany, byli bardziej przyjaźnie nastawieni do elfów (20). Ingwaiwarów „ustanowił" Ingwë (20). Nazwę tego ludu z pewnością należy utożsamiać z „Inguaeones" (zob. powyżej), a najazd Ingwaiwarów (czyli „synów Inga") z równą pewnością reprezentuje „anglo-saski"* najazd na Brytanię. Czy między *Ingiem* oraz *Ingwëm* można postawić znak równości? Jeśli chodzi o niniejszy materiał, nie widzę, by mogło być inaczej. Inną sprawą jest to, czy ten przodek — założyciel może być utożsamiony z *Inwëm* (którego synem był *Ingil*) z *Zaginionych opowieści*. Trudno uwierzyć w brak związku między nimi (szczególnie że imię *Inwë* w *Dworku Zabawy Utraconej* to poprawione imię *Ing*, zob. I.31), chociaż równie trudno dostrzec, jaki mógłby być ten związek, ponieważ Inwë z *Za-*

* Pisownia z łącznikiem ze względu na historyczne odniesienie do najazdu na Brytanię odrębnych germańskich plemion Anglów, Sasów i Jutów mającego miejsce w V wieku.

ginionych opowieści jest Eldarem z Kôru (Ingwëm, przywódcą Vanyarów w *Silmarillionie*), podczas gdy Ing(wë) z „opowieści o Ælfwinie" jest człowiekiem, królem Luthany i przodkiem Ælfwine'a. (W szkicach *Opowieści Gilfanona* jest powiedziane, że Ing, król Luthany, pochodził od Ermona lub od Ermona i Elmira [pierwszych ludzi, I.275–276]).

Poniższe szkice mówią nieco więcej o Ingu (Ingwëm) oraz Ingwaiwarach:

(22) Jak w podeszłym wieku Ing pożeglował w zmierzch, a ludzie powiadają, że przybył do bogów, lecz on mieszka na Tol Eressëi i pewnego dnia, kiedy dojdzie do Wyprawy*, poprowadzi wróżków z powrotem do Luthany.

Jak przepowiedział, że jego krewni powrócą i zawładną Luthany do czasu przybycia elfów.

Jak kraina Luthany była siedem razy najeżdżana przez ludzi, aż za siódmym razem potomkowie potomków Inga wrócili na swoje ziemie.

Jak za każdą nową wojną i najazdem elfowie gaśli, a każdy nowy najeźdźca coraz mniej ich lubił, aż przybyli Rúmhothowie — ci nawet nie wierzyli w istnienie elfów i wszyscy elfowie uciekli, tak że przez kolejne trzysta lat na wyspie przebywało ich bardzo niewielu.

(23) Jak elfowie pozwolili Ingwëmu napić się *limpë*, dzięki czemu panował w Luthany długie wieki.

Jak do Luthany przybył Eärendel i nie zastał elfów.

Jak pomógł mu Ingwë, lecz Eärendel nie chciał jego towarzystwa w podróżach. Eärendel pobłogosławił wszystkich jego potomków jako największych morskich wędrowców na świecie[16].

Jak z powodu Eärendela Ossë rozpętał wojnę przeciwko Ingwëmu, a Ing, tęskniąc za elfami, wyruszył na morze; wszyscy, pognani wiatrem daleko na wschód, utonęli.

Jak nieśmiertelny Ing przybył do Danich OroDánich Urdainothów, Wschodnich Duńczyków.

---

* Termin „Wyprawa" pojawia się tu na zasadzie proroctwa, inaczej niż w tekstach (18) oraz (20).

Jak został półbogiem i królem Ingwaiwarów, jak nauczył ich wiele o elfach i bogach, dzięki czemu tylko u tego ludu przechowało się nieco prawdziwej wiedzy o bogach i elfach.

Można tu przytoczyć część innego szkicu, który nie należy do grupy powyższych fragmentów, lecz dotyczy tej samej części narracji, co tekst (23):

(24) Eärendel chroni się przed gniewem Ossëgo u [Ingwëgo] i daje mu łyk *limpë* (tyle, by zapewnić mu nieśmiertelność). Przekazuje mu wieści o elfach i siedzibie na Tol Eressëi.

Ingwë i zastęp jego ludu wyruszają na poszukiwanie Tol Eressëi, lecz wiatr Ossëgo odpycha ich z powrotem na wschód. Wszyscy utonęli. Tylko Ingwë uratowany na tratwie. Zostaje królem kilku ludów, a są to Angali, Euti, Saksani i Firisandi*, którzy przyjmują miano Ingwaiwarów. Uczy ich magii i przede wszystkim budzi w sercach mężów pragnienie podróży na zachód ......

Po wspaniałym [wieku rządów?] Ingwë wypływa małą żaglówką i słuch o nim ginie.

Jest jasne, że wprowadzenie Luthany oraz Inga (Ingwëgo) spowodowało przesunięcie w opowieści o Eärendelu. Podczas gdy w starszej wersji udał się on na Tol Eressëę po odejściu z Wielkich Krain Eldarów i Noldolich (s. 307, 309), teraz udaje się do Luthany. Koncepcja wrogiego nastawienia Ossëgo do Eärendela (s. 308, 319) pozostaje, lecz jest łączona z pochodzeniem Ingwaiwarów.

Zatem struktura narracyjna wygląda następująco:

— Ing(wë) jest królem Luthany.

— Eärendel szuka u niego schronienia (po tym, jak [liczni] elfowie odeszli na Tol Eressëę).

— Ing(wë) szuka Tol Eressëi, lecz zostaje odepchnięty na wschód.

— Siedem najazdów na Luthany.

— Ludem Inga (Ingwëgo) są Ingwaiwarowie; kiedy najeżdżają Luthany zza Morza Północnego, „wracają na swoje tereny".

* Anglowie, Sasi, Jutowie i Fryzowie.

(25) Kraina Luthany znajdowała się tam, gdzie plemiona po raz pierwszy weszły na Samotną Wyspę w podróży do Valinoru i skąd wyruszyły na Wyprawę*, skąd [również] wielu wypłynęło z Elwingą na poszukiwanie Tol Eressëi.

To, że kraina Luthany znajdowała się tam, gdzie elfowie pod koniec długiej wędrówki z Palisoru weszli na Samotną Wyspę, by przeprawić się na niej do Valinoru, należy prawdopodobnie łączyć ze stwierdzeniem w tekście (20), że „Ingwë i Eärendel [...] mieszkali w Luthany, zanim kraj ten stał się wyspą".

(26) Istnieją inne wzmianki o kanale oddzielającym Luthany od Wielkich Krain — w pobieżnych zapiskach w notatniku „C" jest wspomniany przesmyk, który przekopują elfowie „obawiający się ludzi po odejściu Ingwëgo" — a także o „białych klifach, gdzie srebrnymi szpadlami pracowali Teleri"; również w następnym tekście.

(27) Elfowie opowiadają Ælfwine'owi o pradawnym urządzeniu Luthany, o Kortirion czyli Gwarthyryn (Caer Gwâr[17]), o Tavrobelu.

Jak wróżkowie mieszkali tam setki wieków, zanim ludzie zdobyli umiejętność budowania statków, by przepłynąć kanał — przeto magia wciąż jest mocno zakorzeniona w tamtejszych lasach i wśród wzgórz.

Jak zmienili wiele nazw na Tol Eressëi na pamiątkę swej ojczystej siedziby w Luthany. O Drugiej Wyprawie i nadziei wróżków, że będą panować w Luthany i ponownie zasadzą tam magiczne drzewa — a to, czy wszystko pójdzie dobrze, zależy głównie od usposobienia ludzi z Luthany (jako że pierwej muszą tam przybyć).

Warto zauważyć tu wzmiankę o „Drugiej Wyprawie", która w dużym stopniu potwierdza moją interpretację słowa „Wyprawa" w tekstach (18), (20) i (25); lecz natura przepowiedni czy też nadziei elfów związanej z wyprawą została znacznie zmieniona w stosunku do tekstu (6): tutaj Drzewa mają zostać ponownie zasadzone w Luthany.

---

* „Wyprawa" jest tu rozumiana jako Marsz elfów z Kôru, jak w tekstach (18) i (20).

(28) Jak Ælfwine przybija do brzegów Tol Eressëi, która wydaje mu się podobna do jego własnego kraju uczynionego ...... odzianego w piękno radosnego snu. Jak lud rozumiał [jego mowę] i dowiaduje się, skąd przybył dzięki przychylności Ulma. Jak zostaje wyprawiony do Kortirion.

Z tymi dwoma fragmentami ciekawie jest porównać fragment (9), napisany prozą wstęp do poematu *Kortirion wśród drzew*, zgodnie z którym Kortirion była miastem zbudowanym przez elfów na Tol Eressëi, a kiedy Tol Eressëa została przeciągnięta przez morze i stała się Anglią, Kortirion otrzymała w języku Anglików nazwę *Warwick* (13). W nowej opowieści Kortirion także jest starodawną siedzibą elfów, lecz ze względu na zmianę zasadniczej koncepcji znajduje się w Luthany; natomiast Kortirion, do której przybywa Ælfwine na Tol Eressëi, jest drugim miastem o tej nazwie (zmienionej „na pamiątkę [...] ojczystej siedziby w Luthany"). Doszło zatem do bardzo ciekawego przeniesienia, które można schematycznie przedstawić jak następuje:

(I) Kortirion, siedziba elfów na Tol Eressëi.
Tol Eressëa ——► Anglia.
Kortirion = Warwick.

(II) Kortirion, siedziba elfów w Luthany (> Anglia).
Elfowie ——► Tol Eressëa.

Kortirion (2) na Tol Eressëi nazwana na pamiątkę
Kortirion (1) w Luthany.

Na podstawie poprzednich fragmentów od (15) do (28) możemy podjąć próbę skonstruowania narracji uwzględniającej wszystkie najistotniejsze elementy:

— Marsz elfów z Kôru (nazywany „Wyprawą" lub też [biorąc pod uwagę tekst 27] „Pierwszą Wyprawą") do Wielkich Krain, przybycie do Luthany (tekst 25) oraz utrata Valinoru (tekst 18).

— Wojna z nikczemnymi ludźmi w Wielkich Krainach (tekst 18).

— Elfowie wycofali się do Luthany (jeszcze nie jest to wyspa), gdzie królem był Ing(wë) (teksty 18, 20).

— Liczni [lecz żadną miarą nie wszyscy] elfowie z Luthany pożeglowali z powrotem na zachód i osiedlili się na Tol Eressëi, lecz Elwinga zaginęła (teksty 18, 25).

— Miejsca na Tol Eressëi otrzymały nazwy upamiętniające miejsca w Luthany (tekst 27).

— Do Luthany przybył Eärendel, chroniąc się u Inga (Ingwëgo) przed wrogo doń nastawionym Ossëm (teksty 20, 23, 24).

— Eärendel pozwolił Ingowi (Ingwëmu) napić się *limpë* (tekst 24) lub Ing(wë) otrzymał *limpë* od elfów przed przybyciem Eärendela (tekst 23).

— Przed odejściem Eärendel pobłogosławił potomków Inga (Ingwëgo) (tekst 23).

— Wrogie nastawienie Ossëgo do Eärendela objęło także Inga (Ingwëgo) (teksty 23, 24).

— Ing(wë) wypłynął (z wieloma swoimi współbraćmi, tekst 24) na poszukiwanie Tol Eressëi (teksty 23, 24).

— Z powodu wrogości Ossëgo morska podróż Inga (Ingwëgo) zakończyła się katastrofą, lecz Ing(wë) ocalał i daleko na wschodzie [pognany wiatrem przez Morze Północne] został królem Ingwaiwarów, przodków anglo-saskich najeźdźców Brytanii (teksty 23, 24).

— Ing(wë) przekazał Ingwaiwarom prawdziwą wiedzę na temat bogów i elfów (tekst 23) oraz zasiał w ich sercach pragnienie pożeglowania na zachód (tekst 24). Przepowiedział, że jego ród powróci kiedyś do Luthany (tekst 22).

— Ing(wë) w końcu odpłynął łódką (teksty 23, 24) i słuch o nim zaginął (tekst 24) albo też przybył na Tol Eressëę (tekst 22).

— Po odpłynięciu Inga (Ingwëgo) z Luthany został wykopany kanał, w rezultacie czego kraj ten stał się wyspą (tekst 26), lecz ludzie przepłynęli kanał na łodziach (tekst 27).

— Nastąpiło siedem kolejnych najazdów, łącznie z najazdem Rúmhothów, czyli Rzymian, i z każdą nową wojną coraz więcej elfów pozostałych w Luthany uciekało morzem (teksty 20, 22).

— Siódmy najazd, czyli najazd Ingwaiwarów, nie miał jednak charakteru wrogiego wobec elfów (teksty 20, 21); najeźdźcy „wrócili na swoje tereny" (tekst 22), ponieważ byli ludem Inga (Ingwëgo).

— Elfom z Luthany (teraz Anglii) ponownie się darzyło, przestali odpływać z Luthany na Tol Eressëę (tekst 19) i rozmawiali z Ingwaiwarami w ich własnym języku, staroangielskim (tekst 21).

— Ælfwine był Anglikiem z okresu anglo-saskiego, potomkiem Inga (Ingwëgo), a dzięki rodzinnym przekazom zdobył wiedzę o elfach i został ich miłośnikiem (teksty 15, 16).

— Ælfwine przybył na Tol Eressëę, odkrył, że mówi się tam w języku staroangielskim, i otrzymał od elfów imię „Lúthien" „przyjaciel", Mąż z Luthany (Wyspy Przyjaźni) (teksty 15, 16, 19).

Twierdzę tylko tyle, że jest to chyba jedyny sposób ułożenia tych *disiecta membra* w spójny schemat narracyjny. Mimo to trzeba przyznać, że uzyskanie ciągłości wymaga pewnego naciągania dowodów. Na przykład istnieją chyba różne koncepcje związku Ingwaiwarów z Ingiem (Ingwëm): są „synami Inga" (tekst 19), „jego krewnymi" (tekst 22), „potomkami potomków Inga" (tekst 22), a mimo to wydaje się, że został on królem i nauczycielem ludów Morza Północnego niemających żadnego związku z Luthany ani elfami (teksty 23, 24). (Kim rządził, kiedy elfowie po raz pierwszy wycofali się do Luthany [teksty 18, 23]?) Bardzo trudno jest też dopasować do reszty tego schematu „setki wieków", kiedy to elfowie mieszkali w Luthany przed najazdami ludzi (tekst 27). Sporządzając te zapiski, ojciec mój niewątpliwie myślał piórem, rozważając niezależne ścieżki narracyjne; całość sprawia wrażenie fermentowania gwałtownie następujących po sobie pomysłów i możliwości, z którego nie da się wyłonić jednego stabilnego trzonu narracyjnego. Zatem najprawdopodobniej pełne „rozwiązanie" stanowi nierealny cel, a niniejsza rekonstrukcja jest niewątpliwie równie sztuczna, jak ta przedstawiona wcześniej w odniesieniu do „opowieści o Eriolu", zob. s. 359). Lecz zarówno tutaj, jak i tam zarys ten w najlepszy sposób ukazuje kierunek myśli mojego ojca w owym czasie.

Istnieje bardzo niewiele innych materiałów wytyczających dalszy bieg „opowieści o Ælfwinie" po jego pobycie na Tol Eressëi (jak zauważyłem na s. 369, rolą tego żeglarza jest jedynie wysłuchiwanie opowieści z przeszłości i zapisywanie ich); w gruncie rzeczy wszystko, czego można się dowiedzieć z tych notatek, da się znaleźć w poniższym fragmencie:

(29) Jak Ælfwine napił się *limpë*, lecz tęsknił za domem i wrócił do Luthany; potem zatęsknił przemożnie za elfami i powrócił do Starego Tavrobelu, i zamieszkał w Domu Stu Kominów (gdzie nadal rośnie potomkini Sosny Belawryn), i napisał Złotą Księgę.

Jest z nim związana strona tytułowa:

(30) Księga Zaginionych opowieści
oraz Historia elfów z Luthany
[czyli?]
Złota Księga Tavrobelu
ta sama, którą spisał Ælfwine i złożył w Domu Stu Kominów w Tavrobelu,
gdzie nadal spoczywa, by mogli ją przeczytać ci, którzy zdołają.

To bardzo interesujące teksty. Stary Tavrobel to zapewne pierwotny Tavrobel w Luthany (na którego pamiątkę został nazwany Tavrobel na Tol Eressëi, tak jak Kortirion na tej wyspie wzięła nazwę od Kortirion = Warwick w Luthany); natomiast Dom Stu Kominów (jak i Sosna Belawryn, na której temat zob. s. 343 oraz przyp. 4) miał zostać przeniesiony z Tol Eressëi do Luthany. Ojciec prawdopodobnie zamierzał przeredagować te fragmenty w ramach tej struktury *Zaginionych opowieści*, w której mówi się o Domu Stu Kominów w Tavrobelu — chyba że w Nowym Tavrobelu na Tol Eressëi miał się znajdować inny Dom Stu Kominów.

Na koniec można tu wspomnieć o interesującym haśle w słowniku języka quenya: *Parma Kuluinen* „Złota Księga — zbiór legend, zwłaszcza o Ingu i Eärendelu".

Spośród tych wszystkich projektów ojciec mój ostatecznie rozwinął do pełnej, dopracowanej postaci tylko historię młodości Ælfwine'a i jego podróży na Tol Eressëę. Ku tej historii teraz się zwracam, lecz najpierw warto będzie zebrać poprzednio omówione fragmenty, które się do niej odnoszą.

W „łączniku do *Opowieści o Tinúviel*" Eriol powiedział, że kiedy był dzieckiem — a od tego czasu „upłynęło bardzo wiele lat" — jego dom znajdował się „w starym mieście ludzi opasanym murem teraz już popadłym w ruinę, a obok niego płynęła rzeka z górującym nad nią zamkiem z wielką wieżą".

> Ojciec mój wywodził się z mieszkańców wybrzeża i chociaż nigdy nie widziałem morza, miłość do niego przenikała mnie do kości, a ojciec jeszcze pobudził moje pragnienie, opowiadał mi bowiem historie, które wcześniej opowiadał mu jego ojciec. A moja matka umarła okrutną śmiercią z głodu w owym starym mieście oblężonym, ojciec poległ w zaciekłej walce toczonej wokół jego murów i w końcu ja, Eriol, uciekłem ku wybrzeżom Zachodniego Morza.

Eriol następnie opowiedział o

> swoich wędrówkach po zachodnich przystaniach, [...] o tym, jak jego statek rozbił się wśród dalekich zachodnich wysp i jak w końcu na jednej z nich, samotnej, natknął się na sędziwego żeglarza i znalazł u niego schronienie. Żeglarz ten przy ogniu w samotnej chacie opowiadał mu dziwne historie o tym, co leży za Zachodnimi Morzami, o Wyspach Magicznych i tej najbardziej samotnej, położonej za nimi. [...]
>
> — Od tamtej pory — rzekł Eriol — z większą ciekawością żeglowałem wśród zachodnich wysp w poszukiwaniu podobnych opowieści i w ten sposób po wielu długich i wspaniałych rejsach sam w końcu przybyłem dzięki błogosławieństwu bogów na Tol Eressëę [...]

W wersji owego łącznika spisanej na maszynie jest ponadto powiedziane, że w mieście, w którym żyli i zginęli rodzice Eriola,

> [m]ieszkał [...] potężny książę [...] i patrząc z najwyższych blanków, nigdy nie dostrzegał granic swoich rozległych dóbr prócz leżących daleko na wschodzie błękitnych sylwetek wielkich gór — chociaż wieżę tę uważano za najwynioślejszą spośród wzniesionych na ziemiach ludzi.

Miasto oblegały i złupiły hordy „dzikich ludzi z Gór Wschodu".

Pod koniec maszynopisu chłopiec imieniem Ausir zapewnił Eriola, że „ów sędziwy żeglarz przy brzegu tego samotnego morza to sam Ulmo, który nierzadko zjawia się w taki sposób tym podróżnikom, których miłuje", lecz Eriol mu nie uwierzył.

Podałem wyżej (s. 360–361) powody pozwalające sądzić, że w „opowieści o Eriolu" historia jego młodości nie rozegrała się w Anglii.

Wracając do fragmentow dotyczących późniejszej „opowieści o Ælfwinie", dowiadujemy się z tekstu (15), że Ælfwine mieszkał na południowym zachodzie Anglii i że jego rodzice zostali zabici przez „morskich piratów", a z fragmentu (20), że zginęli z rąk „groźnych ludzi morza"; z fragmentu (16), że był „ścigany przez Normanów". We fragmencie (15) znajduje się wzmianka o tym, że w trakcie swoich podróży spotkał „Sędziwego Żeglarza". We fragmencie (16) przybywa do „przystani na południowym brzegu" Tol Eressëi, a w (17) „budzi się na piaszczystej plaży" podczas odpływu.

Dochodzę teraz do wyłonionej w końcu narracji. Można zauważyć, może nawet z ulgą, że z tego tekstu całkowicie zniknęli Ing, Ingwë oraz Ingwaiwarowie.

ÆLFWINE Z ANGLII

Istnieją trzy wersje tego krótkiego tekstu. Jedna z nich to szkic akcji zawarty w mniej niż pięciuset słowach, który dla wygody odniesień będę nazywał *Ælfwine A*. Druga to znacznie dłuższy tekst zatytułowany *Ælfwine z Anglii*. Powstał w 1920 roku lub później; w oczywisty sposób nie wcześniej, ponieważ ojciec mój wykorzystał do napisania go spięte razem skrawki papieru, a niektóre z nich to otrzymane przez niego listy, wszystkie z lutego 1920 roku[18]. Trzeci tekst bez wątpienia był początkowo pisanym atramentem czystopisem drugiego, do którego na początku jest bardzo podobny, lecz w trakcie pisania liczne ustępy zostały całkowicie przeredagowane i pojawiło się wiele nowego materiału, a po ukończeniu zostało do niego wprowadzonych wiele poprawek. Rękopis ten nie ma tytułu, lecz oczywiście musi on także brzmieć *Ælfwine z Anglii*.

Dla wygody pierwszą w pełni spisaną wersję będę nazywał *Ælfwine I*, a tekst przeredagowany *Ælfwine II*. Trudno określić, jaki z nimi związek ma *Ælfwine A*, ponieważ pod pewnymi względami zgadza się z jednym, a pod innymi z drugim. Jest oczywiste, że pisząc *Ælfwine II*, ojciec mój miał przed sobą *Ælfwine I*, lecz wydaje się prawdopodobne, że korzystał jednocześnie z tekstu *Ælfwine A*.

Podaję tu pełny tekst *Ælfwine II* w jego ostatecznej formie, a wszystkie ważne poprawki oraz znaczące rozbieżności w stosunku do tych innych tekstów zawieram w przypisach (różnice w nazwach własnych oraz ich zmiany są podane osobno).

Była kraina zwana Anglią, a znajdowała się na pewnej wyspie na zachodzie, która, zanim rozdarły ją wojny bogów, leżała najbardziej na zachód ze wszystkich krain północy. Rozciągał się z niej widok na Wielkie Morze od dawna noszące nadaną przez ludzi nazwę Garsecg[19]; lecz ta jej część, która została oderwana, nosiła miano Irlandii, a także wiele innych, a jej mieszkańcy w tych opowieściach się nie pojawiają.

Całej tej krainie dali elfowie nazwę Lúthien[20] i nadal tak ją nazywają. Jedynie w Lúthien wciąż jeszcze mieszka większość Gasnących Kompanii, Świętych Wróżków, którzy jeszcze nie odpłynęli ze świata, poza horyzont ludzkiej wiedzy, na Samotną

Wyspę albo aż do Wzgórza Tûnu[21] nad Zatoką Czarodziejskiej Krainy, której wody omywają zachodnie brzegi królestwa bogów. Zatem jest jeszcze teraz Lúthien ziemią świętą, a w wielu miejscach tej wyspy wciąż utrzymuje się magia.

Otóż pośrodku owej wyspy nadal wznosi się miasto uważane przez ludzi za stare, lecz przez elfów za dużo starsze. Ponieważ jest to księga Zaginionych opowieści Elfinesse, będzie nazywane w ich mowie Kortirion, lecz gnomowie nadali mu miano Mindon Gwar[22]. Na wzgórzu Gwar mieszkał w czasach Anglików człek imieniem Déor, a przybył on tam z daleka, z południa wyspy, z lasów i z Czarodziejskiego Zachodu, po którym długo wędrował, chociaż wywodził się z ludu Anglików. Otóż książę Gwaru był w owych czasach miłośnikiem pieśni i nie odnosił się wrogo do elfów, a ci ze wszystkich okolic wyspy najbardziej ulubili sobie okolice wokół Kortirion (którym nadali nazwę Alalminórë, Kraina Wiązów) i tam pozostawali najczęściej. Tam też przybył śpiewak Déor w poszukiwaniu księcia Gwaru i kompanii Gasnących Elfów, był bowiem ich przyjacielem. Chociaż w jego żyłach płynęła angielska krew, powiadają, że poślubił pannę z Zachodu, z Lionesse — jak niektórzy od tamtej pory nazywają tę krainę — albo z Evadrien, „Żelaznego Wybrzeża", jak nadal mówią o nim elfowie. Déor znalazł ją w zaginionej krainie za Belerionem, skąd czasem wypływają elfowie.

Długi czas weselił się Déor w Mindon Gwar, lecz ludzie z północy, zwani przez elfów z wyspy Forodwaithami, lecz przez ludzi nazywani inaczej, zaatakowali Gwar w owych czasach, kiedy siali spustoszenie niemal w całej krainie Lúthien. Mury miasta nie zdały się na nic i chociaż jego wieże wytrzymywały długotrwałe i okrutne oblężenie, to nie zdołały opierać się ludziom bez końca.

Tam w te złe dni Éadgifu[23] (takie bowiem imię nadał Déor owej pannie z Zachodu, chociaż nie takie nosiła przedtem) umarła z głodu, a Déor padł pod murami, śpiewając, dla umocnienia ducha obrońców, pieśń o dawnym męstwie. To była rozpaczliwa zbrojna wycieczka. Synem Déora był Ælfwine, wówczas mały chłopiec, który właśnie stracił ojca. Miasto zostało wtedy bezlitośnie splądrowane, a o jego dawnych dniach pozostały jedynie szeptane pogłoski. Elfowie, którzy pokochali Anglików z wyspy, uciekli lub na długo się ukryli i w starych komnatach nie został już nikt z elfów ni ludzi, by opłakiwać upadek Óswine'a, księcia Gwaru.

Wówczas Ælfwine, ten, którego niezgaśli elfowie za wodami Garsecgu nazwali później Eldaironem z Lúthien (to jest Ælfwine'em z Anglii), popadł w niewolę groźnych władców Forodwaithów i zaznał w swych latach chłopięcych złych dni. Lecz oto dziw nad dziwy, choć Ælfwine nie znał morza ani nigdy go nie oglądał, to słyszał w głębi serca jego potężny głos, a szumne morskie chóry nieustannie śpiewały w jego sekretnym uchu pomiędzy jawą a snem, aż ogarnęła go tęsknota. Takie było dzieło magii Éadgifu, panny z Zachodu, jego matki, a ta nieugaszona tęsknota towarzyszyła jej przez wszystkie dni życia w tych spokojnych miejscach w głębi lądu wśród wiązów Mindon Gwar. Wśród tej tęsknoty urodziła dziecko, Ælfwine'a, a Jeźdźcy Piany, elfowie morskiego brzegu, których znała za dawnych czasów w Lionesse, przysłali na jego urodziny posłańców. Lecz teraz Éadgifu odeszła za Krawędź Ziemi; jej piękna postać spoczywała nieuczczona w Mindon Gwar, a harfa Déora zamilkła. Ælfwine zaś trudził się w niewoli aż po próg męskości, nawiedzany przez sny i ogarnięty tęsknotą, a przy rzadkich okazjach rozmawiał z ukrytymi elfami.

W końcu jego tęsknota za morzem stała się tak dojmująca, że udało mu się zerwać więzy i pokonując wielkie niebezpieczeństwa oraz znosząc wiele trudów, uciekł do krain, do których władcy Forodwaithów nie dotarli, daleko od siedziby Déora w Mindon Gwar. Bez przestanku wędrował na południe i ku zachodowi, tam bowiem wiodły go nogi. A miał Ælfwine w pewnej mierze dar elfiego wzroku (którego nie otrzymywali wszyscy ludzie w owym czasie gaśnięcia elfów, a jeszcze rzadziej zdarza się to teraz) i mieszkańcy Lúthien także jeszcze nie całkiem wówczas zgaśli, przeto wiele ich pięknych kompanii widział w trakcie swej wędrówki. W krainie tej mieszkali jeszcze i tańczyli jak dawniej elfowie, lecz o wiele liczniejsi wędrowali powoli i ze smutkiem na zachód, za nimi bowiem całą ziemię spowijały dymy pożarów i toczyły się tam wojny, a wrogość ludzi względem ludzi sprawiała, że ich siedziby tonęły we łzach i spływały krwią. Nie po raz ostatni ludzie odebrali ludziom Lúthien, bo działo się tak siedem razy, a może się tak zdarzać ponownie. Ziemi tej pragnęli ludzie ze wschodu, z zachodu, z południa i z północy i zabierali ją tym, którzy posiadali ją przed nimi, a powodem były jej piękno i powab, a także chwała gasnących wieków, kiedy mieszkali na niej elfowie, wciąż jeszcze pozostający wśród drzew za jej wysokimi białymi brzegami[24].

Lecz za każdym podbojem wyspy coraz więcej jej najdawniejszych mieszkańców, czyli ludu Lúthien, zwracało się ku zachodowi: wsiadali na statki w leżącym na zachodzie Belerionie i odpływali stamtąd na zawsze poza horyzont ludzkiej wiedzy. Wyspa przez ich odejście ubożała, a liście na niej stawały się mniej zielone, mimo to nadal jest uważana wśród ludzi za miejsce najliczniej zamieszkane przez elfów. I powiada się, że jedynie z wyjątkiem czasu, kiedy do krainy tej po raz pierwszy wkroczyli okrutni przodkowie ludzi, świeżo przygnieceni jarzmem Zła[25], nigdy więcej tak wielka ćma elfickich statków i białoskrzydłych galeonów nie wypłynęła ku zachodzącemu słońcu jak wówczas, kiedy na ziemi Lúthien po raz pierwszy postawili mocarne stopy starożytni ludzie z południa — ludzie, których władcy zasiadali w potężnym mieście zwanym przez elfów i ludzi Rûmem (lecz sami tylko elfowie znają je jako Magbar)[26].

A bardziej skłaniają ten mały lud do dalekiej podróży otępiałe serca późniejszych dni niż spływające czerwienią czyny okrutnych rąk — i co pewien czas jakiś mały statek[27] podnosi o zmierzchu kotwicę w Belerionie, a jego słodka, smutna pieśń na zawsze ginie wśród fal. I nawet za czasów Ælfwine'a wiele załadowanych statków pod elfickimi żaglami na zawsze opuszczało owe brzegi i wielu jego towarzyszy, widzianych lub tylko na wpół widzianych, wyruszyło w tę drogę na zachód. I w końcu przybył on do Belerionu i zanurzył znużone stopy w szarych wodach Zachodniego Morza, które ogłuszało go rykiem fal. Tam przepływały obok niego w mroku niewyraźne sylwetki elfickich[28] statków i wielu żeglarzy wykrzykiwało do niego słowa pożegnania. Lecz nie mógł Ælfwine wejść na pokład tych delikatnych żaglowców, a ich załogi odmawiały spełnienia jego próśb — elfowie nie chcieli bowiem dopuścić, by nawet ten spośród ludzi, którego miłowali, podążył razem z nimi poza krawędź zachodu lub dowiedział się, co leży daleko na wielkim i niezmierzonym morzu Garsecg. Ludzie, którzy mieszkali w rozproszeniu w pobliżu Belerionu, byli rybakami; Ælfwine na długo osiadł wśród nich, a mając ku temu naturalne skłonności, nauczył się ponadto wszystkiego, czego można się nauczyć o statkach i morzu. Lekce sobie ważył własne życie i zapuszczał się na ocean dalej niż większość owych mężów, chociaż dobrymi byli żeglarzami. W końcu niewielu ważyło się z nim wypływać prócz pozbawionego ojca Ælfheaha, który towarzyszył mu we wszystkich jego wyprawach aż do tej ostatniej[29].

A oto kiedyś podczas rejsu na dalekie wody otwartego morza najpierw unieruchomiła go gęsta mgła, a potem pognała przed sobą, bezradnego, potężna wichura ze wschodu i dostrzegł Ælfwine o świcie jakieś wyspy, lecz do nich nie dotarł, zmienne bowiem wiatry znów poniosły go w dal i uratował się tylko dzięki swemu przeznaczeniu, które pozwoliło mu raz jeszcze ujrzeć czarne wybrzeże, gdzie mieszkał. Nie cieszył go ten szczęśliwy traf i powziął Ælfwine w głębi serca zamiar pożeglowania kiedyś jeszcze dalej na zachód, w swej nieświadomości sądząc, że ujrzał wtedy z dala Wyspy Magiczne z ludzkich pieśni. Nielicznych tylko towarzyszy zdołał namówić do udziału w swej przygodzie. Nie wszyscy ludzie lubią żeglować ku czerwonemu słońcu lub łaknąc tego, co nieodkryte, drażnić groźne morze. Siedmiu takich znalazł w końcu Ælfwine — największych żeglarzy, jacy byli wówczas w Anglii, a potem władca morza Ulmo wziął ich do siebie; ich imiona są dziś zapomniane prócz jedynie Ælfheaha[30]. W chwili gdy zoczyli wyspy, do których pragnął dotrzeć Ælfwine, w ich statek uderzył gwałtowny sztorm i przykryła go ogromna fala. Ælfwine zaginął w rozszalałych wodach, a kiedy przyszedł do siebie, nie ujrzał ani statku, ani towarzyszy, a leżał na ławicy piasku w zatoczce o wysokich ścianach. Ciemna i bardzo pusta była ta wyspa, i poznał Ælfwine, że nie są to owe Wyspy Magiczne, o których tak często słyszał[31].

Powiadają, że długo się tam błąkając, natykał się na wiele wraków gnijących na wąskich ponurych plażach; niektóre były wrakami potężnych statków z dawnych czasów, a inne były obładowane skarbami. W końcu znalazł na przeciwnym brzegu samotną chatę zwróconą ku zachodowi, uczynioną z odwróconego do góry dnem kadłuba niewielkiego statku. Mieszkał tam sędziwy starzec. Ælfwine lękał się go, miał on bowiem oczy głębokie jak niezgłębione morze i długą, niebieskoszarą brodę; był wielkiej postury, buty miał z kamienia[32], a za odzienie służyły mu poplątane łachmany. Siedział przy małym ognisku z drewna wyrzuconego przez fale.

Długo pozostał Ælfwine w tej dziwnej chacie nad pustym morzem, nie miał bowiem innego schronienia ani pomysłu, gdzie mógłby zamieszkać, i myślał, że stracił statek, a jego towarzysze utonęli. Lecz sędziwy ów starzec traktował go z coraz większą życzliwością i wypytywał Ælfwine'a o jego podróże oraz o to, dokąd pragnął żeglować, zanim dopadł go sztorm. I o wielu nieznanych sobie sprawach usłyszał od niego Ælfwine o zmierzchu przy owym dymiącym ognisku, a także poznał dziwne opowieści o gnanych wiatrem statkach i burzach na tych rozległych, zakazanych wodach. W ten sposób dowiedział się Ælfwine, że jeszcze wielka odległość dzieli go od Wysp Magicznych i że trzymają one mroczną i tajemną straż na krawędzi Ziemi, a dalej wody Garsecgu stają się mniej burzliwe i okrywa je zmierzch dni ostatnich Czarodziejskiej Krainy. Poza Cieniami i na ich granicy leży Samotna Wyspa; na wschód od niej znajduje się Archipelag Magiczny i położone za nim krainy ludzi, a na zachód są Cienie i daleko za nimi ledwie rysują się kontury Krainy Zewnętrznej, królestwa bogów — i samej starej Zatoki Czarodziejskiej Krainy o przyćmionej chwale. Stamtąd świat wznosi się stromo poza Krawędź Rzeczywistości do Valinoru, czyli siedziby bogów, i do Muru, do skraju Nicości, w której rozsiane są gwiazdy. Lecz Samotna Wyspa nie należy ani do Wielkich Krain, ani do Krainy Zewnętrznej, a w jej pobliżu nie ma żadnych innych wysp.

W swoich opowieściach wiekowy ów starzec nazywał siebie Człekiem Morza i mówił o swojej ostatniej podróży, która skończyła się wyrzuceniem jego statku na tę zewnętrzną wyspę, a także o tym, że zanim porwał go zachodni wiatr, dostrzegł z oddali spoczywające na łonie głębin migoczące lampy Samotnej Wyspy. Zabiło wówczas mocniej serce Ælfwine'a, lecz rzekł on starcowi, że nie ma już nadziei na zdobycie dzielnego statku ani towarzyszy. Odparł na to ów Człek Morza:

— Oto wyspa ta należy do pierścienia Wysp Bez Przystani, które przyciągają wszystkie statki ku swoim ukrytym skałom i ruchomym piaskom, by ludzie nie zapuszczali się nazbyt daleko na Garsecg i nie ujrzeli tego, co nie jest przeznaczone dla ich oczu. A wyspy te zostały tu umieszczone w czasach Ukrycia Valinoru i niewiele rośnie na nich drzew na statki czy tratwy, jak można by sądzić[33]; lecz mogę ci pomóc ziścić zamiar opuszczenia tego żarłocznego wybrzeża.

Przeto ruszył pewnego dnia Ælfwine wzdłuż wschodniego brzegu, oglądając liczne leżące tam nieszczęsne wraki. Szukał, jak czynił to już wiele razy wcześniej, jakichkolwiek wyrzuconych przypadkiem na brzeg szczątków swego dzielnego statku z Belerionu. Owej nocy rozpętał się gwałtownie nad wyspą straszliwy sztorm i oto liczba wraków zwiększyła się o jeden. Ælfwine dostrzegł, że niegdyś był to duży i dobrze zbudowany statek o wdzięcznych liniach, jakie wówczas bardzo lubili Forodwaithowie. Stał wyrzucony daleko na zdradliwe piaski, a jego wielki dziób wyrzeźbiony na podobieństwo smoczej głowy nadal groźnie celował w ląd. Kiedy wody przypływu zaczęły się powoli wkradać na długie plaże, wyszedł Człek Morza na płycizny. Miał ze sobą jako laskę kawał drewna wielki jak młode drzewko, a szedł, jakby nie musiał się obawiać przypływu ni ruchomych piasków, aż dotarł do miejsca, w którym ramiona ledwie mu wystawały ponad żółte wody przypływu i gdzie widać było nad nimi już tylko ów rzeźbiony dziób statku. Dziwował się z daleka Ælfwine, widząc, jak tylko swoimi siłami wyciąga starzec cały wielki statek z uścisku wsysającego go piasku, w którym pogrążyła się rufa. Kiedy statek już się swobodnie unosił, Człek Morza jął go pchać przed sobą, płynąc w coraz głębszej wodzie, którą rozcinał potężnymi pociągnięciami ramion. Na ten widok ponownie poczuł Ælfwine strach przed starcem i żeglarz zastanawiał się, jaką może być on istotą. Lecz teraz statek znajdował się już wyżej, na twardszym piachu, a pływak wychodził na brzeg z brodą pełną wodorostów, które wplątały mu się również we włosy.

Kiedy przypływ ponownie opuścił Głodne Piaski, Człek Morza polecił Ælfwine'owi, by obejrzał ten nowo przybyły wrak, a gdy Ælfwine to uczynił, zobaczył, że statek nie jest uszkodzony, lecz w środku znajduje się dziewięciu martwych mężczyzn. Jeszcze nie tak dawno temu cieszyli się życiem, a teraz leżeli na dnie, wpatrzeni w niebo, ten zaś, którego strój i wyraz twarzy nadal świadczyły, że był wodzem tych ludzi, wciąż wyglądał na męża dumnego i groźnego, chociaż włosy miał siwe ze starości, a twarz okrytą bladością śmierci.

— To ludzie północy, Forodwaithowie — orzekł Człek Morza. — Zginęli z głodu i pragnienia. Zeszłej nocy sztorm cisnął ich statek na Głodne Piaski, gdzie ugrzązł, by powoli się w nie zapaść, gdyby los nie zdecydował inaczej.

— Masz słuszność, Człeku Morza; tego z siwymi włosami dobrze znam, zabił bowiem mego ojca, a ja długo byłem jego niewolnikiem. Ormem zwali go ludzie. Nie darzyłem go miłością.

— To jego statek poniesie cię z tej Wyspy Bez Przystani — rzekł starzec. — Był to zacny statek dzielnych mężów, niewielu bowiem ma teraz tak wielkie serce do przygód na morzu, jak ci Forodwaithowie, którzy nieustannie przedzierają się przez mgły zachodu, chociaż rzadko który wraca żyw, by opowiedzieć o wszystkim, co widział.

W ten oto sposób wbrew wszelkiej nadziei umknął Ælfwine z owej wyspy, mając Człeka Morza za pilota i sternika. Tak przybyli po kilku dniach do bardzo mało znanej krainy[34]. Mieszkał tam osobliwy lud i nikt nie wie, jak znalazł się on na zachodzie. Jednak zaliczany jest do plemion człowieczych, chociaż jego ojczyzna leży w pobliżu zewnętrznych granic regionów zajmowanych przez ludzi, to jest dalej w stronę Zachodzącego Słońca, poza Wyspami Bez Przystani, oraz dalej na północ niż ta wyspa, na którą został wyrzucony Ælfwine. Doskonałe umiejętności budowania wszelkich rodzajów statków i łodzi oraz żeglowania nimi posiada ów lud, a mimo to rzadko się wypuszcza na tereny innych plemion, a raczej nie czyni tego nigdy i prawie wcale nie zajmuje się handlem lub wojowaniem. Statki swe buduje z miłości do szkutnictwa i dla radości, jaką czerpie z samego ujeżdżania fal. Na statkach zawsze przebywa duża jego część i czy to przy spokojnej pogodzie, czy podczas sztormu wszystkie wody wokół wyspy bielą się od żagli. Ludzie ci wielką przyjemność znajdują we współzawodnictwie w pływaniu na łodziach rozwijających nadzwyczajne szybkości, pchanych wiatrem lub rzędami długich wioseł. Rywalizują też ze sobą na pokładach statków o wielkiej morskiej dzielności, urządzając zawody w pokonywaniu najgwałtowniejszych sztormów (a wokół tej wyspy są one zaiste gwałtowne; ma ona żelazne wybrzeża i jedną tylko chłodną przystań na północy). W ten sposób sprawdzają rzemiosło swoich szkutników. Ludzie zwą ich Ythlingami[35], Dziećmi Fal, lecz elfowie nazywają ową wyspę Eneadurem, a jej mieszkańców Żeglarzami Zachodu[36].

Dobrze przyjęli oni Ælfwine'a oraz jego pilota na rojnych nabrzeżach ich przystani na północy. Zdało się Ælfwine'owi, że Człek Morza nie jest im nieznany i że darzą go ogromnym podziwem i szacunkiem, spełniając jego prośby, jakby to były królewskie rozkazy. Jeszcze większe było zdumienie Ælfwine'a, kiedy wśród tłumów spotkał dwóch swych towarzyszy, których miał za utraconych na morzu; dowiedział się również, że owych siedmiu żeglarzy z Anglii żyje i przebywa w tej krainie, lecz ich statek rozbił się na południowym, czarnym wybrzeżu niedługo po tej nocy, kiedy to wielka fala zmiotła Ælfwine'a za burtę.

Teraz na polecenie Człeka Morza wyspiarze z wielkim pośpiechem budują nowy statek dla Ælfwine'a i jego towarzyszy, jako że na statku Orma nie zapłynąłby daleko. Drewno do tego użyte pochodziło z leżącego w głębi lądu gaju magicznych dębów, rosnących wokół wyniosłego miejsca bogów, poświęconego Ulmowi, Władcy Morza. Na prośbę sędziwego żeglarza ścięto tam kilka drzew, a czyniono to bardzo rzadko.

— Statek zbudowany z tego drewna — rzekł Człek Morza —

może zatonąć, lecz ci, którzy nim żeglują, nie stracą podczas takiego rejsu życia, a mogą zostać wyrzuceni na brzeg tam, gdzie wcale nie spodziewają się przybyć.

Kiedy statek był gotowy, sędziwy żeglarz polecił im się wspiąć na pokład i tak też uczynili. Towarzyszył im Bior z Ythlingów, mąż o wielkich umiejętnościach żeglarskich, który miał im służyć pomocą. Spośród tego dziwnego ludu on najchętniej wypływał czasami daleko od Eneaduru na zachód, północ czy też południe. Obok statku na brzegu stało wielu mężów z plemienia Ythlingów, zbudowali go bowiem w otwierającej się na zachód zatoczce na wznoszącym się stromo zachodnim wybrzeżu. Skalny próg, jedynie z wąskim prześwitem, czynił z tego miejsca osłonięty basen i dogodne cumowisko, a na tej wyspie pionowych urwisk znajdowało się niewiele mu podobnych. Wówczas starzec położył dłoń na dziobie statku i wypowiedział kilka magicznych słów nadających mu moc rozcinania nierozciętych wód i odwiedzania nieodwiedzanych przystani, i docierania do dziewiczych plaży. Dwa miał ów statek wiosła sterowe, po jednym z każdej strony, wedle zwyczaju Ythlingów, i starzec pobłogosławił je oba, nadając im zdolność sterowania, kiedy zawiodą ręce, co je trzymają, i odnajdowania zagubionych kursów, i podążania za ukrytymi przed wzrokiem gwiazdami. Potem ruszył energicznym krokiem, a tłum rozstępował się przed nim, i w końcu wspiął się na wysokie urwisko. Wtedy rzucił się przed siebie daleko w dół i zniknął w wielkim rozbryzgu piany tam, gdzie potężne fale zbierały się do ataku na wyniosły brzeg.

Więcej już go Ælfwine nie ujrzał.

— Dlaczego był tak znużony życiem? — zapytał z bólem i zdumieniem. — Jego śmierć pogrążyła me serce w żałobie.

Lecz Ythlingowie mieli na twarzach uśmiechy, zapytał więc kilku z nich, którzy stali w pobliżu:

— Kim był ten mocarny mąż? Zda mi się bowiem, że dobrze go znacie.

Lecz oni nie odpowiedzieli. Wypchnęli statek ze wspaniałego drewna[37] na morze, nie chciał już bowiem Ælfwine zwlekać dłużej, chociaż słońce zapadało ku Górom Valinoru, poza Zachodnie Mury. Wkrótce daleko na wodzie zajaśniał biały żagiel, wypełniony wiatrem od lądu i zabarwiony czerwonym blaskiem zachodzącego już słońca. Żeglarze śpiewali stare pieśni angielskiego ludu, które cichły na pozbawionych żagli falach Zachodnich Mórz, i teraz już do patrzących z brzegu nie dochodziły żadne śpiewne tony. A potem zapadła noc i nikt na Eneadurze więcej już tego statku nie oglądał[38].

Tak rozpoczęli owi żeglarze długi, dziwny i niebezpieczny rejs, którego pełna historia nigdy jeszcze nie została opowiedziana. Nie ma tu miejsca na opowieść o ich przygodach na archipelagach Zachodu ani o dziwach i niebezpieczeństwach, na jakie natrafili na Wyspach Magicznych, na morzach i w cieśninach nieznanych, lecz [trzeba rzec] o końcu rejsu, o tym, jak po wielu latach, kiedy byli znużeni morzem i pełni rozpaczy, nastał szary, ponury dzień. Wiatr prawie ucichł i chmury wisiały nisko; padał szary deszcz i żaden z nich nie widział nic przed dziobem statku, który powoli i niepewnie sunął po długich, martwych falach. Umówili się wcześniej, że to będzie ostatni dzień, po którym zawrócą statek w stronę domu (jeśli zdołają), chyba że napotkają jakieś dziwo lub jakikolwiek znak nadziei. Zabrakło im bowiem ducha. Za nimi leżały Wyspy Magiczne, gdzie trzech ich towarzyszy spało na zalanych przyćmionym światłem brzegach; głowy złożyli na białym piasku, a odziani byli w pianę, opleceni odwiecznymi zaklęciami Eglavainu. Od tamtej pory bezowocne były wszystkie ich podróże, wiatry bowiem bez końca odrzucały ich z powrotem, nie pozwalając im choćby dostrzec brzegów Wyspy Elfów[39]. Rzekł wówczas Ælfheah[40], który dzierżył ster:

— Nadszedl, Ælfwinie, umówiony czas! Uczyńmy to, czego od dawna pragnęli bogowie oraz ich wiatry — porzućmy poszukiwanie nicości, bajki w pustce, które znużeniem napełnia nasze serca, i zawróćmy, jeśli taka będzie wola bogów, do naszych domowych pieleszy.

I Ælfwine ustąpił. Ustał też wtedy wiatr i ani ze wschodu, ani z zachodu nie przychodził najlżejszy choćby jego powiew. Nad morzem powoli zapadła noc.

I oto w końcu zbudził się delikatny podmuch, wiejąc łagodnie od zachodu; a w chwili, kiedy chcieli wypełnić nim żagle, by ruszyć do domu, odezwał się nagle jeden z żeglarzy:

— Nie, to jest dziwne powietrze, pełne wonnych wspomnień.

Wszyscy znieruchomieli i głęboko odetchnęli. Łagodny ten wiatr rozproszył mgłę i żeglarze ujrzeli cienki sierp księżyca spowity jej poszarpanymi strzępami, a wkrótce potem pojawiło się za nim w ciemności tysiąc chłodnych gwiazd.

— W Czarodziejskiej Krainie otwierają się nocne kwiaty — rzekł Ælfwine.

— Patrzcie — zawtórował mu Bior[41] — elfowie zapalają świece w swym srebrzystym zmierzchu.

Wszyscy spojrzeli tam, gdzie wyciągniętą ręką pokazywał za ich pogrążoną w mroku rufę. Ze zdumienia i zachwytu nikt nic nie mówił, gdy zobaczyli daleko w mroku zachodu błękitny cień, a w tym cieniu mnóstwo migocących świateł. Pojawiało się ich coraz więcej, aż wreszcie w dali skrzyło się dziesięć tysięcy rozrzuconych punkcików migotliwego blasku, jakby na piersi oceanu rozsypał się pył świetlistych klejnotów uczynionych przez Fëanora.

— To jest zatem Port Wielobarwnych Świateł, o którym mówiło wiele lekceważonych opowieści w naszych domach — rzekł Ælfheah.

Nie mówiąc już nic więcej, wysunęli wiosła, pośpiesznie obrócili statek w miejscu i ruszyli ku nieśmiertelnym brzegom. Porzucili niemal swój zamiar, lecz wreszcie osiągnęli cel. Niezbyt się przejmowali tym długotrwałym wysiłkiem, silnymi pociągnięciami wioseł ślizgając się po wodzie; trwała długa noc Czarodziejskiej Krainy, a nad nimi płynął rogaty księżyc Elfinesse.

Napłynęła wówczas nad morzem bardzo delikatna muzyka przepełniona tak niewyobrażalną tęsknotą, że Ælfwine i jego towarzysze pochylili się oparci o wiosła i każdy zapłakał cicho nad na wpół zapomnianymi ranami ich serc, nad wspomnieniami dawno utraconych pięknych rzeczy i nad pragnieniem nieskazitelnego powabu, którego nadaremnie szuka każde ludzkie dziecię.

— To dźwięki harf i pieśni o tym, co piękne, a okna wychodzące na morze są pełne światła — odezwał się jeden z nich.

Inny powiedział:

— Struny ich skrzypiec żalą się na dawne niedole nieśmiertelnego ludu Ziemi, lecz jest w tym lamencie i radość.

— A ja słyszę rogi wróżków przemykających się migotliwie przez magiczne lasy — rzekł Ælfwine. — Takiej muzyki niejasno się domyślałem wiele lat temu pod wiązami Mindon Gwar.

I kiedy tak rozmawiali w zadumie, oto księżyc się ukrył, chmury przesłoniły gwiazdy, a mgły czasu okryły wybrzeże i niczego już nie widzieli ani nie słyszeli niczego prócz szumu fal rozpływających się wśród odległych kamyków Samotnej Wyspy; a wkrótce wiatr porwał nawet i ten ledwie słyszalny odgłos. Lecz Ælfwine stanął milczący, z szeroko otwartymi oczyma na dziobie statku i nagle z głośnym okrzykiem rzucił się do ciemnego morza, a wody, które go wypełniły, były ciepłe, i zdało się, że otuliła go łaskawa śmierć. A później wydawało się innym, że obudzili się jakby ze snu na dźwięk jego głosu, lecz zerwał się nagle silny wiatr i wypełnił ich żagle. I nigdy Ælfwine'a już nie ujrzeli, gnani z powrotem z sercami pękającymi z żalu i tęsknoty. Może przez krótki czas widzieli blade elfickie statki wracające do domu, do Przystani Wielu Barw, i pozdrawiali je; lecz do ich uszu docierały z daleka ledwie nikłe echa i nikt ich nigdy nie poprowadził do krainy ich marzeń. Po długiej żegludze powrotnej tym samym krętym i poplątanym szlakiem rzucili w końcu kotwicę w przystani Belerionu jako postarzali, znużeni drogą ludzie. A wszystko to, co widzieli i słyszeli, wydało im się później mirażem, mrzonką zrodzoną z głodu i morskich zaklęć, z wyjątkiem jedynie Briora z Eneaduru, z Ludu Żeglarzy Zachodu.

Lecz później wśród potomków owych mężów wiele było niespokojnych i skłonnych do zadumy duchów. Po śmierci przekraczali oni Krawędź Ziemi, nie potrzebując do tego łodzi ni żagla. Lecz nigdy, póki ich życie trwało, nie wyzbyli się tęsknoty za żeglowaniem, a ich ciała przykrywa morska woda[42].

W tym miejscu tekst się kończy. Nie ma śladu jakiejkolwiek jego kontynuacji, chociaż wydaje się prawdopodobne, że *Ælfwine z Anglii* miał być początkiem całkowicie przeredagowanych *Zaginionych opowieści*. Interesująca byłaby wiedza, kiedy dokładnie został napisany *Ælfwine II*. Pod względem charakteru pisma rękopis ten zdecydowanie różni się od pozostałych rękopisów *Zaginionych opowieści*; myślę jednak, że powstał niedługo po *Ælfwine I*, a pierwsza wersja najprawdopodobniej została napisana w 1920 roku lub niewiele później (zob. s. 384).

Pod koniec tekstu *Ælfwine II* ojciec mój zapisał dwie propozycje: (1) że Ælfwine powinien być „wczesnym poganinem z Anglii, który uciekł na zachód" oraz (2) że „Wyspa Starca" powinna zostać wycięta i wszyscy powinni się rozbić na Eneadurze, Wyspie Ythlingów. To ostatnie (co zdumiewające) pociągałoby za sobą porzucenie wraku, w którym martwi wikingowie „leżeli na dnie, wpatrzeni w niebo" i który Człek Morza wypchnął na brzeg wraz z przypływem.

W tym tekście — w którym „magia" wczesnych elfów jest intensywnie eksponowana w wizji żeglarzy Samotnej Wyspy, nad którą świeci „rogaty księżyc Elfinesse" — Ælfwine jest nadal ukazany na podobieństwo bohaterów ze starej angielskiej legendy. Jego ojcem jest minstrel Déor. We wspaniałym staroangielskim rękopisie, znanym jako *Kodeks z Exeter*, znajduje się krótki wiersz składający się z czterdziestu dwóch wersów, któremu obecnie nadaje się tytuł *Déor*. Jest to wypowiedź minstrela imieniem Déor, który, jak sam mówi, stracił pozycję i wypadł z łask swego pana, i został zastąpiony przez innego barda imieniem Heorrenda. W wierszu Déor podaje przykłady wielkich nieszczęść opisywanych w bohaterskich legendach, które dają mu pociechę, a wszystkie je kończy stałym refrenem *þæs ofereode; þisses swa mæg*, co było tłumaczone rozmaicie; ojciec mój utrzymywał, że znaczy to „od tamtej pory minął czas, to też może minąć"[43].

Z tego wiersza wywodzi się zarówno Déor, jak i Heorrenda. W „opowieści o Eriolu" Heorrenda był synem Eriola urodzonym na Tol Eressëi przez jego żonę Naimi (s. 355) i związanym z Hengestem i Horsą w związku z podbojem Samotnej Wyspy (s. 356), a jego siedzibą w Anglii był Tavrobel (s. 357). Nie sądzę, by minstrela Déora z Kortirion oraz Heorrendę z Tavrobelu można łączyć ze staroangielskim wierszem ze względu na coś więcej niż ich imiona — jednakże ojciec mój nie wybrał tych imion przypadkowo. Poruszyła go ta historia (nawet jeśli, by zacytować słowa jednego z redaktorów wiersza, „element autobiograficzny jest całkowicie fikcyjny i służy jedynie jako pretekst do wyliczenia heroicznych opowieści"); wygłaszając w Oksfordzie wykłady na temat *Beowulfa*, ojciec czasami nadawał jego nieznanemu twórcy imię, nazywając go Heorrendą.

Sądzę również, że nie można nadawać większego znaczenia innym staroangielskim imionom występującym w tej narracji, a są to: Óswine, książę Gwaru, Éadgifu i Ælfheah (chociaż same te imiona są niewątpliwie „mówiące": tak więc imię *Óswine* zawiera cząstkę *ós* „bóg" oraz *wine* „przyjaciel", a *Éadgifu — éad* „błogostan" oraz *gifu* „dar"). Forodwaithowie to oczywiście wikińscy najeźdźcy z Norwegii albo Danii; *Orm*, imię martwego kapitana statku, jest dobrze znane w języku nordyjskim. Lecz wszystko to jest scenografią historyczną jedynie pod względem ukierunkowania, a nie struktury.

Zachowała się koncepcja siedmiu najazdów na Lúthien (Luthany) (s. 387), podobnie jak motyw gaśnięcia elfów oraz ich ucieczki na zachód (ten ostatni w gruncie rzeczy nigdy nie zniknął)[44], lecz podczas gdy w szkicach najazd Ingwaiwarów (tj. Anglo-Sasów) był najazdem numer siedem (zob. fragmenty [20] oraz [22]), to tutaj wikińskie najazdy są przedstawione jako ataki na Anglików — „[n]ie po raz ostatni ludzie odebrali ludziom Lúthien" (s. 387), co wyraźnie stanowi aluzję do Normanów.

Interesujące są „geograficzne" odniesienia w tej opowieści. Na samym jej początku znajduje się dziwne stwierdzenie o oderwaniu Irlandii podczas wojen bogów. Jako że w „opowieści o Ælfwinie" nie ma koncepcji przeciągnięcia Tol Eressëi przez morze z powrotem na wschód, musi się to odnosić do czegoś zupełnie innego niż historia przedstawiona we fragmencie (5) (s. 346), gdzie wyspa Íverin została odłamana, kiedy Ossë usiłował przeciągnąć Tol Eressëę z powrotem. Nie wiem, co to było; wydaje się jednak, że mógłby to być pierwszy ślad lub zapowiedź wielkiego kataklizmu, jaki nastąpił pod koniec Dawnych Dni, kiedy został zatopiony Beleriand. (Nie znalazłem żadnego powiązania między przystanią *Belerion* i krainą *Beleriand*).

Kortirion (Mindon Gwar) to w tej opowieści oczywiście „Stara Kortirion", pierwotna elficka siedziba w Lúthien, od której wzięła nazwę Kortirion na Tol Eressëi (zob. s. 378, 381); podobnie należy przypuszczać, że nazwa regionu otaczającego Kortirion („Warwickshire"), czyli *Alalminórë* (s. 385), została nadana na nowo centralnemu regionowi Tol Eressëi.

Zajmę się teraz kwestią wysp i archipelagów Wielkiego Morza. To, co jest powiedziane w *Ælfwine z Anglii*, można najpierw porównać z opisami geograficznymi w *Przybyciu Valarów* (I.87–88) oraz w *Przybyciu elfów* (I.151), które są do siebie bardzo podobne. Z fragmentów tych dowiadujemy się, że przed Wyspami Magicznymi znajdują się na Wielkim Morzu liczne krainy i wyspy, a za Wyspami Magicznymi leży Tol Eressëa, za nią rozciągają się Morza Cienia „z pływającymi wciąż Wyspami Zmierzchu", pierwszymi spośród Krain Zewnętrznych. Sama Tol Eressëa „nie zalicza się ani do Krain Zewnętrznych, ani do Wielkich" (I.151); leży daleko pośrodku oceanu i „wiele mil żeglugi dzieli jej brzegi od najbliższego lądu" (I.146). Z tym opisem *Ælfwine z Anglii* jest w znacznym stopniu zgodny, lecz dodaje do niego archipelag Wysp Bez Przystani.

Jak zauważyłem wcześniej (I.164), łańcuch wysp ciągnący się ze wschodu na zachód, a więc Wyspy Bez Przystani, Wyspy Magiczne, Samotna Wyspa, a dalej Morza Cienia, na których znajdowały się Wyspy Zmierzchu, został później zmieniony; w *Silmarillionie* (s. 153) jest powiedziane, że w okresie Ukrycia Valinoru

> powstały Zaczarowane Wyspy, a morze wokół nich wypełniło się cieniami i odurzającym urokiem. Wyspy te ciągnęły się z północy na południe, zagradzając niby sieć szlak wiodący żeglarzy przez Morza Cienia ku Tol Eressëi — Samotnej Wyspie. Prawie żaden statek nie mógł się tamtędy przemknąć, bo w groźnych cieśninach fale biły nieustannie o skały spowite mgłą. W panującym tu półmroku dziwne znużenie ogarniało żeglarzy i budziła się w nich odraza do morza. Kto mimo to dotknął stopą jednej z wysp, stawał się więźniem i zasypiał, aby nie zbudzić się aż do Przemiany Świata.

Koncepcja Zaczarowanych Wysp wywodzi się głównie z dawnych Wysp Magicznych, powstałych w czasie Ukrycia Valinoru i tak opisanych w poświęconej mu opowieści (I.247): Ossë „[r]ozrzucił je w wielkim półkręgu na zachodnich skrajach potężnego morza, aby strzegły Zatoki Czarodziejskiej Krainy".

> Każdy, kto raz stanął na brzegu, już nigdy stamtąd nie wrócił. Omotani w sieci z włosów Oineny, Pani Morza, i wnet zmorzeni snem przez czary Lóriena, leżeli nieszczęśni jak topielcy

> wyrzuceni z morza; choć żyli, spali snem wiecznym, a ciemne wody omywały ich bezwładne ciała...

Tutaj trzech towarzyszy Ælfwine'a

> spało na zalanych przyćmionym światłem brzegach; głowy złożyli na białym piasku, a odziani byli w pianę, opleceni odwiecznymi zaklęciami Eglavainu (s. 394).

(Nie wiem, co znaczy nazwa *Eglavain*, lecz ponieważ wyraźnie zawiera ona cząstkę *Egla* [gnomicki = *Elda*, zob. I.298], być może znaczyła ona „Elfinesse"). Lecz Zaczarowane Wyspy mogą się także wywodzić od Wysp Zmierzchu, ponieważ Zaczarowane Wyspy podobnie spowijał zmierzch i znajdowały się one na Morzach Cienia (por. I.261), a także od Wysp Bez Przystani, które, jak powiedział Ælfwine'owi Człek Morza (s. 390), powstały w czasie Ukrycia Valinoru — i w gruncie rzeczy służyły temu samemu celowi, co Wyspy Magiczne, chociaż leżały o wiele dalej na wschód.

Eneadur, Wyspa Ythlingów (staroangielski *ýð* „fala"), których życie jest tak dokładnie opisane w *Ælfwine z Anglii*, chyba nie została wspomniana już nigdy później. Czy w Eneadurze i Żeglarzach Zachodu kryje się jakaś niejasna zapowiedź wczesnych Númenórejczyków na ich opasanej urwiskami wyspie?

Niełatwo jest wyjaśnić następujący ustęp (s. 389):

> Stamtąd [tj. z Zatoki Czarodziejskiej Krainy] świat wznosi się stromo poza Krawędź Rzeczywistości do Valinoru, czyli siedziby bogów, i do Muru, i do skraju Nicości, w której rozsiane są gwiazdy.

W pochodzącym z lat 30. XX wieku tekście *Ambarkanta*, czyli „Kształt Świata", na mapie świata powierzchnia Krainy Zewnętrznej od Gór Valinoru wznosi się stromo ku zachodowi. Możliwe, że to o tej stromiźnie myślał tutaj mój ojciec, a Krawędź Rzeczywistości jest wielkim zboczem góry; jednakże wydaje się to nieprawdopodobne. W *Ælfwine z Anglii* są również odniesienia do „Krawędzi Ziemi", poza którą przechodzą zmarli (s. 386, 396), a w szkicu *Opowieści o Eärendelu* (s. 316) łódka Tuora „znika za krawędzią świata". Sądzę, że wyrażenie to odnosi się raczej do linii horyzontu (zob. „poza horyzont ludzkiej wiedzy", s. 384).

Sformułowania „słońce zapadało ku Górom Valinoru, poza Zachodnie Mury" nie potrafię wyjaśnić zgodnie z tym, co zostało powiedziane w *Zaginionych opowieściach*. Możliwa, choć mało przekonująca interpretacja może być taka, że słońce obniżało się ku Valinorowi, skąd przesunęłoby się „poza Zachodnie Mury" (tj. przez Bramę Nocy, zob. I.251–252).

Na koniec warta uwagi jest sugestia (s. 384–385), że elfowie żeglujący z Lúthien na zachód mogliby minąć Samotną Wyspę i dotrzeć aż do Valinoru; w tej kwestii zob. s. 341.

Nim skończę, pozostaje jeszcze do krótkiego omówienia kwestia natury ogólnej wielokrotnie wspominana w tych tekstach, szczególnie w ostatnich rozdziałach, a mianowicie „drobna postura" elfów.

W *Zaginionych opowieściach* kilka razy jest powiedziane, że w pradawnych czasach elfowie byli więksi, niż stali się później. Tak więc w *Upadku Gondolinu* (s. 192) czytamy: „ojcowie ojców ludzi mieli mniejszą posturę niż dzisiejsi, a dzieci Elfinesse były wyższe"; w zarysie porzuconej opowieści Gilfanona (I.276) znajduje się bardzo podobne stwierdzenie: „Ludzie niemal dorównywali wzrostem pierwszym elfom, ci jednak byli wówczas znacznie wyżsi, a ludzie niżsi niż teraz"; a w niniejszym rozdziale we fragmencie (4) mówi się, że „[l]udzie i elfowie byli wprzódy jednego wzrostu, chociaż ludzie zawsze byli roślejsi". Inne fragmenty sugerują, że pradawni elfowie tak czy owak byli z natury nieco delikatniejszej budowy (zob. s. 172, 264).

Zmniejszenie postury elfów w późniejszych czasach jest bardzo wyraźnie związane z przybyciem ludzi. Tak więc we fragmencie (4) powyżej „ludzie rozprzestrzeniają się i prosperują, a elfowie z Wielkich Krain gasną. Ich postura się zmniejsza, a postura ludzi rośnie", a w (5) „w miarę jak ludzie stają się potężniejsi i liczniejsi, wróżkowie gasną, robią się mniejsi i wątlejsi, prawie przezroczyści i przejrzyści, natomiast ludzie stają się roślejsi, cięższi, bardziej prostaccy. W końcu żaden z nich nie potrafi już dostrzec wróżków". Najwyraźniejszy zachowany obraz elfów, kiedy całkiem już „zgaśli", znajduje się w „Epilogu" (s. 353):

> Niczym powiewy wiatru, niczym na wpół przezroczyste mistyczne istoty wyruszają dziś wieczorem konno Gilfanon Władca Tavrobelu otoczony współbraćmi i polują na elfie jelenie pod

blednącym niebem. Muzyka zapomnianych stóp, lśnienie liści, nagłe pochylenie traw, smutne głosy szemrzące na moście — i już ich nie ma.

Natomiast zgodnie z fragmentami dotyczącymi późniejszej wersji *Ælfwine z Anglii* elfowie z Tol Eressëi, którzy opuścili Luthany, nie zgaśli albo przestali gasnąć. Tak więc we fragmencie (15) czytamy: „Tol Eressë[a] [...], na którą wycofała się przed hałasem, wojną i wrzawą ludzi większość niezgasłych elfów", a w (16): „Tol Eressë[a], dokąd wycofała się ze świata większość gasnących elfów, i gdzie już elfowie ci nie gasną"; również w *Ælfwine z Anglii* (s. 386) znajduje się stwierdzenie: „niezgaśli elfowie za wodami Garsecgu".

Z drugiej strony, kiedy Eriol przybył do Dworku Zabawy Utraconej, usłyszał od odźwiernego (I.22):

„Siedziba mała jest, jej mieszkańcy wszakże są znacznie od niej mniejsi. Ci bowiem, którzy wchodzą w nasze progi, są albo bardzo mali z natury, albo stają się tacy na własne życzenie".

Zwróciłem wcześniej uwagę (I.44) na osobliwość koncepcji, że Dworek i jego mieszkańcy są szczególnie mali na wyspie całkowicie zamieszkanej przez elfów. Lecz gdyby mój ojciec kiedykolwiek przeredagował *Dworek Zabawy Utraconej*, to niewątpliwie tę koncepcję by zarzucił. Całkiem możliwe, że już podczas pisania tekstu *Ælfwine II* tak czy owak wycofywał się z pomysłu, że „zgaśli" elfowie są drobni, co sugeruje odrzucenie przez niego słowa „mały" w sformułowaniach „mały lud", „małe statki" (zob. przyp. 27).

W końcu oczywiście elfowie pozbywają się wszelkich skojarzeń i cech, które teraz powszechnie uważano by za „wróżkowe", a ci, którzy pozostali w Wielkich Krainach w czasie trwania niewymyślonych jeszcze wtedy er świata, mieli znacznie zyskać na posturze i sile. W bohaterskich czy majestatycznych Eldarach Trzeciej Ery Śródziemia nie było nic przezroczystego czy przejrzystego. Wiele lat później ojciec mój tak napisze w gniewnym komentarzu do „ładnych" czy „damskich" wizerunków Legolasa:

Był wysoki niczym młode drzewo, gibki, niezwykle silny, potrafił szybko naciągnąć wielki łuk bojowy i zestrzelić Nazgûla, był obdarzony niezwykłą żywotnością elfich ciał, tak mocnych i odpornych na urazy, że po skałach lub śniegu chodził w lekkich tylko butach i był najbardziej niestrudzony z całego Bractwa.

Na tym kończy się moje przedstawianie i analiza wczesnych tekstów związanych z opowieścią o żeglarzu, którzy przybył na Samotną Wyspę i wysłuchał tam prawdziwej historii elfów. Mam nadzieję, że w przekonujący sposób pokazałem ciekawe i złożone zmiany, jakie przechodziła w wyobraźni mojego ojca koncepcja znaczenia Tol Eressëi. Kiedy spisywał streszczenie zawarte w tekście (10), oczywiście istniał już pomysł rejsu żeglarza na Wyspę Elfów; wypłynął on jednak ze wschodu, a Samotna Wyspa, której szukał, była Anglią (chociaż jeszcze nie krainą Anglików i nie znajdowała się na wodach, z którymi graniczy Anglia). Kiedy później zmieniła się cała ta koncepcja, Anglia, jako „Luthany" bądź „Lúthien", pozostała zasadniczo krainą elfów, a Tol Eressëa, z jej łąkami i zagajnikami, z gniazdami gawronów na wiązach Alalminórë, wydała się angielskiemu żeglarzowi krainą przerobioną na podobieństwo jego własnej, którą elfowie utracili po przybyciu ludzi. Była to w istocie odtworzona daleko za morzem elficka Luthany.

Wszystko to miało później zostać usunięte z rozwijającej się mitologii; lecz Ælfwine pozostawił na jej kartach wiele śladów, zanim on też w końcu zniknął.

Znaczna część niniejszego rozdziału jest z konieczności nierozstrzygająca i niepewna, lecz uważam, że te bardzo wczesne notatki i projekty słusznie zostały wydobyte na światło dzienne. Mimo że są to „fabuły" porzucone i niewątpliwie zapomniane, świadczą o prawdach tkwiących w sercu i umyśle mojego ojca, których nigdy się nie wyzbył. Jednak notatki te sporządził w młodości, kiedy dla niego magia elfów „wciąż jest mocno zakorzeniona w [...] lasach i wśród wzgórz" Luthany; u schyłku jego życia zaś wszystko odeszło na zachód za morze i dla Eldarów z opowieści i pieśni rzeczywiście nadszedł koniec.

Przypisy

1. Jeśli chodzi o stwierdzenie na temat postury elfów i ludzi, zob. s. 401–402.
2. Jeśli chodzi o formę *Taimonto* (*Taimondo*), zob. I.318, hasło *Telimektar*.
3. *Belaurin* jest gnomickim odpowiednikiem imienia *Palúrien* (zob. I.315).
4. Umieszczona z boku notatka sugeruje, że ta Sosna może nie powinna się znajdować na Tol Eressëi. Jeśli chodzi o powietrzny przestwór *Ilwë*, która jest „błękitna i jasna" i „płynie między gwiazdami", zob. I.85, 93.
5. *Gil* = *Ingil*. Przy pierwszym użyciu imienia *Ingil* w tym fragmencie zostało ono zapisane jako *Ingil* (*Gil*), lecz (*Gil*) zostało przekreślone.
6. Słowo *Nautarowie* pojawia się w odrzuconym szkicu *Opowieści o Nauglafringu* (s. 164), gdzie jest utożsamione ze słowem *Nauglathowie* (krasnoludowie).
7. *Uin*: „najpotężniejszy i najstarszy pośród wielorybów", najważniejszy z wielorybów i ryb ciągnących wyspę (później Tol Eressëę), na której Ulmo przewiózł elfów do Valinoru (I.144–146).
8. *Gongowie*: są to nikczemne istoty w niejasny sposób spokrewnione z orkami, zob. I.287, przyp. 10 oraz odrzucone szkice *Opowieści o Nauglafringu* przytoczone na s. 164–165.
9. Przy tym ustępie widnieje duży pytajnik.
10. Podobieństwo tej nazwy do *Dor Daedeloth* jest uderzające, lecz to nazwa królestwa Morgotha w *Silmarillionie*, a jej znaczenie to „Kraj Cienia Zgrozy". Ta stara nazwa (której elementami są *dai* „niebo" oraz *teloth* „dach") nie ma nic wspólnego z późniejszą prócz formy.
11. Por. *Kortirion wśród drzew* i *Drzewa Kortirion* (I.51, I.56): „jak wiatr pośród traw".
12. Pochodzenie nazwy *Warwick* według konwencjonalnej etymologii jest niepewne. Cząstka *wic*, powszechna w angielskich nazwach miejscowych, oznaczała zasadniczo siedzibę lub skupisko siedzib. Najwcześniejsza zachowana forma tej nazwy to *Wæring wic*, a *Wæring* uważa

się za staroangielskie słowo oznaczające tamę, wyraz pochodny od *wer*, współczesny angielski *weir* „jaz": a zatem Warwick to „siedziby przy jazie".

13. Por. tytuł podany w tekście (11): *Heorrenda z Hægwudu*. Nie zachowały się żadne pisane formy nazwy tej wioski w Staffordshire z okresu sprzed podboju normańskiego, lecz formą staroangielską niewątpliwie było *hæg-wudu* „ogrodzony las" (por. *High Hay* „Wysoki Płot", wielki żywopłot chroniący Jelenisko [Buckland] przed Starym Lasem we *Władcy Pierścieni*).
14. Nazwa kraju *Luthany* występuje pięć razy w wierszu Francisa Thompsona *The Mistress of Vision* („Pani wizji"). Jak zauważyłem wcześniej (I.41), ojciec mój wszedł w posiadanie wierszy zebranych Francisa Thompsona w latach 1913–1914; w tomie tym na marginesie jednej ze strof zawierających nazwę *Luthany* umieścił notatkę, chociaż nie dotyczy ona tej nazwy. Nie mam pojęcia, skąd ją zaczerpnął Thompson. On sam opisał ten wiersz jako „fantazję" (Everard Meynell, *The Life of Francis Thompson* [„Życie Francisa Thompsona"], 1913, s. 237).

    Powyższe pozwala się domyślać, że nazwa ta została wybrana jedynie ze względu na tworzący ją ciąg dźwięków, podobnie jak w wypadku nazw *Kôr* z powieści *Ona* Ridera Haggarda* czy *Rohan* i *Moria* wspomnianych w liście mojego ojca z 1967 roku na ten temat (*Listy*, s. 518–519), w którym napisał:

> Prowadzi to do kwestii „zewnętrznej" historii — sposobu, w jaki wybrałem lub natrafiłem na pewne ciągi dźwięków, które wykorzystałem jako nazwy, zanim jeszcze otrzymały swoje miejsce w opowieści. Tak jak powiedziałem, jest to według mnie bez znaczenia: praca włożona w przedstawienie wszystkiego, co wiem i pamiętam z tego procesu, lub w zbadanie domysłów innych osób, byłaby o wiele większa niż wartość jej rezultatów. Formy mówione byłyby po prostu zwykłymi formami słyszanymi, a po

* Nie ma na to żadnych zewnętrznych dowodów, lecz trudno w to wątpić. Można by pomyśleć, że ponieważ afrykański Kôr był miastem zbudowanym na szczycie wielkiej samotnej góry, to związek tych dwóch nazw jest więcej niż czysto „fonetyczny".

przeniesieniu do przygotowanej sytuacji językowej mojej opowieści otrzymałyby znaczenie i wagę zgodne z tą sytuacją oraz naturą opowieści. Szukanie źródeł tych kombinacji dźwięków w celu odkrycia jakichkolwiek jawnych lub ukrytych znaczeń byłoby całkowicie pozbawione sensu.

15. Sytuację komplikuje istnienie kilku nadzwyczaj pobieżnych i niemal nieczytelnych szkiców narracji, w których żeglarz nosi imię *Ælfwine*, lecz w których istnieją zasadnicze elementy „opowieści o Eriolu". Uważam, że szkice te stanowią etap pośredni. Są bardzo niejasne, a ich przedstawienie i omówienie zajęłoby dużo miejsca, zatem je pomijam.
16. Por. s. 321 (xiv).
17. *Caer Gwâr*: zob. s. 357.
18. Można tu wspomnieć, że kiedy ojciec mój odczytał *Upadek Gondolinu* na spotkaniu Klubu Eseistycznego kolegium Exeter wiosną 1920 roku, żeglarz nadal nosił imię *Eriol*, jak wynika z notatek do wstępu, który miał zostać wygłoszony przy tej okazji (zob. *Niedokończone opowieści*, s. 18). Powiedział tam, co bardzo dziwne, że „Eriol przypadkiem natyka się na Samotną Wyspę".
19. *Garsecg* (nazwa wymawiana jak *Garsedge* i tak zapisana w *Ælfwine A*) było jednym z wielu staroangielskich określeń morza.
20. W *Ælfwine I* kraina ta również nazywa się *Lúthien*, nie *Luthany*. Z drugiej strony, w *Ælfwine A* jest takie samo rozróżnienie, jak w szkicach: „Ælfwine z Anglii (któremu wróżkowie nadali później imię Lúthien [przyjaciel] z Luthany [przyjaźni])". Przy tym pierwszym użyciu słowa *Lúthien* w *Ælfwine II* (i tylko tu) jest nad nim dopisana ołówkiem forma *Leithian*, lecz *Lúthien* nie zostało przekreślone. *Ballada o Leithian* była później tytułem długiego poematu o Berenie i Lúthien Tinúviel.
21. *Wzgórze Tûnu*, tj. wzgórze, na którym zostało zbudowane miasto Tûn; zob. s. 242.
22. *Mindon Gwar*: zob. s. 357.
23. *Éadgifu*: w „opowieści o Eriolu" to staroangielskie imię (zob. s. 398) zostało nadane Naimi, żonie Eriola, którą poślubił na Tol Eressëi (s. 355).
24. W *Ælfwine I* tekst w tym miejscu brzmi: „którzy mieli ją przed nimi, tak jak powiedział ów król Franków, co był kiedyś najpotężniejszy wśród ludzi..." [*sic!*]. W *Ælfwine II* sporządzony atramentem rękopis

kończy się na słowach „za wysokimi białymi brzegami", lecz po nich ojciec mój napisał ołówkiem: „tak jak powiedział ów król Franków, co był w tamtych czasach najpotężniejszym królem na ziemi..." [*sic!*]. Jedyną wskazówką w opowieści *Ælfwine z Anglii* co do okresu, w którym żył jej bohater, jest najazd Forodwaithów (wikingów), a zatem owym potężnym królem Franków może być Karol Wielki, lecz nie udało mi się znaleźć żadnej świadczącej o tym wzmianki.

25. Określenie *Zła* to efekt poprawki; przedtem widniało tu imię *Melko*. W *Ælfwine I* tego sformułowania nie ma.
26. W *Ælfwine I* czytamy: „kiedy na ziemi Lúthien postawili mocarne stopy starożytni ludzie z południa z Micelgeardu, Okrutnego Miasta". W tym tekście nie ma wzmianki o Rûmie i Magbarze. Nazwa *Micelgeard* jest przekreślona, lecz u góry strony jest napisane *Mickleyard*. *Micelgeard* to słowo staroangielskie (a *Mickleyard* to jego zmodernizowana pisownia), chociaż nie występuje ono w zachowanych tekstach staroangielskich. Jest wzorowane na staronordyjskiej nazwie *Mikligarðr* (Konstantynopol). Szczególnej wrogości Rzymian wobec elfów z Luthany można się domyślać na podstawie fragmentu (20), a niewiara tych ludzi w istnienie elfów jest wspomniana we fragmencie (22).
27. Często stosowane w *Ælfwine I* słowo „mały" w odniesieniu do wróżków (elfów) z Lúthien oraz ich statków powtarza się w *Ælfwine II*, lecz później zostało w tym tekście skreślone. Tutaj jest pozostawione dwukrotnie, być może nieumyślnie.
28. *Elfickich* jest to efekt późniejszej poprawki; przedtem widniało tu słowo *wróżkowych*.
29. Zdanie to od słów „prócz pozbawionego ojca Ælfheaha..." zostało dodane później w *Ælfwine II*; w *Ælfwine I* go nie ma. Cały tekst do tego miejsca w *Ælfwine I* i *Ælfwine II* jest skrócony do następującej postaci w *Ælfwine A*:

> Ælfwine z Anglii (któremu wróżkowie nadali później imię Lúthien [„przyjaciel"] z Luthany [„przyjaźni"]) zrodzony z Déora i Éadgifu. Ich miasto spalone, Déor zabity, a Éadgifu umiera. Ælfwine niewolnikiem Skrzydlatych Hełmów. Ucieka nad Zachodnie Morze, wsiada na statek w Belerionie i odbywa wielkie

podróże. Szuka wysp zachodu, o których opowiadała mu w dzieciństwie Éadgifu.

30. W *Ælfwine I* zdanie to brzmi następująco: „Lecz trzech mężów zdołał znaleźć Ælfwine jako towarzyszy; a Ossë wziął ich do siebie". Imię *Ossë* zostało poprawione na *Neorth*, a później zdanie to zostało przekreślone i napisane od nowa: „Takich znalazł jedynie trzech, a owych trzech wziął potem do siebie Neorth i ich imiona nie są znane". Neorth = Ulmo; zob. przyp. 39.
31. W *Ælfwine A* figuruje tekst: „Dostrzega o świcie kilka wysp, lecz unoszą go stamtąd potężne wichury. Z trudem wraca do Belerionu. Gromadzi siedmiu największych żeglarzy Anglii; wypływają wiosną. Rozbijają się na wyspach, które pragnął odnaleźć Ælfwine, i widzą, że są one opuszczone, samotne i pełne ponurych szumiących drzew". Różni się to od *Ælfwine I* i *Ælfwine II*, gdzie na wyspę zostaje wyrzucony tylko Ælfwine, lecz zgadza się z *Ælfwine II*, gdzie Ælfwine ma siedmiu towarzyszy, nie trzech.
32. Wskazówka, że był to Ulmo; por. *Upadek Gondolinu* (s. 188): „na nogach miał wielkie buty z kamienia".
33. W *Ælfwine A* były „pełne ponurych szumiących drzew" (przyp. 31).
34. Od miejsca, w którym Człek Morza powiedział: „Oto wyspa ta należy do pierścienia Wysp Bez Przystani..." (s. 390) aż dotąd (tj. zamiast całego epizodu z wyrzuconym na brzeg wikińskim statkiem i jego kapitanem Ormem, zabójcą ojca Ælfwine'a) w *Ælfwine I* nie ma podobnego tekstu, lecz tylko zdanie „lecz ów Człek Morza pomógł mu zbudować małą łódkę i razem, dzięki wskazówkom samotnego żeglarza, wypłynęli na morze i przybyli do bardzo mało znanej krainy". Jeśli chodzi o tekst w *Ælfwine A*, zob. przyp. 39.
35. W jednym miejscu w *Ælfwine I* nazwa *Ythlingowie* (staroangielski *ýð* „fala") została zapisana ze staroangielską końcówką lm. *-as*: *Ythlingas.*
36. *Żeglarzami Zachodu*: poprawione słowo *Eneathrimami.*
37. Por. we fragmencie aliteracyjnej poezji w eseju mojego ojca *O tłumaczeniu* Beowulfa (*Potwory i krytycy*, tłum. Tadeusz A. Olszański, Zysk i S-ka, Poznań 2000, s. 90): „potem znów ją pchnęli / w drogę radośnie wspaniale drewnianą".
38. Cały fragment opowieści dotyczący wyspy Ythlingów jest w *Ælfwine I* krótszy (chociaż w tej krótszej formie prawie identyczny pod względem

sformułowań) i brak w nim kilku elementów późniejszej opowieści (zwłaszcza epizodów wycinania drzew w gaju poświęconym Ulmowi oraz pobłogosławienia statku przez Człeka Morza). Jedyną faktyczną różnicą strukturalną jest jednak to, że podczas gdy w *Ælfwine II* Ælfwine odnajduje swoich siedmiu towarzyszy w krainie Ythlingów i odpływa z nimi oraz Ythlingiem Biorem na zachód, to w *Ælfwine I* jego towarzysze utonęli, a siedmiu następnych znalazł wśród Ythlingów (i nie ma tam Biora).

39. Szkic fabuły *Ælfwine A* podejmuje opowieść od miejsca, w którym Ælfwine i jego siedmiu towarzyszy zostali wyrzuceni na wyspę Człeka Morza (i w ten sposób różni się on od *Ælfwine I* i *Ælfwine II*, gdzie Ælfwine na wyspę przybył sam):

> Błąkają się po wyspie, na którą zostali wyrzuceni, i natykają na wiele rozpadających się wraków — często potężnych statków, niektórych wyładowanych skarbami. Znajdują odosobnioną chatę nad samotnym morzem, zbudowaną ze starego drewna ze statków, gdzie mieszka samotny i dziwny stary żeglarz o przerażającym wyglądzie. Mówi im, że to są Wyspy Bez Przystani, których zaczarowane skały przyciągają wszystkie statki, żeby ludzie nie zapuszczali się za daleko na Garsedge [zob. przyp. 19] — a zostały obmyślone w okresie Ukrycia Valinoru. Tutaj, powiada żeglarz, drzewa są magiczne. Dowiadują się od niego wielu dziwnych rzeczy o zachodnim świecie i nabierają ochoty na przygody. Żeglarz pomaga im ściąć święte drzewa w gajach na wyspie i zbudować cudowny statek oraz pokazuje im, jak go zaopatrzyć na długą podróż (woda, która nie wysycha, chyba że stracą ducha itp.). Błogosławi statek zaklęciem przygody i odkrycia, a potem skacze do wody ze szczytu urwiska. Podejrzewają, że to był Neorth, Władca Wód.
>
> Żeglują wiele lat wśród dziwnych zachodnich wysp i często słyszą dziwne relacje — o pasie Wysp Magicznych, przez który przepłynęli nieliczni; o dziewiczym morzu, za którym wiatr wieje prawie zawsze z zachodu; o krawędzi zmierzchu i znajdującej się daleko za nią wyspie oraz o migotliwych światłach jej przystani. Docierają do magicznej wyspy [wysp?], zostają tam zaczarowani i zapadają na brzegu w sen.

Inni przemierzają wody za wyspą i wpadają w rozpacz — ilekroć kierują się na zachód, wiatr się zmienia i pcha ich z powrotem. W końcu umawiają się, że jeśli nie wydarzy się nic innego, zawrócą nazajutrz. Dzień wstaje chłodny i pochmurny, a oni są unieruchomieni przez brak wiatru i na próżno przebijają wzrokiem gęsty deszcz.

Tekst ten różni się zarówno od *Ælfwine I*, jak i *Ælfwine II* pod tym względem, że nie wspomina się w nim o Ythlingach, a Ælfwine i jego siedmiu towarzyszy wyruszają w długi rejs na zachód z Wyspy Bez Przystani sędziwego żeglarza. Zgadza się z *Ælfwine I*, jeśli chodzi o imię *Neorth*, a zapowiada *Ælfwine II* wzmianką o ścinaniu świętych drzew na budowę statku.

40. W *Ælfwine I* Ælfheah się nie pojawia, a jego dwie wypowiedzi z tego ustępu są w *Ælfwine I* włożone w usta niejakiego Gelimera. Imię *Gelimer* (*Geilamir*) nosił król Wandalów z VI wieku.
41. W *Ælfwine I* słowa Biora wypowiada Gelimer (zob. przyp. 40).
42. *Ælfwine I* kończy się niemal takimi samymi słowami, jak *Ælfwine II*, lecz z jedną niezwykłą różnicą; Ælfwine nie wyskakuje za burtę, lecz wraca z towarzyszami do Belerionu i w ten sposób nie dociera do Tol Eressëi! „Bardzo puste zdawały się później miejsca ludzi Ælfwine'owi i jego żeglarzom; wśród ich potomków było wielu niespokojnych i ogarniętych tęsknotą, a po śmierci..." Co więcej, ojciec mój najwyraźniej zamierzał powiedzieć to samo w *Ælfwine II*, lecz przerwał pisanie, przekreślił to, co napisał, i wprowadził zdanie, w którym Ælfwine skoczył do morza. W żaden sposób nie potrafię tego wytłumaczyć.

Ælfwine A kończy się bardzo podobnie do *Ælfwine II*:

Z zapadnięciem nocy budzi się delikatny podmuch i znikają chmury. Stawiają żagle, by ruszyć w drogę powrotną — lecz nagle w oddali widzą w półmroku rozbłyskujące liczne światła Przystani Wielu Barw. Wiosłują w jej stronę i słyszą słodkie dźwięki muzyki. Wtedy wszystko spowija mgła; inni budzą się i mówią, że to miraż zrodzony z głodu, i z ciężkim sercem gotują się do drogi powrotnej, lecz Ælfwine rzuca się za burtę i płynie w ciemność, aż opada z sił i zdaje mu się, że otula go śmierć. Pozostali żeglują do domu i znikają z tej opowieści.

43. Dosłownie, jak twierdził: „Od tamtego (żalu) człowiek się oddalił; od tego może się oddalić w ten sam sposób".
44. Długie korzenie mają słowa z *Bractwa Pierścienia* (s. 61): „Widywano teraz elfów [...] jak po nocach maszerowali lasami na zachód. Nikt nie widział ich wracających — opuszczali Śródziemie i mało się przejmowali jego kłopotami". Kiedy wspomniał o tym Sam Gamgee, młody Sandyman stwierdził: „Jeśli się wierzy starym podaniom, to nie ma w tym nic dziwnego".

Podaję tu podsumowanie różnic strukturalnych między trzema wersjami *Ælfwine z Anglii.*

A	I	II
Æ. wypływa z Belerionu i widzi „o świcie jakieś wyspy".	Jak w A	Jak w A, lecz jego towarzysz Ælfheah zostaje wymieniony z imienia.
Æ. wypływa ponownie z 7 żeglarzami z Anglii. Ich statek rozbija się na wyspie Człeka Morza, lecz wszyscy żyją.	Æ. ma tylko 3 towarzyszy i tylko on uchodzi z życiem po rozbiciu się statku.	Æ. ma 7 towarzyszy; jest sam na wyspie Człeka Morza, sądząc, że utonęli.
Człek Morza pomaga im zbudować statek, lecz nie wypływa z nimi.	Człek Morza pomaga Æ. zbudować łódkę i wypływa razem z nim.	Æ. i Człek Morza znajdują na brzegu wikiński statek i razem nim odpływają.
Człek Morza skacze do wody ze szczytu urwiska swojej wyspy.	Przybywają na Wyspę Ythlingów. Człek Morza skacze ze szczytu urwiska. Æ. dostaje od Ythlingów 7 towarzyszy.	Jak w I, ale Æ. znajduje swoich 7 towarzyszy z Anglii, którzy nie utonęli; dołącza do nich Ythling Bior.
W trakcie podróży 3 towarzysze Æ. zostają zaczarowani na Wyspach Magicznych.	Jak w A, lecz w tym wypadku są to Ythlingowie.	Jak w A.
Wiatr odpycha ich od Tol Eressëi po tym, jak ją dostrzegli; Æ. skacze za burtę, a pozostali wracają do domu.	Wiatr odpycha ich od Tol Eressëi i wszyscy, łącznie z Æ., wracają do domu.	Jak w A.

Zmiany oraz różnice dotyczące imion i nazw własnych w różnych tekstach *Ælfwine z Anglii*

Lúthien — nazwa krainy w *Ælfwine I* i *Ælfwine II*; w *Ælfwine A Luthany* (zob. przyp. 20).

Déor — tylko przy pierwszym użyciu w *Ælfwine I Déor* < *Heorrenda*, następnie *Déor*; w *Ælfwine A Déor*.

Evadrien — w *Ælfwine I* < *Erenol*. *Erenol* = „Żelazne Klify"; zob. I.298, hasło *Eriol*.

Forodwaithowie — w *Ælfwine II* jest *Forodwaithowie* < *Forwaithowie* < *Gwasgoninowie*; w *Ælfwine I* jest *Gwasgoninowie lub Skrzydlate Hełmy*; w *Ælfwine A*: *Skrzydlate Hełmy*.

Kraina Zewnętrzna < *Krainy Zewnętrzne* w obu użyciach w *Ælfwine II* (s. 389).

Ælfheah — w *Ælfwine I* jest *Gelimer* (tylko za pierwszym razem < *Helgor*).

Żeglarze Zachodu — w *Ælfwine II* < *Eneathrimowie*.

Dodatek

Nazwy własne w *Zaginionych opowieściach* Część 2

„Dodatek" ten został pomyślany jedynie jako uzupełnienie i rozszerzenie „Dodatku" zawartego w części 1. Nazwy własne już omówione w części 1 nie mają swoich haseł na poniższej liście, jeśli odpowiednie hasła znalazły się w poprzednim „Dodatku", np. *Melko*, *Valinor*. Jeżeli jednak, jak często się to zdarza, informacje etymologiczne są w części 1 zawarte w haśle odnoszącym się do innej nazwy własnej, jest to sygnalizowane, np. „*Gilim* Zob. I.308 (*Melko*)".

Jeśli zawarte w poniższych hasłach informacje lingwistyczne pochodzą z listy nazw własnych do *Upadku Gondolinu* (zob. s. 180), listę tę określam skrótem „LUG". Skróty „SG" i „SQ" odnoszą się odpowiednio do słownika języka gnomickiego i słownika języka quenya (zob. I.291 i nast.). *Quenya* jest terminem stosowanym w obu częściach *Zaginionych opowieści* na określenie języka używanego na Tol Eressëi i nie pojawia się nigdzie indziej we wczesnych tekstach, gdzie z jednej strony mamy do czynienia z „językiem gnomickim", a z drugiej z „językiem elfickim", „eldarskim" lub „eldarissa".

Alqarámë Jeśli chodzi o pierwszy element, quenejskie słowo *alqa* „łabędź", zob. I.295 (*Alqaluntë*). SQ w omówieniu rdzenia RAHA podaje *râ* „ręka", *rakta* „wyciągać rękę, sięgać", *ráma* „skrzydło", *rámavoitë* „mający skrzydła". W SG figuruje *ram* „skrzydło, lotka" oraz uwaga, że quenejskie słowo *ráma* powstało w wyniku pomylenia słowa *ram* ze słowem *róma* „ramię".

Amon Gwareth SQ w omówieniu rdzenia AM(U) „na górze (w górę)" podaje *amu* „na górze (w górę)", *amu-* „wznosić", *amuntë* „wschód słońca", *amun(d)* „wzgórze". W SG jest *am* „na górze (w górę)", *amon* „wzgórze, góra", przysłówek „pod górę".

SG podaje tę nazwę jako *Amon 'Wareth* „Wzgórze Czat", a także słowo *gwareth* „czaty, straż, ochrona" od tematu *gwar-* „ochrona", istniejącego również w imieniu *Tinfang Warble* (*Gwarbilin* „Strażnik Ptaków", I.319). Zob. *Glamhothowie*, *Gwarestrin*.

Angorodin Zob. I.295 (*Angamandi*) oraz I.303 (*Kalormë*).

Arlisgion SG podaje *Garlisgion* (zob. I.315 [*Sirion*]), podobnie jak LUG, gdzie znajdują się hasła *Garlisgion* („*Garlisgion* było naszym mianem — rzecze Elfrith — Miejsca Trzcin, co jest jego tłumaczeniem") oraz *lisg* („*lisg* to rodzaj trzciny [*liskë*])". W SG jest *lisg*, *lisc* „trzcina, turzyca", a w SQ *liskë* z tym samym znaczeniem. Jeśli chodzi o *gar*, zob. I.296–297 (*Dor Faidwen*).

Artanor W SG figuruje słowo *athra* „na drugą stronę, w poprzek", a także przysłówek *athron* „dalej, poza" oraz *athrod* „przeprawa, bród" (zmienione później na *adr[a]*, *adron*, *adros*). Ze słowami *athra*, *adr(a)* jest porównane quenejskie słowo *arta*. Por. także nazwę *Dor Athro* (s. 51). Jest jasne, że zarówno *Artanor*, jak i *Dor Athro* znaczyły „Kraj Po Drugiej Stronie". Por. *Sarnathrod*.

Asgon Hasło na LUG brzmi: „*Asgon* Jezioro w »Krainie Cieni« Dor Lómin, przez elfów zwane *Aksanem*".

Ausir SG podaje *avos* „majątek, bogactwo, dobrobyt", *avosir*, *Ausir* „to samo (uosobione)"; także *ausin* „bogaty", *aus(s)aith* lub *avosaith* „chciwość". W omówieniu rdzenia AWA w SQ widnieją słowa *autë* „dobrobyt, bogactwo; bogaty", *ausië* „bogactwo".

Bablon Zob. s. 257.

Bad Uthwen W gnomickim *uthwen* to „droga wyjścia, wyjście, ucieczka", zob. I.296–297 (*Dor Faidwen*). Hasło na LUG głosi: „*Bad Uthwen* [poprawione z *Uswen*] znaczy jedynie »droga ucieczki« i w eldarissa brzmi *Uswevandë*". Jeśli chodzi o *vandë*, zob. I.314 (*Qalvanda*).

Balcmeg Na LUG jest powiedziane, że Balcmeg „był wielkim wojownikiem wśród *orclimów* (elfowie mówią na nich *orqui*), który padł od ciosu Tuorowego topora — a znaczy to »serce zła«". (Jeśli chodzi o cząstkę *-lim* w słowie *orclimowie*, zob. *Gondothlimowie*). Hasło *Balrog* na LUG brzmi:

„*Bal* znaczy złość, a *Balc* zło, a *Balrog* znaczy zły demon". W SG słowo *balc* jest wyjaśnione jako „okrutny"; zob. I.296 (*Balrog*).

Bansil Jeśli chodzi o hasło na LUG, gdzie imię to jest przetłumaczone jako „Jasna Poświata", zob. s. 257, a jeśli chodzi o elementy tego imienia, zob. I.324 (*Vána*) oraz I.315 (*Sil*).

Belaurin Zob. I.313 (*Palúrien*).

Belcha Zob. I.308 (*Melko*). Na LUG znajduje się hasło: „*Belca* Mimo że tutaj [tj. w opowieści] Bronweg siłą przemożnego zwyczaju użył imion elfickich, tak ongiś brzmiało imię tego złego Ainura".

Beleg Zob. I.301 (*Haloisi Velikë*).

Belegost Jeśli chodzi o pierwszy element, zob. *Beleg*. SG podaje *ost* „ogrodzony teren, dziedziniec — miasteczko", także *oss* „mur zewnętrzny, miejski mur", *osta-* „otoczyć murami, ufortyfikować", *ostor* „ogrodzony teren, krąg murów". W SQ pod rdzeniem OSO figurują: *os(t)* „dom, chata", *osta* „gospodarstwo", *ostar* „miasteczko", *ossa* „mur i fosa".

bo- Późne hasło w SG: „*bo* (*bon*) (por. quenejskie słowa *vô*, *vondo* »syn«) jako przedrostek patronimiczny, *bo- bon-* »syn (kogo)«"; jako przykład podane jest imię *Tuor bo-Beleg*. Istnieje także słowo *bôr* „potomek". Zob. *go-*, *Indorion*.

Bodruith W powiązaniu z *bod-* „z powrotem, ponownie" SG podaje słowa *bodruith* „zemsta", *bodruithol* „mściwy (z natury)", *bodruithog* „łaknący zemsty", lecz zostały one przekreślone. Jest także *gruith* „czyn budzący grozę, gwałtowne działanie, pomsta". Możliwe, że władca Belegostu Bodruith miał otrzymać imię ze względu na wydarzenia z *Opowieści o Nauglafringu*.

Cópas Alqalunten Zob. I.305 (*Kópas*) oraz I.295 (*Alqaluntë*).

Cris Ilbranteloth SG podaje grupę *crisc* „ostry", *criss* „rozpadlina, rozcięcie, parów", *crist* „nóż", *crista-* „przecinać, ciąć, ciąć na plasterki"; LUG: „*Cris* znaczy w dużej mierze to samo, co *falc*, »rozpadlina, jar lub wąwóz o wąskim dnie i wysokich zboczach, którym płynie woda«". W SQ w omówieniu rdzenia KIRI, „ciąć, rozciąć", figuruje słowo *kiris* „rozpadlina, szczelina" i inne.

Jeśli chodzi o *ilbrant* „tęcza", zob. I.303 (*Ilweran*). Ostatni element to *teloth* „zadaszenie, baldachim": zob. I.318 (*Teleri*).

Cristhorn Jeśli chodzi o *Cris*, zob. *Cris Ilbranteloth*, a jeśli chodzi o *thorn*, zob. I.316 (*Sorontur*). Na LUG figuruje hasło: „*Cris Thorn* to Żleb Orłów lub *Sornekris*".

Cuilwarthon Jeśli chodzi o *cuil*, zob. I.304–305 (*Koivië-néni*); drugi element nie jest objaśniony.

Cûm an-Idrisaith Jeśli chodzi o *cûm*, „kurhan", zob. I.296 (*Cûm a Gumlaith*). *Idrisaith* otrzymuje w SG następującą definicję: „por. *avosaith*, lecz to oznacza »chciwość, żądzę pieniądza«, a *idrisaith* = »nadmierne umiłowanie złota, klejnotów oraz pięknych i kosztownych przedmiotów«" (jeśli chodzi o *avosaith*, zob. *Ausir*). Słowami pokrewnymi są *idra* „drogi, cenny", *idra* „cenić", *idri* (*îd*) „skarb, klejnot", *idril* „ukochana" (zob. *Idril*).

Curufin prawdopodobnie zawiera słowo *curu* „magia"; zob. I.320 (*Tolli Kuruvar*).

Dairon SG podaje to imię, lecz bez wyjaśnienia etymologicznego: „*Dairon* fletnik (quenya: *Sairon*)". Zob. *Mar Vanwa Tyaliéva* poniżej.

Danigwiel W SG forma gnomicka to *Danigwethil*; zob. I.316 (*Taniquetil*). Na LUG figuruje hasło: „*Danigwethilem* zwą gnomowie *Taniquetila*; lecz opowieści o tej górze należy szukać raczej pod nazwą elficką".

Dhrauthodavros „Znużony las". W gnomickim *drauth* „znużony, spracowany", *drauthos* „znój, znużenie", *drautha-* „być znużonym"; jeśli chodzi o drugi element, *tavros*, zob. I.317 (*Tavari*).

(bo-)Dhrauthodavros „Syn znużonego lasu".

Dor Athro Zob. *Artanor*, *Sarnathrod*.

Dor-na-Dhaideloth Jeśli chodzi o gnomickie słowo *dai* „niebo", zob. I.318 (*Telimektar*), a jeśli chodzi o *teloth* „zadaszenie, baldachim", zob. ibidem (*Teleri*); por. *Cris Ilbranteloth*.

Dramborleg Na LUG figuruje następujące hasło: „*Dramborleg* (czy, jak może też być nazywany, *Drambor*) znaczy w swej pełnej formie »Łomot-ostry«. Był toporem Tuora; od jego uderzeń powstawały wielkie wgniecenia jak od ciosu pałką, a także rozcięcia jak od miecza. Przez Eldarów jest zwany *Tarambor* lub *Tarambolaika*". SQ podaje *Tarambor*, *Tarambolaike* „topór Tuora" w omówieniu rdzenia TARA, TARAMA „tłuc, łomotać, bić" ze słowami *taran*, *tarambo* „walić" oraz *taru* „róg" (wraz z odsyłaczem: zob. *Taruithorn*). SG nie podaje żadnych gnomickich odpowiedników.

Drugi element to gnomickie słowa *leg*, *lêg* „ostry, przenikliwy", quenejskie *laika*; por. *Legolast* „bystrooki", I.317 (*Tári-Laisi*).

Duilin Na LUG znajduje się następujące hasło: „*Duilin*, którego imię znaczy »Jaskółka«, był panem z rodu Gondothlimów mającego za godło jaskółkę i obejmującego najcelniejszych łuczników Eldaliё, lecz zginął w upadku Gondolinu. Teraz imiona owych obrońców pojawiają się jedynie w języku noldorissa, jako że byli oni gnomami, lecz jego miano brzmiałoby w języku eldarissa *Tuilindo*, a jego rodu (który gnomowie zwali *Nos Duilin*) *Nossë Tuilinda*". Imię *Tuilindo* „(»wiosenny śpiewak«), »jaskółka«" figuruje w SQ, zob. I.320 (*Tuilérë*). SG podaje *duilin(g)* „jaskółka" oraz *duil*, *duilir* „wiosna", lecz te dwa ostatnie wyrazy zostały przekreślone, a w innej części książki pojawiają się *tuil*, *tuilir* „wiosna" (zob. I.320).

Jeśli chodzi o *nossë* „krewni, rodzina", zob. I.324 (*Valinor*); SG nie podaje słowa *nos* w tym znaczeniu, lecz uwzględnia *nosta-* „rodzić się", *nost* „narodziny; krew, wysokie urodzenie; urodziny" oraz *noss* (zmienione na *nôs*) „urodziny". Por. *Nost-na-Lothion* „Narodziny Kwiatów", *Nos Galdon*, *Nos nan Alwen*.

Eärámë Jeśli chodzi o *ea* „orzeł", zob. I.297 (*Eärendel*), a jeśli chodzi o *rámë*, zob. *Alqarámë*. W SG figuruje hasło *Iorothram*, *-um* = „quenya *Eärámë* lub »Orle Skrzydło«, nazwa jednego ze statków Eärendela". Jeśli chodzi o gnomickie *ior*, *ioroth* „orzeł", zob. I.297 (*Eärendel*) oraz por. formy *Earam*, *Earum* jako nazwy statku (s. 316, 337, przyp. 9).

Eärendel Zob. s. 323–325 oraz I.297.

Eärendilyon Zob. I.297 (*Eärendel*) oraz *Indorion*.

Ecthelion Zarówno SG, jak i LUG wyprowadzają to imię od słowa *ecthel* „fontanna", któremu odpowiada quenejskie słowo *ektelë*. (To ostatnie przetrwało: por. hasło *kel-* w „Dodatku" do *Silmarillionu*: „od *et-kelē* »źródło wody« wywodzi się, z przestawieniem spółgłosek, quenejskie *ehtelë*, sindarińskie *eithel*". Późniejsze hasło w SG podaje *aithil* (< *ektl*) „źródło". Forma *kektelë* znajduje się także w języku quenya, wywiedziona z rdzenia KELE, KELU: zob. I.304 (*Kelusindi*).

Egalmoth Na LUG figuruje następujące hasło: „*Egalmoth* to wspaniałe miano, lecz nikt nie zna dokładnie jego znaczenia — jedni powiadają, że nazwany tak otrzymał to imię, ponieważ był wart tysiąc elfów (lecz Rúmil temu zaprzecza), a inni, że oznacza ono potężne ramiona owego gnoma — i tak twierdził Rúmil, lecz możliwe, że zostało ułożone w tajemnej mowie Gondothlimów" (pozostała część tego hasła znajduje się na s. 258). Jeśli chodzi o gnomickie słowo *moth*, „tysiąc", zob. I.321 (*Uin*).

SG interpretuje to imię podobnie jak Rúmil, wywodząc je od *alm* (< *alðam-*) „szerokość pleców od ramienia do ramienia, plecy, ramiona", stąd

Egalmoth = „Szerokoramienny". Imię to w quenyi brzmi *Aikaldamor*, a hasło w SQ mające tę samą datę podaje *aika* „szeroki, rozległy" i zestawia to słowo z gnomickimi słowami *eg*, *egrin*. Te z kolei SG objaśnia jako „odległy, szeroki, daleki" oraz „szeroki, rozległy; daleki" (jak w *Egla*; zob. I.298 [*Eldarowie*]).

Eglamar Zob. I.297 (*Eldamar*). Na LUG znajdujemy następujące hasło: „*Egla*, wedle słów syna Bronwega, to gnomickie miano Eldarów (teraz rzadko już używane), którzy mieszkali w Kôrze i zwani byli *Eglothrimami* [poprawione z *Eglothlimami*] (to jest *Eldalië*), a ich język nazywał się *Lam Eglathon* lub *Egladrin*. Rúmil mówił, że miana *Egla* i *Elda* są pokrewne, lecz Elfrith lekce sobie ważył taką wiedzę i twierdził, że niezbyt się wzajem przypominają". Z tym por. I.298 (*Eldarowie*). SG podaje *lam* „język", a w SQ figuruje *lambë*, słowo, które przetrwało w późniejszym języku quenya. SQ podaje je jako wyraz utworzony od rdzenia LAVA, „lizać", i definiuje jako „język (część ciała, lecz także część lądu lub nawet = »mowa«)".

Eldarissa Pojawia się w SQ („język Eldarów"), lecz bez wyjaśnienia końcowego elementu. Możliwe, że słowo to wywodzi się od rdzenia ISI: *ista* „wiedzieć", *issë* „wiedza, przekazy", *iswa*, *isqa* „mądry" itp.

Elfrith Zob. s. 240 oraz I.303 (*Ilverin*).

Elmavoitë „Jednoręki" (Beren). Zob. *Ermabwed*.

Elwinga W SG figuruje następujące hasło: „*Ailwinga* starsza pisownia imienia *Elwinga* = »jeziorna piana«. Jako rzeczownik — »biała lilia wodna«. Imię panny, którą kochał Ioringli" (*Ioringli* = *Eärendel*, zob. I.297). Pierwszy element pojawia się w słowie *ail* „jezioro, staw", *ailion* „jezioro", w języku quenya *ailo*, *ailin* — por. późniejsza nazwa *Aelin-uial*. Drugi element to *gwing* „piana": zob. I.325 (*Wingilot*).

Erenol Zob. I.298–299 (*Eriol*).

Ermabwed „Jednoręki" (Beren). SG podaje *mab* „ręka, dłoń", *amabwed*, *mabwed* „mający ręce, dłonie", *mabwedri* „zręczność", *mabol* „zręczny, wprawny", *mablios* „sprytny", *mablad*, *mablod* „wnętrze dłoni", *mabrin(d)* „nadgarstek". Stwierdza się tam również, że słowem pokrewnym w quenyi jest *mapa* (rdzeń MAPA) „chwytać", lecz zostało to przekreślone. SQ podaje też rdzeń MAHA z wieloma słowami pochodnymi, w tym *mā* (= *maha*) „ręka, dłoń", *mavoitë* „mający ręce, dłonie" (por. *Elmavoitë*).

Faiglindra „Długowłosa" (Airina). W gnomickim *faigli* to „włosy, długie pukle (zwłaszcza w odniesieniu do kobiet)"; *faiglion* „z długimi włosami" i *faiglim* o tym samym znaczeniu, „zwłaszcza jako imię", *Faiglim*; *Aurfaiglim* „słońce w południe". Obok widnieje ujęte w nawias słowo *faiglin(d)ra*.

Failivrin Razem z *fail* „blady, bezbarwny", *failthi* „bladość" oraz *Failin* jako nazwa księżyca; SG podaje *Failivrin*: „(1) panna, którą miłował Silmo; (2) używane wśród gnomów imię wielu bardzo urodziwych panien, a zwłaszcza Failivrin z Rothwarinów w opowieści o Turumarcie". (W opowieści tej słowo *Rothwarinowie* zostało zastąpione przez słowo *Rodothlimowie*). Drugi element to *brin*, quenya *vírin*: „magiczna szklista substancja o wielkiej przejrzystości użyta do ukształtowania Księżyca. Słowo stosowane na określenie przedmiotów o wielkiej i czystej przejrzystości". Jeśli chodzi o *vírin*, zob. I.225–226.

Falasquil Do nazwy tej odnoszą się trzy hasła na LUG (jeśli chodzi o *falas*, zob. także I.299 [*Falman*]):

„*Falas* oznacza (tak jak *falas* lub *falassë* w eldarskim) plażę".

„*Falas-a-Gwilb*, »plaża pokoju«, to w języku elfickim *Falasquil*, gdzie z początku mieszkał Tuor w osłoniętej zatoczce nad Wielkim Morzem" (*-a-Gwilb* zostało przekreślone, a powyżej widnieje chyba słowo *'Wilb lub Wilma*).

„*Gwilb* znaczy »pełen pokoju«, czyli *gwilm*".

SG podaje *gwil*, *gwilm*, *gwilthi* „pokój" oraz *gwilb* „cichy, spokojny".

Fangluin „Błękitnobrody". Zob. *Indrafangowie*. Jeśli chodzi o *luin* „błękitny", zob. I.311 (*Nielluin*).

Foalókë W omówieniu rdzenia FOHO „ukrywać, gromadzić, składować" SQ podaje *foa* „skarbiec, skarb", *foina* „ukryty", *fôlë* „tajność, sekret", *fôlima* „skryty" oraz *foalókë* „nazwa węża, który strzegł skarbu"; *lókë* „wąż" pochodzi od rdzenia LOKO „wić się, owijać się, zwijać".

W SG figurowały pierwotnie hasła *fû*, *fûl*, *fûn* „skarbiec", *fûlug* „smok (który strzeże skarbu)" oraz *ulug* „wilk". Konstrukcja ta została później zmieniona na *fuis* „skarbiec", *fuithlug*, *-og* (forma pojawiająca się w tekście, s. 88), *ulug* „smok" (por. quenya *lókë*). Hasło na LUG brzmi: „*Lûg* to *lókë* Eldarów i znaczy »smok«".

Fôs'Almir (Wcześniejsza nazwa *Faskala-númen*; przetłumaczone w tekście [s. 137] jako „łaźnia ognia"). Jeśli chodzi o *fôs* „łaźnia", zob. I.300 (*Faskala-númen*). SG podaje trzy nazwy: *Fôs Aura*, *Fôs'Almir* oraz *Fôs na Ngalmir*, tj. łaźnia Słońca = Zachodnie Morze". Jeśli chodzi o *Galmir*, *Aur*, imiona Słońca, zob. I.296, I.300 oraz I.322 (*Ûr*).

Fuithlug Zob. *Foalókë*.

Galdor Jeśli chodzi o hasło dotyczące Galdora na LUG, zob. s. 259. W pierwszej wersji słowo *galdon* miało tam znaczyć „drzewo", a lud Galdora miał się zwać *Nos Galdon*. W SG *galdon* nie figuruje. Następnie *galdon* > *alwen*; *alwen* pojawia się w SG jako słowo poetyckie: *alwen* „= *orn*". Por. quenya *alda* „drzewo" (zob. I.294 [*Aldaron*]) oraz późniejszy związek quenejskiego *alda* z sindarskim *galadh*.

Gar Thurion Na LUG figuruje wcześniejsza forma *Gar Furion* (s. 241), a w SG *furn*, *furion* „tajny, ukryty", także *fûr* „kłamstwo" (quenya *furu*) oraz *fur-* „ukrywać; kłamać". W SQ figuruje *furin* i *hurin* „schowany, ukryty" (rdzeń FURU lub HURU). Z nazwą *Thurion* por. *Thuringwethil* „Kobieta Tajemnego Cienia" oraz *Thurin* „Tajemnica", imię, które nadała Túrinowi Finduilas (NO, s. 195, 198).

Gil Zob. I.303 (*Ingil*).

Gilim Zob. I.308 (*Melko*).

Gimli SG podaje *gimli* „słuch" wraz z *gim-* „słyszeć", *gimriol* „uważny" (zmienione na „słyszalny"), *gimri* „słuchanie, uwaga". Gimli, niewolny gnom w lochach Tevilda, „miał najostrzejszy w całym świecie słuch" (s. 37).

Glamhothowie SG definiuje to słowo jako „miano, jakie Goldothrimowie nadali orcinom: Lud Przerażającej Nienawiści" (por. „plemię przerażającej nienawiści", s. 193). Jeśli chodzi o *Goldothrimów*, zob. I.322 (*Noldoli*). Pierwszy element to *glâm* „nienawiść, odraza"; inne słowa to *glamri* „zacięta waśń", *glamog* „nienawistny". Hasło na LUG brzmi: „*Glam* znaczy »zajadła nienawiść« i podobnie jak *Gwar* nie ma w eldarskim słów pokrewnych".

Jeśli chodzi o *hoth*, zob. I.313 (*orchoth* w haśle *Ork*) oraz por. *Goldothrimowie*, *Gondothlimowie*, *Rúmhothowie*, *Thornhothowie*. W omówieniu rdzenia HOSO SQ podaje *hos* „lud", *hossë* „armia, banda, oddział", *hostar* „plemię", *horma* „horda, zastęp"; także *Sankossi* „gobliny", odpowiednik gnomickiego słowa *Glamhothowie*, wyraźnie złożony z elementów *sankë* „nienawistny" (rdzeń SṆKṆ „rozdzierać, drzeć") oraz *hossë*.

Glend Słowo być może związane z gnomickimi wyrazami *glenn* „cienki, delikatny", *glendrin* „smukły", *glendrinios* „smukłość", *glent*, *glentweth* „cienkość"; quenejski rdzeń LENE „długi", którego znaczenie rozwinęło się w rozmaitych kierunkach: „powolny, żmudny, snujący się" oraz „rozciągliwy, cienki": *lenka* „powolny", *lenwa* „długi i cienki, prosty, wąski", *lenu-* „rozciągać" itp.

Glingol Jeśli chodzi o hasło na LUG, gdzie imię to jest przetłumaczone jako „śpiewające złoto", zob. s. 259; zob. również I.306–307 (*Lindelos*). Drugi element to *culu* „złoto" — zob. I.302 (*Ilsaluntë*); inne hasło na LUG brzmi: „*Culu* lub *Culon* to nazwa, jaką mamy w poezji dla słowa *Glor* (a Rúmil powiada, że to elfickie *Kulu*, a *-gol* jest w naszej mowie *Glingol*)".

Glorfalc Jeśli chodzi o *glor*, zob. I.306 (*Laurelin*). Na LUG figuruje hasło: „*Glor* to złoto i jest tym słowem, które pojawia się w kôreldarskich wierszach jako *laurë* (tak powiada Rúmil)".

Falc otrzymuje w SG znaczenia „(1) szczelina, rozcięcie; (2) rozpadlina, wąwóz, klify" (jest również podane słowo *falcon* „wielki miecz dwuręczny, topór o dwóch ostrzach", które zostało zmienione na *falchon* i upodobniło się do angielskiego *falchion* „tasak"). Na LUG jest hasło: „*Falc* to »rozpadlina« i jest to znaczenie bardzo podobne do znaczenia *Cris*; elfickie *Falqa*". W SQ w omówieniu rdzenia FḶKḶ widnieją *falqa* „rozpadlina, górska przełęcz, wąwóz" oraz *falqan* „duży miecz". W SG jest kolejne hasło: *Glorfalc* „wielki wąwóz prowadzący z Gariothu". Nazwa *Garioth* jest tu użyta na określenie Hisilómë; zob. I.299 (*Eruman*). Por. późniejszy *Orfalch Echor*.

Glorfindel Jeśli chodzi o hasło na LUG, gdzie imię to jest przetłumaczone jako „Złocistoloki", zob. s. 259. Jeśli chodzi o *glor*, zob. I.306 (*Laurelin*) oraz *Glorfalc*. W SG znajduje się hasło *findel* „pukiel włosów" wraz ze słowami *fith* (*fidhin*) „włos", *fidhra* „włochaty", lecz słowo *findel* zostało przekreślone; później zostały dopisane hasła *finn* „pukiel włosów" (zob. *fin-* w „Dodatku" do *Silmarillionu*) oraz *fingl* lub *finnil* „pukiel". LUG: „*Findel* to »pukiel«, a w elfickim *Findil*". SQ pod rdzeniem FIRI podaje *findl* „pukiel włosów" i *firin* „promień słońca".

W innym miejscu SG było podane imię *Glorfindel* i przetłumaczone jako „Złotoloki", lecz zostało później zmienione na *Glorfinn* z wariantem *Glorfingl*.

Glorund Jeśli chodzi o *glor*, zob. I.306 (*Laurelin*) oraz *Glorfalc*. SG podaje *Glorunn* „wielki smok zabity przez Turumarta". W SQ nie pojawia się żadna z quenejskich form *Laurundo*, *Undolaurë* (s. 104); słownik ten podaje wcześniejsze imię „wielkiego smoka", *Fentor*, wraz ze słowem *fent* „wąż", *fenumë* „smok". Pierwotna wersja tego hasła brzmiała „wielki gad zabity przez Ingilma"; zostało dodane „lub Turambara".

Golosbrindi (Wcześniejsze imię Hirilorny, przetłumaczone w tekście [s. 64] jako „Królowa Puszczy"). W SG jest podane słowo *goloth* „puszcza", pochodzące od **gwōloth*, które składa się ze słowa *aloth* (*alos*), poetyckiego wyrazu znaczącego „puszcza" (= *taur*), oraz przedrostka **ngua* > *gwa*, nieakcentowane *go*, „razem, w jednym", „często używanego jedynie dla nacisku".

Słowem odpowiadającym mu w języku quenya jest podobno *málos*, które nie figuruje w SQ.

Gondobar Zob. *Gondolin*, a jeśli chodzi o *-bar*, zob. I.297 (*Eldamar*). W SG forma *Gondobar* została później zmieniona na *Gonthobar*.

Gondolin Do haseł zacytowanych na s. I.301 można dodać to z LUG: „*Gond* znaczy kamień lub skała, tak jak elfickie *on* i *ondo*". Jeśli chodzi o stwierdzenie na temat Gondolinu na LUG (gdzie nazwa miasta jest przetłumaczona jako „kamień pieśni"), zob. s. 259, a ostatni opis etymologii słowa *Gondolin* można znaleźć w „Dodatku" do *Silmarillionu* pod hasłem *gond*.

Gondothlimowie W SG znajduje się następujące hasło dotyczące słowa *lim* „wiele", quenya *limbë* (brak w SQ): „Często występuje jako przyrostek i w ten sposób staje się drugim wyznacznikiem liczby mnogiej. Przy liczbie pojedynczej znaczy »niejeden«, jak *golda-lim*. Jednakże najczęściej jest dodawane do form liczby mnogiej tych rzeczowników, które ją tworzą, przybierając końcówkę *-th*. Wówczas po *-l* zmienia się na *-rim*. Stąd bierze się wielki zamęt ze słowami *grim* »zastęp« oraz *thlim* »rasa«, jak w słowie *Gondothlimowie* (»lud gnomów«)". LUG podaje hasło: „*Gondothlimowie* znaczy »plemię kamienia« i (powiada Rúmil) składa się z *Gond* »kamień«, do którego jest dodane *Hoth* »plemię« i owo *-lim*, które my, gnomowie, dodajemy dalej na oznaczenie »wielu«". Por. *Lothlimowie, Rodothlimowie* oraz *orclimowie* w haśle *Balcmeg*; jeśli chodzi o *hoth*, zob. *Glamhothowie*.

Gondothlimbarowie Zob. *Gondolin*, *Gondothlimowie*, a jeśli chodzi o *-bar*, zob. I.297 (*Eldamar*). W SG forma *Gondothlimbarowie* została później zmieniona na „*Gonthoflimarowie* lub *Gonnothlimarowie*".

go- Pierwotne hasło w SG, później przekreślone, brzmiało: *gon-*, *go-* „syn (kogo), przedrostek patronimiczny (por. przyrostek *Ios/Ion/io* i w języku quenya *yô*, *yondo*)". Zastępujący to hasło tekst jest podany powyżej w omówieniu hasła *bo-*. Zob. *Indorion*.

Gon Indor Zob. *go-*, *Indorion*.

Gothmog Zob. s. 84–85, 259 oraz I.306 (*Kosomot*). W SG figurują *mog-* „nienawidzić, gardzić", *mogri* „nienawiść, wstręt", *mogrin* „nienawistny"; quenejski rdzeń MOKO „nienawiść". Oprócz *goth* „wojna, walka" (quenejski rdzeń KOSO „zmagać się") można dodatkowo wskazać *gothwen* „bitwa", *gothweg* „wojownik", *gothwin* „amazonka", *gothriol* „wojenny, wojowniczy", *gothfeng* „wojenna strzała", *gothwilm* „rozejm".

Gurtholfin SG: *Gurtholfin* „Urdolwen, miecz Turambara, »Różdżka Śmierci«". Podany jest także wyraz *gurthu* „śmierć" (quenya *urdu*; w SQ wyraz ten nie figuruje). Drugim elementem tego imienia jest *olfin(g)* (także *olf*) „gałąź, różdżka, patyk" (w języku quenya *olwen[n]*).

Można zauważyć, że w SQ miecz Turambara figuruje jako *Sangyahando* „ten, który miażdży tłum"; imię to pochodzi od rdzeni SANGA „ciasno upakować, ścisnąć" (*sanga* „ciżba") oraz HYARA „rozcinać pługiem" (*hyar* „pług", *hyanda* „ostrze, lemiesz"). *Sangyahando* „Ten, który miażdży tłum" przetrwał jako imię człowieka w Gondorze (zob. „Dodatek" do *Silmarillionu*, hasło *thang*).

Gwar Zob. I.305 (*Kôr, korin*).

Gwarestrin Nazwa przetłumaczona w opowieści *Upadek Gondolinu* (s. 191) jako „Wieża Straży", tak samo przełożona na LUG; SG objaśnia ją jako „wieżę strażniczą (zwłaszcza jako nazwa Gondolinu)". SG podaje późne hasło *estirin, estirion, estrin* „pinakiel" oraz *esc* „ostry czubek, ostra krawędź". Drugim elementem tej nazwy jest *tiri(on)*; zob. I.305 (*Kortirion*). Jeśli chodzi o *gwar*, zob. *Amon Gwareth*.

Gwedhelinga Zob. I.325 (*Wendelina*).

Heborodin „Wzgórza Okrężne". Gnomicki przyimek *heb* „dookoła"; *hebrim* „granica", *hebwirol* „rozważny". Jeśli chodzi o *orod*, zob. I.304 (*Kalormë*).

Hirilorna SG podaje *hiril* „»królowa« (zastosowanie poetyckie), »królewna«; r.ż. słowa *bridhon*". Jeśli chodzi o *bridhon*, zob. *Tevildo*. Drugi element to *orn* „drzewo". (Można tu wspomnieć, że w SQ znajduje się słowo *neldor* „buk"; zob. „Dodatek" do *Silmarillionu*, hasło *neldor*).

Idril Jeśli chodzi o gnomickie słowo *idril* „ukochana", zob. *Cûm an-Idrisaith*. W SG znajduje się też inne hasło: *Idhril* „dziewczęce imię często mylone z *Idril*. *Idril* = »ukochana«, lecz *Idhril* = »śmiertelna panna«. Wydaje się, że oba imiona nosiła córka Turgona — lub może imię *Idril* było starsze, a Koreldarowie nazywali ją *Irildë* (= *Idhril*), ponieważ poślubiła Tuora". W innym miejscu SG pojawia się hasło *Idhrinowie* „ludzie, mieszkańcy ziemi; używane zwłaszcza jako nazwa ludu skontrastowana z nazwą *Eglathowie* itp.; por. quenya *irmin*". W SQ słowa *indi* oraz *irmin* są podane w omówieniu rdzenia IRI „mieszkać?" razem z *irin* „miasteczko", *indo* „dom", *indor* „pan domu" (zob. *Indor*) itp.; lecz *Irildë* tam się nie pojawia. Podobne słowa można znaleźć w gnomickim: *ind*, *indos* „dom, dwór", *indor* „pan (domu), władca".

Po haśle *Idril* z LUG, przytoczonym na s. 260, została dodana notka: „a jej imię znaczy »Ukochana«, lecz elfowie często mówią *Idhril*, które to imię lepiej daje się zestawić z imieniem *Irildë*, a znaczy ono »śmiertelna panna« i być może odnosi się do jej ślubu z Tuorem, synem człowieczym". Oddzielna notka (zapisana na jednej ze stron *Opowieści o Nauglafringu*) brzmi: „Zmienić imię *Idril* na *Idhril*. Były one mylone ze sobą: *Idril* = »ukochana«, *Idhril* = »panna śmiertelników«. Elfowie uważali, że to jest jej imię, i nazywali ją *Irildë* (ponieważ poślubiła Tuora Pelecthona)".

Ilbranteloth Zob. *Cris Ilbranteloth.*

Ilfiniol, Ilfrith Zob. I.303 (*Ilverin*).

Ilúvatar Można tu wskazać hasło figurujące na LUG: „*En* w mistycznych powiedzeniach Noldolich otrzymuje także imię *Ilathon* [poprawione z *Âd Ilon*], które nosi Ilúvatar — a imię to jest jak eldarskie *Enu*". SQ podaje hasło *Enu*, Wszechmocny Stwórca, który mieszka poza światem. Jeśli chodzi o imię *Ilathon*, zob. I.303 (*Ilwë*).

Indor (Ojciec Pelega, ojca Tuora). Możliwe, że jest to słowo *indor* „pan (domu), władca" (zob. *Idril*) użyte jako imię własne.

Indorion Zob. *go-* powyżej. SQ podaje *yô*, *yond-* jako poetyckie słowa na określenie syna, po czym kontynuuje: „lecz bardzo pospolite jako *-ion* w patronimikach (stąd praktycznie = »potomek«)". Także *yondo* „męski potomek, zwykle (pra)wnuk" (por. imię Eärendela *Gon Indor*). Por. *Eärendilyon.*

Indrafangowie W SG figuruje *indra* „długi (także w odniesieniu do czasu)", *indraluin* „dawno temu"; także *indravangowie* „specjalne miano *nauglathów* czy też kransoludów", zob. s. 298. Formy te zostały później zmienione na *in(d)ra*, *in(d)rafangowie*, *in(d)raluin/idhraluin.*

Pierwotnym hasłem w SG było *bang* „broda" = quenya *vanga*, lecz zostało przekreślone. Pierwotnie zostało wprowadzone inne słowo o tym samym znaczeniu co *Indravangowie* — *Bangasurowie*, lecz zostało zmienione na *Fangasurowie.* Drugim elementem tej nazwy jest *sûr* „długi, ciągnący się", w języku quenya *sóra*, a później zostało dodane słowo *Surfang* „długobrody, *naugla* lub *infarang*". Por. *Fangluin* i późniejszy *Fangorn* „Drzewacz" [Drzewiec]*.

---

* Zgodnie ze znaczeniem powinno być raczej „Drzewobrody" (przyp. tłum.).

Irildë Zob. *Idril.*

Isfin Na LUG figuruje hasło: „*Isfin* była siostrą Turgona, Władcy Gondolinu, którą w końcu poślubił Eöl; imię to znaczy albo »śnieżne loki«, albo »nadzwyczajna przebiegłość«". Dużo później ojciec mój, zauważywszy, że imię *Isfin* „wywodziło się z najwcześniejszej (1916) postaci *Upadku Gondolinu*", powiedział, że jest ono „pozbawione znaczenia", lecz z elementem *fin* por. *finn* „pukiel włosów" (zob. *Glorfindel*) lub *fim* „bystry", *finthi* „pomysł, koncepcja" itp. (zob. I.300 [*Finwë*]).

Ivárë SG podaje: *Ior* „słynny »fletnik morza«, w języku quenya *Ivárë*".

Íverin W SG pojawia się późno jako hasło *Aivrin* lub *Aivrien* „wyspa u zachodnich brzegów Tol Eressëi, w języku quenya *Íverin* lub *Iverindor*". W SQ jest *Íverind* — „Irlandia".

Karkaras W SG słowo to jest wspomniane jako forma quenejska. Gnomickie imię „wielkiego wilka, któremu Belca rozkazał stróżować u swoich wrót" brzmiało *Carcaloth* lub *Carcamoth*, zmienione na *Carchaloth*, *Carchamoth*. Pierwszym elementem jest *carc* „ostry czubek, kieł"; SQ w omówieniu rdzenia KR̥KR̥ podaje: *karka* „kieł, ząb", *karkassë* „rząd kolców lub zębów".

Kosmoko Zob. *Gothmog.*

Kurúki Zob. I.320 (*Tolli Kuruvar*).

Ladwen-na-Dhaideloth „Wrzosowisko Dachu Niebios". Zob. *Dor-na--Dhaideloth.* SG podaje *ladwen* „(1) równinność terenu, płaskość; (2) równina, wrzosowisko; (3) płaszczyzna; (4) powierzchnia". Inne słowa to *ladin* „płaski, gładki; uczciwy, sprawiedliwy" (por. *Tumladin*), *lad* „poziom" (por. słowo *mablad* „wnętrze dłoni" wspomniane w haśle *Ermabwed*), *lada-* „wygładzać, głaskać, uspokajać, urzekać" oraz *ladwinios* „sprawiedliwość". Są także słowa *bladwen* „równina" (zob. I.313 [*Palúrien*]) oraz *fladwen* „łąka" (wraz z *flad* „trawnik" i *Fladweth Amrod* [*Amrog*] „Błonie Koczownika", „miejsce na *Tol Erethrin* w pobliżu Tavrobelu, gdzie jakiś czas przebywał Eriol". *Amrog*, *amrod* = „wędrowiec", „wędrowanie", od *amra-* „chodzić w górę i w dół, mieszkać w górach, wędrować"; zob. *Amon Gwareth*).

Laiqalassë Zob. I.317 (*Tári-laisi*), I.300–301 (*Gar Lossion*).

Laurundo Zob. *Glorund.*

Legolas Zob. *Laiqalassë.*

Lindeloktë Zob. I.306–307 (*Lindelos*).

Linwë Tinto Zob. I.319 (*Tinwë Linto*).

Lókë Zob. *Foalókë*.

Lôs Zob. I.300–301 (*Gar Lossion*). Późniejsza forma *loth* nie pojawia się w SG (w którym jednak figuruje *lothwing* „kwiat piany"). Na LUG czytamy: „*Lôs* to kwiat, a w eldarissa *lossë*, czyli róża" (wszystko po słowie „kwiat" zostało przekreślone).

Lósengriol Jak w wypadku *lôs*, późniejsza forma *lothengriol* nie pojawia się w SG. W SG *lósengriol* znaczy „konwalia"; słownik ten podaje gnomickie słowa *eng* „gładki, płaski", *enga* „równina, dolina", *engri* „poziom", *engriol* „podobny do doliny; należący do doliny". Na LUG czytamy: „*Eng* to równina lub dolina, a *Engriol* tam żyje lub mieszka"; *Lósengriol* ma znaczenie „kwiat doliny lub konwalia".

Los 'lóriol (zmienione z *Los Glóriol*; Złoty Kwiat Gondolinu). Zob. I.300–301 (*Gar Lossion*); jeśli chodzi o *glóriol* „złoty", zob. I.306 (*Laurelin*).

Loth, **Lothengriol** Zob. *Lôs, Lósengriol*.

Lothlimowie Zob. *Lôs* oraz *Gondothlimowie*. Hasło na LUG brzmi: „Słowo *Lothlimowie*, które znaczy to samo, co *Loslimowie*, to »lud kwiatu« i jest mianem przybranym przez Wygnańców z Gondolinu (któremu to miastu nadali niegdyś nazwę *Lôs*)".

Mablung Jeśli chodzi o *mab* „ręka, dłoń", zob. *Ermabwed*. Drugi element to *lung* „ciężki; poważny"; słowa pokrewne to *lungra-* „ważyć, obwisać", *luntha* „równowaga, szala", *lunthang* „waga do ważenia".

Malkarauki Zob. I.296 (*Balrog*).

Mar Vanwa Tyaliéva Zob. I.308. Późne hasło w SG podaje gnomicką nazwę: *Bara Dhair Haithin*, Dworek Zabawy Utraconej; także *daira-* „bawić się" (wraz z *dairwen* „wesołość" itp.) oraz *haim* lub *haithin* „miniony, przeszły, utracony" (wraz z *haitha-* „iść, chodzić" itp.). Por. *Dairon*.

Mathusdor (*Aryador*, *Hisilómë*). W SG są podane słowa *math* „zmrok", *mathrin* „mroczny", *mathusgi* „półmrok", *mathwen* „wieczór". Zob. *Umboth-muilin*.

Mavwina Rzeczownik *mavwin* „życzenie" został w SG przekreślony, lecz pozostały spokrewnione z nim słowa: *mav-* „lubić", *mavra* „żądny czegoś", *mavri* „apetyt", *mavrin* „zachwycający, pociągający", *mavros* „pożądanie", *maus* „przyjemność; przyjemny". Quenejskiego imienia Mavwiny, *Mavoinë*, SQ nie podaje, chyba że należy je utożsamić ze słowem *maivoinë* „wielka tęsknota".

Meletha Rzeczownik *meleth* „miłość" figuruje w SG; zob. I.310–311 (*Nessa*).

Meliana, Melinon, Melinir W słownikach nie figuruje żadne z tych imion, lecz prawdopodobnie wszystkie wywodzą się od tematu *mel-* „kochać"; zob. I.310–311 (*Nessa*). Późniejsza etymologia imienia *Meliana* wyprowadziła je od *mel-* „kochać" (*Melyanna* „ukochany dar").

Meoita, Miaugion, Miaulë Zob. *Tevildo.*

Mindon-Gwar Jeśli chodzi o *mindon* „wieża", zob. I.309 (*Minethlos*), a jeśli chodzi o *Gwar*, zob. s. 357 oraz I.305 (*Kôr, korin*).

Morgoth Zob. s. 84 oraz *Gothmog*. Jeśli chodzi o element *mor-*, zob. I.309 (*Mornië*).

Mormagli, Mormakil Zob. I.309 (*Mornië*) oraz I.307 (*Makar*).

Nan Dumgorthin Zob. s. 79. Jeśli chodzi o *nan*, zob. I.310 (*Nandini*).

Nantathrin Nazwa ta nie pojawia się w *Zaginionych opowieściach*, gdzie Kraina Wierzb nazywa się *Tasarinan*, lecz podaje ją SG (zob. I.315 [*Sirion*]), jest też hasło na LUG: „*Dor-tathrin* był tą Krainą Wierzb, o której mówi ta oraz wiele innych opowieści". W SG figuruje hasło *tathrin* „wierzba", a w SQ słowo *tasarin* o tym samym znaczeniu.

Nauglafring W SG figuruje następujące hasło: „*Nauglafring = Fring na Nauglithon*, Naszyjnik Krasnoludów. Wykonany dla Ellu przez krasnoludów ze złota Glorunda, które przeklął Mîm niemający ojca i które sprowadziło zgubę na Berena Ermabweda oraz na jego syna Damroda, a klątwę złagodziło dopiero znalezienie się naszyjnika wraz z Elwingą, ukochaną Eärendela, na dnie morza". Jeśli chodzi o Damroda (Daimorda), syna Berena, zob. s. 168, 315, a jeśli chodzi o zgubę Elwingi i Nauglafringa, zob. s. 309, 321. To jest jedyne odniesienie do „złagodzenia" klątwy Mîma. — Gnomickie słowo *fring* znaczy „ozdobny naszyjnik" (w języku quenya *firinga*).

Níniel Por. gnomickie słowa *nîn* „łza", *ninios* „lament", *ninna-* „szlochać"; zob. I.311 (*Nienna*).

Nínin-Udathriol („Nieprzeliczone Łzy"). Zob. *Níniel*. SG podaje *tathn* „liczba", *tathra-* „numerować, liczyć", *udathnarol*, *udathriol* „niezliczony". *Û-* jest przedrostkiem nadającym każdej części mowy znaczenie przeciwne". (SQ nie rzuca żadnego światła na słowo *Nieriltasinwa*, s. 104, prócz pierwszego elementu *nie* „łza", zob. I.311 [*Nienna*]).

Noldorissa Zob. *Eldarissa.*

Nos Galdon, Nos nan Alwen Zob. *Duilin*, *Galdor*.

Nost-na-Lothion Zob. *Duilin*.

Parma Kuluinen „Złota Księga", zob. s. 381. Hasło to podane jest w SQ w omówieniu rdzenia PARA: *parma* „skóra, kora; pergamin; księga, pisma". Słowo to przetrwało w późniejszym języku quenya (zob. WP III, s. 512). Jeśli chodzi o *Kuluinen*, zob. *Glingol*.

Peleg (Ojciec Tuora). SG podaje rzeczownik pospolity *peleg* „topór", czasownik *pelectha-* „ciosać" (SQ *pelekko* „topór", *pelekta-* „ciosać"). Por. imię Tuora *Pelecthon* przytoczone w notce pod hasłem *Idril*.

Ramandur Zob. I.307 (*Makar*).

Rog SG podaje przymiotnik *rôg*, *rog* „mężny, silny". Imię, które orkowie nadali Egnorowi, ojcu Berena, brzmiało Ścigły Rog, por. *arog* „szybki, pędzący" oraz *raug* o tym samym znaczeniu; quenya *arauka*.

Rôs SG podaje jeszcze jedno znaczenie tej nazwy: „Morze" (quenya *Rása*).

Rodothlimowie Zob. *Rothwarinowie* (wcześniejsza forma zastąpiona przez *Rodothlimowie*).

Rothwarinowie SG podaje tę nazwę w formach *Rothbarinowie*, *Rosbarinowie*: „(dosłownie »mieszkańcy jaskiń«) nazwa ludu tajemnych gnomów, jak również okolic ich podziemnych domów na brzegach rzeki". Gnomickie słowa wywodzące się od rdzenia ROTO „wydrążony" to *rod* „rurka, łodyga", *ross* „fajka", *roth* „jaskinia, grota", *rothrin* „wydrążony", *rodos* „pieczara". SQ podaje *rotsë* „fajka", *róta* „rurka", *ronta*, *rotwa* „wydrążony", *rotele* „jaskinia".

Rúmhothowie Zob. *Glamhothowie*.

Rúsitaurion SG podaje rzeczownik *rûs* (*rôs*) „wytrzymałość, cierpliwość" wraz z przymiotnikiem *rô* „wytrzymały, cierpliwy; spokojny, łagodny" i czasownikiem *rô-* „pozostać, zostać; wytrzymać". Jeśli chodzi o *taurion*, zob. I.317 (*Tavari*).

Sarnathrod W gnomickim *sarn* to „kamień"; jeśli chodzi o *athrod* „bród", zob. *Artanor*.

Sarqindi („ogry kanibale"). Słowo to musi się wywodzić od rdzenia SṚKṚ podanego w SQ razem z wyrazami pochodnymi *sarko* „ciało", *sarqa* „mięsisty", *sarkuva* „cielesny".

Silpion Hasło na LUG (s. 258) podaje jako tłumaczenie tej nazwy „Wiśniowy Księżyc". W SQ figuruje słowo *pio* „śliwka, wiśnia" (oraz *piukka* „jeżyna", *piosenna* „ostrokrzew" itp.), a także *Valpio* „święta wiśnia Valinoru". SG podaje *Piosil* i *Silpios* — bez tłumaczeń — jako nazwy Srebrnego Drzewa oraz słowo *piog* „jagoda".

Taimonto Zob. I.318 (*Telimektar*).

Talceleb, **Taltelepta** (Przydomek *Idril/Irildë*, „o Srebrnych Stopach"). Pierwszy element to gnomickie słowo *tâl* („stopa, łapa"); wyrazy pokrewne to *taltha* „podstawa, postument, fronton", *talrind*, *taldrin* „kostka", *taleg*, *taloth* „ścieżka" (inną nazwą Drogi Ucieczki prowadzącej z Gondolinu była *Taleg Uthwen* [zob. *Bad Uthwen*]). SQ w omówieniu rdzenia TALA „podpora" podaje *tala* „stopa", *talvi* (liczba podwójna) „stopy", *talas* „podeszwa" itp. Jeśli chodzi o drugi element, zob. I.319 (*Telimpë*). SQ podaje formę *telepta*, lecz bez tłumaczenia.

Tarnin Austa Jeśli chodzi o *tarn* „brama", zob. I.309 (*Moritarnon*). SG podaje *aust* „lato"; por. *Aur* „Słońce", I.322 (*Ûr*).

Taruithorn, **Taruktarna** (Oksford). SG podaje *târ* „róg" oraz *tarog* „wół" (w języku quenya *taruku-*), *Taruithron* starsze słowo *Taruitharn* „Oksford"*. Po tych słowach od razu następują *tarn* „brama" i *taru* „(1) krzyż (2) skrzyżowanie". SQ podaje *taru* „róg" (zob. *Dramborleg*), *tarukka* „rogaty", *tarukko*, *tarunko* „byk", *Taruktarna* „Oksford", a pod rdzeniem TARA *tara-* „przechodzić, iść w poprzek", *tarna* „przeprawa, przejście".

Tasarinan Zob. *Nantathrin*.

Taurfuin Zob. I.317 (*Tavari*) oraz I.300 (*Fui*).

Teld Quing Ilon Na LUG znajduje się hasło: „*Cris a Teld Quing Ilon*, które oznacza »Żleb o Tęczowym Dachu«, w mowie Eldarów jest to *Kiris Iluqingatelda*", jednak *Teld Quing Ilon* zostało przekreślone i zastąpione przez *Ilbranteloth*. Inne hasło brzmi: „*Ilon* to niebo"; w SG *Ilon* (= quenya *Ilu*) jest imieniem *Ilúvatara* (zob. I.303 [*Ilwë*]). W SG *teld* nie figuruje, lecz są podane słowa pokrewne, jak *telm* „dach" (zob. I.318 [*Teleri*]); także *cwing* = „łuk". SQ podaje *iluqinga* „tęcza" (zob. I.303 [*Ilweran*]) oraz *telda* „mający dach" (zob. I.318 [*Telimektar*]). Jeśli chodzi o *Cris*, *Kiris*, zob. *Cris Ilbranteloth*.

---

* *Ox-ford* znaczy w języku angielskim „Byczy/Woli-bród" (przyp. tłum.).

Tevildo, Tifil Jeśli chodzi o etymologię, zob. I.319 (*Tevildo*). Można do tych informacji dodać, że wcześniejsza gnomicka forma *Tifil* (później *Tiberth*) wiąże się w SG z rzeczownikiem *tîf* „niechęć, wrogość, rozgoryczenie".

Vardo Meoita „Książę Kotów": jeśli chodzi o *Vardo*, zob. I.324 (*Varda*). SQ podaje *meoi* „kot".

Bridhon Miaugion „Książę Kotów": *bridhon* „król, książę", por. *Bridhil*, gnomickie imię Vardy (I.324). Rzeczowniki *miaug*, *miog* „kocur" i *miauli* „kotka" (zmienione na *miaulin*) są podane w SG, gdzie Książę Kotów nosi imię *Tifil Miothon* lub *Miaugion*. *Miaulë* było imieniem kucharza Tevilda (s. 36).

Thorndor Zob. I.316 (*Sorontur*).

Thornhothowie Zob. *Glamhothowie*.

Thorn Sir Zob. I.315 (*Sirion*).

Tifanto Imię to wyraźnie należy wiązać z gnomickimi słowami (*tif-*, *tifin*) podanymi w I.319 (*Tinfang*).

Tifil Zob. *Tevildo*.

Tirin Zob. I.305 (*Kortirion*).

Tôn a Gwedrin *Tôn* jest gnomickim słowem znaczącym „ogień (na palenisku)", spokrewnionym z *tan* oraz innymi słowami podanymi pod hasłem *Tanyasalpë* (I.317); *Tôn a Gwedrin* to „Ogień Snucia Opowieści" w *Mar Vanwa Tyaliéva*. Por. *Tôn Sovriel* „ogniste jezioro Valinoru" (*sovriel* „oczyszczenie", *sovri* „oczyszczający"; *sôn* „czysty, prawy", *soth* „łaźnia, kąpiel", *sô-* „myć, czyścić, kąpać").

Gwedrin idzie w parze z *cwed-* (czas przeszły *cwenthi*) „mówić, powiedzieć", *cweth* „słowo", *cwent* „opowieść, mówienie", *cwess* „powiedzenie, przysłowie", *cwedri* „opowiadanie (opowieści)", *ugwedriol* „niewymowny, nieopisany". W SQ przy omawianiu rdzenia QETE są podane słowa *qet-* (*qentë*) „mówić, rozmawiać", *quent* „słowo", *qentelë* „zdanie", *eldaqet* = *eldarissa* itp. Por. „Dodatek" do *Silmarillionu*, hasło *quen-* (*quet-*).

Tumladin Jeśli chodzi o pierwszy element, gnomickie słowo *tûm* „dolina", zob. I.321 (*Tombo*), a jeśli chodzi o drugi element, słowo *ladin* „płaski, gładki", zob. *Ladwen na Dhaideloth*.

Turambar Jeśli chodzi o pierwszy element, zob. I.309 (*Meril-i-Turinqi*). SQ podaje *amarto*, *ambar* „Los", a także (rdzeń MṚTṚ) *mart* „szczęśliwy traf", *marto* „szczęście, los, dola", *mart-* „zdarza się". SG podaje *mart* „los", *martion* „nieuchronny, przesądzony, szalony"; także *umrod* i *umbart* „los".

Turumart Zob. *Turambar*.

Ufedhin Imię to może być związane z gnomickimi słowami *uf* „z, spoza" albo *fedhin* „związany umową, sprzymierzeniec, przyjaciel".

Ulbandi Zob I.308 (*Melko*).

Ulmonan Gnomickie imię brzmiało *Ingulma(n)* (*Gulma* = Ulmo), z przedrostkiem *in-* (*ind-*, *im-*) znaczącym „dom (kogo)" (*ind* „dom", zob. *Idril*). Innymi przykładami takiej budowy są: *Imbelca*, *Imbelcon* „Piekło (dom Melka)", *inthorn* „gniazdo orła", *Intavros* „las" (właściwie „leśny pałac Tavrosa").

Umboth-muilin W gnomickim *umboth*, *umbath* to „zmierzch, zmrok"; *Umbathor* to nazwa Gariothu (zob. I.299 [*Eruman*]). Słowo to pochodzi od cząstki **mbaþ-*, pokrewnej **maþ-* występującej w słowie *math* „zmrok": zob. *Mathusdor*. Drugi element to *muil* „jezioro cyrkowe", w języku quenya *moilë*.

Undolaurë Zob. *Glorund*.

Valarowie Na LUG znajdujemy następujące hasło: „*Baninowie* [poprawione z *Banionowie*] lub *Bandrimowie* [poprawione z *Banlimowie*]. Otóż mieszkają oni, jak powiadają Noldoli, w *Gwalien* [poprawione z *Banien*], lecz Elfrith i inni zawsze mówią o nich, posługując się ich elfickimi imionami, jako o *Valarach* (lub *Valich*), a ten wspaniały rejon, w którym znajduje się ich siedziba, to *Valinor*". Zob. I.323–324 (*Valarowie*).

Indeks

Niniejszy indeks został sporządzony według tych samych zasad, co indeks do części 1. Jest w nim więcej wybranych odnośników, nie odsyłają one jednak do poszczególnych *Zaginionych opowieści.* Ze względu na dużą liczbę nazw własnych, które występują w części 2, hasła ze sobą powiązane (formy wcześniejsze i późniejsze, odpowiedniki danej nazwy w różnych językach itp.) zostały opatrzone pełnym aparatem krzyżowych odsyłaczy. Tak jak w indeksie do części 1, nie są tu objaśnione ważne nazwy występujące w *Silmarillionie.* Odnośniki czasami odsyłają do stron, na których nazwa miejsca lub imię danej postaci nie są wymienione.

A

B

C

D

E

F

G

H

I

J

K

L

Ł

M

N

O

P

Q

R

S

Ś

T

U

V

W

Y

Z

Ź

Ż